L' Évangile
des
Assassins

ADAM BLAKE

ÉDITIONS

Copyright © 2011 MA Éditions
88 ter, avenue du Général-Leclerc
92100 Boulogne-Billancourt

1ère Édition française - Novembre 2011

Auteur : Adam Blake

Traductrice : Véronique Gourdon

Titre original : THE DEAD SEA DECEPTION Copyright © 2011 by Adam Blake
First published in Great Britain in 2011 by Sphere.

ISBN : 978-2-822-400534

À Chris, mon père,
À Chris, mon frère,
À Chris, mon ami,
Et à Sandra, ma sœur – mais peut-être devrait-on l'appeler Chris,
pour éviter toute ambiguïté.

Prologue

Lorsque le bureau des dépêches appela le shérif Webster Gayle pour lui apprendre qu'il y avait eu un accident d'avion, il était au bowling, sur le point de planter une cuillère dans une énorme coupe de glace. Tandis qu'il écoutait ce qu'on lui annonçait, plusieurs pensées lui traversèrent l'esprit, la compassion pour les morts et les personnes en deuil, mais aussi que sa glace, qui lui avait coûté sept dollars, allait sûrement finir à la poubelle.

— Un atterrissage d'urgence ? demanda-t-il pour s'assurer qu'il avait bien compris.

Il mit sa main autour du téléphone pour masquer le fracas provenant de la piste adjacente.

— Non, répond Connie de façon catégorique. Pas d'atterrissage d'aucune sorte. Cet oiseau est juste tombé du ciel, il s'est écrasé au sol avant de partir en fumée dans une fichue explosion. Sais pas s'il était gros ou pas, ni d'où il venait. J'ai lancé des appels aux tours de contrôle de Phoenix et de Los Angeles. Je vous tiens au courant s'ils rappellent.

— Et c'est bien dans les limites du comté ? demanda Gayle, se raccrochant à ses derniers espoirs. Je pensais que la trajectoire de vol était plus à l'ouest, près d'Arcona.

— Il est descendu tout près de l'autoroute, Web. Ma parole, je vois la fumée par la fenêtre. Non seulement c'est dans les limites du comté, mais c'est si près qu'on pourrait y aller à pied depuis le centre commercial de Gateway. J'ai déjà transmis la nouvelle au docteur Beattie. Voulez-vous que je fasse autre chose ?

Gayle réfléchit.

— Oui, dit-il quelques instants plus tard. Dites à Anstruther de se rendre sur place et d'interdire l'accès aux lieux par un ruban. Assez loin pour éviter que les curieux ne s'arrêtent et prennent des photos.

— Et que fait-on au sujet de Moggs ?

Elle voulait parler d'Eileen Moggs, qui représentait à elle seule l'ensemble du personnel à plein temps de *La Chronique de Peason*. Moggs était une journaliste de la vieille école – elle circulait en voiture et parlait aux gens avant de boucler un dossier et d'écrire un article. Elle prenait même ses propres photos avec un gigantesque appareil numérique qui rappelait toujours à Gayle à un gode ceinture qu'il avait vu un jour dans un catalogue de sex-toys et aussitôt essayé d'oublier.

— On peut laisser passer Moggs, dit Gayle. Je lui dois un service.

— Ah oui ? demanda Connie sur un ton juste assez neutre pour que Gayle ne soit pas sûr de l'allusion.

Il repoussa la coupe de glace, inconsolable. C'était un de ces parfums sophistiqués avec un nom à rallonge et une liste d'ingrédients encore plus longue, le tout baignant dans un mélange de chocolat, de guimauve et de caramel. Gayle était accro à ce genre de desserts, mais il avait fait la paix avec ses faiblesses depuis longtemps. C'était toujours mieux que de picoler. Et c'était sûrement mieux que l'héroïne et le crack, même s'il n'avait jamais essayé ni l'un ni l'autre.

— J'y vais, dit-il. Dites à Anstruther au moins cinq cents mètres.

— Cinq cents mètres de quoi, chef ?

Il fit signe à la serveuse de lui apporter l'addition.

— Le ruban de signalisation, Connie. Je veux qu'il soit placé à au moins cinq minutes de marche du lieu de l'accident. Les gens vont venir de partout quand ils vont avoir vent de ça, et moins ils en verront, plus vite ils feront demi-tour et rentreront chez eux.

— Ok, cinq minutes de marche.

Gayle entendait Connie griffonner ce qu'il disait. Elle avait horreur des chiffres et prétendait ne pas les voir, comme certaines personnes ne distinguaient pas les couleurs.

— C'est tout ? demanda-t-elle.

— C'est tout pour l'instant. Rappelez les aéroports. Je vous appellerai quand je serai sur place.

Gayle prit son chapeau sur le siège vide à côté de lui et l'enfonça sur sa tête. La serveuse, une séduisante femme de couleur dont le badge indiquait MADHUKSARA, lui apporta l'addition pour la glace, le hot-dog et les frites ingurgités un peu plus tôt. Elle fit une mine faussement scandalisée en voyant qu'il n'avait pas touché à son dessert.

— Eh bien, j'accepterais volontiers un doggy bag, mais je ne suis pas sûr que ce soit très pratique, répondit-il, essayant de tirer le meilleur parti de la situation.

Elle comprit la plaisanterie et se mit à rire, plus fort et plus longtemps que la blague ne le nécessitait. Quand il se leva, ses os craquèrent un peu. Il vieillissait, et commençait à avoir des rhumatismes, même sous ce climat.

— Au revoir Madame, fit-il en faisant un petit signe, portant la main à son chapeau et il se dirigea vers la sortie.

Le cours des pensées de Gayle s'était arrêté tandis qu'il traversait le parking brûlant pour rejoindre sa Chevrolet Biscayne bleue. Il avait droit à une nouvelle voiture sur le budget de la police quand il le voulait, mais la Biscayne faisait partie des monuments locaux. Où qu'il se gare, c'était comme une pancarte indiquant : LE DOCTEUR EST LÀ.

Comment prononçait-on *Madhuksara* ? D'où venait-elle et pourquoi était-elle venue vivre à Peason, dans l'Arizona ? C'était la ville de Gayle et il y était attaché par des liens profonds et souterrains, mais il n'arrivait pas à imaginer que quelqu'un venu de loin puisse y vivre. Qu'est-ce qui avait pu l'attirer ici ? Le centre commercial ? Le cinéma, avec ses trois salles ? Le désert ?

Puis, il se rappela que c'était le vingt et unième siècle. Madhuksara n'était pas nécessairement une immigrée. Elle pouvait très bien être née et avoir grandi ici, dans ce coin du Sud-Ouest des États-Unis. Elle n'avait pas le moindre accent étranger. D'un autre côté, c'était la première fois qu'il la voyait en ville. Gayle n'était pas raciste, ce qui, à certains stades de sa carrière de policier, l'avait fait passer pour un original. Il aimait la variété, aussi bien concernant le genre humain que les glaces. Mais son instinct était celui d'un flic, et il avait tendance à classer les nouveaux visages, quelle qu'en soit la couleur, dans un casier mental des affaires en instance parce que l'inconnu pouvait toujours s'avérer source de problèmes.

La route 68 était dégagée jusqu'à l'autoroute, mais bien avant d'arriver au croisement, il vit la colonne de fumée noire comme du charbon s'élever dans le ciel. *Une colonne de nuée le jour, et une colonne de feu la nuit*, pensa Gayle, se rappelant, hors de propos, ce passage de l'*Exode*. Sa mère avait été membre de l'Église baptiste et citait les textes sacrés comme d'autres parlent du temps qu'il fait. Gayle n'avait pas ouvert une bible depuis trente ans, mais il lui en était resté quelque chose.

Il tourna sur la route de bitume qui bordait la commune de Basset's Farm et monta à travers champs sur un chemin d'une saleté sans nom où, un jour, il y avait bien longtemps, il avait donné son premier baiser.

Il fut surpris et content de constater que l'accès à la route était barré par un ruban noir et jaune signalisant un accident, environ cent mètres avant d'être assez près pour voir l'étendue de métal déformé d'où s'élevait la fumée. Le ruban avait été étiré entre deux poteaux en pin et Spence, le plus taciturne et imperturbable de ses adjoints était là pour vérifier que les conducteurs ne contournaient pas le barrage routier en coupant à travers champ.

Lorsque Spence détacha le ruban pour le laisser passer, Gayle baissa sa vitre.

— Où est Anstruther ? demanda-t-il.

Spence lui indiqua la direction d'un signe de tête.

— Par là.

— Qui d'autre est avec lui ?

— Lewscynski, Scuff et mademoiselle Moggs.

Gayle hocha la tête et démarra.

Comme l'héroïne et la cocaïne, un accident d'avion majeur dépassait le cadre de l'expérience de Gayle. D'après ce qu'il imaginait, l'avion était descendu comme une flèche et s'était écrasé au sol la tête la première. La réalité n'était pas aussi simple. Il vit un large fossé creusé dans la terre d'environ deux cents mètres de long et de près d'un mètre cinquante de profondeur. L'avion s'était coupé en deux en creusant ce sillon, perdant d'importantes parties de son fuselage incurvé, telles des coquilles d'œuf géantes, sur toute la longueur de l'étendue de terre saccagée. Ce qu'il restait du fuselage brûlait à l'extrémité la plus éloignée de l'endroit où il se trouvait et

– maintenant que Gayle avait baissé sa vitre, il en avait conscience – emplissait l'air de l'odeur pestilentielle de la combustion. Il ne savait pas très bien ce qui, de la chair ou du plastique, avait cette odeur en brûlant. Et il n'était pas pressé de le découvrir.

Il gara la Biscayne près de la voiture noire et blanche d'Anstruther et en sortit. La carcasse de l'avion était à une centaine de mètres, mais la chaleur de l'incendie s'abattit sur Gayle comme une chape de plomb tandis qu'il avançait vers un petit groupe de gens qui se tenaient au-dessus du sillon fraîchement creusé. Anstruther, son supérieur, se protégeait les yeux tandis qu'il regardait ce qu'il restait des champs environnants. Joel Scuff, un flic bon à rien qui, à l'âge de vingt-sept ans, avait déjà déshonoré la police bien plus souvent que certains hommes qui avaient le double de son âge, se tenait près de lui, regardant dans la même direction. Tous deux paraissaient sombres et déconcertés, comme s'ils assistaient à l'enterrement de quelqu'un qu'ils ne connaissaient pas très bien, craignant qu'on leur demande de dire quelques mots. Assise à leurs pieds sur la terre plissée, se tenait Eileen Moggs, son appareil photo phallique posé sur les genoux, la tête inclinée. Il était difficile d'en être sûr depuis là où il était, mais elle semblait avoir le visage fripé de quelqu'un qui a pleuré.

Gayle était sur le point de lui dire quelque chose, mais à cet instant, tandis qu'il gravissait péniblement la côte qui menait au monticule de terre, il vit ce qu'ils voyaient. Il s'arrêta net, involontairement, l'esprit trop absorbé par cette horrible image pour pouvoir garder le moindre contrôle de ses jambes.

La route N40 qui traversait Basset's Farm était parsemée de corps : hommes, femmes et enfants, tous étendus sur la terre ravagée, tandis que les vêtements se déversaient de leurs valises éventrées, tordues, décrivant un arc au-dessus d'eux au milieu de la chaleur incandescente, comme si leurs fantômes dansaient en robe de soirée pour célébrer leur toute nouvelle liberté.

Gayle essaya de lâcher un juron, mais sa bouche était trop sèche, soudain, pour que le moindre son puisse en sortir. Dans la terrible chaleur, ses larmes s'évaporèrent sur ses joues avant que quiconque les ait vues.

PREMIÈRE PARTIE

ROTGUT

1

La photo montrait un homme mort étendu au pied d'un escalier. Elle était parfaitement nette et cadrée, et personne ne semblait avoir remarqué ce qui était réellement intéressant sur cette photo. Pourtant, elle était loin de susciter l'enthousiasme d'Heather Kennedy.

Elle referma le dossier en papier kraft et le repoussa de l'autre côté du bureau. Il n'y avait pas grand-chose d'autre à regarder de toute façon.

— Je ne veux pas de ce dossier, dit-elle.

Face à elle de l'autre côté du bureau, l'inspecteur divisionnaire Summerhill haussa les épaules : un haussement d'épaules qui signifiait *la vie n'est pas toujours une partie de plaisir*.

— Je n'ai personne d'autre à qui le confier, Heather, lui dit-il, sur le ton d'un homme compréhensif qui ne faisait que son devoir. Tout le monde est débordé dans le service, vous êtes celle qui a le moins d'affaires en cours.

Il n'ajouta pas, mais il aurait pu le faire, *vous savez pourquoi c'est vous à qui on a confié le moins d'affaires, et vous savez aussi ce que vous devez faire pour y remédier.*

— Très bien, dit Kennedy, je ne suis pas débordée, alors laissez-moi aider Ratner ou Denning. Ne me donnez pas un dossier qui a atterri ici par hasard, n'a aucune chance d'aboutir et va rester dans les affaires non élucidées jusqu'à l'heure du jugement dernier.

Summerhill ne se donna même pas la peine de paraître sympathique.

— Si ce n'est pas un meurtre, dit-il, bouclez le dossier. Je soutiendrai votre décision, dans la mesure où vous parvenez à l'étayer.

— Et comment suis-je censée le faire alors que les preuves datent de trois semaines ? répliqua Kennedy sur un ton acerbe.

Elle allait perdre la partie. Summerhill avait déjà pris sa décision. Mais elle n'allait pas simplifier la tâche à ce vieux salaud.

— Personne n'a inspecté la scène de crime. Personne n'a examiné le corps sur les lieux. Et tout ce dont je dispose, ce sont quelques photos prises par un bleu du poste de la police locale.

— Oui, et vous avez aussi le rapport d'autopsie, dit Summerhill. Le labo de Londres a soulevé assez de questions non élucidées pour faire rouvrir le dossier, et peut-être même trouver de nouvelles pistes.

Il poussa le dossier vers elle de façon ferme et irrévocable.

— Pourquoi y a-t-il eu une autopsie, si personne ne pensait que la mort était suspecte ? demanda Kennedy, sincèrement perplexe.

Et comment cela était-il devenu notre problème ?

Summerhill ferma les yeux, se massa les paupières et grimaça d'un air las. De toute évidence, il voulait qu'elle prenne ce dossier et qu'elle déguerpisse.

— L'homme décédé a une sœur, et la sœur a fait pression. À présent elle a obtenu ce qu'elle voulait : un verdict constatant l'impossibilité de déterminer les causes du décès, ce qui implique une foule de possibilités toutes plus excitantes les unes que les autres. Pour être tout à fait franc, on n'a pas le choix. On a mauvaise presse parce qu'on a conclu à une mort accidentelle trop rapidement et on est mal vus parce qu'on n'a pas jugé nécessaire de procéder à une autopsie la première fois où on nous l'a demandé. Alors on doit rouvrir le dossier et suivre la procédure jusqu'à ce qu'une de ces deux choses se produise : soit on trouve une explication à la mort de ce type, soit on se heurte à un mur et on peut raisonnablement dire qu'on a essayé.

— Ce qui pourrait prendre une éternité, fit remarquer Kennedy.

C'était un cas classique de trou noir. Une affaire où aucune recherche préliminaire n'avait été faite en premier lieu voulait dire qu'il fallait s'évertuer à tout faire après coup, des expertises médicolégales aux déclarations des témoins.

— Oui, sans aucun doute. Mais regardez le côté positif des choses, Heather, vous allez également pouvoir former un nouveau coéquipier, un jeune inspecteur enthousiaste qui vient juste d'entrer dans le service et qui ne sait rien de vous. Chris Harper. Il a été directement muté de l'antenne de police de St John's Wood par l'académie. Faites preuve de gentillesse avec lui. Ils sont habitués à des manières plus civilisées à Newcourt Street.

Kennedy s'apprêtait à riposter, puis elle renonça. C'était inutile. En fait, d'un certain point de vue, on pouvait admirer l'habileté et l'économie d'efforts avec lesquelles on avait œuvré contre elle. Quelqu'un s'était planté de façon héroïque – tirant des conclusions bien trop vite avant d'être rattrapé par les preuves – et maintenant on confiait le résultat de ce massacre à l'inspectrice la moins indispensable du service et un pauvre diable faisant office de chair à canon était détaché pour l'occasion par une autre antenne de police de la ville. Il n'y avait pas mort d'homme. Et si jamais cela arrivait, on n'avait engagé personne d'important pour faire le sale boulot.

Lâchant un juron entre ses dents, elle se dirigea vers la porte. Affalé sur sa chaise, les mains derrière la tête, Summerhill la regarda battre en retraite.

— Ramenez-les en vie, Heather, l'exhorta-t-il d'une voix lasse.

De retour à son bureau, Kennedy trouva le dernier cadeau de la brigade, pressée de la voir partir. C'était un rat mort pris dans un piège en acier inoxydable étendu sur les papiers qui se trouvaient sur son bureau. Sept ou huit inspecteurs étaient dans la fosse aux ours, restant assis à ne rien faire tout en l'observant à la dérobée, impatients de voir comment elle allait réagir. Peut-être même avaient-ils parié sur l'issue probable, à en juger par l'atmosphère d'excitation contenue qui régnait dans la pièce.

Kennedy avait supporté calmement des provocations de moindre importance, mais tandis qu'elle baissait les yeux sur le petit corps avachi, une croûte de sang dessinée sur la gorge, là où il avait été pris au piège, elle prit conscience de ce qu'elle savait déjà à quatre-vingt-dix pour cent : elle n'allait pas mettre un terme à tout ça en portant sa croix sans se plaindre.

Quels étaient les choix qui s'offraient à elle ? Elle en passa quelques-uns en revue jusqu'à ce qu'elle en trouve un qui avait le mérite d'être immédiat. Elle prit le piège et l'ouvrit avec difficulté, parce que le ressort était raide. Le rat retomba sur son bureau en faisant un bruit sourd. Puis elle jeta le piège sur le côté, l'entendant se fracasser au sol derrière elle, et prit le corps, non pas délicatement par la queue mais fermement dans son poing. Il était froid, bien plus froid que l'air ambiant. Quelqu'un l'avait gardé dans son réfrigérateur, attendant ce moment avec impatience. Kennedy balaya la pièce du regard.

Josh Combes. On ne pouvait pas dire qu'il était le meneur – la campagne n'était pas orchestrée de façon aussi consciente. Mais parmi les policiers qui ressentaient le besoin de mener la vie dure à Kennedy, Combes était celui qui avait la plus grande gueule et le plus d'ancienneté. Combes était donc aussi bien placé que n'importe qui, et il était sans doute le meilleur candidat. Kennedy traversa la pièce jusqu'à son bureau et jeta le rat mort sur son entrejambe. Combes sursauta brusquement, faisant rouler sa chaise en arrière. Le rat tomba sur le sol.

— Nom de Dieu ! vociféra-t-il.

— Vous savez, dit Kennedy au milieu d'un silence légèrement scandalisé, les grands garçons ne demandent pas à leur maman de faire ce genre de choses à leur place, Josh. Vous auriez dû rester en uniforme tant que vous n'avez pas fini de faire ce genre d'âneries. Harper, vous êtes avec moi, ajouta-t-elle.

Elle n'était même pas sûre qu'il soit présent, ne sachant pas du tout à quoi il ressemblait. Mais tandis qu'elle s'éloignait, elle vit du coin de l'œil un des hommes assis se lever et se détacher du groupe.

— Garce, dit Combes dans son dos d'une voix rageuse.

Elle était furieuse, mais elle lâcha un éclat de rire, s'assurant que tous l'avaient bien entendu.

2

Harper conduisait sous une légère pluie d'été venue de nulle part. Kennedy examina le dossier, ce qui prit moins d'une minute.

— Avez-vous eu l'occasion d'y jeter un coup d'œil ? lui demanda-t-elle tandis qu'ils tournaient dans Victoria Street, tombant dans des embouteillages.

L'inspecteur cligna rapidement des yeux, mais resta muet pendant quelques instants. Chris Harper, âgé de vingt-huit ans, sortait tout droit de Camden, St John's Wood et du SCD, la très prisée école de criminologie : Kennedy avait pris un moment entre le bureau de Summerhill et la fosse aux ours pour consulter son dossier sur la base de données de la division. Il n'y avait rien à signaler en dehors d'une citation pour acte de bravoure (en relation avec l'incendie d'un entrepôt) et un dossier de procédure pour une altercation avec un de ses supérieurs pour des raisons personnelles, qui n'étaient pas spécifiées. Quoi que ce soit, cela semblait avoir été réglé sans qu'il y ait eu plainte.

Harper était blond, mince comme un fil et son visage était légèrement asymétrique, ce qui donnait l'impression qu'il était hésitant ou qu'il vous faisait un clin d'œil plein de sous-entendus. Kennedy pensa qu'elle l'avait peut-être déjà croisé, longtemps auparavant, mais si c'était le cas, cela fut sans doute fugace car il ne lui avait laissé aucune impression, bonne ou mauvaise.

— Je ne l'ai pas entièrement lu, finit par admettre Harper. J'ai été informé de mon affectation il y a une heure environ. J'étais en train de prendre connaissance du dossier, mais alors… vous êtes arrivée et vous avez fait le numéro du rat mort et ensuite on a pris la route. (Kennedy lui jeta un petit regard de côté, qu'il feignit de ne pas remarquer.) J'ai lu le récapitulatif, et j'ai feuilleté le premier rapport de police. C'est tout.

— Tout ce que vous avez loupé, c'est le rapport d'autopsie alors, lui dit Kennedy. Les policiers n'ont rien foutu sur la scène de crime, que dalle ! Vous avez retenu quelque chose ?

Harper fit non de la tête.

— Pas grand-chose, admit-il.

Il ralentit. Ils étaient arrivés au bout d'une file de voitures qui semblait bloquer la moitié de Parliament Street : la moitié de la rue était barrée à cause de travaux et il n'y avait plus qu'une seule file. Inutile d'employer la sirène, parce que les voitures n'avaient pas la place de se mettre sur le côté pour les laisser passer. Ils roulèrent au pas.

— Le mort était un professeur, dit Kennedy. Un professeur d'université pour être plus précise, à l'université du Prince Régent. Âge : cinquante-sept ans. Lieu de travail : dans le département Histoire, situé dans une annexe de l'université, dans Fitzory Street, et c'est le lieu où il est mort. Il s'est brisé le cou en tombant d'un escalier.

— Oui, dit Harper en hochant la tête, comme si tout lui revenait en mémoire.

— Excepté que selon l'autopsie, ce n'est pas ainsi qu'il est mort, reprit Kennedy. Il était étendu au bas de l'escalier, cela semblait donc être l'explication logique. Tout laissait penser qu'il avait trébuché et fait une mauvaise chute : le cou brisé et une blessure au crâne suite à un coup violent sur le côté gauche. Il avait un porte-documents avec lui. On l'a retrouvé renversé près de lui, alors là encore, il y a eu hypothèse par défaut. Il a rangé ses affaires avant de rentrer chez lui pour la nuit, il est arrivé en haut des escaliers et a fait une mauvaise chute. Le corps a été retrouvé juste après vingt et une heures, peut-être une heure après l'heure où Barlow avait l'habitude de partir le soir.

— Tout a l'air de concorder, admit Harper. (Il resta silencieux un moment tandis que la voiture avançait pendant presque deux kilomètres, avant de s'arrêter de nouveau.) Mais quoi ? Le cou brisé n'est pas la cause de la mort ?

— Si, c'est bien la cause de la mort, dit Kennedy. Le problème, c'est qu'il n'a pas été brisé de la bonne manière. Les lésions des muscles du cou correspondaient à un choc de torsion et non à un choc planaire.

— De torsion ? Comme s'il avait eu le cou tordu ?

— Précisément. Et cela demande pas mal d'efforts. Cela n'arrive pas en tombant des escaliers. Ok, un coup brutal porté selon un angle précis peut provoquer une brusque torsion du cou, mais encore faut-il que les traumatismes des tissus soient linéaires, que les lésions musculaires et les blessures externes confirment cet angle d'impact.

Elle feuilleta son maigre dossier, jusqu'à la page qui, après l'autopsie, était la plus troublante.

— Et puis, il y a le dingue qui le suivait, dit Harper, comme s'il avait lu dans ses pensées. J'ai vu qu'il y avait un autre rapport de police indiquant qu'il était suivi.

Kennedy hocha la tête.

— Très bien, Inspecteur. Dingue est peut-être un peu exagéré, mais vous avez raison. Barlow avait signalé avoir été suivi. D'abord lors d'une conférence universitaire, et ensuite devant chez lui. Celui ou celle qui a conclu à un accident la première fois, soit n'était pas au courant de ce fait, soit pensait que cela n'avait pas d'importance. Les deux rapports d'enquête n'ont pas été reliés, alors je pencherais plutôt pour la première solution. Mais au vu des résultats de l'autopsie, on passe vraiment pour des idiots.

— Heureusement, le ridicule ne tue pas !

— Alléluia ! entonna Kennedy.

Après un silence religieux, Harper profita de l'atmosphère soudainement détendue pour demander :

— Alors, ce truc avec le rat... ça fait partie de votre routine quotidienne ?

— Ces jours-ci, oui. On peut dire ça. Pourquoi ? Vous êtes allergique ?

Harper réfléchit à ce qu'il allait répondre.

— Pas encore, finit-il par dire.

En dépit de son nom, le département Histoire de l'université du Prince Régent était d'une modernité agressive du point de vue de son design. C'était un bunker austère en béton et en verre encaissé dans une petite rue transversale, à moins de cinq cents mètres du bâtiment principal, situé dans Gower Street. De plus, les lieux étaient déserts, les vacances scolaires ayant débuté depuis une semaine. Un panneau d'affichage recouvrait un mur entier du hall d'entrée, faisant la promotion de concerts par des groupes que Kennedy ne connaissait pas, pour des dates déjà passées.

L'intendant visiblement très stressé, Ellis, vint à leur rencontre. Il avait le visage brillant de sueur, comme s'il sortait juste de l'équivalent bureaucratique d'une séance d'aérobic, et semblait considérer cette visite comme une attaque dirigée contre la bonne réputation de l'institution.

— On nous a dit que l'enquête était close, dit-il.

— Je doute qu'une personne ayant l'autorité nécessaire ait pu vous dire cela, Monsieur Ellis, dit Harper, restant de marbre.

La position officielle à ce stade était que l'affaire n'avait jamais été classée : il s'agissait d'un simple malentendu.

Kennedy détestait se cacher derrière des paroles ambiguës, et au point où elle en était, elle ne se sentait pas redevable d'une grande loyauté envers le service.

— Le rapport d'autopsie a révélé des conclusions étranges, dit-elle sans regarder Harper. Et cela éclaire l'affaire d'un jour nouveau. Il est sans doute préférable de n'en parler à personne dans l'université, mais nous devons mener une enquête plus approfondie.

— Puis-je au moins espérer qu'elle sera terminée avant le début de notre programme d'université d'été ? demanda l'intendant sur un ton oscillant entre l'agressivité et la peur panique.

Kennedy l'espérait de tout cœur, mais elle pensait qu'annoncer aux gens de bonnes nouvelles sans le moindre fondement n'était qu'une façon de les condamner à une déception plus grande encore par la suite.

— Non, dit-elle sans ménagement. Il est préférable de ne pas faire ce genre de supposition.

Le visage d'Ellis se décomposa.

— Mais les étudiants…, dit-il. Ce genre de choses est désastreux pour notre recrutement et pour l'image de notre université.

Ce qu'il venait de dire était d'une telle stupidité que Kennedy ne sut pas très bien comment répondre. Elle opta pour le silence, ce qui, malheureusement, laissa un blanc dans la conversation, que l'intendant se sentit obligé de remplir.

— Il y a toujours une sorte de contamination par association dans ce genre d'affaire, dit-il. Je suis sûr que vous voyez ce dont je veux parler. C'est ce qui s'est passé en Alabama après des coups de feu dans le département de Biologie. Il s'agissait d'un assistant d'enseignement mécontent, d'après ce que j'ai compris – un monstre comme il y en a peu, une chance sur un million, et aucun étudiant n'était impliqué. Mais malgré tout, l'université a rapporté une baisse du nombre de candidatures l'année suivante. C'est comme si les gens pensaient qu'un meurtre était quelque chose de contagieux.

C'était peut-être moins stupide, pensa Kennedy, mais beaucoup plus odieux. Cet homme avait perdu un collègue, dans des circonstances qui se révélaient suspectes, et la première chose à laquelle il pensait était que cela allait affecter le résultat financier de l'université. Ellis était de toute évidence un sale con égoïste et intéressé, elle lui réserva donc le service minimum pour ce qui était de la politesse.

— Nous avons besoin de voir les lieux où le corps a été trouvé, lui dit-elle. Maintenant, s'il vous plaît.

Il les guida à travers des couloirs vides qui résonnaient. L'odeur des lieux rappela à Kennedy celle des vieux papiers journaux. Enfant, elle avait construit une cabane dans le jardin de ses parents avec des boîtes à journaux. Son père les avait collectionnées pour d'obscures raisons (peut-être commençait-il à perdre la tête, si longtemps en arrière déjà). C'était exactement la même odeur triste de vieux journal, arrivé en bout de course, frappé d'inutilité.

Ils tournèrent au bout d'un couloir et Ellis s'arrêta brusquement. Pendant un instant, Kennedy pensa qu'il voulait lui faire des remontrances mais il leva les mains à demi dans un geste étrangement empoté pour leur indiquer là où ils se trouvaient.

— Voilà l'endroit où cela s'est passé, dit-il avec une insistance sur le « cela » à la fois délicate et malsaine.

Kennedy jeta un coup d'œil alentour et elle reconnut le petit hall étroit et l'escalier visiblement raide qu'elle avait vu sur les photographies.

— Merci Monsieur Ellis, dit-elle. Nous pouvons continuer seuls. Mais nous aurons besoin de vous dans un petit moment, pour que vous nous ouvriez la porte du cabinet de travail de monsieur Barlow.

— Je serai à l'accueil, dit Ellis avant de partir d'un pas traînant.

Tel un personnage de bande dessinée, on pouvait presque apercevoir un nuage chargé de pluie au-dessus de sa tête. Kennedy se tourna vers Harper.

— Ok, dit-elle, imaginons la scène.

Elle lui tendit le dossier ouvert, sur lequel étaient étalées les photos. Harper acquiesça d'un hochement de tête, quelque peu méfiant. Il les disposa comme une main de poker, regardant tour à tour les photos, puis l'escalier, et vice-versa. Kennedy ne fit rien pour le brusquer : il avait besoin de voir les choses par lui-même et cela prendrait le temps qu'il faudrait. Qu'il en ait conscience ou non, elle lui accordait une faveur, en le laissant se faire sa propre opinion au lieu de lui asséner la sienne d'entrée de jeu. Après tout, c'était une toute nouvelle recrue, et en théorie, elle était censée le former et non se servir de lui pour se la couler douce.

— Il était étendu là, finit par dire Harper, esquissant la scène de sa main libre. Sa tête était… là, vers la quatrième marche.

— Tête sur le chemin d'escalier, au niveau de la quatrième marche, dit Kennedy, lui coupant la parole.

Elle n'exprimait pas son désaccord, mais reformulait simplement les choses dans ses propres termes. Elle voulait voir la scène, transférer l'image qu'elle avait en tête dans l'espace qui était sous ses yeux, et elle savait d'expérience que parler à voix haute l'aiderait.

— Où est le porte-documents ? demanda-t-elle. Au pied du mur, c'est ça ? Ici ?

— Ici, dit Harper, indiquant un point situé à moins de deux mètres du pied de l'escalier. Il est ouvert et sur le côté. Il y a aussi plein de papiers sur le sol, à peu près ici. Ils sont éparpillés un peu partout, il y en a jusqu'au mur qui est de l'autre côté. Ils ont pu s'échapper de la serviette ou de la main de Barlow quand il est tombé.

— Quoi d'autre ?

— Son manteau, dit Harper en le désignant d'un geste.

Kennedy fut désarçonnée, l'espace d'un instant.

— Il n'est pas sur les photos.

— Non, approuva Harper. Mais il figure sur la liste des preuves. Ils l'ont déplacé parce qu'il occultait partiellement le corps et ils avaient besoin d'avoir un angle de vue dégagé pour les photos des blessures. Barlow le portait sans doute sur le bras. Il faisait chaud ce soir-là, ou peut-être était-il en train de l'enfiler quand il est tombé. Ou quand il s'est fait attaquer.

Kennedy réfléchit à ce qu'il venait de dire.

— Est-ce que le manteau était assorti au reste de sa tenue ? demanda-t-elle.

— Pardon ?

Harper faillit se mettre à rire, mais il vit que Kennedy était sérieuse.

— Est-il de la même couleur que la veste et le pantalon de Barlow ?

Harper feuilleta le dossier un bon moment sans rien trouver décrivant ou montrant le manteau. Puis il finit par se rappeler qu'il figurait sur une des photos – une de celles qui avaient été prises au tout début de l'affaire, mais qui, pour une raison ou une autre, s'était retrouvée sous la pile.

— C'est un imperméable noir, dit-il. Pas étonnant qu'il ne le portait pas, il transpirait sûrement déjà avec sa veste.

Kennedy monta à mi-chemin dans l'escalier, observant les marches avec attention.

— Il y avait du sang, dit-elle en faisant signe à Harper d'approcher. Où se trouvait le sang, Inspecteur ?

— En comptant à partir du bas, entre la neuvième et la treizième marche.

— D'accord. Les taches sont encore visibles sur le bois ici, regardez.

Elle décrivit un cercle d'un geste de la main au-dessus de l'endroit en question et, de l'autre main, montra une zone triangulaire allant jusqu'au pied de l'escalier.

— Il bute, se cogne, rebondit… (Elle se tourne pour faire face à Harper de nouveau.) Pas de vol, dit-elle, davantage pour elle-même qu'à l'intention d'Harper.

Il consulta de nouveau le dossier, mais cette fois regarda le rapport écrit, et non les photos.

— Aucune indication que quoi que ce soit ait été volé, confirma-t-il. Son portefeuille et son téléphone se trouvaient toujours dans sa poche.

— Il travaillait ici depuis onze ans, dit Kennedy d'un air songeur. Pourquoi tomberait-il ?

Harper feuilleta quelques pages, restant un moment silencieux. Quand il releva la tête, il fit un geste en direction du haut de l'escalier, derrière Kennedy.

— Le bureau de Barlow se trouve de l'autre côté de ce couloir, au premier étage, dit-il. C'était plus ou moins le seul chemin qu'il pouvait emprunter pour sortir du bâtiment, à moins qu'il ne descende et fasse tout le trajet jusqu'à l'accueil pour y déposer du courrier à expédier ou autre chose. Et il est écrit ici qu'il n'y avait plus d'ampoule, alors il devait faire sombre dans la cage d'escalier.

— Comment ça il n'y avait plus d'ampoule ? Vous voulez dire qu'elle a été enlevée ?

— Non, je veux dire qu'elle a grillé.

Kennedy gravit le reste des marches. En haut, il y avait un palier très étroit. Une seule porte, au milieu, menait à un autre couloir – d'après ce qu'avait dit Harper, c'était le couloir qui conduisait au bureau de Barlow. De chaque côté de la porte, il y avait deux fenêtres en verre dépoli qui donnaient sur le couloir, qui s'étendaient du plafond à hauteur de taille. Le mètre qui séparait les fenêtres du sol était recouvert de panneaux blancs en bois.

— Il arrive donc en haut de l'escalier dans le noir, dit-elle. Il marque un temps d'arrêt, appuie sur l'interrupteur – du côté gauche – mais cela ne s'allume pas. Et quelqu'un l'attend ici, du côté droit, et avance sur lui dans son dos.

— Ça se tient, dit Harper.

— Non, dit Kennedy. Ça ne colle pas. Ce n'est pas vraiment le genre d'endroit dans lequel on tend une embuscade. N'importe qui, se tenant là, est visible aussi bien du bas de l'escalier que du couloir du premier étage à travers ces fenêtres. C'est du verre dépoli, mais cela n'empêche pas de voir quelqu'un qui se tiendrait là.

— Sans lumière ?

— Il n'y a peut-être plus de lumière sur le palier, mais on doit présumer qu'il y a de la lumière dans le couloir de l'étage. Et il serait impossible de ne pas voir quelqu'un qui se tiendrait là, juste devant soi, de l'autre côté de la vitre.

— Ok, dit Harper, avant de marquer une pause, l'air pensif. Mais nous sommes dans une université. S'il y a quelqu'un qui attend là, en haut de l'escalier, on ne pense pas forcément que c'est inquiétant.

Kennedy fait une moue dubitative.

— Le meurtrier, lui, saurait que c'est inquiétant, dit-elle. Ce serait donc un drôle d'endroit à choisir. Et Barlow a signalé être suivi, il devait donc être davantage sur ses gardes qu'en temps normal. Mais il y a une meilleure explication à tout ça. À vous.

— Une meilleure explication ?

— Je vous montrerai dans une minute. Je vous écoute.

— Ok, dit Harper. Alors qui que ce soit, il attend sur le palier pendant le temps qu'il faut, laisse Barlow passer devant lui, et l'empoigne par derrière. Il lui fait tourner la tête jusqu'à lui briser le cou, et le balance dans les escaliers.

Même en prononçant ces mots, Harper souriait. Il tournait en dérision son propre résumé des faits. Kennedy le regarda d'un air interrogateur, et il fit un geste pour désigner le haut de l'escalier, puis le bas.

— Vous avez raison, dit-il. Ça ne tient pas la route. Je veux dire, c'est plutôt exagéré. Le type avait cinquante-sept ans, nom de Dieu. La chute à elle seule l'aurait sans doute tué de toute façon. Pourquoi ne pas se contenter de le pousser ?

— Remarque intéressante, dit Kennedy. Peut-être que notre inconnu ne veut prendre aucun risque. De plus, n'oublions pas qu'il sait comment briser le cou de quelqu'un d'un seul geste. Peut-être n'a-t-il pas trop souvent l'occasion de faire étalage de ses talents et que c'était le soir qu'il avait choisi pour frimer.

Harper se joignit au jeu des devinettes.

— Ou ils ont pu se battre, et le cou brisé n'est peut-être que le résultat d'une prise qui aurait mal tourné. Cela, ainsi que la chute, étaient peut-être des accidents. Même si nous retrouvons le type, il est possible qu'on ne puisse pas prouver l'intention criminelle.

Kennedy était redescendue pendant qu'il parlait et elle passa devant lui pour atteindre le bas de l'escalier. La rampe s'arrêtait là, se courbant vers le bas et formant un montant en bois plus épais. Elle cherchait quelque chose de précis, qui devait forcément se trouver à cet endroit, selon elle. Elle le vit, à cinquante centimètres du sol environ, sur le côté externe de la rampe – le côté qui se trouvait face au couloir du rez-de-chaussée, et non du côté escalier.

— Ok, dit-elle à Harper. Maintenant, regardez ça.

Il descendit et s'accroupit près d'elle, vit ce qu'elle voyait.

— Une encoche dans le bois, dit-il. Pensez-vous qu'elle a été faite la nuit où est mort Barlow ?

— Non, dit Kennedy. Avant. Peut-être longtemps avant. Mais il ne fait aucun doute qu'elle était là la nuit où il est mort. Elle apparaît sur certaines des photos prises au cours de l'expertise médicolégale. Regardez.

Elle lui reprit les photos, les passa en revue et tomba sur la première image qu'elle avait vue ce jour-là, assise face à Summerhill tandis qu'il lui donnait le calice empoisonné. Elle la passa à Harper, qui n'y jeta dans un premier temps qu'un coup d'œil furtif, avant de s'y attarder.

— Nom de Dieu ! finit-il par s'exclamer.

— Je ne vous le fais pas dire.

Ce que montrait la photo, c'était un petit morceau de tissu marron pris dans la minuscule encoche. Le photographe de la police scientifique avait veillé à la netteté de l'image, supposant sans doute à ce stade qu'il participait au début d'une possible enquête criminelle.

Le petit lambeau de tissu avait été consigné comme preuve, par conséquent il se trouvait encore dans un sac étiqueté dans une boîte, sur une étagère du service de la police scientifique. Mais personne ne semblait y avoir accordé une grande attention depuis. Après tout, il n'était en général pas nécessaire de fournir des efforts démesurés pour déterminer la présence d'une victime sur une scène de crime.

De plus, en arrière-plan sur la photo mais encore assez net, on voyait Stuart Barlow en personne, portant une veste beige avec des pièces cousues aux coudes – le stéréotype du vieil universitaire célibataire, si on faisait abstraction de son cou incliné selon un angle impossible et de son visage livide dans la mort.

— J'ai regardé les photos, mais je n'ai pas vraiment remarqué ça, admit Harper. J'ai surtout regardé le corps.

— Tout comme le policier chargé de l'enquête. Mais vous comprenez ce que cela signifie, n'est-ce pas ?

Harper hocha la tête, mais son visage trahissait qu'il était encore en train de réfléchir à tout ce que cela impliquait.

— Cela provient de la veste de Barlow, dit-il. Ou peut-être de son pantalon. Mais… C'est au mauvais endroit.

— Veste ou pantalon, Barlow ne devrait pas se trouver par ici, confirma Kennedy, tapant du doigt sur l'endroit en question. C'est à plus de deux mètres, latéralement, du lieu où il a été retrouvé, et c'est du mauvais côté de la rampe de l'escalier – le côté extérieur. Et l'encoche dans le bois est également orientée vers le bas. Il faudrait plus ou moins se déplacer de bas en haut près du bord qui accroche pour faire un accroc à ses vêtements, et c'est seulement si on part du principe qu'on se tient là où nous sommes. Je ne vois pas comment cela pourrait se produire en tombant du haut de l'escalier.

— Peut-être que Barlow s'est débattu après être tombé en bas de l'escalier, avança Harper. Peut-être n'était-il pas tout à fait mort, qu'il a essayé de se lever, de demander de l'aide, ou… (Il s'arrêta brusquement, secouant la tête.) Non, c'est ridicule. Le pauvre diable avait la nuque brisée.

— Bon, si les fibres de tissu venaient de son manteau, je croirais peut-être à votre version. Il est difficile de définir la trajectoire de quelque chose qui pend au bras de quelqu'un. Mais le manteau est noir. Cela vient des vêtements que portait la victime, qui n'avaient aucune chance d'aller de bas en haut quand l'homme tombait de haut en bas, ni d'être propulsés en l'air sur un objet solide quelconque. Non, je pense que Barlow a rencontré son agresseur ici, au bas de l'escalier. Le type l'attendait à l'abri des regards, sans doute dans cette alcôve sous l'escalier, et quand il a entendu les pas qui venaient vers le rez-de-chaussée, il s'est mis en position, est sorti au moment où Barlow passait et l'a empoigné par derrière.

— Et il a ensuite positionné le corps pour qu'il ait l'air d'être tombé, poursuivit Harper. Ce qui expliquerait comment il a pu hisser Barlow vers le haut et ainsi accrocher ses vêtements dans l'aspérité.

Kennedy fit non de la tête.

— Rappelez-vous le sang sur les marches du haut, Harper. Le corps est bien tombé. Je pense simplement qu'il est tombé ensuite. L'agresseur tue Barlow ici même, parce qu'il court moins de risques au rez-de-chaussée. Pas de fenêtre, moins de chances d'être vu par Barlow – ou même qu'il le reconnaisse, car ils se sont peut-être déjà rencontrés. Mais il est méthodique et veut s'assurer que les preuves matérielles concordent. Alors une fois que Barlow est mort, il tire le corps en haut de l'escalier pour pouvoir le faire retomber en bas et ajouter une touche d'authenticité à la scène. Pendant ce processus, tandis qu'il porte le corps, la veste s'accroche sur cette aspérité du bois et quelques fibres restent coincées.

— C'est bien trop compliqué, protesta Harper. Il suffit juste de frapper le type avec une clé anglaise, non ? Et tout le monde supposera que c'est une agression qui a mal tourné. On peut sortir d'ici avec l'arme du crime sous son manteau sans que personne remarque rien. Hisser le corps jusqu'en haut de l'escalier, même tard le soir sans personne dans les parages, est un risque stupide.

— Peut-être préférait-il ce risque-là à celui d'une enquête, dit Kennedy. Il y a aussi l'ampoule.

— L'ampoule ?

— Sur le palier du premier. Si j'ai raison, Barlow n'a pas été tué, ni même agressé là-haut. Mais l'ampoule est grillée, pour rendre plus plausible le fait qu'il soit tombé. Cela pourrait être simplement une étrange coïncidence, mais je ne crois pas. Je pense que notre tueur a aussi prêté attention à ce détail. Il dévisse l'ampoule, la secoue jusqu'à ce que le filament claque, et la remet en place.

— Après coup.

— Oui, après coup. Je sais que cela semble dingue. Mais si les choses se sont bien passées ainsi, alors peut-être…

Elle commença à remonter en haut de l'escalier, mais sur ses mains et ses genoux cette fois, la tête penchée au-dessus des marches pour examiner le chemin d'escalier. Mais ce fut Harper qui le trouva, sur la septième marche, alors qu'elle était déjà passée avant lui.

— Ici, s'exclama-t-il, le doigt pointé.

Kennedy se retourna et se pencha près de son collègue. Coincé sur la tête d'un clou qui n'avait pas été enfoncé bien droit, il y avait un petit bout de tissu beige. Il était resté intact parce qu'il était situé près du mur, à un endroit que ceux qui empruntaient l'escalier avaient peu de chances de fouler. Kennedy hocha la tête, satisfaite.

— Bingo, dit-elle. C'est une preuve concordante. Le corps de Barlow a bien été tiré en haut de l'escalier, avant sa chute mais vraisemblablement après sa mort.

— Alors, résuma Harper, nous avons un tueur qui frappe dans l'ombre, brise le cou de notre homme d'un seul geste, puis le traîne tout en haut d'un escalier dans un lieu public, et reste sur place assez longtemps pour faire un peu de mise en scène, tout ça pour maquiller la scène en accident et se mettre à l'abri d'une enquête criminelle. Ça demande un cran insensé.

— Ça s'est passé tard dans la soirée, lui rappela Kennedy, sans toutefois le contredire.

Cela suggérait un acte commis de sang-froid, par quelqu'un en pleine possession de ses moyens et non un crime passionnel, ni une bagarre qui aurait mal tourné.

Elle se releva.

— Allons jeter un coup d'œil au cabinet de travail de Barlow, suggéra-t-elle.

3

Dans les rêves de Leo Tillman, sa femme et ses enfants étaient vivants et morts à la fois. Par conséquent, les rêves pouvaient reposer sur presque rien – un détail infime évoquant un mauvais souvenir dans son inconscient sans défense – et se transformer très vite en cauchemar. Rares étaient les nuits où il dormait jusqu'au matin. Très rares étaient les jours où il n'était pas éveillé avant l'aube, assis au bord de son lit à démonter et nettoyer son Unica, ou à parcourir des bases de données sur Internet dans l'espoir de trouver quelque chose.

Mais ce matin-là, il n'était pas dans son lit. Il était assis sur le siège d'un appareil de musculation complexe dans la chambre d'un inconnu, regardant le soleil se lever sur Magas. Et, ce n'était pas une arme qu'il tenait à la main, mais une feuille de papier A4 comportant environ deux cents mots sur une photocopie légèrement floue. L'Unica était glissé à l'intérieur de sa ceinture, le cran de sûreté mis.

Face à lui, une gigantesque fenêtre panoramique encadrait le palais présidentiel, de l'autre côté d'une avenue étroite bordée de clôtures en fer forgé. Cela ressemblait exactement à ce dont aurait l'air la Maison-Blanche si on parachutait une mosquée en plein milieu, avant de quitter les lieux. Au-delà, il y avait Main Street, et plus loin encore, l'autoroute du Caucase. Il était ridicule de dire que Magas était une ville, dans l'opinion de Tillman, tout aussi ridicule que de dire qu'Ingushetia était un pays. Il n'y avait ni armée, ni infrastructure. Il n'y avait même pas de gens. Le dernier recensement donnait à l'ensemble de la république une population inférieure à celle de... disons Birmingham.

Les gens étaient importants pour Tillman. Il était capable de se cacher au milieu de la foule, tout comme l'homme qu'il cherchait. Cela rendait Magas à la fois plus attrayante et plus dangereuse. Si sa proie se trouvait dans cette ville – ce qui était peu probable, il fallait en convenir – elle aurait peu d'endroits où se terrer. Mais la même chose était vraie pour Leo si les choses tournaient mal.

Il perçut un mouvement venant du lit qui était derrière lui – le léger frémissement qui accompagne le réveil.

Il était presque temps de se mettre au travail.

Mais il regarda le lever du soleil quelques instants de plus, pris – malgré lui – dans un rêve éveillé. Rebecca se tenait debout en plein soleil, tel un ange du *Livre des Révélations*, et avec elle, dans ses bras, Jud, Seth et Grace. Tous tels qu'ils étaient le dernier jour où il les avait vus : ils n'avaient pas vieilli, et n'avaient pas été touchés par le temps. Ils étaient si réels que cela donnait à Magas des allures d'image en carton, comme un mauvais décor de cinéma.

Tillman cédait à ces instants parce qu'ils le maintenaient en vie, lui permettaient de continuer à avancer. Et en même temps, il les redoutait parce qu'ils l'attendrissaient, l'affaiblissaient. L'amour ne faisait pas partie de son présent, mais il était réel et vivace dans son passé, et les souvenirs étaient comme une sorte de rite vaudou. Ils permettaient à ce qu'il avait enfoui au plus profond de lui de surgir à nouveau et faisaient renaître ce qui était presque mort. La plupart du temps Tillman était d'une simplicité désarmante. Les souvenirs le rendaient complexe et paradoxal.

Il entendit un soupir et un marmonnement confus venir du lit. Puis un mouvement plus volontaire. À regret, Tillman ferma les yeux. Quand il les rouvrit, quelques secondes plus tard, le soleil n'était rien de plus que le soleil, il n'était plus réellement capable de réchauffer le monde qui était le sien : ce n'était plus que le feu d'un projecteur, brillant depuis un poste de garde dans le ciel.

Il se leva et avança jusqu'au lit. Kartoyev était tout à fait réveillé à présent et commençait à accepter la situation dans laquelle il se trouvait. Il tira sur ses liens, mais une fois seulement, pour tester leur solidité. Il n'allait pas gaspiller d'énergie en faisant d'inutiles efforts. Il leva les yeux vers Tillman, grimaçant en contractant les muscles de ses bras.

— *Kto tyi, govn'uk ?* demanda-t-il d'une voix gutturale.

— Anglais, lui dit Tillman, de façon laconique. Et ne bouge pas, c'est un avertissement amical.

Il y eut un instant de silence. Kartoyev jeta un coup d'œil en direction de la porte, écoutant et calculant. Aucun son de pas ne s'approchait. Aucun son du tout dans toute la maison. Cet intrus avait-il tué ses gardes du corps, ou les avait-il seulement évités ? Cela changeait considérablement la donne. Quoi qu'il en soit, la meilleure option était de gagner du temps – mais la durée nécessaire n'était pas la même selon le cas de figure dans lequel il se trouvait.

— *Ya ne govoryu pa-Anglishki, tu druchidel*, marmonna-t-il. *Izvini.*

— Eh bien, de toute évidence, ce n'est pas le cas. Je t'ai entendu hier soir parler à ta copine.

Tardivement, Kartoyev jeta un coup d'œil sur sa gauche. Il était seul dans le lit gigantesque. Aucune trace de la rousse avec qui il avait passé la nuit.

— Elle est en bas, dit Tillman, déchiffrant l'expression du Russe. Elle est avec tes Messieurs Muscles. Inutile de lui faire subir les choses déplaisantes que toi et moi sommes sur le point d'endurer. Non, elle ne t'a pas trahi. C'est la picole qui t'a épinglé, pas la fille.

Il mit la main dans sa poche et en sortit une petite bouteille, presque vide à présent. Cela pouvait passer pour de la jubilation malveillante aux yeux du Russe, mais en fait, Tillman lui montrait seulement à quel point il était dans la merde.

— 1,4. Butanediol. Quand ça arrive dans ton estomac, ça se transforme en GHB, la drogue des violeurs, mais si tu le prends avec de l'alcool, il prend gentiment le temps d'agir. Ils se disputent la même enzyme digestive. C'est pour ça que t'as dormi si profondément. Et c'est pourquoi à l'heure où je te parle, tous tes gars sont dans la salle de bains, bien ficelés.

— Le garçon du bar, dit Kartoyev d'un air farouche, se mettant enfin à parler en anglais. Jamaat. Il est mort. Je connais son nom, sa famille, je sais où il habite. Il est mort. Tu as ma parole.

Tillman secoua la tête. Il ne se donna pas la peine de nier la complicité du jeune Chéchène : l'alcool était le seul facteur commun et Kartoyev n'était pas un imbécile.

— Trop tard pour ça, dit-il au Russe. Le gosse est parti depuis longtemps. Je lui ai donné deux millions de roubles que j'ai pris dans ton coffre. Ce n'est pas une fortune, mais c'est suffisant pour l'aider à refaire sa vie en Pologne ou en République tchèque. Ou dans n'importe quel endroit hors de ta portée.

— Aucun endroit n'est hors de ma portée, dit Kartoyev. Je connais tous les vols au départ de Magas et j'ai des amis au ministère de l'Intérieur. Je le retrouverai et je le massacrerai. Je vous massacrerai tous les deux.

— C'est possible. Mais peut-être surestimes-tu tes amis. Après l'enterrement, ils seront sans doute trop occupés à morceler ton petit empire pour avoir le temps de s'inquiéter de savoir qui t'a descendu.

Kartoyev lui jeta un long regard, le jaugeant. Manifestement, il trouva quelque chose qu'il prit pour de la faiblesse.

— Tu ne vas pas me tuer, *zhopa*. T'as ton gros pistolet dans ta ceinture, comme un gangster, mais t'as pas les couilles. T'as l'air sur le point de pleurer comme une petite fille.

Tillman ne se donna pas la peine de discuter. Peut-être avait-il les yeux larmoyants après avoir regardé fixement le soleil, et le Russe pouvait l'interpréter comme ça lui chantait.

— T'as raison. Pour ce qui est du flingue, en tout cas. Il va rester là où il est, pour l'instant. Ce que j'avais l'intention de te faire, je l'ai déjà fait, pour l'essentiel. Sauf qu'il n'est pas exclu que je te détache si tu me donnes ce pour quoi je suis venu.

— Quoi ? demanda Kartoyev avec un sourire méprisant. Je t'excite, Américain ? T'as envie de me sucer ?

— Je suis Anglais, Yanush. Et je préfère passer mon tour, merci.

Kartoyev se crispa en l'entendant prononcer son prénom et tira de nouveau sur ses liens.

— Tu vas saigner, connard. Tu ferais mieux de me tuer. Et tu ferais mieux de t'assurer que je suis mort parce que si je mets les mains autour de ton…

Il s'interrompit brusquement. Même s'il était en pleine diatribe, il avait clairement entendu le clic. Il venait du lit, juste sous lui.

— Je t'ai dit de ne pas bouger, dit Tillman. Quoi, tu n'as pas senti la bosse sous tes reins ? Mais tu la sens maintenant, on dirait. Et peut-être que tu sais ce que c'est, vu que c'est dans ton catalogue. C'est dans la section Offres spéciales.

Kartoyev écarquilla les yeux, et se figea brusquement dans une immobilité absolue.

— Voilà, dit Tillman d'un air encourageant, je vois que tu as vite pigé.

Kartoyev jura avec fracas, mais fit attention à ne pas bouger.

Tillman leva la feuille de papier qu'il tenait à la main et lut à voix haute.

— La mine antipersonnelle en métal SB-33 fait partie des munitions employées sur les champs de bataille qui allient facilité d'emploi, souplesse d'utilisation et résistance à la détection et au désarmement. Emplacement à la main ou par le système de dispersion à effet de souffle SYS-AT – page 93 – les contours irréguliers de la mine la rendent difficile à localiser sur la plupart des terrains, tandis que son architecture (seulement sept grammes de métal ferreux dans la totalité de l'assemblage) rend la plupart des systèmes de détection conventionnels inutilisables.

— *Yob tvoyu mat !* cria Kartoyev. Tu es dingue. Tu mourras aussi. On mourra tous les deux !

Tillman secoua la tête de façon solennelle.

— Tu sais, Yanush, je ne crois vraiment pas. Il est écrit ici que l'explosion est à fragmentation directionnelle : de bas en haut, pour réduire en miettes les couilles, et peut-être même les tripes, du pauvre type qui marche dessus. Je ne risque probablement pas grand-chose si je reste juste là où je suis. Mais tu m'as interrompu avant que j'arrive au meilleur. La mine SB-33 a un plateau à double pression. Si on s'appuie dessus fermement, comme tu l'as fait, elle n'explose pas, elle se verrouille seulement. C'est pour qu'on ne puisse pas la faire exploser à distance, avec une charge de déminage. C'est le prochain mouvement que tu feras qui débloquera le plateau et qui te propulsera vers une vie qui ressemblera un peu à un match de football – divisée en deux moitiés.

Kartoyev jura de nouveau, aussi vigoureusement qu'avant, mais son visage était devenu livide. Il connaissait très bien cet article qui faisait partie de son stock, et pas seulement de réputation : lorsqu'il était dans l'armée, il avait eu de nombreuses occasions de voir de près l'effet que la mine SB-33 pouvait avoir sur un corps humain. Il pesait sans doute dans son esprit toutes les façons dont la mine pouvait l'amocher, avant de le tuer. La face supérieure de la mine étant positionnée juste sous ses reins, il était à peu près certain qu'il serait tué. Mais les scénarios alternatifs lui donnaient la nausée.

— Alors, poursuivit Tillman, je cherchais des informations sur un de tes clients. Ce n'est pas un gros client, mais un client régulier. Et je sais qu'il est passé te voir récemment. Mais je ne sais pas, parmi tous les produits et services que tu proposes, ce qui l'intéressait. Ni comment le contacter moi-même. Et je tiens vraiment à le faire.

Le regard de Kartoyev alla de bas en haut, de côté, puis il revint vers Tillman en empruntant le chemin le plus long.

— Quel client ? demanda-t-il. Dis-moi son nom.

Le Russe était trop intelligent et trop méthodique pour laisser paraître quoi que ce soit sur son visage, mais Tillman sut décrypter ce qui se cachait derrière ses mouvements oculaires rapides – le signe visible d'un calcul complexe. On ne réussissait pas comme cet homme avait réussi dans tant de trafics différents – vente illégale d'armes, drogues, trafic d'êtres humains, achat et vente d'influence politique – en dénonçant ses clients. Tout ce qu'il dirait semblerait plausible, mais tout ce qu'il dirait serait forcément un mensonge. De petits détails sans importance seraient tout près de la vérité, tandis que les informations clés liées aux lieux, aux horaires et aux différentes transactions seraient des mensonges de grande envergure. Kartoyev était en train de construire une pyramide inversée du mensonge dans son esprit.

Tillman éluda brusquement la question.

— Le nom m'est sorti de la tête, dit-il. Ne t'en fais pas pour ça. J'ai besoin d'une tasse de café, et peut-être d'un bon petit-déjeuner. On en parlera plus tard.

Le visage de Kartoyev se figea.

— Attends… lança-t-il.

Mais Tillman se dirigeait déjà vers le couloir. Ce n'est qu'arrivé au milieu du couloir qu'il entendit le Russe répéter :

— Attends !

Son ton était plus impérieux cette fois. Tillman descendit l'escalier en colimaçon, heurtant lourdement les marches en bois marqueté pour faire résonner ses pas.

Il jeta un coup d'œil sur les autres captifs avant de faire quoi que ce soit d'autre. La petite amie de Kartoyev et ses nombreux gardes du corps n'étaient pas dans la salle de bains : il aurait été trop long de les tirer depuis les différents endroits où ils s'étaient endormis sous l'effet de la drogue. Tillman les avait seulement attachés et bâillonnés sur place, ou il les avait traînés sur quelques mètres pour les cacher derrière des meubles s'il y avait le moindre risque qu'ils puissent être vus depuis l'immeuble d'en face. La plupart d'entre eux étaient éveillés à présent mais encore groggy, alors il fit le tour avec des seringues d'Étomidate, tel un père Noël toxicomane distribuant des cadeaux à chacun. Il leur injecta le somnifère à tous – hommes et femme – dans la veine cubitale, droite ou gauche, que leurs bras étroitement liés faisaient ressortir. Peu de temps après, tous dormaient de nouveau, plus profondément qu'avant.

Quand il s'agissait de tuer, Tillman était précis et professionnel, ce que reflétait son choix de drogue. La différence entre une dose d'Étomidate efficace et une dose létale était de 30/1 pour un adulte en bonne santé. Au réveil, ces gens seraient plus malades que des chiens et plus faibles que des oiseaux en cage, mais ils se réveilleraient.

Une fois cette affaire terminée, Tillman alla s'asseoir près de la fenêtre un instant, regardant la rue. La maison était isolée, le portail haut et les murs surmontés de fils de fer barbelés. Sans aucun doute pour décourager les intrus. Mais il ne voulait pas être surpris par un invité, un collègue ou une relation venant vérifier pourquoi Kartoyev ne s'était pas présenté à un rendez-vous ou quelque chose dans ce genre. Si cela se produisait, la maison, la ville, et même toute la république d'Ingushetia se transformeraient rapidement en piège d'où Tillman n'aurait aucune chance de s'échapper. Il avait donc toutes les raisons d'agir vite.

Mais il avait de meilleures raisons encore d'attendre. Et comme il était trop tendu pour manger ou boire, lire ou se reposer, il attendit immobile, regardant par la fenêtre les plantes ornementales et ces arbres qu'on appelle « désespoir des singes ».

Tillman avait été un mercenaire pendant neuf ans. Il n'avait jamais mené d'interrogatoire – et il n'avait pas de goût particulier pour la chose, car d'après son expérience, les hommes dont c'était la spécialité n'en sortaient pas indemnes – mais il avait vu comment ils faisaient et connaissait le grand secret, qui consistait à laisser le sujet interrogé faire la majeure partie du boulot. Kartoyev était un type coriace qui était arrivé à sa position actuelle en écrasant de simples mortels. Mais maintenant il était allongé sur une mine à contact, et son imagination devait tourner en boucle et en accéléré, distillant son poison toxique. Quand un homme fort se sent impuissant, sa force devient une faiblesse.

Tillman attendit deux heures et demie avant de remonter dans la chambre. Kartoyev n'avait pas bougé d'un millimètre, pour autant que Tillman pouvait en juger. Le visage de l'homme était devenu blanc, il avait les yeux écarquillés et ses lèvres entrouvertes laissaient apercevoir ses dents serrées.

— Quel est le nom ? demanda-t-il à voix basse et distincte. Sur qui veux-tu des renseignements ?

Tillman chercha dans ses poches.

— Désolé, dit-il. Je l'ai écrit quelque part. Laisse-moi aller vérifier dans ma veste.

Tandis qu'il faisait demi-tour en direction de la porte, Kartoyev émit un horrible bruit saccadé – comme s'il essayait de parler avec un chardon sur la langue.

— Non ! cria-t-il d'une voix rauque. Dis-le-moi !

Tillman lui sortit le grand jeu, faisant mine d'y réfléchir, et de prendre une décision. Il avança vers le lit et s'assit au bord, répartissant son poids avec une prudence exagérée.

— Au premier mensonge, dit-il, je n'attends plus rien de toi. Tu me comprends ? Il y a d'autres types sur ma liste, dont il emploie les services, alors je peux tout à fait me passer de toi – et lui aussi. Tu me mens, tu hésites seulement une seconde à me dire tout ce que tu sais, et je suis parti. Dans ce cas, ce sera une très longue journée pour toi.

Kartoyev baissa lentement le menton vers son torse, avant de le relever, un signe d'acquiescement au ralenti.

— Michael Brand, dit Tillman.

— Brand ? fit Kartoyev d'une voix affligée, pleine d'incompréhension, laissant percer de façon évidente qu'il s'était attendu à un autre nom. Brand... n'est personne.

— Je n'ai pas dit qu'il était important. J'ai juste dit que je voulais des informations sur lui. Peux-tu me les donner, Yanush ? Pourquoi te contacte-t-il ? Des armes ? De la drogue ? Des femmes ?

Le Russe respira de façon saccadée.

— Des femmes, non. De la drogue... oui. Ou en tout cas, des trucs qui peuvent être utilisés pour faire de la drogue.

— De quelles quantités parlons-nous ?

Tillman faisait attention à contrôler le rythme de sa voix, à ne pas laisser transparaître son impatience, car il était nécessaire que la force soit entièrement de son côté. Le moindre défaut de sa cuirasse, et le Russe risquait de se dérober.

— Pour les armes, marmonna Kartoyev, pas beaucoup. Pas assez pour une armée, mais suffisamment – pour un terroriste – pour financer un djihad de taille moyenne. Des armes à feu : par centaines plutôt que par milliers. Des munitions. Des grenades : une ou deux. Mais pas d'explosifs. Il ne semble pas intéressé par les bombes.

— Et la drogue ?

— De l'éphédrine pure. De l'anhydre. Du lithium.

Tillman fronça les sourcils.

— Alors il fabrique de la méthamphétamine ?

— Je vends des amphéts, fit Kartoyev d'une voix indignée. Un jour je lui ai dit, « si c'est ce que vous voulez, Monsieur Brand, pourquoi transporter toutes ces matières premières encombrantes ? Pour un petit supplément, je vous donnerai du crystal ou de la poudre dans les quantités que vous voulez ».

— Et il a répondu... ?

— Il m'a dit de m'occuper de sa commande. Il a dit qu'il n'avait besoin de rien d'autre que je pouvais lui fournir.

— Mais les quantités ? reprit Tillman. Suffisantes pour vendre à échelle commerciale ?

Kartoyev commença à secouer la tête, puis il grimaça. Il était resté dans une position de rigidité absolue pendant plusieurs heures et ses muscles étaient atrocement ankylosés.

— Pas vraiment, grommela-t-il. Pourtant récemment, pour sa dernière commande, c'était bien plus que d'habitude. Mille fois plus.

— Et c'est toujours Brand qui paie et vient chercher la marchandise ?

Encore une fois, le même regard. *Pourquoi me demande-t-il ça ?*

— Oui. Toujours… l'homme emploie ce nom. Brand.

— Qui représente-t-il ?

— Je n'en ai aucune idée. Je n'avais pas de raison de demander.

Tillman prit un air renfrogné. Il se leva brusquement, faisant bouger le lit et Kartoyev poussa un cri – un gémissement d'angoisse prémonitoire proféré d'une voix étranglée. Mais il n'y eut pas d'explosion.

— C'est des conneries, dit Tillman, se penchant au-dessus de celui qu'il retenait prisonnier. Un type comme toi ne se lance pas à l'aveuglette. Pas même pour de petites transactions. Tu essaierais de savoir tout ce que tu peux sur Brand avant. Je t'ai déjà averti de ne pas mentir, espèce de connard. Je crois que tu as épuisé ce qu'il me restait de bonne volonté.

— Non ! cria Kartoyev avec la sincérité du désespoir. Bien sûr, j'ai essayé. Mais je n'ai rien trouvé. Aucune piste ne remontait jusqu'à lui.

Tillman réfléchit, gardant un visage impassible. Jusque-là, cela confirmait sa propre expérience.

— Alors comment le contactes-tu ?

— Je ne le contacte pas. Brand me dit ce qu'il veut, et puis il se pointe. Paiement en cash. Il s'occupe du transport. Des voitures, en général. Une fois, c'était un camion. Tout est toujours loué, sous de fausses identités. Quand il les rend, tout a été nettoyé de fond en comble.

— Comment Brand te contacte-t-il ?

— Par téléphone. Des portables, toujours. Des jetables, toujours. Il s'identifie par un mot.

Tillman tiqua sur ce détail. Cela semblait peu probable : amateur et non nécessaire.

— Il pense que tu n'es pas capable de reconnaître sa voix ?

— Je ne sais pas pourquoi, mais il s'identifie par un mot. *Diatheke*.

— Qu'est-ce que ça veut dire ?

Kartoyev secoua la tête lentement, avec une grande prudence, une seule fois.

— Je ne sais pas ce que ça signifie pour lui. Pour moi, ça veut dire Brand. C'est tout.

Tillman regarda sa montre. Il était presque certain que le Russe n'avait rien d'autre à dire, mais le temps jouait contre lui. Il était certainement temps de commencer à plier bagage. Mais Kartoyev était la meilleure piste qu'il avait eue depuis trois ans et il était difficile de partir sans le presser jusqu'à la moelle.

— Je ne crois toujours pas que tu puisses abandonner si facilement, dit Tillman, regardant dans les yeux l'homme pétrifié trempé de sueur. Ni que tu continues à faire ton business avec lui sans essayer de comprendre ce qu'il trafique.

Kartoyev poussa un soupir.

— Je te l'ai dit. J'ai essayé. Brand arrive par différents itinéraires, et il ne part jamais dans la même direction non plus : soit en avion, soit en voiture. Il paie en différentes monnaies : en dollars, en euros, et parfois même en roubles. Ses besoins sont… éclectiques. Pas seulement les choses que tu as mentionnées, mais parfois aussi des technologies légales acquises illégalement. Des générateurs. Des équipements médicaux. Une fois, un camion de surveillance, neuf, pour le SVR, le service de renseignements extérieurs de Russie. Brand est un intermédiaire, de toute évidence. Il sert de façade pour des intérêts très divers. Il se procure ce qui est nécessaire, pour celui qui est prêt à payer.

Tillman fut parcouru de frissons, qu'il ne put ni réprimer, ni cacher au Russe.

— Oui, convient-il. C'est ce qu'il fait. Mais tu dis que tu ne lui as jamais vendu de gens.

— Non, dit Kartoyev d'une voix tendue, lisant l'émotion sur le visage de Tillman, et se demandant visiblement ce que cette perte de contrôle pouvait vouloir dire. Pas de gens. Ni pour travailler, ni pour le sexe. Peut-être a-t-il d'autres fournisseurs pour ces choses.

— Ces *choses* ?

— Ces articles.

Tillman secoua la tête. Il arborait le visage de marbre du bourreau à présent.

— Ce n'est pas beaucoup mieux.

— Je fais du business, marmonna Kartoyev, tendu, mais sardonique, même à l'extrémité à laquelle il était réduit. Tu vas devoir me pardonner.

— Non, dit Tillman. Il n'y a rien qui m'y oblige.

Il se pencha et glissa une main sous le corps de Kartoyev. Le Russe hurla de nouveau, de rage et de désespoir, se raidissant à mesure qu'il se préparait à l'explosion.

Tillman prit la boîte en plastique qui se trouvait sous lui, montrant au Russe l'écran inerte, ainsi que les mots ALARM, TIME, SET, ON-OFF écrits en blanc sur l'écran noir. Un câble électrique avec une prise continentale se balançait au bout de l'appareil, sur lequel le nom de la marque, Philips, figurait en bonne place. Le radio-réveil datait des années 1980. Tillman l'avait acheté sous le pont Zyazikov à un Turc qui avait étalé ses maigres marchandises sur le socle de la statue du président.

Le rire incrédule de Kartoyev ressemblait à un sanglot.

— Fils de pute ! grommela-t-il.

— Où est allé Brand, cette fois, après t'avoir quitté ? demanda Tillman tout à trac.

— En Angleterre, dit Kartoyev. Il est allé à Londres.

Tillman sortit l'Unica de sa ceinture, ôta la sécurité du même geste et tira sur la tempe gauche de Kartoyev, orientant le tir vers la droite. La balle atterrit dans le matelas, qui amortit le bruit, mais Tillman n'était pas inquiet : les fenêtres étaient à triple vitrage et les murs épais.

Il rangea ses affaires rapidement et de façon méthodique – le réveil, le revolver, la feuille de papier photocopiée et le reste de l'argent qui était dans le coffre. Il avait déjà essuyé les empreintes, mais il recommença. Puis il fit un signe d'adieu à l'homme qui était sur le lit, descendit les marches et sortit.

Londres. Il pensa à ce qui était mort dans son esprit, et dans son âme. Il était parti depuis longtemps, et cela n'était pas un hasard. Mais peut-être y avait-il un Dieu après tout, et peut-être que la divine providence avait une forme symétrique.

La forme d'un cercle.

4

Le cabinet de travail de Stuart Barlow avait été inspecté par le premier policier chargé de l'enquête, mais il n'y avait aucun rapport dans le dossier, ni même hors du dossier. La perquisition s'avérait pour le moins difficile étant donné que toutes les surfaces étaient recouvertes de piles de livres et de papiers. Les strates de dossiers et de documents imprimés qui étaient sur le bureau s'étalaient jusque sur le sol de chaque côté, ce qui avait au moins pour effet de cacher une partie des dalles de moquette vert caca d'oie. Des statues grecques et des caryatides égyptiennes représentées sur des gravures qui avaient ondulé sous leurs cadres de verre après des saisons de climat anglais humide et de chauffage central défectueux semblaient contempler la pagaille ambiante avec des visages sévères.

Le petit espace encombré donnait une sensation de claustrophobie et il y régnait une tristesse indéfinissable. Kennedy se demanda si Barlow aurait eu honte de voir son capharnaüm personnel ainsi exposé aux regards, ou si les immenses piles de carnets et de documents imprimés étaient pour lui l'objet d'une grande fierté professionnelle.

— Monsieur Barlow faisait partie de la faculté d'histoire, observa-t-elle en se tournant vers l'intendant.

Ellis était revenu, comme promis, pour les laisser entrer et il poireautait maintenant dans la pièce, la clé toujours à la main, comme s'il s'attendait à ce que les inspecteurs déclarent forfait en voyant la pagaille inextricable qui régnait dans les affaires du mort.

— Qu'est-ce que cela impliquait ? reprit-elle. Travaillait-il à plein temps ?

— Oui, dit Ellis sans un instant d'hésitation, mais il avait cinq heures de dispense pour tâches administratives.

— Et en quoi consistaient-elles ?

— Il était l'adjoint au responsable du département. Et il était en charge de Further Input – notre excellent programme informatique.

— Était-il compétent dans son travail ? demanda Kennedy sans ménagement.

Ellis vacilla.

— Très compétent. Tous les membres de notre personnel le sont, mais… Oui, Stuart était passionné par son sujet. C'était son passe-temps autant que sa profession. Il était passé à la télévision trois ou quatre fois, dans des émissions d'histoire et d'archéologie. Et son site Internet avait beaucoup de succès auprès des étudiants, dit-il avant de marquer une pause. Il va beaucoup nous manquer.

Kennedy traduisit mentalement : ils sont nombreux à vouloir prendre sa place.

Harper avait ramassé un livre, *La Russie contre Napoléon*, de Dominic Lieven.

— C'était sa spécialité ? demanda-t-il.

— Non, dit Ellis qui, une fois encore, se montra catégorique. Sa spécialité était la paléographie – les premiers textes écrits. Mais cela ne prenait pas une grande part dans son enseignement, car ce n'est qu'une toute petite partie du programme de nos étudiants, mais il écrivait beaucoup sur le sujet.

— Des livres ? demanda Kennedy.

— Des articles. Portant principalement sur l'analyse textuelle approfondie des manuscrits de la mer Morte et les découvertes de Rylands. Mais il travaillait sur un livre, sur les sectes gnostiques je crois.

Kennedy n'avait aucune idée de ce qu'étaient les sectes gnostiques, mais elle ne releva pas. Elle n'envisageait pas sérieusement la possibilité que le professeur Barlow ait été assassiné par un universitaire rival.

— Savez-vous quoi que ce soit sur sa vie privée ? demanda-t-elle plutôt. Nous savons qu'il n'était pas marié, mais avait-il une relation avec quelqu'un ?

L'intendant sembla surpris par la question, comme si le célibat était une conséquence obligatoire de la vie universitaire.

— Je ne pense pas, dit-il. C'est possible bien entendu, mais il n'a mentionné personne. Et quand il venait aux réceptions du département, il n'était jamais accompagné.

Cela semblait donc mettre hors de cause d'éventuels maris trompés ou d'ex-maîtresses jalouses. Les chances de trouver un suspect s'amenuisaient. Mais Kennedy n'avait jamais eu grand espoir. D'après son expérience, l'essentiel du travail qui permettait de résoudre une enquête se faisait dans les deux premières heures. On ne reprenait pas une enquête vieille de trois semaines en s'attendant à rattraper le temps perdu à une vitesse record.

Pendant ce temps-là, Harper n'avait cessé de se débattre au milieu des livres et des papiers – un effort symbolique, mais peut-être qu'après avoir fait complètement fausse route avec Napoléon, il avait eu l'impression qu'il n'avait rien à perdre à chercher de nouveaux indices. Cette fois, il trouva quelque chose qui ressemblait à une photographie, mais qui s'avéra être une coupure de journal, qui avait été collée avec soin sur une carte, avant d'être encadrée. Elle était appuyée contre un des pieds du bureau. En titre, on pouvait lire : *Fraude de Nag Hammadi : deux personnes arrêtées*. On reconnaissait l'homme qui figurait sur la photo d'accompagnement, c'était Stuart Barlow, bien plus jeune. Il arborait un sourire froid et figé.

— Avait-il un casier judiciaire ? demanda Harper.

Ellis se mit à rire.

— Oh non, dit-il pas du tout. Ça, c'était son triomphe – c'était il y a une quinzaine d'années, peut-être plus. On avait fait appel à Start en tant que témoin expert en raison de l'étendue de ses connaissances sur les manuscrits de Nag Hammadi.

— Pour quelle affaire ? demanda Kennedy. Et tant que nous y sommes, qu'est-ce que le Nag Hammadi ?

— Le Nag Hammadi est la plus importante découverte paléographique du vingtième siècle, Inspecteur, lui dit Ellis. (Elle ne prit pas la peine de le corriger sur son grade, mais du coin de l'œil, elle vit Harper lever les yeux au ciel.) Dans la Haute-Égypte, juste après la fin de la Deuxième Guerre mondiale, près de la ville de Nag Hammadi, deux frères ont creusé dans une grotte calcaire. Tout ce qui les intéressait, c'était de trouver du guano, des excréments de chauve-souris, pour s'en servir de fertilisant pour leurs champs. Et ce qu'ils ont trouvé, en fin de compte, c'était une jarre scellée contenant une dizaine de codex reliés.

— Une dizaine de quoi ? demanda Harper.

— De codex. Un codex est un ensemble de feuilles cousues ensemble et reliées. Il s'agit des tout premiers livres, pour l'essentiel. On a commencé à les employer au début de l'ère chrétienne, alors que jusque-là on avait coutume d'écrire sur des rouleaux ou sur de simples feuilles de parchemin. Les codex de la découverte de Nag Hammadi se sont avérés être des textes qui dataient du premier et du deuxième siècle après J.-C. : des Évangiles, des lettres, ce genre de choses. Et même une traduction largement remaniée de *La République* de Platon. Un incroyable trésor qui date de la période qui a commencé juste après la mort du Christ, au moment où l'Église chrétienne luttait encore pour définir son identité.

— Comment cela a-t-il abouti à un procès ? demanda Harper, interrompant le cours magistral juste à l'instant où l'intendant reprenait son souffle pour annoncer ce qui semblait être une révélation plus importante encore.

Il sembla à la fois indigné et un peu déconcerté d'avoir été ainsi interrompu.

— Le procès a eu lieu bien plus tard. Il concernait de fausses copies des documents de Nag Hammadi qui ont été vendues sur Internet à des antiquaires. Stuart est intervenu en tant que témoin à charge. Je pense que c'était surtout pour donner une opinion sur les différences entre les documents originaux et les faux. Il connaissait par cœur chaque pliure et chaque tache d'encre qui se trouvaient sur ces pages.

Harper reposa l'article et continua de fouiller. Ellis semblait affligé.

— Inspecteur, si vous avez l'intention de faire une longue perquisition, est-ce que je peux retourner travailler et revenir plus tard ?

Harper lança un coup d'œil interrogatif à Kennedy, qui pensait encore au procès.

— Quel fut le verdict ? demanda-t-elle à l'intendant.

— Ambigu, dit Ellis. Les trafiquants, un homme et sa femme je crois, ont été jugés coupables de recel, et aussi d'infraction pour des documents non conformes, mais innocents pour ce qui concernait la contrefaçon frauduleuse, qui était l'accusation principale. Ils durent payer une amende et une partie des frais de justice.

— Était-ce suite au témoignage du professeur Barlow ?

Ellis prit un air outré, voyant enfin où elle voulait en venir.

— Stuart n'a pas joué un grand rôle dans le procès, dit-il tout en semblant sceptique. Pour être honnête, tout le monde a trouvé drôle qu'il ait attaché autant d'importance à cette affaire. Je pense que la plupart des preuves tangibles ont été apportées par ceux qui ont acheté les faux documents. Et, comme je l'ai dit, cela n'a abouti qu'à une amende. Et je ne pense vraiment pas…

Kennedy ne le pensait pas non plus, mais elle mit cela de côté pour plus tard. Ce serait peut-être une piste à suivre si tout le reste n'aboutissait à rien. Quoique tout le reste se réduisait à très peu à ce stade.

— Pourquoi la sœur du professeur Barlow n'est-elle pas venue chercher tout ça ? demanda-t-elle. Elle est sa seule parente, n'est-ce pas ?

— Rosalind. Rosalind Barlow. D'après nos dossiers, elle est la plus proche parente, confirma Ellis. Et nous avons pris contact avec elle. Elle a dit qu'elle n'était pas intéressée par les affaires de Stuart. Ses termes exacts : « Prenez ce que vous voulez pour la bibliothèque de l'université, et donnez le reste à des œuvres de charité. » C'est sans doute ce que nous ferons, mais cela va prendre du temps de trier tout ça.

— Beaucoup de temps, en convint Harper, avant d'ajouter, quelques instants plus tard : C'est bon, Inspecteur ?

Elle lui jeta un regard froid, comme pour le mettre en garde, mais Harper ne sembla pas réagir.

— C'est bon, Inspecteur, dit-elle. Allons-y.

Elle se dirigeait vers la porte tout en prononçant ces mots, puis marqua un temps d'hésitation. Quelque chose l'avait frappée, sans qu'elle sache exactement quoi. Et Kennedy savait qu'elle ne devait pas ignorer ce que lui soufflait son intuition. Elle s'arrêta en chemin pour jeter un nouveau coup d'œil alentour.

Elle était tout près du but, lorsqu'Ellis fit cliqueter ses clés, rompant ainsi le mince fil qu'elle suivait, essayant de remonter le cours de son inconscient. Elle lui lança un regard furieux, qui le fit chanceler légèrement.

— J'ai d'autres choses à faire, dit-il sans grande conviction.

Kennedy poussa un long soupir.

— Merci pour votre aide, Monsieur Ellis, dit-elle. Nous aurons peut-être d'autres questions à vous poser par la suite, mais nous n'aurons plus besoin d'abuser de votre temps aujourd'hui.

Ils se dirigeaient vers la sortie pour regagner la voiture, tandis que Kennedy tournait et retournait dans son esprit le peu qu'ils savaient sur cette affaire déjà bien mal partie. Elle devait parler à la sœur du défunt. C'était sa priorité absolue. Peut-être que Barlow avait réellement un ennemi implacable dans l'arène de la paléographie ; ou une étudiante qu'il aurait mise enceinte, ou un jeune frère qu'il aurait arnaqué et qui aurait nourri de la rancune contre lui. On avait dix fois plus de chances de mettre la main sur un tueur lorsque quelqu'un vous donnait directement son nom plutôt qu'en échafaudant des hypothèses, et pour l'instant, ils n'avaient pas la moindre piste.

Ou plutôt si. Il y avait ce type qui, d'après Barlow, le suivait. C'était l'autre aspect de cette affaire. Et Harper allait la détester parce qu'elle était déterminée à parler à la sœur elle-même, alors l'essentiel du boulot ingrat allait lui retomber dessus.

Dans la voiture, elle joua cartes sur table.

— Quand Barlow a dit qu'on le suivait, dit-elle, lisant les notes du dossier, il assistait à une sorte de conférence universitaire.

— Le Forum historique de Londres, dit Harper. (Il avait feuilleté le dossier de temps à autre pendant leur visite, et cela avait visiblement porté ses fruits.) Il a dit qu'il avait repéré le type dans le hall de l'hôtel, et ensuite sur le parking.

— Je me demande si quelqu'un d'autre l'a vu. Barlow ne nous a pas donné de description très détaillée, mais il est sans doute possible de combler les lacunes. Peut-être même que quelqu'un le connaissait.

Après tout, il y avait sans doute des dizaines de personnes sur place, peut-être même des centaines. Les organisateurs ont certainement une liste des participants avec des numéros de téléphone et des adresses e-mail pour les contacter.

Harper lui lança un regard méfiant.

— On se partage la prospection téléphonique, n'est-ce pas ?

— Bien sûr. Mais je dois aller voir la sœur de Barlow d'abord. Vous devrez donc commencer les recherches seul jusqu'à mon retour.

Harper ne sembla pas ravi, mais il acquiesça.

— Ok, dit-il. Quoi d'autre ?

Kennedy était plutôt impressionnée. Il avait su déchiffrer les expressions de son visage, et en avait déduit qu'elle n'avait pas terminé.

— Vous allez vous en prendre plein la gueule, parce que vous travaillez avec moi, dit-elle. Les choses sont ainsi pour l'instant.

— Et alors ?

— Alors, vous pouvez vous en sortir très facilement. Allez voir Summerhill et dites-lui que nous avons une incompatibilité de caractère.

Il y eut un silence.

— Est-ce le cas ? demanda Harper.

— Je ne vous connais même pas, Harper. Je vous accorde juste une faveur. Et peut-être à moi aussi, parce que si vous êtes avec cette bande d'imbéciles, je préférerais que vous soyez dans mon camp plutôt que dans le leur – et ça vaudrait mieux pour vous aussi, parce que le jour où j'en aurai assez, ils vont le sentir passer !

Harper tapota le volant avec son ongle, semblant réfléchir à la situation.

— C'est ma première affaire en tant qu'inspecteur, dit-il.

— Et ?

— Je suis là depuis à peine deux heures et vous essayez déjà de me virer de l'enquête.

— Je vous laisse le choix.

Harper tourna la clé de contact de la vieille Astra qui ronronna vaillamment – tel un vieux chat se prenant pour un tigre.

— J'y réfléchirai, dit-il.

5

Comme prévu, Tillman conduisit la voiture de location à la périphérie d'Erzurum, où il la laissa loin de la route, cachée sous les branches d'un arbre avant de la nettoyer de fond en comble. Il l'avait louée sous une fausse identité, qui était différente de celle qui figurait sur les passeports avec lesquels il avait passé les frontières géorgienne et turque.

Dans un bar de Sultan Mehmet Boulevard, il passa un appel à la police de Magas – qui ne pouvait remonter jusqu'à lui – pour s'assurer qu'ils trouveraient bien le corps. Ils trouveraient aussi les gardes du corps attachés et bâillonnés, si quelqu'un d'autre ne l'avait pas déjà fait, et personne ne mourrait en dehors de Kartoyev. Il n'agissait pas par pitié, c'était simplement une tournure d'esprit, que Tillman attribuait à son côté méticuleux, ou à sa fierté professionnelle.

Il n'avait pas l'intention de traîner longtemps dans les parages, mais il voulait passer deux coups de fil avant de disparaître à nouveau. Le premier était adressé à Bernard Vermeulens – un flic, mais un flic qui, comme Tillman, avait été à la fois militaire et mercenaire avant de retourner à la vie civile. À présent, il travaillait pour la mission des Nations Unies au Soudan, et il avait accès à toutes sortes d'informations inattendues mais toujours d'actualité, qu'il acceptait parfois de partager avec lui.

— *Hoe gaat het meet jou*, Benny ? demanda Leo.

C'était la seule phrase flamande qu'il avait réussi à lui enseigner.

— Nom de Dieu. Escroc ! s'écria la voix grave de Vermeulens qui fit vibrer le téléphone dans la main de Leo. *Met mij is alles goed !* Et toi, Leo ? Que puis-je faire pour toi ? Et inutile de dire rien.

— Ce n'est pas rien, admit Tillman. C'est la même chose que d'habitude.

— Michael Brand.

— J'ai entendu qu'il était à Londres. Peut-être y est-il encore. Peux-tu encore partir à la pêche aux infos pour moi ? Je veux savoir si son nom apparaît sur quoi que ce soit d'officiel. Ou tout ce que tu pourras glaner à son sujet.

— *Joak*. Je le ferai, Leo.

— Et pour l'autre chose habituelle ?

— Là-dessus, j'ai une mauvaise nouvelle.

— Quelqu'un me cherche ?

— Quelqu'un te cherche assidûment. Depuis deux semaines maintenant. Beaucoup de recherches, beaucoup de questions. En général, il y a toujours trois ou quatre maillons différents de la chaîne, alors je n'arrive pas à savoir qui pose les questions. Mais c'est du sérieux, ils ne plaisantent pas.

— Ok, merci mon vieux. À charge de revanche.

— C'est par amitié. Si tu m'es redevable, nous ne sommes pas amis.

— Alors je ne te dois rien.

— C'est mieux.

Leo raccrocha et appela Assurance. Mais Assurance se mit à rire en entendant sa voix.

— Leo, tu es un risque que plus personne ne veut prendre, lui dit-elle avec ce qu'il prit pour de la tendresse dans la voix.

— Ah, bon ? Et pourquoi ça, Suzie ?

Il n'y avait aucun mal à lui rappeler qu'il était une des trois ou quatre personnes qui étaient toujours là et qui la connaissaient depuis l'époque où elle avait un véritable nom.

— Si tu tues quelqu'un dans une petite rue à Pétaouchnok, chéri, c'est une chose. Mais tuer quelqu'un au milieu d'un des principaux carrefours de la ville où nous vivons tous… c'est différent.

Tillman ne dit rien, mais il couvrit le micro du téléphone d'une main un instant, de peur de lâcher un juron, ou simplement de trahir sa nervosité en laissant filtrer sa respiration hachée. Quelques heures. Cela faisait juste quelques heures. Comment la nouvelle pouvait-elle s'être propagée si vite ? Comment quiconque avait-il pu relier son nom à une mort qui venait juste d'être découverte ?

— Je croyais que le monde était un village, se contenta-t-il de dire.

— Dans tes rêves ! Dans un village, tu n'aurais à t'inquiéter que du grand frère de MacTeale. Mais vu la situation, c'est tous ceux qui sont sur son carnet d'adresses qui sont à tes trousses.

— MacTeale ?

Pendant un instant, Tillman eut du mal à mettre un visage sur ce nom. Puis, il se rappela le grand Écossais furieux qui était à la tête de son équipe pendant la dernière année qu'il avait passée dans l'armée.

— Quelqu'un a tué MacTeale ?

— Toi, apparemment. En tout cas, c'est ce qui se dit.

— C'est faux, Suzie.

— C'est toi qui le dis.

— Je n'ai pas tué MacTeale. J'ai tué un bon à rien, un intermédiaire russe qui pensait avoir des amis haut placés, mais je suppose que c'était le genre d'amis qu'on loue à court terme. Écoute, tout ce que je veux, c'est un autre passeport, au cas où l'autre aurait été repéré. Je peux payer d'avance, si ça peut faciliter les choses.

— Tu peux rendre les choses aussi faciles que tu veux, Leo. Tu ne trouveras personne pour te vendre quoi que ce soit, pour t'employer ou pour partager des infos avec toi. La communauté a fermé ses portes.

— Et toi aussi ?

— Leo, bien sûr que moi aussi. Si je commence à heurter la sensibilité de mes clients, je vais me préparer une vieillesse de solitude et de pauvreté. Mais je serais encore mieux lotie que toi, chéri, parce que d'après ce que j'entends, tes jours sont comptés. Sans rancune.

— Peut-être un peu, dit Tillman.

— Bonne chance, dit Assurance d'une voix qui semblait sincère, mais elle raccrocha sans attendre sa réponse.

Tillman raccrocha brutalement et fit un signe au barman, qui lui apporta un autre scotch avec de l'eau. Quelqu'un s'était donné beaucoup de mal pour l'immobiliser, et qui que ce soit, il avait fait des miracles en très peu de temps. Il leva son verre de whisky, portant un toast silencieux à la santé de son adversaire invisible. Ta première erreur, Monsieur Brand, pensa-t-il, a été de me laisser découvrir ton nom. Et à présent, treize ans plus tard, tu te plantes à nouveau.

Tu me fais savoir que je suis sur la bonne piste.

Tillman n'était personne. Il aurait été le premier à le reconnaître : et cela s'accentuait à mesure qu'il vieillissait et s'éloignait du moment de sa vie où tout était cohérent et – brièvement – avait eu un sens.

C'était le mystère auquel il était désormais condamné. La recherche incessante donnait une orientation et un sens à sa vie, désormais définie par une absence. Ou plutôt quatre absences. Ce qui était réel à ses yeux était ce qui n'était pas là. Cela faisait si longtemps maintenant. Tant de sang avait coulé sous les ponts, et plus à venir encore, parce que l'autre option était d'arrêter de chercher. S'il arrêtait de chercher, au lieu de n'être plus personne, Tillman ne serait plus rien, nulle part. Autant être mort plutôt que d'admettre qu'il ne reverrait plus jamais Rebecca, ni les enfants. Ne jamais rentrer à la maison, pensa-t-il, car ce serait reconnaître que le monde était vide.

Les choses étaient différentes quand il était plus jeune. N'être personne était la solution de facilité à l'époque. Né à Preston, dans le Lancashire, où il avait vécu jusqu'à l'âge de seize ans, il avait grandi sans but et était passé maître dans l'art du laisser-aller, trop paresseux pour être dangereux, ou même efficace. Il passait d'une chose à une autre, se fichait de tout.

À l'école, Tillman était doué dans la plupart des sujets, les trucs scolaires aussi bien que les activités extrascolaires et le sport, mais rien ne l'intéressait suffisamment pour qu'il passe de bon à très bon. Il était bon sans effort, et cela lui suffisait. Par conséquent, il quitta l'école à seize ans, en dépit de l'intervention fervente de ses professeurs, et prit un boulot dans un garage, qui payait assez bien pour subvenir à ses vices ordinaires – la boisson, les femmes et le jeu, de façon occasionnelle – auxquels il s'adonnait sans grande conviction.

Finalement, et peut-être de façon inévitable, il avait dérivé de son orbite familière. Il participa à l'exode générationnel qui consistait à aller du nord au sud de l'Angleterre où, semblait-il, il se passait plus de choses. Ce n'était même pas une réelle décision : dans les décennies qui avaient suivi la Deuxième Guerre mondiale, les fabriques et les usines du Lancashire avaient sombré comme des chalutiers torpillés, et les vagues provoquées par ces faillites avaient entraîné des milliers de gens de l'autre côté du pays. À Londres, Tillman avait fait beaucoup de choses, mais l'ambition lui avait toujours été étrangère : c'était un homme fort qui ignorait sa force. Il fut mécanicien, plâtrier, couvreur, vigile, menuisier. Des emplois qui demandaient sans doute certaines compétences, que Tillman semblait acquérir très facilement. Mais il ne suivait jamais la même trajectoire pendant assez longtemps pour découvrir qui il était sous ces déguisements quotidiens.

Peut-être, rétrospectivement, il aurait dû sembler évident qu'un homme comme lui pouvait trouver son centre de gravité grâce à une femme. Quand il rencontra Rebecca Kelly, lors d'une soirée organisée par un de ses anciens patrons dans un pub londonien après l'heure de fermeture, il avait vingt-quatre ans et elle un an de moins. Elle ne semblait pas à sa place contre le papier peint floqué rose foncé, mais elle était si extraordinaire qu'elle aurait sans doute détonné n'importe où.

Elle ne portait pas de maquillage et n'en avait pas besoin : ses yeux marron contenaient toutes les couleurs et son visage pâle rehaussait le rouge de ses lèvres comme aucun rouge à lèvres n'aurait pu le faire. Sa chevelure était comme celle décrite dans le chant de Salomon, un vague souvenir de ses cours de catéchisme : des grappes de raisin noir. Elle était aussi calme qu'une danseuse immobile attendant les premières notes de musique.

Tillman n'avait jamais rencontré de beauté aussi parfaite, ni de passion aussi intense. Il n'avait jamais rencontré de vierge non plus. Leur première nuit d'amour fut donc, contre toute attente, un peu traumatisante pour l'un comme pour l'autre. Rebecca avait pleuré, assise au milieu des draps tachés de sang, la tête enfouie dans ses bras repliés, et Leo avait eu peur de l'avoir blessée de façon profonde et irrévocable. Puis elle l'avait pris dans ses bras, l'avait embrassé avec intensité et ils avaient essayé à nouveau, et avaient fait ce qu'il faut pour que cela se passe bien.

Ils s'étaient fiancés trois semaines plus tard, et mariés un mois après à la mairie d'Enfield. Les photos de cette époque montraient invariablement Tillman avec un bras protecteur autour de la taille de sa femme et, sur les lèvres, le sourire teinté de solennité d'un homme portant une chose précieuse et fragile.

Le monde du travail n'avait jamais été tout à fait réel à ses yeux. Il avait prospéré sans effort, progressé sans but. Mais l'amour était bien réel, le mariage aussi. La vie de Tillman s'était mêlée à la vie de quelqu'un d'autre, apportant une cohérence là où il n'y en avait aucune.

Le bonheur était une chose qui ne lui avait jamais manqué parce qu'il croyait déjà la posséder. À présent il avait compris alors la différence et accepté le miracle de l'amour de Rebecca avec un émerveillement inquiet. Il n'y avait rien que l'on pouvait faire pour mériter un cadeau tel que celui-là alors, plus ou moins consciemment, il s'était toujours vaguement attendu à ce que tout s'arrête et que le cadeau lui soit brusquement enlevé.

Au lieu de cela, il y avait eu les enfants, et le simple miracle était devenu complexe. Jud. Seth. Grace. Les noms avaient une résonance biblique. Tillman n'avait jamais lu la Bible, mais il savait qu'il y était question d'un jardin, avant que le Diable ne surgisse et que tout parte en fumée. Pendant six ans, il avait eu l'impression de vivre dans ce jardin.

Le bonheur lui avait appris à rassembler ses compétences, ainsi que son intelligence. Il avait créé sa propre entreprise, vendant des systèmes de chauffage central, et il s'en sortait bien – assez bien pour louer un entrepôt avec un petit bureau, et prendre une secrétaire. Il travaillait six jours par semaine, mais ne restait jamais tard, à moins d'une urgence. Il voulait toujours être présent pour aider Rebecca à coucher les enfants, même si elle ne lui laissait jamais leur lire une histoire pour les aider à s'endormir. C'était la seule chose qu'il ne comprenait pas chez elle. Elle avait horreur des histoires, ne lisait elle-même jamais de fiction et le faisait taire d'une phrase si jamais il s'aventurait à prononcer les mots « Il était une fois ».

Elle était un mystère, il devait le reconnaître. Il lui avait parlé de lui-même en une dizaine de phrases, mais Rebecca n'aimait pas parler de son passé, et encore moins de sa famille. Elle avait juste dit qu'ils étaient très proches et très centrés sur eux-mêmes : « Nous étions tout les uns pour les autres. » Elle devenait silencieuse après avoir dit ce genre de choses, et Tillman soupçonnait que cela cachait une tragédie qu'il avait peur de découvrir.

Avait-il épousé une image ? Une façade ? Il savait si peu de choses sur elle. Mais on pouvait ne rien savoir de la gravité et néanmoins être fermement attaché à la terre. Il était attaché à elle, et aux enfants. Tellement attaché. Jud, doux et nerveux. Seth, turbulent et brouillon. Grace, débordante de vitalité et affectueuse. Rebecca, à qui aucun adjectif n'était applicable, tant elle était indéfinissable. S'il avait eu besoin d'en savoir plus sur elle, elle aurait répondu à ses questions. Et quoi qu'elle ait pu dire, la gravité aurait toujours opéré.

Un soir de septembre, alors que l'été s'était terminé aussi brusquement qu'un accident de voiture et que les arbres étaient rouge et jaune flamboyant, Tillman rentra chez lui, comme d'habitude, sans avoir une minute de retard et trouva la maison vide. Totalement vide. Jud avait cinq ans et il venait juste d'entrer à l'école, alors il pensa d'abord qu'il avait confondu les jours et manqué une réunion entre parents et professeurs. Contrit, il vérifia sur le calendrier.

Rien.

Puis, il regarda dans les chambres et il fut gagné par la terreur. Le côté de l'armoire de Rebecca était vide. Dans la salle de bains, les placards étaient vides et la brosse à dents de Tillman trônait seule dans un gobelet en plastique violet orné d'un dinosaure. Les chambres des enfants avaient été vidées de fond en comble : vêtements et jouets, draps et couettes, posters et dessins d'enfants, tout avait disparu.

Presque tout. Un des jouets de Grace – Monsieur Snow, une licorne qui sentait l'essence de vanille – était tombé derrière le canapé et avait été oublié.

Puis il trouva le message. Il était écrit de la main de Rebecca, et constitué de quatre mots.

Inutile de nous chercher.

Elle ne l'avait même pas signé.

Tillman erra un moment, blessé, essayant d'encaisser le choc de ce qu'il ressentit comme une amputation. Il appela la police, qui lui dit d'attendre. On ne devenait pas une personne disparue par le seul fait de quitter une maison, il devait s'écouler un certain temps avant de pouvoir bénéficier de ce statut. Tillman pouvait peut-être appeler les amis et la famille de sa femme, suggéra le brigadier de permanence, et vérifier si elle ne se trouvait pas avec quelqu'un qu'elle connaissait. Si les enfants ne se présentaient pas à l'école le jour suivant, alors Tillman pouvait rappeler. Jusque-là, il était bien plus probable que toute la famille soit saine et sauve et à proximité plutôt que victime d'un enlèvement collectif. Surtout étant donné qu'on avait laissé un mot.

À la connaissance de Tillman, Rebecca n'avait pas d'amis, et il ne savait pas du tout où vivait sa famille, ni si ses membres étaient encore en vie. Il n'avait donc pas la possibilité de suivre ces conseils. Tout ce qu'il pouvait faire, c'était errer dans les rues au cas très improbable où il tomberait sur elle par hasard. Il marcha, même s'il savait déjà que c'était un vain espoir. Rebecca et les enfants étaient déjà très loin ; le but du mot laissé était de s'assurer qu'il ne les suivrait pas ou de le persuader – comme si c'était même possible – qu'ils étaient partis d'eux-mêmes.

C'était faux. C'était son point de départ. Tandis qu'il errait dans les rues de Killburn comme un automate, il rejoua les événements de la journée, encore et encore : les enfants l'embrassant pour lui dire au revoir, avec autant de spontanéité et d'amour que d'habitude ; Rebecca lui disant qu'elle devait déposer la voiture au garage pour le contrôle technique, et qu'elle ne pourrait donc sans doute pas aller le chercher. (Il avait appelé le garage pour vérifier : Rebecca avait laissé la voiture à midi, demandé qu'ils procèdent au remplacement de la roue de secours en même temps, et prévu de la récupérer le lendemain matin, si le contrôle était satisfaisant.) Même le contenu du réfrigérateur était une preuve flagrante : elle avait fait les courses pour la semaine, sans doute le matin même, avant de déposer la voiture.

Le mot avait donc été rédigé sous la contrainte – une perspective qu'il chassa immédiatement de son esprit parce que la rage qu'elle suscita menaçait de le rendre dingue.

La police ne lui fut pas d'un plus grand secours le lendemain matin. À cause du mot, expliquèrent-ils, il était très clair que madame Tillman l'avait quitté de son propre gré et emmené les enfants avec elle parce qu'elle n'avait plus confiance en lui les concernant.

— Y a-t-il eu une dispute au sein du couple la nuit précédente ? lui demanda la policière de garde.

Il avait lu une antipathie évidente dans son regard : bien sûr qu'il y avait eu une dispute, disait ce regard. Les femmes quittent leur mari, ce sont des choses qui arrivent tout le temps, mais elles ne s'enfuient pas précipitamment avec trois enfants à moins qu'il n'y ait un sérieux problème.

Il n'y avait aucun problème, n'arrêtait pas de dire Tillman, mais les mêmes questions revenaient, encore et encore, accompagnées chaque fois d'un refus catégorique de considérer Rebecca comme une personne disparue. Pour les enfants, c'était différent, on ne laisse pas disparaître des enfants d'âge scolaire ou préscolaire sans intervenir. On nota leur description et on établit des portraits-robots. Les enfants seraient recherchés, dit-on à Tillman. Mais une fois retrouvés, ils ne seraient pas enlevés à leur mère et la police ne coopérerait pas nécessairement pour rétablir le contact entre Tillman et sa femme. Cela dépendrait de la version que Rebecca donnerait à la police et aux souhaits qu'elle exprimerait.

À un moment donné de ce cercle vicieux mêlant indifférence condescendante et suspicion flagrante, Tillman perdit le contrôle. Il passa une nuit en cellule pour être tenu à l'écart d'un agent de police incroyablement jeune ; il l'avait injurié d'un flot d'obscénités lorsque le petit roquet lui avait demandé si Rebecca avait une liaison. Par chance, il n'avait pas les mains autour de la gorge du gamin à ce moment-là.

Pour autant que Tillman pouvait en juger, il n'y avait jamais réellement eu d'enquête. On le tenait au courant de l'évolution de la situation, à intervalles irréguliers : plusieurs fois, ils avaient cru avoir retrouvé sa trace, mais d'après la police de Londres, il s'agissait toujours de fausses alertes. Quelques articles de presse sporadiques, à un moment donné, semblèrent converger vers une théorie selon laquelle il aurait tué sa femme et ses enfants, ou bien tué sa femme et vendu ses enfants à des pédophiles belges. Mais des théories de ce genre avaient besoin d'être étayées par des faits, et comme il n'y eut aucun élément nouveau après le premier jour, cela tourna court avant d'atteindre un point critique.

Tillman avait contemplé sa vie anéantie. Il aurait pu retourner travailler, essayer d'oublier, mais il n'envisagea jamais sérieusement cette possibilité. Oublier aurait voulu dire laisser Rebecca et leurs enfants aux mains d'étrangers dont il ne voulait même pas imaginer les intentions. S'ils n'étaient pas partis de leur plein gré, et il savait que c'était le cas, alors on les avait enlevés sans laisser la moindre trace. Et ils attendaient qu'on vienne à leur secours. Ils l'attendaient, lui.

Le problème, c'était que Tillman était assez intelligent pour comprendre qu'il était loin d'être l'homme de la situation : l'homme capable de trouver sa famille et de la libérer des mains de ses ravisseurs. Il ne savait même pas par où commencer.

Assis dans la cuisine de leur maison, une semaine après la disparition, il réfléchit sérieusement avec une logique impitoyable et une grande lucidité. Ce qui devait être fait, il n'était en mesure ni de le faire, ni de le confier à quelqu'un d'autre.

Il devait changer. Il devait devenir l'homme capable de trouver, se battre et libérer et faire tout ce qui était nécessaire pour rétablir l'équilibre du monde. Les ressources qu'il avait en sa possession étaient mille quatre cents livres sterling d'économie et un esprit qui n'avait jamais encore testé ses propres limites.

Il sortit le mot de Rebecca de sa poche. *Inutile de nous chercher.* Mille fois il avait lu ces mots, cherchant le sens premier, puis le sens caché. Peut-être, mais seulement peut-être, l'espace qui suivait le deuxième mot était plus important que les autres : l'appel secret que lui lançait Rebecca tenait dans ce minuscule vide, le suppliant de voir le cri de son cœur tandis que sa main écrivait.

Inutile de
nous chercher.

Je viendrai, lui dit-il en pensée, serrant les poings. Ce ne sera pas rapidement, mais je viendrai. Et ceux qui vous ont enlevés à moi vont saigner, brûler et mourir.

Le lendemain, il entra dans l'armée – le 45ᵉ régiment, l'Artillerie Royale – et il commença, méthodiquement, à se reconstruire.

6

Les collègues d'Harper, une fois qu'il fut de retour dans la fosse aux ours, avaient hâte de l'interroger sur sa journée passée avec la casse-couilles. Il les déçut en n'ayant rien de très substantiel à dire.

— On est restés ensemble dans la voiture pendant, quoi, dix minutes, fit-il remarquer. Le reste du temps, on était sur la scène de crime, à chercher des indices avec trois semaines de retard. On s'est à peine adressé la parole. C'est pas comme si c'était un rencard.

— Si ça avait été un rencard, dit Combes, tu peux être sûr qu'elle aurait été dire à tout le monde que t'étais un éjaculateur précoce.

Cela provoqua l'hilarité générale, même si ce n'était qu'une mauvaise variation de plus sur la plaisanterie qui consistait à condamner Kennedy et qui durait depuis six mois. En pour ce qui était des plaisanteries, Combes avait largement apporté sa contribution, que ce soit sous la forme d'e-mails anonymes, de graffitis dans les toilettes ou de réflexions de mauvais goût au pub Old Star après quelques verres de trop. *Pourquoi Kennedy avait-elle quitté son petit ami ? Qu'a dit Kennedy au conseiller conjugal ? Pourquoi Kennedy n'a-t-elle jamais d'orgasme ?*

Ils ont raconté toute l'histoire à Harper. Il la connaissait déjà, dans les moindres détails, comme tous les flics de la police de Londres, mais les inspecteurs racontèrent la légende pour leur propre plaisir plutôt que pour celui d'Harper. Kennedy avait fait partie de l'unité d'intervention rapide. Elle s'était rendue avec deux coéquipiers à deux heures du matin devant une maison mitoyenne d'Harlesden. Un homme criait, une arme à la main. Il y avait eu des bris de vitre, d'après les voisins. L'un d'eux avait dit avoir entendu un coup de feu.

Kennedy dirigeait l'opération et elle s'était approchée du type de front, tandis que Gates et Leakey, ses deux collègues, avaient avancé derrière les voitures garées pour le surprendre par les côtés. L'homme en question, Marcus Dell, âgé de trente ans, était complètement défoncé et ce qu'il agitait dans la main droite ressemblait à un revolver. Mais sa main gauche saignait monstrueusement, et selon les déclarations de Kennedy après les faits, elle avait eu le pressentiment qu'il avait cassé la vitre d'un coup de poing plutôt qu'avec une balle.

Elle s'était donc approchée un peu plus près, sans cesser de parler, encore et encore, jusqu'à ce qu'elle soit à trois mètres, assez près pour voir ce que Dell tenait à la main : un combiné de téléphone cassé, dont la partie supérieure formait un angle pouvant prêter à confusion.

Elle fit signe que la voie était libre et les deux autres policiers sortirent de leur planque, encore en proie à ce mélange d'adrénaline, de soulagement, de colère et d'excitation un peu irréelle qui les étreignait toujours après avoir été sur le point de prendre une décision mettant leur vie en jeu.

Dell jeta le téléphone sur Leakey, l'atteignant en plein dans l'œil. Alors, Gates et Leakey tranchèrent dans le vif l'un et l'autre, tirant onze balles en l'espace de six secondes. Parmi les coups de feu, quatre atteignirent leur cible : bras, jambe, torse, torse.

Incroyablement, Dell ne s'effondra pas sur le sol. Au lieu de cela, il s'en prit à Kennedy et comme à ce moment elle ne se trouvait qu'à quelques dizaines de centimètres de lui, il n'eut qu'un pas à faire pour lui passer les mains autour du cou.

Par conséquent, ce fut Kennedy qui tira la balle qui l'acheva : atteignant le ventricule gauche à une distance – notée de façon succincte dans le rapport d'enquête – de « zéro centimètre ». Elle lui avait plus ou moins fait exploser le cœur, puis elle était restée pétrifiée, tandis que Gates et Leakey vérifiaient qu'il était mort.

C'était l'histoire telle qu'elle avait été racontée par la femme de l'homme qui avait été tué, la seule qui avait répondu à l'appel à témoins. Il s'avéra que Dell essayait d'entrer par effraction dans sa propre maison, suite à une dispute conjugale liée à la drogue qu'il avait prise et à sa réticence à partager. Lorina Dell avait été très claire quant à la chronologie des événements et aux rôles respectifs joués par les trois policiers armés.

Gates et Leakey racontèrent une tout autre histoire, bien sûr. Ils prétendirent avoir tiré avant que Dell ne jette le téléphone, pensant encore qu'il s'agissait d'une arme de poing.

Le récit devenait un peu obscur à ce stade. Leakey apporta également comme preuve une arme de poing, un GSh-18 russe bon marché qu'il prétendait avoir trouvée dans la ceinture de Dell, glissée dans son dos. Gates confirma la provenance de l'arme, même lorsqu'il s'avéra qu'elle ne portait aucune empreinte de Dell.

Le témoignage qui allait les faire plonger, lorsque le procès aurait enfin lieu, n'était pas celui de la femme du type défoncé, c'était celui de Kennedy. Elle nia que le GSh-18 avait été trouvé sur la scène de crime (un grand nombre d'armes à feu étaient récemment arrivées dans les casiers où étaient entreposées les preuves, suite à une rafle sur un porte-conteneurs qui s'était avéré faire passer en contrebande des armes, du haschich et – de façon incongrue – des comprimés de Viagra contrefaits). Elle accusa ses deux collègues d'avoir tiré sur Dell alors qu'il ne présentait manifestement aucune menace.

La décision de Kennedy d'employer la tactique Georges Washington, en faisant le vœu d'une honnêteté sans faille, surprit tout le monde. Sa licence de l'unité d'intervention rapide lui fut retirée, idem pour Gates et Leakey. Elle se retrouva ainsi opposée à l'ensemble du service dans une bataille qu'au bout du compte, elle n'avait aucune chance de gagner. Le type était mort les mains autour de la gorge d'un policier : il n'y aurait peut-être même pas eu de procès s'ils s'en étaient tous tenus à la vérité.

Lors d'entretiens successifs, Kennedy avait été invitée à répéter sa version des faits probablement une douzaine de fois, sans qu'un seul mot ait été mis par écrit. Pendant ces entrevues, des personnes pleines de tact l'invitèrent à réfléchir à l'ordre dans lequel les événements s'étaient succédé, ainsi qu'à l'ampleur du danger que représentait l'attaque de monsieur Dell sur sa propre personne. Ces séances de réexamen des faits avaient été menées dans d'autres cas controversés, avec une issue positive pour la police, ainsi que les officiers concernés. Mais lorsqu'un flic n'avait aucun instinct de survie, on ne pouvait l'aider que jusqu'à un certain point. Kennedy continua d'affirmer qu'elle-même, Gates et Leakey avaient fait usage d'une force meurtrière contre un junkie paumé qui tenait à peine debout. Elle invita le procureur à n'omettre aucun chef d'accusation.

Pour l'instant, tout était encore en suspens. L'affaire était maintenant devenue une prise de bec entre la police de Londres, le ministère public et la commission des plaintes de la police. Une enquête approfondie était en cours et il devait y avoir un rapport avant que des poursuites puissent être engagées. En attendant, Gates et Leakey étaient suspendus et percevaient leur salaire intégral, tandis que Kennedy pouvait rester dans le service, sans port d'arme, exerçant son métier comme avant.

Excepté que rien n'était revenu à la normale pour tous ceux qui étaient concernés. Kennedy était en quarantaine : un paria dans la fosse aux ours, une cible ambulante à la merci de tout ce que les inspecteurs avaient envie de lui jeter à la figure et, pensa Harper, peut-être était-elle touchée de façon moins tangible – sous la ligne de flottaison. Lorsqu'elle l'avait mis en garde, il avait eu le sentiment qu'il s'agissait de pragmatisme froid plutôt que de générosité chevaleresque. Un peu comme les officiers pris au piège sur le Titanic avaient fini par dire aux canots de sauvetage d'aller vers le large pour éviter d'être engloutis sous la mer quand le grand paquebot coulerait.

Harper prit conscience que Combes ne l'avait pas quitté des yeux, attendant une réponse au conte moral.

— Elle n'a pas l'air d'être quelqu'un avec qui il est très facile de travailler, dit Harper, essayant d'amadouer Cerbère.

— Là-dessus, vous ne vous êtes pas trompé, confirma quelqu'un – Stanwick ?

— Mais je suppose qu'elle était réellement convaincue que les deux autres types avaient foiré l'arrestation.

L'atmosphère de la pièce se rafraîchit sensiblement.

— À quoi s'attendait ce petit con ? demanda Stanwick. Il a agressé un policier, il a été descendu. Bon débarras !

— Je suppose, dit Harper, que tout le monde partira sans doute du même principe que vous. Alors Kennedy ne fait de tort à personne en s'en tenant à sa version.

— Tu crois que tu as tes chances avec elle, non ? s'enquit Combes, visiblement agacé. C'est une belle nana, n'est-ce pas ?

De façon objective, Kennedy méritait tout à fait cette description : une silhouette qui avait tout ce qu'il fallait là où il fallait. Des cheveux blonds tirés sévèrement en arrière qui ne passaient pas inaperçus et laissaient imaginer qu'elle pouvait les relâcher et les secouer en prélude sexuel, ce qui vaudrait sans doute le coup d'œil. Son visage, même s'il avait peut-être un nez et un menton un peu trop volontaires, avait l'intensité nécessaire pour être qualifié de séduisant.

Mais elle avait dix ans de plus que la petite amie d'Harper, Tessa, et cette relation était encore assez récente pour fausser son jugement sur toutes les autres femmes. Il haussa les épaules de façon évasive.

— Il pense qu'il a ses chances, annonça Combes à l'assemblée. Eh bien, tu peux oublier ça, gamin. Elle est gouine.

— Ah oui ? fit Harper, soudain intéressé, mais seulement en tant qu'inspecteur. Et comment peux-tu le savoir ?

— On a fait une sortie aux courses en mars dernier, tout le service, lui dit Stanwick, comme s'il parlait à un imbécile. Et elle a emmené une nana.

— Est-ce que ça ne ferait pas de la moitié d'entre vous des gouines aussi ? demanda Harper d'un air innocent.

Son ton était léger et amical, mais cela jeta un nouveau froid dans la pièce : à un certain niveau, cela était un test, et il s'en sortait plutôt mal.

— En tout cas, tu ferais mieux de prendre ton pied tant que tu peux, mon vieux, résuma un des inspecteurs. Elle ne va pas rester ici encore très longtemps.

— Non, convint Harper. Probablement pas.

La conversation dévia vers d'autres sujets et on le laissa tranquille. Cela l'arrangeait. Il avait beaucoup de coups de fil à passer, et autant commencer tant que Kennedy était partie interroger la sœur de Barlow.

Le Forum historique de Londres était un événement bisannuel qui avait lieu à l'université. Il retrouva le bureau en charge de l'organisation, qui se trouvait à Birbeck, et après avoir joué au chat et à la souris avec une flopée de réceptionnistes et d'assistantes, il réussit à réquisitionner une copie de la liste des participants à la dernière conférence. Il la reçut en pièce jointe à un e-mail une demi-heure plus tard, mais le document envoyé n'était pas au format Word mais JPEG. Chaque page avait été scannée séparément, dans certains cas n'importe comment, de sorte que les premières lettres des noms de famille étaient tronquées et que les deux dernières lignes de chaque feuille semblaient manquantes.

Harper renvoya un e-mail en demandant s'il existait une version Word de la liste, puis il imprima les documents scannés. Il pourrait toujours travailler là-dessus en attendant.

Tandis qu'il avançait dans le couloir qui menait à l'imprimante, Harper pensa à la conversation qu'il venait d'avoir. Pourquoi avait-il défendu Kennedy, ou du moins refusé de se joindre à la condamnation générale ? Elle était loin d'être sympathique et avait indiqué très clairement qu'elle serait satisfaite de travailler sur cette affaire en solo.

Mais c'était la première affaire d'Harper et quelque chose d'atavique en lui refusait farouchement d'abandonner la partie : l'ange qui était en charge de surveiller le travail de la police n'appréciait sans doute guère les policiers qui se récusaient eux-mêmes par peur de l'échec. Et Kennedy semblait elle aussi avoir un bon instinct : il ne s'agissait pas de flashs mais d'une réflexion méthodique et minutieuse. Harper avait assisté à de soudaines intuitions, mais il leur préférait des compétences de base appliquées avec intelligence. Et même si elle n'avait plus les idées très claires suite à la mort de Dell, au procès imminent et au fait de devoir vivre en exil au sein de son propre service, elle essayait encore de faire son boulot.

Alors il allait travailler avec Kennedy et lui accorder le bénéfice du doute – en tout cas pour l'instant. Si elle lui cassait trop les couilles ou s'avérait plus instable qu'il ne l'avait supposé, il aurait toujours la possibilité de se plaindre à sa hiérarchie et demander à être muté, comme elle l'avait suggéré.

Entre-temps, se retrouver opposé à des types comme Combes et Stanwick – qui s'étaient déjà distingués comme des connards intéressés – était du petit-lait pour son âme.

Il rapporta les documents imprimés à son bureau et commença la tâche ardue et déplaisante qui consistait à retrouver des témoins oculaires qui n'existaient peut-être même pas.

Il en était au septième nom de la liste lorsqu'il trouva le deuxième cadavre.

7

L'adresse de Rosalind Barlow était la même que celle de Stuart Barlow. Le frère et la sœur vivaient ensemble – *avaient* vécu ensemble – dans un pavillon de style cottage, à la sortie de l'autoroute M25, à Merstham, qui avait sans doute mérité l'appellation de village à une autre époque. Kennedy avait elle aussi un frère, et c'était pour cette raison qu'elle avait des doutes quant à ces arrangements domestiques. Vivre avec un petit ami était déjà assez difficile, alors avoir un frère sur le dos était une garantie d'atrophie de la personnalité et de co-dépendance névrotique.

Dix minutes après le début de sa visite, son jugement initial avait considérablement évolué. Rosalind Barlow était une femme coriace et sûre d'elle, grande et de forte stature, et son visage encadré de cheveux auburn semblait destiné à être sculpté dans quelque chose de grand et d'héraldique – le genre de femme qu'on qualifie souvent de beauté. Elle avait quinze ans de moins que son frère et la maison lui appartenait, elle l'avait héritée de ses parents. Stuart Barlow y avait vécu pendant des années sans payer de loyer tandis que Rosalind occupait un poste dans le département des titres d'une banque new-yorkaise. Elle n'était retournée vivre à Londres que depuis peu, pour occuper un meilleur poste à la City, c'est pourquoi elle s'était retrouvée à partager la maison avec son frère pendant quelques mois, le temps qu'il trouve autre chose. Mais à présent, dit-elle, elle cherchait un autre endroit où habiter.

— J'ai une amie chez qui je peux dormir pendant quelques nuits. Après, j'essaierai de trouver quelque chose un peu plus près du centre. Et s'il n'y a rien sur le marché, je louerai pour l'instant. Je ne vais certainement pas rester ici.

— Pourquoi pas ? demanda Kennedy, surprise par la véhémence de la femme.

— Pourquoi pas ? Mais à cause de Stu bien sûr. Chaque objet ici lui appartient, et cela lui a pris des années pour que tout soit exactement comme il le souhaitait. Je préfère vendre à quelqu'un qui aime ce genre de choses plutôt que de passer les deux années à venir à tout changer petit à petit pour que cela me convienne. J'aurais l'impression... (Elle s'efforça de sourire.) Ce serait comme s'il essayait encore de s'accrocher à moi et que je lui brisais les doigts un à un. Ce serait horrible.

Rosalind n'avait pas sourcillé en entendant la nouvelle de la réouverture de l'enquête. « Bien », c'était tout ce qu'elle avait dit.

Elles étaient assises dans la salle à manger du cottage où il y avait des dessins satiriques du dix-neuvième siècle au mur et un bar conçu à partir d'un bureau à cylindre de l'époque victorienne. Un escalier ouvert de design moderne, sans contremarche, divisait la pièce en deux, ce qui était plutôt surprenant dans un pavillon. Barlow avait dû faire aménager le grenier et il y avait sans doute une nouvelle pièce là-haut.

— Vous avez demandé une autopsie, dit Kennedy en reposant la petite tasse de café très fort que Rosalind lui avait servie à son arrivée. Était-ce parce que vous suspectiez que la mort de votre frère n'était pas un accident ?

Rosalind claqua légèrement des dents en signe d'impatience.

— Je savais que ce n'était pas un accident, dit-elle. Et j'ai précisément expliqué pourquoi au policier qui est venu ici. Mais j'ai bien vu qu'il n'écoutait pas, alors j'ai dû demander une autopsie. J'ai été entourée de gens surmenés pendant assez longtemps pour en reconnaître les signes. Il faut se faire entendre – et il faut insister lourdement – sinon le dossier est classé et il n'y a jamais aucune enquête.

Kennedy était de son avis, mais elle se garda de le lui dire. Elle n'était pas là pour entrer dans son jeu en disant des banalités du type : « Si ce n'est pas malheureux... »

— Je suppose que c'était un policier local en uniforme ?

— Oui, il portait un uniforme. (Rosalind fronça les sourcils, faisant un effort de mémoire.) Et je l'ai appelé « Monsieur l'Agent », mais à vrai dire, je ne lui ai pas demandé quel était son grade. Il avait un chiffre – un chiffre et des lettres – sur l'épaule, mais pas d'étoile, ni de bande. J'ai vécu à l'étranger pendant quelques années, mais je pense qu'il s'agissait d'un simple gendarme, si les uniformes n'ont pas changé depuis.

— Oui, dit Kennedy, vous avez sans doute raison.

Elle apprécia que Rosalind soit capable de se rappeler ce genre de détails après deux semaines. Cela voulait dire qu'elle pouvait se souvenir d'autres détails avec la même précision.

— Alors, que pensez-vous qu'il soit arrivé à Stuart ? demanda-t-elle.

L'expression de Rosalind se durcit.

— Il a été assassiné.

— Qu'est-ce qui vous fait dire ça ?

— C'est lui qui me l'a dit.

La surprise avait dû transparaître sur le visage de Kennedy – qui gardait pourtant toujours un visage impassible dans le cadre de son métier – parce que Rosalind renchérit sur un ton plus emphatique, comme si elle venait d'être contredite :

— Il me l'a réellement dit. Trois jours avant que cela se produise.

— Qu'il allait être assassiné ?

— Que quelqu'un risquait de l'agresser. Qu'il se sentait menacé et ne savait pas quoi faire.

Rosalind était de plus en plus véhémente. Face à l'intensité de ses émotions, Kennedy décida de se montrer conciliante.

— Cela a dû être terrible pour vous comme pour lui, dit-elle. Pourquoi n'avez-vous pas appelé la police ?

— Stu l'avait déjà fait, quand il a pris conscience qu'il était suivi.

— Lors de la conférence ?

— Oui. À ce moment-là.

— Mais s'il était réellement menacé…

Kennedy était hésitante. Elle voyait bien que l'autre femme n'appréciait pas d'être interrogée et qu'elle était susceptible de considérer n'importe quelle question comme une critique, à moins qu'elle ne soit formulée de façon aussi neutre que possible. Elle reprit :

— A-t-il expliqué tout cela à ce moment-là ? demanda-t-elle. Je veux dire, quand il a appelé la police et qu'il leur a dit qu'il était suivi ? Ou y avait-il autre chose ? Quelque chose qu'il aurait gardé pour lui ? Je vous demande cela parce que j'ai relu le dossier et il ne faisait état d'aucune menace.

Rosalind secoua la tête, visiblement contrariée.

— Il a dit qu'il se sentait menacé, pas qu'il avait été directement menacé. Il a dit à la police tout ce qu'il pouvait dire, tout ce qui était vérifiable. Le reste, ce n'étaient que des... impressions je suppose. Mais je sais qu'il avait peur. Pas de façon générale, il avait peur de quelque chose de précis. Sergent Kennedy, mon frère n'était pas un homme très pondéré. Quand on était gosses, il était toujours celui qui avait des enthousiasmes soudains – la folie de collectionner telle ou telle chose, il se passionnait pour les B.D. ou les émissions télé cultes, ce genre de choses. Et émotionnellement aussi, il était toujours... très dispersé. Alors j'aurais pu avoir toutes les raisons de penser qu'il exagérait, qu'il faisait une montagne d'un rien. Mais ce n'était pas le cas. Cette fois, c'était différent.

— En quoi était-ce différent ?

— Quelqu'un est entré ici par effraction au milieu de la nuit et a fouillé dans toutes les affaires de Stu. Ça n'avait rien d'imaginaire.

Kennedy demanda aussitôt :

— L'avez-vous déclaré à la police ? Je veux dire... Une plainte a-t-elle été déposée ? Y a-t-il une trace quelque part ?

— Bien sûr, que nous l'avons déclaré. On n'aurait pas pu être remboursé par l'assurance autrement.

— Alors des objets ont été volés ?

— Non. Rien qu'on ait remarqué. Mais on avait besoin de faire changer les verrous et il fallait faire réparer la porte. C'est par là qu'il est entré.

— Était-ce avant ou après que le professeur Barlow a remarqué qu'on le suivait ?

— Après. Et c'est à ce moment-là que j'ai commencé à prendre toute cette affaire au sérieux. Mais pas vous, visiblement.

Parce que personne n'avait réuni tous les éléments de cette affaire, pensa Kennedy, même après la mort de Barlow. La déclaration de Barlow indiquant qu'on le suivait n'avait été découverte qu'après les résultats de l'autopsie – et tous les éléments du dossier concernant une entrée par effraction étaient sans doute encore égarés quelque part dans le système. C'était grotesque. Le registre central n'était ni tout à fait nouveau, ni très compliqué. Et il était désormais supposé recouper de façon automatique les affaires anciennes avec les nouveaux éléments entrés dans la base de données de la division. Encore fallait-il entrer les informations dans les bonnes cases… Mais les anciennes données étaient censées s'afficher sans qu'on ait rien à faire.

Mais pas cette fois.

— Il semblerait qu'on ait été lents à démarrer sur cette affaire, admit Kennedy, essayant de devancer l'hostilité de Rosalind Barlow en faisant amende honorable. Mais si vous avez raison, pourquoi l'agresseur ne s'en est pas pris à votre frère ici, après être entré dans la maison ? A-t-il été surpris ? L'avez-vous entendu entrer ?

Rosalind secoua la tête.

— Non, on ne l'a pas entendu, dit-elle. On s'est seulement rendu compte que quelqu'un était entré par effraction lorsqu'on est descendus, le lendemain matin.

Alors, en partant du principe qu'il y avait un lien entre tous ces événements, la motivation n'était pas seulement de tuer Barlow. Il aurait aussi bien pu être assassiné chez lui qu'à l'université, et même plus facilement si le tueur l'avait surpris dans son sommeil.

Kennedy repensa à la pagaille spectaculaire qui régnait dans le bureau de Barlow. Peut-être n'était-ce pas un désordre habituel : quelqu'un aurait pu être entré par effraction, là-bas aussi. Elle regarda le rayon de soleil oblique qui entrait à travers les rideaux ouverts, éclairant les grains de poussière suspendus dans l'air ambiant. Le mot *assassiné* semblait un peu irréel dans cette pièce – et le scénario qu'elle avait imaginé, celui du corps de Barlow hissé en haut de l'escalier dans le département Histoire pour le faire retomber ensuite, paraissait ridicule et mélodramatique. Mais contrairement à Stuart Barlow, elle n'agissait pas en fonction de ses seules impressions. Ses actes étaient dictés par des preuves, et les preuves convergeaient vers quelque chose de complexe et de dangereux. Un meurtre précédé d'un cambriolage totalement distinct impliquait un plan ou un motif qui dépassait le seul fait de vouloir la mort de quelqu'un.

— Avez-vous parlé avec votre frère de ce que cet homme cherchait ? demanda-t-elle. Si le professeur Barlow avait peur, était-ce à cause de quelque chose qu'il avait en sa possession ? Quelque chose de valeur que d'après lui, d'autres pouvaient rechercher ?

Rosalind hésita cette fois, mais elle finit par secouer la tête – un aveu d'ignorance.

— C'est possible, mais Stu ne me parlait jamais de son travail parce qu'il savait que ça me barbait. Il avait eu beaucoup de contacts récemment avec les Ravellers. Cela voulait donc dire qu'il travaillait sur des documents anciens. Mais ils travaillent surtout à partir de photos ou de transcriptions et non d'originaux. Il n'y aurait donc aucune raison pour qu'il ait eu des objets de valeur dans la maison.

— Les Revellers ? répéta Kennedy.

— Pas les Revellers, les Ravellers. C'est une communauté sur Internet de paléographes – les gens qui travaillent sur les manuscrits anciens et les incunables.

— Ce sont donc des professeurs d'université alors, comme votre frère ?

— Et des amateurs. Beaucoup d'entre eux le font pour leur seul plaisir.

— Comment puis-je les contacter ?

Rosalind haussa les épaules.

— Je suis désolée, je ne sais pas. Je n'utilise un ordinateur que pour faire des tableaux et envoyer des e-mails. Il y a peut-être… un forum ? Un site Internet ? Je n'en sais rien. Vous allez devoir poser la question à un des collègues de Stu. Mais je pense que vous devriez commencer vos recherches par là. En dehors de ça, je ne vois pas ce qui, dans la vie de Stuart, aurait pu inciter quelqu'un à le suivre ou l'agresser.

Kennedy se rappela les propos d'Ellis, et elle demanda :

— Il écrivait un livre. Pouvait-il comporter quoi que ce soit de sensationnel ou de controversé ? Une nouvelle théorie ou la réfutation d'une ancienne ? Quelque chose qui aurait pu porter atteinte à la réputation de quelqu'un d'autre ?

Rosalind pâlit soudainement. Elle ne répondit pas tout de suite, mais lorsqu'elle le fit, sa voix trembla.

— Stu travaillait sur ce fichu livre depuis dix ans. Il disait toujours qu'il écrirait probablement les remerciements sur son lit de mort.

Elle marqua une pause, puis elle ajouta, sur un ton plus froid :

— Et le fait qu'il n'arrivait pas à décider quel serait son fichu sujet ne l'a pas aidé. Pendant au moins cinq ans, cela devait porter sur les manuscrits de la mer Morte. Stu était convaincu qu'il y avait encore de grandes découvertes à faire sur le sujet, même si tous ceux qui travaillaient dans ce domaine les avaient étudiés de fond en comble au cours des soixante dernières années. Savez-vous combien de livres ont déjà été publiés sur les manuscrits de la mer Morte ? Des centaines. Quand j'ai demandé à Stu qui aurait envie de lire son livre, il a pris un air mystérieux en citant William Blake.

— Vous rappelez-vous de cette citation ?

— Heu… Quelque chose comme « Nous lisons ensemble la Bible jour et nuit. Mais vous lisez noir où je lis blanc. » Stu pensait que c'était incroyablement intelligent. Mais ensuite il a perdu tout intérêt pour les manuscrits de la mer Morte. Et il est passé à sa période gnostique. Tous ces cultes bizarres du début du christianisme – les ariens, les nestoriens et autres bigots. Ensuite, il a travaillé sur saint Irénée, le deuxième évêque de Lyon. Et il a fini par s'intéresser au Rotgut. Je pense que la dernière fois qu'on en a parlé, c'était à cela qu'il s'intéressait. Le Rotgut. Il allait écrire une complète ré-interprétation du Rotgut.

Kennedy fit un geste pour l'inviter à continuer, ce qui lui évita d'admettre qu'elle n'avait pas la moindre idée de ce dont l'autre femme parlait.

— Le codex Rotgut, expliqua Rosalind, est une traduction médiévale d'une version égarée de l'Évangile selon saint Jean. Difficile de faire plus obscur, à moins de faire des recherches sur quelque chose comme les marques de ponctuation, par exemple. Je ne pense pas que la réputation de qui que ce soit ait pu avoir à souffrir du livre de Stu. Pas même celle de Stu. Certaines universités exigent de leurs professeurs qu'ils publient pour continuer à faire partie de leur personnel. Mais Stu était titulaire, alors il prenait son temps !

Kennedy posa quelques questions supplémentaires, pour l'essentiel sur les collègues de Stu à l'université du Prince Régent et sur les amis qu'il s'était faits sur Internet. Rosalind resta vague sur les deux sujets. Il était évident qu'elle ne s'était pas beaucoup impliquée dans la vie publique de son frère, ni dans ses enthousiasmes personnels.

Pourtant, en raccompagnant Kennedy jusqu'à la porte, quelque chose lui revint en mémoire.

— Michael Brand, dit-elle, comme s'il s'agissait d'une réponse à une question que Kennedy venait de lui poser.

— Qui est-ce ?

— Un des Ravellers. Il est le seul dont Stu ait jamais mentionné le nom. Vous n'aurez sans doute pas loin à aller si vous voulez lui parler. Il était à Londres pour raisons professionnelles, en tout cas il y était encore il y a quelques semaines. Stu l'a rencontré la nuit précédant sa mort.

— Était-ce simplement amical ou… ?

Rosalind leva les mains en signe d'ignorance.

— Je n'en ai aucune idée. Mais il séjournait dans un hôtel quelque part dans le West End, près de l'université. Assez près pour que Stu puisse s'y rendre à pied après le travail. Peut-être ont-ils parlé de tout ça. Peut-être était-ce la raison de la présence de Brand à Londres.

Rosalind la raccompagna jusqu'à la porte, tout en faisant un effort de mémoire.

— Ce n'était pas le Bloomsbury, marmonna-t-elle. Ni le Great Russel. Mais c'était dans ce coin, et c'étaient deux mots courts.

Elle ouvrit la porte, Kennedy sortit puis se retourna pour lui faire face.

— Pride Court, dit Rosalind. L'hôtel Pride Court.

— Vous m'avez beaucoup aidée, Mademoiselle Barlow. Merci.

— Ne me remerciez pas, dit Rosalind avec froideur. Rendez-moi juste la pareille.

Le téléphone de Kennedy sonna juste au moment où elle regagna sa voiture. Elle vit que l'appel venait d'un des téléphones de la fosse aux ours et fut tentée de ne pas répondre, mais cela pouvait être Summerhill qui vérifiait ce qu'elle faisait. Elle ouvrit le clapet d'une main et chercha ses clés de l'autre.

— Kennedy.

— Salut, c'est Chris Harper.

— Comment ça se passe ?

— Tout se passe très bien. Sérieusement, Sergent, je suis en train de battre des records de productivité ici.

La voiture émit un bip lorsque Kennedy appuya sur le bouton de l'alarme, mais elle n'ouvrit pas la porte aussitôt.

— Quoi ? Que voulez-vous dire ?

Le rire d'Harper trahit son excitation, mais il réussit à dire d'une voix monocorde quoique teintée d'une note d'héroïsme :

— Quand je me suis assis à mon bureau, on n'avait qu'un cadavre. Maintenant, on en a trois.

8

Les premières histoires de zombies firent leur apparition deux jours après l'accident d'avion, mais ce n'est qu'au quatrième jour qu'elles commencèrent réellement à affluer. Ces choses-là mettent toujours un certain temps avant d'être lancées, conjectura le shérif Webster Gayle, mais une fois qu'elles sont en marche, il devient impossible de les arrêter.

Il n'y eut qu'une seule histoire le deuxième jour – une véritable apparition, pour ainsi dire, même si, en réalité, c'était tout sauf une apparition. Sylvia Gallos, la veuve d'un des hommes ayant trouvé la mort sur le vol 124 de la compagnie Coastal Airlines, s'était réveillée au milieu de la nuit, après avoir entendu du bruit au rez-de-chaussée de sa maison. Bien que bouleversée par sa peine, elle avait eu la présence d'esprit de fouiller dans le tiroir de la table de nuit pour y trouver le petit revolver calibre 22 que son mari, Jack, avait acheté pour elle. Ses affaires l'avaient souvent obligé à voyager loin de son domicile, et il avait l'habitude de s'inquiéter pour la sécurité de sa femme.

Tenant le pistolet d'une main tremblante, madame Gallos avait descendu les marches à pas de loup. Elle avait trouvé la maison vide et la porte soigneusement verrouillée. Mais la télévision était allumée, un verre de whisky à moitié bu était posé sur la table basse et l'air ambiant embaumait le parfum préféré de son défunt mari, Bulgari Black.

Ce fut tout pour le deuxième jour, mais l'histoire fit beaucoup de bruit et passa en boucle aux infos, en général à la fin des dix ou douze minutes qui retraçaient l'événement de façon plus sérieuse et solennelle. Les autorités essayaient encore de comprendre à qui elles devaient imputer la responsabilité de l'accident. La boîte noire n'avait toujours pas été retrouvée, même s'ils étaient nombreux à la chercher, et les avis étaient partagés quant à ce qui s'était passé. Était-ce l'œuvre de dangereux terroristes ? Des répercussions des effets à long terme des déchets volcaniques qui avaient stagné dans la haute atmosphère après l'éruption qui avait eu lieu en Islande environ un an plus tôt ? Ou, pire encore – d'un point de vue industriel en tout cas – était-ce un défaut de conception qui impliquait que tous les avions de ce modèle (il s'agissait d'un Embraer E-195 qui n'avait que quatre ans d'existence) seraient cloués à terre dans un avenir proche ?

Au troisième jour, les journaux télévisés annonçaient qu'on pouvait désormais répondre partiellement à cette question. Toujours aucune boîte noire, mais les assurances et la direction générale de l'aviation civile américaine avaient procédé à un premier examen de l'épave, ce qui permettait d'expliquer, en partie du moins, ce qui s'était passé. Une des portes de l'appareil s'était ouverte en plein vol, provoquant une dépressurisation massive. Puis, de fil en aiguille, la gravité avait fait son œuvre, emportant le vol 124 dans son étreinte dévastatrice.

À Peason, on était encore sous le coup du choc et de la peine pour les étrangers défunts qui étaient tombés du ciel, mais pour le pays dans son ensemble, on avait l'impression que l'événement était bien moins intéressant maintenant qu'on avait trouvé une explication. C'est pourquoi, le troisième jour, les faits divers avaient pris le pas sur les faits liés à l'accident en tant que tel. L'attention était désormais tournée vers la femme qui avait pris un vol pour New York pour retrouver sa sœur avec laquelle elle était brouillée depuis vingt ans, vers l'homme qui allait faire sa demande en mariage à son amour d'enfance, et ainsi de suite.

Et parmi tous ces mélodrames vendus au kilomètre, il y eut les revenants. Au quatrième jour, ils arrivèrent en force.

Un employé du département des Travaux publics de New York, qui avait pris le vol 124 pour rentrer chez lui après un déplacement professionnel à Mexico, avait pointé à son bureau, surfé sur quelques sites pornos et été vu par quelques employés de la sécurité et de la réception, avant de disparaître sans laisser de trace. L'ennui, c'est qu'au même moment, il était étendu sur une table d'autopsie à la morgue de Peason, mais manifestement, la routine est une chose très puissante.

Une femme du New Jersey, une autre victime du vol 124, avait sorti sa voiture du garage pour se rendre au supermarché voisin, où elle avait retiré cinquante dollars sur son compte courant et apparemment acheté un poisson rouge en plastique au rayon jouets animaliers et une boîte d'anchois. Ils avaient été retrouvés un peu plus tard ce jour-là dans le coffre de sa voiture qui se trouvait toujours sur le parking après la fermeture du magasin. Son petit ami avait affirmé plus tard qu'elle achetait toujours ce genre de choses à Felix, son chat birman, après s'être absentée.

Et sans doute le plus effrayant de tout, une autre passagère, une certaine madame Angelica Saville, avait appelé son frère qui vivait à Schenectady pour se plaindre que l'avion tournait en rond depuis des heures dans un brouillard si épais qu'elle était incapable de distinguer quoi que se soit à travers les hublots. L'appel avait été reçu exactement soixante et une heures après que l'avion s'était écrasé au sol.

— T'as lu ça ? demanda Webster Gayle à Eileen Moggs au cours de leur déjeuner hebdomadaire au café Kingman Best of the West, à trois kilomètres en dehors de la ville sur la route 93.

Il lui montra l'histoire de la femme du New Jersey et elle grimaça comme si elle avait ressenti une douleur physique.

— Celle-là, on nous la ressort à peu près tous les dix ans, dit Moggs.

Le regard de Moggs s'était assombri, donnant à son visage un petit air revêche, qui fit aussitôt regretter à Gayle de l'avoir contrariée. Il trouvait que son visage – marqué, aux traits pleins de caractère, énergique, surmonté d'un frisottis de cheveux roux semblable à un incendie dans les broussailles – était surprenant et magnifique à regarder.

— Ils attendent juste assez longtemps pour que tout le monde ait oublié la fois précédente, et après ils remettent ça ! C'est une tradition chez les pisse-copie. Ça remonte à la grande inondation de mélasse de Boston.

Gayle crut avoir mal compris.

— La quoi ?

— La grande inondation de mélasse de Boston de 1919. Ne ris pas, Web. Ça a été un véritable désastre et une vingtaine de personnes sont mortes. Une grande citerne a explosé. Ils sont morts dans la mélasse. Ça doit être une façon plutôt horrible de mourir.

Gayle acquiesça, convenant que c'était assez horrible. Moggs se relança aussitôt dans sa diatribe.

— Quatre semaines plus tard, les journaux racontaient que les défunts se présentaient encore à leur poste de travail. Ou leur fantôme. Ils ont cité les survivants – des collègues et des proches – qui, selon eux, donnaient toutes sortes de détails concordants. Oui, c'était bien la chemise de John, Marie s'asseyait toujours sur cette chaise, et ainsi de suite. Seulement, ces choses, ils ne les avaient jamais dites. Ou peut-être qu'un ou deux d'entre eux les avaient dites. Après ça, les journalistes spécialistes de la rubrique des chiens écrasés ont monté ça en épingle, et les cinglés et les mauvais plaisants sont entrés dans le jeu. C'est tout. C'est toujours la même histoire, rien d'autre !

Le shérif Gayle dit qu'il la croyait sur parole, comme il le faisait toujours, pour la plupart des choses qui dépassaient sa propre expérience somme toute limitée – autrement dit, pour tout ce qui excédait les limites du comté de Coconino. Mais c'était peu ou prou un mensonge : à un niveau plus ou moins inconscient, il était attiré par ces histoires de revenants. Un tas de gens étaient morts en même temps, de façon soudaine et traumatisante. Était-il trop farfelu d'imaginer que certains d'entre eux pouvaient revenir ? Après tout, leur esprit s'était éteint si rapidement qu'ils ne s'étaient peut-être pas encore rendu compte qu'ils étaient morts. On pouvait penser qu'ils avaient continué de faire les mêmes choses, jusqu'à ce qu'ils soient rattrapés par la nouvelle, avant de disparaître enfin. C'était une image qui le hantait. Il ne s'en était pas ouvert à Moggs, mais il avait continué de la ressasser dans son esprit.

Le cinquième jour, les histoires de revenants eurent moins d'échos dans les principaux médias, mais on en trouvait des milliers sur Internet. Avec l'aide de Connie, qui était beaucoup moins sceptique que Moggs, il fit des recherches et dressa une liste des histoires récurrentes. Peu lui importait qu'elles ne soient pas toujours signées, et que certains détails tels que les noms ou les âges changent d'un récit à l'autre. Il n'y a pas de fumée sans feu, se dit-il. Et comme cette métaphore lui évoqua le souvenir atroce et indélébile de l'accident, elle lui apparut presque comme une vérité éternelle. Certaines choses nous échappent, au Ciel comme sur la Terre. On ne sait jamais, jusqu'à ce que quelque chose nous arrive, et soudain on sait.

Pendant tout ce temps, l'antenne de police du comté où officiait le shérif Gayle participait à l'enquête sur l'accident d'avion, mais en tant que simple renfort. Ils avaient tenu la foule à l'écart de l'épave le premier jour et organisé l'accès des ambulances et du personnel médical. L'ensemble des journalistes était tenu à distance, à l'exception de Moggs, qui avait l'autorisation d'aller et venir à sa guise, tant qu'elle ne donnait pas trop d'importance à l'affaire. Personne ne lui reprocha ses privilèges : le shérif Gayle était très estimé par la plupart de ses adjoints.

Puis, lorsque les experts de la compagnie aérienne et de la direction générale de l'aviation civile arrivèrent, Gayle et son équipe furent chargés de rechercher la boîte noire, car pour des gens étrangers à la ville, cela revenait à chercher une aiguille dans une botte de foin. La boîte émettait un signal, et les appareils qui servaient à la localiser étaient des machines très sophistiquées calées sur une onde si sensible qu'on pouvait presque la sentir tirer sur son bras comme un chien d'arrêt. Mais il fallait quand même connaître la région pour en tirer quelque chose. Si on se contentait simplement de suivre la bonne direction, on tombait sur une mesa ou une crique asséchée après quelques kilomètres et on était alors forcé de les contourner. Et ensuite, une fois qu'on avait dévié de sa trajectoire, on partait dans une mauvaise direction, on s'engageait dans un canyon en cul-de-sac, et ainsi de suite. Le département du shérif avait donc quatre hommes qui travaillaient avec les équipes de recherche, seulement pour les aider à négocier le terrain, pour ainsi dire.

Ils étaient aussi officiellement chargés des allées et venues, consignant laborieusement le compte rendu et le déplacement des preuves matérielles. Ce n'était pas une mission très glamour – à vrai dire, les tâches qui incombaient à Gayle l'étaient rarement – mais cela avait le mérite de lui permettre de suivre le déroulement de l'enquête sur l'accident et d'être en contact avec les personnes chargées de l'enquête au jour le jour.

Il avait profité de cette opportunité pour aborder la question des apparitions de revenants à tous ceux qui voulaient bien l'écouter. Pour la plupart, les gens semblaient trouver le sujet soit drôle, soit morbide, et dans un cas comme dans l'autre, ils pensaient que c'était de la foutaise. Mais une des employées de la direction générale de l'aviation civile se montra plus réceptive. Il s'agissait d'une femme grande et nerveuse qui s'appelait Sandra Lestrier, et elle était membre de l'Église spiritualiste. Cela ne faisait pas d'elle quelqu'un de crédule, prit-elle soin de préciser : spiritualiste n'était pas synonyme de gogo, cela désignait quelqu'un qui était en contact avec une autre dimension de la pluralité infinie qu'était la vie. Mais elle avait une théorie à propos des fantômes, et même si elle se montra réticente dans un premier temps, elle consentit finalement à la partager. Les femmes avaient toujours trouvé à Gayle un certain charme, en raison de sa taille impressionnante et son côté beau mec un peu fruste, mais il n'en avait jamais abusé. Il avait maintenant une cinquantaine d'années, ses cheveux étaient devenus gris argent mais étaient toujours aussi denses et son charme s'était métamorphosé – à son grand regret – en quelque chose d'avunculaire et d'inoffensif. Les femmes avaient plaisir à lui parler, mais seule Moggs semblait disposée à pousser la conversation au stade des confidences sur l'oreiller.

— Les fantômes sont les blessures du monde, dit Sandra Lestrier à Gayle. Nous voyons le monde comme une grande entité physique, mais ce n'est qu'une partie de la réalité. Le monde est vivant – c'est d'ailleurs ainsi qu'il peut donner naissance à la vie. Et lorsqu'une entité est aussi grande que le monde et qu'elle est vivante, on peut s'attendre à ce qu'elle ait aussi une grande âme, non ? Quand le monde saigne, c'est l'esprit qui s'écoule de ses plaies. Et c'est ce que sont les fantômes.

Gayle était ébranlé. La religion n'avait jamais eu une grande importance dans sa famille, mais il y était sensible, et il savait qu'elle se présentait sous trois formes : courante, ce qui était Ok ; juive, ce qui était plus ou moins Ok aussi, parce que le Seigneur est apparu aux juifs et leur a donné ce qui s'apparente à un feu vert ; et il y avait la religion musulmane, qui était la brebis galeuse. Il n'avait jamais pris conscience jusqu'à cet instant que les religions pouvaient évoluer, comme tout le reste, comme n'importe quelle mode, qui émerge, avant de passer.

Il demanda à madame Lestrier de lui en dire davantage sur les blessures du monde, mais les détails se sont avérés un peu déroutants et inintéressants. Il était question de la persistance de la vie dans la vallée de la mort et de la grande diversité des âmes humaines, qui avaient toutes un nom et une place dans la hiérarchie. Plus cela devenait précis, plus Gayle décrochait. En fin de compte, il ne lui resta plus en mémoire que la métaphore, et pas grand-chose d'autre. Mais il aimait la métaphore.

La situation devenait inquiétante à ce stade : la boîte noire du vol 124 n'avait toujours pas été retrouvée et cela commençait à être embarrassant pour les fédéraux. Le signal n'était semblait-il plus aussi net, et à présent ils avaient du mal à en déterminer la position, même avec le satellite espion qu'ils avaient fait venir pour coordonner les recherches. Les types de la direction générale de l'aviation civile qui étaient au sol avaient rejeté une partie de la responsabilité sur le service du shérif, blâmant l'inefficacité de leur soutien, et Gayle avait eu des mots avec un de leurs grands pontes venu au commissariat pour jouer les gros bras.

La situation dégénérait un peu et les conflits de politique interne prenaient le dessus. Gayle détestait la politique interne et il voulait que la boîte soit retrouvée avant que le bureau du gouverneur ne s'en mêle. Il commença à mener lui-même les recherches, ce qui présentait un bénéfice secondaire : il lui arrivait parfois d'accompagner madame Lestrier, ce qui lui donnait l'occasion de l'écouter lui parler de sa religion moderne.

Il faisait cavalier seul lorsqu'il rencontra les gens aux visages pâles. Il suivait le cours d'un vaste arroyo aux nombreux affluents. Les fédéraux étaient déjà passés par là, mais le terrain étant escarpé, ils ne s'étaient pas éternisés. C'était la fin d'après-midi mais il faisait encore chaud, le genre de journée sans nuage où les ombres sont aussi noires que de l'encre et où le soleil est au milieu du ciel comme un fruit qu'on pourrait presque toucher en tendant le bras. Gayle resta dans la voiture climatisée aussi longtemps que possible, mais il dut en sortir pour descendre vers le cours d'eau chaque fois que les berges étaient assez hautes pour le masquer. Le niveau de l'eau n'était pourtant pas élevé à cette période de l'année : il n'y avait que quelques flaques ici et là dans le lit du ruisseau, des lézards et parfois des serpents les entouraient généralement, formant comme une haie d'honneur.

Il n'y avait personne d'autre en vue. Personne n'aurait eu de raison de venir là au moment le plus chaud de la journée. Gayle était sorti de la voiture une demi-douzaine de fois pour descendre au fond de l'arroyo, donner des coups de pied dans quelques cailloux pour prouver qu'il était venu, avant de remonter.

Mais une des fois où il descendit sur la berge abrupte, il se retrouva soudain nez à nez avec de parfaits étrangers. Ils ne se cachaient pas et ils ne lui avaient pas non plus sauté dessus par surprise. À vrai dire, Gayle était perdu dans ses pensées, et la première fois qu'il se rendit compte de leur présence, ils étaient juste devant lui, le regardant avec un air de défiance.

Un homme et une femme. Tous deux jeunes, environ vingt-cinq ans, ils étaient grands et minces à tel point qu'ils passaient sans doute beaucoup de temps dans une salle de gym ou sur un terrain de sport. Ils avaient la peau d'une pâleur incroyable, presque comme celle des albinos, mais l'homme avait les pommettes rouges – il avait visiblement pris un léger coup de soleil. Ils avaient l'un et l'autre des cheveux noir de jais, ceux du type étaient longs et détachés, tandis que ceux de la fille étaient attachés en arrière par un chignon qui lui donnait un air sévère. Leurs yeux semblaient noirs aussi, mais ils étaient probablement marron foncé.

Mais ce que Gayle remarqua en premier fut la symétrie : des chemises identiques de couleur sable, des pantalons beiges, des chaussures beiges, comme s'ils avaient eu l'intention de se fondre dans le désert environnant ; des regards identiques sur des visages identiques, Gayle avait l'impression de contempler deux fois la même personne, même si elles étaient de sexe différent et ne se ressemblaient même pas. Pendant un instant, il hésita à leur adresser la parole, de peur qu'ils ne lui répondent à l'unisson, d'une voix qui donne la chair de poule.

Mais ce ne fut pas le cas. En réponse à son « Salut » tardif, la femme fit un signe de la tête, tandis que le jeune homme lui répondit par un « Bonjour Monsieur » qui sembla à la fois étrange et trop formel. Puis, ils le dévisagèrent de nouveau : ni l'un ni l'autre n'avaient bougé d'un centimètre.

— Je cherche la boîte noire de l'avion qui s'est écrasé, expliqua Gayle, alors que ce n'était pas nécessaire. Elle fait à peu près ça de longueur, sur ça de largeur, leur dit-il en joignant les gestes à la parole, révélant ainsi le pistolet semi-automatique FN 5,7 mm qui était rangé dans son étui en cuir usé. Il ne s'en rendit compte qu'un moment après, et il baissa les mains avec une certaine gêne, mais les étrangers n'avaient toujours pas bougé d'un pouce. Gayle ne comprenait pas pourquoi il se sentait si mal à l'aise.

— Nous n'avons rien vu de tel par ici, répondit l'homme.

Il avait la voix grave, avec quelque chose d'étrange que Gayle ne parvenait pas à discerner. Ce n'était pas son accent étranger, même s'il avait un léger accent. C'était plutôt le rythme de ses paroles, légèrement plus lent que la normale, comme celui de quelqu'un qui lit un livre. L'homme accentua aussi légèrement le mot *ici*, assez pour que Gayle le remarque, et il trouva cela étrange.

— Eh bien, si vous avez le moindre indice, je suis preneur, dit-il. Avez-vous remarqué quoi que ce soit ailleurs ?

L'homme fronça les sourcils, semblant troublé pendant un instant, puis il répliqua par une question.

— Pourquoi la cherchez-vous ? C'est important ?

— C'est possible, oui. Elle contient toutes les infos sur l'accident d'avion. Il y a des tas de gens qui la recherchent.

La femme hocha la tête. Le type resta sans réaction.

— Bon, ouvrez l'œil en tout cas, dit Gayle, juste pour briser le silence.

— Nous ferons notre possible, promit la femme.

Cette fois encore, comme son partenaire, on aurait dit qu'elle lisait un texte écrit. Et, de même, l'accent était indéfinissable mais il n'était manifestement pas du coin. Gayle, qui considérait que tout ce qui était local était inoffensif, ressentait ce qui lui était étranger comme un léger désagrément.

Le jeune homme leva la main pour s'essuyer les yeux, comme s'il avait eu une poussière dans l'œil. Quand il ôta sa main, il avait une trace rouge, juste sous l'œil. Cela causa à Gayle un léger choc et, oubliant ses manières, il ne put s'empêcher de faire remarquer :

— Vous avez quelque chose, dit-il bêtement. Sur la joue, là.

— Je pleure pour témoin, dit l'homme. (Ou en tout cas, c'était ce qu'il semblait avoir dit, Gayle n'en était pas sûr, et il ne comprenait pas ce que cela voulait dire.)

— Pour quoi ? répéta Gayle. On dirait que… vous vous êtes coupé, et que vous saignez.

— Vous pourriez peut-être chercher par là-bas, interrompit la femme sans tenir compte de la sollicitude de Gayle. Là où il y a un éboulis. Si la boîte est tombée là-bas, elle a pu glisser dans les mauvaises herbes, sur la berge. Et il serait impossible de la voir, à moins d'être tout près.

À présent, le rythme mesuré des phrases ressemblait à celui d'un avocat dans un tribunal, choisissant ses mots pour essayer d'embobiner l'auditoire. Gayle se demanda si ces deux-là savaient quelque chose qu'ils ne disaient pas. Il n'avait absolument rien à leur reprocher, et pourtant il y avait chez eux quelque chose qui lui donnait la chair de poule. Il voulait juste mettre un terme à leur rencontre, et il était sur le point de les saluer et de les remercier avant de poursuivre sa route.

Les étrangers firent le premier mouvement, de façon absolument synchrone, sans qu'il ait semblé y avoir le moindre signal entre eux. Et autant ils parlaient lentement, lorsqu'ils se mirent en mouvement, ils furent aussi rapides que des gouttes d'eau coulant sur une plaque couverte d'huile. Ils dépassèrent Gayle en une fraction de seconde. Pris au dépourvu et embarrassé par sa propre lenteur, il se retourna pour les regarder s'éloigner. Il les vit passer devant sa voiture et remonter le long de la route, de façon rapide et régulière, leurs pas s'accordant comme ceux des soldats.

Le bâtiment le plus proche – une station-service – devait se trouver à au moins huit kilomètres, et personne ne décidait par choix de parcourir une telle distance sur cette route au milieu de la journée. Malgré tout, cela semblait être ce que les étrangers avaient l'intention de faire. Étaient-ils arrivés jusque-là par les mêmes moyens ? Avaient-ils juste marché depuis un lieu donné ? Comment avaient-ils pu parcourir une telle distance sans avoir le visage et les mains carbonisés par le soleil ?

Gayle s'apprêtait à les rappeler. Un homme pouvait mourir d'une insolation simplement en marchant sans chapeau dans le coin par une chaleur pareille. Mais les mots s'évanouirent entre son cerveau et ses lèvres. Il regarda les deux silhouettes franchir le sommet d'une petite côte, avant de disparaître.

Gayle dut faire un effort pour se concentrer de nouveau sur la tâche qui l'occupait.

Il ne trouva rien dans cette partie de l'arroyo, mais il vit de nombreuses traces qui indiquaient que ces farfelus avaient fait pas mal d'allées et venues à cet endroit : il y avait des empreintes et des traces de pas dans le sable et dans la boue qui s'était déposée dans le lit du ruisseau ; un peu de sauge avait été arrachée lorsqu'ils avaient marché dessus. Il avait l'impression qu'ils avaient fait plus ou moins la même chose que lui : ils étaient descendus depuis la route, avaient marché aussi longtemps qu'ils avaient pu le long de la berge, puis avaient fait demi-tour lorsqu'ils avaient rencontré une ravine qu'ils ne pouvaient traverser.

Peut-être s'agissait-il d'une simple promenade. Ou de trafic de drogue. Du paiement de faveurs politiques. Un rendez-vous de nature sexuelle. Non, pas ça. Il y avait quelque chose chez ces deux jeunes gens qui faisait penser à Gayle qu'ils avaient un lien de parenté – un lien très proche – et son imagination se rebella contre la vision très sexuelle qui se forma dans son esprit. Il s'en débarrassa aussitôt et essaya d'oublier le duo qui lui donnait la chair de poule. Ils n'avaient rien fait de déplacé, s'étaient montrés très obligeants et polis. En fait ils n'avaient pas à expliquer à la police, ni à qui que ce soit, ce qu'ils faisaient le long d'un arroyo asséché par une journée de canicule.

Il remonta sur la berge, remarquant soudain qu'il suait à grosses gouttes. Lorsqu'il se dirigea vers la voiture, il entendit la voix de

Connie dans le radiotéléphone, lui demandant de répondre s'il était là.

Il décrocha le combiné à travers la vitre ouverte.

— Je suis là, Connie, dit-il. Je suis à Highwask, à cinq kilomètres de la route 66. Vous avez besoin de moi ?

— Salut, Web, répondit Connie d'une voix entrecoupée par les grands rochers qui entouraient Web. Vous pouvez revenir. On en a fini avec la boîte noire.

Gayle encaissa la nouvelle avec une froide résignation. Il avait passé pas mal d'heures sur cette affaire.

— D'accord, dit-il. Où l'ont-ils trouvée ?

— Ils ne l'ont pas trouvée.

— Quoi ? fit Gayle, glissant la tête à l'intérieur de la vitre ouverte car le bruit du vent qui venait de se lever avait couvert les paroles de Connie. Que disiez-vous ?

— Ils ne l'ont pas retrouvée. Elle a juste arrêté d'émettre, et ils ont fini par renoncer. Mais la femme de la direction générale de l'aviation civile à qui vous parlez tout le temps dit qu'ils ont récupéré tout ce dont ils avaient besoin de l'épave. Tout ce cirque est retombé comme un soufflet. Elle a dit de vous dire au revoir. C'est bel et bien terminé.

Gayle reposa le récepteur, se sentant plus perplexe que contrarié – même s'il devait admettre qu'il était plutôt irrité. Alors il fallait simplement laisser tomber ? Une seconde, c'est d'une importance cruciale, la suivante on s'en contrefout.

Gayle était du genre têtu, et il trouvait que cette histoire sentait mauvais.

Ce serait terminé quand il l'aurait décidé.

9

Un des bénéfices secondaires à être un flic est de pouvoir éviter les embouteillages, ne pas être obligé de respecter les restrictions de stationnement du centre de Londres, ni les limitations de vitesse. Kennedy rentra à Londres par la A23, les vitres de sa voiture ouvertes – pas tout à fait comme une dératée, mais assez vite pour que le courant d'air rafraîchisse son imagination saturée.

Les trois historiens défunts avaient assisté à la même conférence. Mais même à présent, une coïncidence outrageuse semblait plus plausible que l'existence d'un tueur d'une efficacité redoutable suivant et abattant ceux qui avaient un avis tranché sur le codex Rotgut ou les sectes chrétiennes surannées.

Mais la mort de Stuart Barlow n'était pas un accident. C'était une évidence, tant du point de vue de l'autopsie que des preuves matérielles. Kennedy avait un avis mitigé sur les autopsies : parfois, il était davantage question de politique que de faits, et la politique était l'art des possibles. Grâce aux preuves matérielles qu'elle avait réunies, elle pouvait faire confiance à son instinct – et elle déplorait d'autant plus que personne ne se soit donné la peine d'appeler l'équipe d'experts médicolégaux la nuit où Barlow avait fait du yo-yo dans la cage d'escalier. À l'heure qu'il était, elle aurait pu avoir en sa possession de l'ADN, des fibres, des empreintes et un certain nombre de choses utiles, au lieu de tâtonner dans le noir à la recherche d'une piste.

Peut-être qu'à un certain niveau, elle regrettait que cette affaire soit tombée à ce moment-là. Elle avait vécu dans une sorte de coma depuis la nuit où Marcus Dell avait été tué. Ou plutôt depuis la nuit où elle avait tiré la balle qui avait descendu Marcus Dell. Il était important d'être grammaticalement correct. Heather, sujet du verbe actif dans la phrase *Heather a appuyé sur la détente*. Dell, complément d'objet passif dans la phrase *La balle a touché Dell en plein cœur, et l'a mis en pièces*.

Quand on se présentait pour obtenir son permis de port d'armes, on subissait toutes sortes de tests, dont un relatif à l'équilibre mental. Ils lui attribuaient toutes sortes de noms, comme la capacité à gérer le stress, l'intelligence émotionnelle, l'index de mesure de la panique, la mesure de l'intégration psychologique, et ainsi de suite. Mais tout cela se résumait à une seule question : allez-vous dérailler si vous êtes obligé de tirer sur quelqu'un ou si quelqu'un vous tire dessus ?

Et la réponse, pour dire les choses telles qu'elles sont, c'est que personne n'en savait rien. Kennedy avait obtenu d'excellents résultats à tous les tests. Elle avait aussi sorti son arme en trois occasions et tiré deux fois, au cours d'un échange de coups de feu avec un suspect armé dans le premier cas – un braqueur de banque nommé Ed Styler qu'elle avait touché à l'épaule. Elle s'en était plutôt bien remise et n'avait jamais perdu une nuit de sommeil à cause de ça.

Pour Dell, c'était différent. Elle savait pourquoi, mais elle ne voulait pas encore se pencher sur la question. Elle avait peur d'ouvrir la boîte de Pandore. Alors, elle continuait de jouer les petits soldats sans arme, soulagée de ne pas en avoir pour l'instant, tant que tout ce merdier n'était pas réglé. Le problème cependant, c'était qu'elle n'avait peut-être pas perdu que son arme et le droit de s'en servir, elle avait peut-être aussi perdu la foi en son propre jugement, grâce auquel elle avait pu porter une arme en premier lieu.

Elle trouva Harper à la cantine et lui mit aussitôt le grappin dessus, lui demandant de la suivre dans une des salles d'interrogatoire. Pour rien au monde elle n'aurait eu cette conversation avec lui en prenant le risque que quelqu'un du service puisse les écouter. Elle referma la porte, contre laquelle elle s'appuya. Harper s'assit sur le bureau, un sandwich au poulet dans la main droite et une canette de Fanta dans la main gauche. Il était quatre heures de l'après-midi et il trouvait enfin le temps de déjeuner. À son expression, Kennedy savait à quel point il se réjouissait du tour que prenait l'affaire. La salle d'interrogatoire sentait la pisse et le moisi, mais cela ne semblait pas gêner Harper.

— Reprenez depuis le début, dit Kennedy.

Harper, sans arrêter de manger, lui fit un salamalec ironique mais ne dit rien. Kennedy fut forcée d'attendre patiemment qu'il ait avalé sa bouchée et bu un coup.

— J'ai obtenu la liste et j'ai commencé à travailler dessus, finit-il par dire. Je n'ai pas avancé d'un pouce sur le type qui le suivait. Personne d'autre ne l'a vu. Et personne ne se souvient que Barlow l'ait évoqué.

— Parlez-moi des morts, dit Kennedy sans ménagement.

— C'est là que ça devient intéressant. Catherine Hurt et Samir Devani. Ils ont tous deux assisté à cette conférence d'histoire et ils sont tous deux morts ensuite. C'est incroyable, non ? Et vous savez ce qui est encore plus dingue ? Hurt a clamsé la même nuit que Barlow, et Devani le lendemain.

Kennedy resta silencieuse tandis qu'elle réfléchissait à la chronologie des événements. Tout s'était enchaîné à un rythme très rapide, c'était le moins que l'on puisse dire. Sans trop savoir d'où cela venait, il lui revint vaguement en mémoire un vers d'Hamlet : quelqu'un demandant à la Mort quelle grande occasion avait lieu aux Enfers pour la pousser à prendre tant de princes en une même nuit.

— Comment sont-ils morts ? demanda Kennedy.

— Des accidents dans les deux cas. Enfin, ils ont été rapportés comme des accidents, mais Barlow aussi, n'est-ce pas ? dit Harper, avant de réciter sa brève litanie : Catherine Hurt, attaquée par un agresseur qui a pris la fuite, Devani, choc électrique causé par un ordinateur mal relié à la terre.

— Avez-vous mis la main sur les dossiers ?

— Il n'y a qu'un dossier, pour Hurt. Il est sur mon bureau, mais franchement, y'a que dalle dedans. Pas de témoin, aucune caméra de surveillance, rien de rien.

Kennedy encaissa la nouvelle tant bien que mal. Elle avait entendu dans un documentaire à la télé que le Royaume-Uni détenait vingt pour cent de toutes les caméras de surveillance du monde mais, triste réalité policière du XXIe siècle, il n'y en avait jamais là où on en avait besoin.

— Il n'y a que ces deux-là ? Ou vous n'êtes pas encore arrivé au bout de la liste ?

— J'en ai fait les deux tiers. Mais j'attends encore qu'un certain nombre de gens me rappellent – j'ai sans doute réussi à en joindre un peu moins de la moitié. Avant que vous ne posiez la question : j'ai essayé de trouver un lien entre les trois victimes, mais ça n'a encore rien donné pour l'instant. Enfin, en dehors de la convention. Ils ne sont même pas tous historiens. Devani est l'intrus de la bande – il est professeur de langue vivante dans un IUT à Bradford. Hurt est assistante d'enseignement à l'université De Montfort de Leicester. Leurs noms n'apparaissent ensemble nulle part lorsqu'on les entre dans un moteur de recherche.

Cela surprit Kennedy. D'après son expérience, lorsqu'on entrait n'importe quel nom au hasard dans Google, on obtenait automatiquement un million de résultats. Peut-être cette absence de lien était-elle suspecte et anormale en soi.

— Est-ce que vous pouvez continuer à avancer sur la liste ? demanda-t-elle à Harper.

Elle lut aussitôt une certaine déception sur son visage.

— Nous avons deux nouvelles victimes, fit-il remarquer. Ne devrait-on pas aller faire un tour sur le terrain ?

— De *possibles* victimes. Demain, nous irons sur le terrain en reconnaissance. D'abord, assurons-nous qu'il ne nous manque personne.

— Qu'allez-vous faire ? demanda Harper avec une pointe de méfiance dans la voix.

— Je retourne à l'université du Prince Régent pour jeter un nouveau coup d'œil au bureau de Barlow. Sa maison a été cambriolée il y a peu de temps. Je me demande s'il est possible qu'on ait également fouillé dans ses affaires à l'université.

— Qu'est-ce que ça prouverait ?

Kennedy suivait son instinct – ce sentiment indéfinissable qu'elle était passée à côté de quelque chose la première fois où elle s'était trouvée dans cette pièce – mais elle ne voulait pas l'avouer, cela aurait été trop difficile à défendre.

— Pour commencer, dit-elle, cela prouverait que l'homme qui le suivait existait bien. Et cela pourrait nous donner des informations quant à un éventuel mobile. Des objets anciens, des manuscrits, ce genre de choses, c'est peut-être une histoire de contrebande, de contrefaçon, de vol. Je n'en sais rien. Barlow pensait que quelqu'un le suivait et peut-être qu'il savait pourquoi. Et une fois sur place, je pourrai poser des questions sur les deux autres – voir si quelqu'un de l'université aurait connaissance d'un lien entre eux et Barlow, dit-elle, marquant une pause, avant d'ajouter : Vous voudriez faire autre chose pour moi ?

— Oh, tout ce que vous voulez. Je serai assis là, avec tout ce temps à ma disposition.

— Appelez un hôtel – le Pride Court, dans le West End, quelque part près de Bloomsbury. Demandez les coordonnées d'un homme qui a séjourné là-bas récemment. Michael Brand.

— Bon, d'accord. Qui est-ce ?

— Il était membre d'un genre de club sur Internet, dont Barlow faisait partie. Les Ravellers. En fait, ce serait super si vous pouviez obtenir une liste des membres quelque part. Si un des deux autres morts faisait partie de ce groupe, on tiendrait peut-être une piste.

Harper lui fit épeler le nom avant qu'elle parte.

— Quand allez-vous en référer à Summerhill ? lui demanda-t-il, tandis qu'ils regagnaient le couloir.

— Quand on saura de quoi il retourne exactement. Pas tout de suite. L'inspecteur divisionnaire nous a refilé ce dossier parce qu'il ne voulait pas y être mêlé. Quand on va le lui rapporter, la première chose qu'il va penser, c'est qu'on essaie de l'embrouiller. Il faut qu'on ait un dossier solide.

— Trois historiens morts, ça ne fait pas un dossier solide ?

— Si, s'ils ont bien été assassinés. Et on n'en sait encore rien.

— Oh, ils ont bien été assassinés, dit Harper d'une voix presque réjouie. Félicitez-moi Kennedy.

— De quoi ?

— C'est ma première affaire dans le service, et je tombe sur un tueur en série !

Kennedy ne partageait pas son enthousiasme. Cependant, elle trouvait quand même que les similitudes entre les trois accidents supposés étaient troublantes. S'agissait-il d'un tueur qui frappait en suivant une liste ? Improbable. Très improbable. Il faudrait soit avoir beaucoup de chance, soit avoir fait des repérages très poussés pour tuer trois personnes en deux jours et s'en sortir sans être inquiété. Les tueurs en série étaient souvent des obsessionnels doués pour trouver des victimes répondant aux besoins de leur psychose particulière, mais ils traitaient en général chaque meurtre comme un projet distinct. Et les tueurs fous pétaient les plombs en fonction de l'heure et du lieu qu'ils avaient choisis. Si elle et Harper avaient affaire à un meurtrier, c'était un meurtrier qui ne semblait correspondre à aucune de ces catégories.

Elle s'arrêta dans le couloir, un peu avant d'arriver dans la fosse aux ours, épargnant ainsi la réputation d'Harper, et elle se tourna pour lui faire face. Il lui lança un regard qui semblait plein d'attente.

— Très bien. Félicitations, Harper.

— Comme si vous le pensiez.

Elle lui donna une tape amicale sur l'épaule.

— C'est du bon boulot, Chris. Vous assurez. C'est la première affaire, mais il y en aura beaucoup d'autres.

— Merci. Ça me console de la journée que je vais passer au téléphone.

— Demain, ce sera différent.

Plus tard, elle se rappela la promesse qu'elle lui avait faite et elle se demanda s'il l'avait crue.

10

Solomon Kuutma était un mystère, même pour lui-même. Un homme qui révérait l'honnêteté et la transparence, se déplaçait de façon clandestine et cachait les vérités les plus impénétrables dans les puits les plus profonds – considérant toute vie comme sacrée, il tuait sans y être forcé et ordonnait aux autres de tuer.

S'il y avait une chose dans sa vie qui le gênait, c'était la pensée que ces contradictions, vues d'un œil extérieur, pouvaient passer pour de l'hypocrisie pure et simple. D'autres hommes ne se donneraient peut-être pas la peine de réfléchir aux paradoxes derrière lesquels se cachait la plus simple vérité. Ils le jugeraient peut-être, et le feraient de façon injuste, mais comme les jugements des hommes ne pesaient pas plus qu'une plume (et ceux des femmes, infiniment moins), l'injustice – purement hypothétique – lui était indifférente.

Malgré tout, il avait songé à écrire ses mémoires, pour que le monde puisse les lire après sa mort. Ni les noms, ni les détails circonstanciés n'y figureraient, il n'y aurait que l'essentiel, il y serait expliqué comment un homme bon a fait plier sa conscience pour passer à travers le trou de l'aiguille[1] et ce serait compris par ceux qui auraient lu avec les yeux, l'esprit et le cœur ouverts.

Manifestement, c'était de la pure folie. Les mémoires ne seraient jamais écrits, l'explication jamais donnée. Même sans les noms, la

---

1 L'expression fait référence à un passage de la Bible : « Je vous le dis, il est plus aisé pour un chameau d'entrer par le trou d'une aiguille, que pour un riche d'entrer dans le royaume de Dieu. » (Évangile selon saint Matthieu, XIX, 24) (NdT)

vérité serait révélée et tout le travail qu'il avait accompli depuis de nombreuses années deviendrait tout à coup insignifiant. Ses maîtres seraient horrifiés d'entendre que Kuutma s'était complu dans une idée aussi folle, même l'espace d'une seconde. Peut-être même serait-il rappelé chez lui – un retour sans honneur et donc insupportable : la plus grande joie transformée en douleur la plus aiguë.

Malgré tout, Kuutma, dans l'intimité de son esprit, échafauda une explication à ses actes. Il se la récita à lui-même, non comme une prière, plutôt comme une prophylaxie – un garde-fou contre le mal, parce qu'un homme qui faisait ce que faisait Kuutma courait le risque de sombrer dans le mal sans même le savoir. Assis à la terrasse sur les toits d'un café de Montmartre, avec Paris étendu à ses pieds comme une amante soumise, il réfléchit à la situation – qu'il devait à Leo Tillman – et expliqua, à personne d'autre qu'à lui-même et peut-être à Dieu, ce qu'il avait l'intention de faire pour en sortir.

Mon plus grand talent, pensa-t-il, *mon plus grand don, est l'amour. On ne peut vaincre un ennemi sans le connaître, et on ne peut le connaître sans l'aimer, sans laisser son esprit entrer en empathie silencieuse avec lui. Une fois cette tâche herculéenne achevée, il devient facile de prendre une longueur d'avance sur lui, sans effort, et de se mettre en travers de tous les chemins de son existence.*

Mais Kuutma était incapable d'aimer Tillman. Et c'était sans doute pour cela que Tillman était encore en vie.

Kuutma avait suivi l'ex-mercenaire depuis la Turquie, essayant de décider quelle approche serait la plus appropriée, vu qu'à présent Tillman avait assassiné Kiril Kartoyev et qu'il lui avait sans doute parlé avant de le tuer.

C'était un problème dynamique qui se jouait sur quatre dimensions, à mesure que Tillman traversait la surface du globe. Il se déplaçait très rapidement, mais ce n'était pas en soi une source de difficultés. Ce qui était bien plus ennuyeux, c'était qu'il se déplaçait dans tous les sens de façon délibérée, compliquant la poursuite et obligeant Kuutma à sans cesse redéployer ses équipes. Tillman commandait un taxi, et ensuite se déplaçait à pied ; il achetait un billet de train et volait une voiture. Et, comme s'il avait été au courant de la débâcle américaine, ce qui à ce stade semblait impossible, il ne prenait jamais l'avion.

Tillman ne resta à Erzurum que quelques heures, pas assez longtemps pour que Kuutma ait le temps de lancer une équipe à ses trousses. Juste assez de temps, en fait, pour changer de vêtements, se raser et peut-être vérifier auprès de ses contacts si le raid mené dans la maison de Kartoyev à Ingushetia risquait de l'affecter personnellement.

La mort de Kartoyev n'arrangeait pas Kuutma. Le Russe n'était qu'un fournisseur, une merde qui ne méritait même pas qu'on s'approche de lui de trop près car ce qu'il fournissait servait les plus bas instincts de l'homme. Malgré tout, il s'était montré efficace et utile et avait très vite appris à rester à sa place. Kartoyev ne posait pas de questions. Il se procurait des articles difficiles à trouver rapidement et sans laisser de trace. Et son avarice restait dans les limites de l'acceptable.

À présent, il fallait trouver un nouveau Kartoyev, et c'était de la faute de Tillman. Ou peut-être était-ce de la faute de Kuutma lui-même, pour ne pas s'être occupé plus tôt du problème que posait Tillman.

Je me suis retenu de te tuer parce que je voulais être sûr et certain qu'il était nécessaire que je te tue : qu'il n'y avait aucune possibilité que mon jugement soit altéré. Ce n'était pas de la lâcheté mais des scrupules. Je n'en suis pas diminué.

Pourtant, à Erzurum Kuutma hésita encore un peu. Même si ses pires pressentiments se réalisaient, il avait le temps de tout comprendre, de tout pardonner, et d'agir ensuite.

Depuis Erzurum, Tillman se rendit à Bucarest, probablement en passant par Ankara. Il avait surtout pris le train, ou plutôt plusieurs trains.

À Bucarest cependant, il employa son propre passeport – un de ses nombreux passeports, mais celui-là, il s'en était déjà servi, ce qui permettait donc de remonter jusqu'à lui – pour retenir une chambre à l'hôtel Calea Victoriei. Kuutma considéra les différents choix qui s'offraient à lui. Ce que Tillman savait ou non et quels étaient ses objectifs était encore loin d'être clair. Et dans un cas tel que celui-ci, le Credo des Messagers était confus, voire hypocrite. *Ne faites rien qui ne soit justifié. Faites tout ce qui est nécessaire.*

Avec le meurtre de Kartoyev, pensa Kuutma, Tillman avait franchi une ligne invisible. Il devait être supprimé, et idéalement, il devait être interrogé avant. Kuutma se chargerait lui-même de l'interrogatoire. Il contacta les Messagers locaux, et une équipe de quatre personnes fut envoyée au Calea Victoriei pour retenir Tillman jusqu'à l'arrivée de Kuutma, qui prendrait la relève.

Mais même si Tillman avait rempli une fiche à l'hôtel et payé pour trois nuits, ce n'était qu'une nouvelle impasse qu'il avait dressée en travers de leur chemin, comme il aimait à le faire à chacun de ses déplacements. Lorsque les Messagers entrèrent, ils trouvèrent le lit vide et la chambre intacte, à l'exception d'un mot qui fut transmis à Kuutma en temps voulu.

Sur le mot était écrit : *Coupure des deux côtés.*

Kuutma eut la certitude que le mot ne se rapportait pas directement à lui, même s'il semblait le désigner. Tillman ne pouvait pas connaître son nom. Une seule personne que Tillman avait rencontrée aurait pu le lui dire, et il n'avait rien à craindre de cette personne, aucun doute là-dessus. Non, le mot était une provocation et un acte puéril de la part de Tillman. Tout ce qu'il voulait dire, c'était que Kuutma et les puissances qu'il représentait ne pouvaient pas agir contre lui sans révéler leur jeu et faciliter ses recherches.

Il allait apprendre que la coupure n'était pas des deux côtés, ce n'était que lors de la dernière ère de l'histoire de l'humanité, et la moindre, où les étrangers étaient sanctifiés, que l'on fabriquait des rasoirs à double tranchant.

Depuis Bucarest, Tillman se rendit à Munich, et de Munich à Paris, par des moyens compliqués et paranoïaques – parmi lesquels une voiture volée. Soit il évitait les frontières, soit il présentait un faux passeport, pour lequel les sources de Kuutma n'avaient pas encore établi de lien avec lui. Il n'y avait aucune trace écrite de son voyage, aucune trace de pas à suivre, pas plus que si Kuutma avait lui-même fait un pèlerinage identique.

À Paris, une équipe avait déjà été déployée, parce qu'à ce stade, Kuutma avait bien plus qu'un pressentiment sur la direction que prenait sa proie. Les trois Messagers qui étaient sur place – choisis et affectés par Kuutma après mûre réflexion en fonction de la nature de la mission et de la cible – retrouvèrent la trace de Tillman sur le boulevard Montparnasse et intervinrent rapidement. Ils avaient supposé que Tillman se dirigeait vers la station de métro et avaient déjà décidé de le tuer une fois à l'intérieur. Au lieu de cela, Tillman se réfugia dans le parking souterrain de la tour du Maine, et quand l'équipe le poursuivit pour l'envoyer six pieds sous terre, il avait disparu. En dépit d'une fouille approfondie du quartier, ils ne trouvèrent aucune trace de lui.

À ce stade, l'équipe commit une importante violation du protocole. Sous les ordres de leur commandant, ils se dispersèrent, comme il se doit, retournant à leur maison sécurisée par des itinéraires différents. Mais ils échouèrent dans la mise en place du système de double contrôle dont Kuutma était l'instigateur, destiné à vérifier que personne n'était suivi.

Dès qu'ils quittèrent la maison parisienne sécurisée, elle fut mise à sac. Tillman avait retourné l'attaque de Kuutma contre son adversaire, avec une certaine grâce. Heureusement, ils ne gardaient aucun document à l'intérieur de la maison. D'ailleurs, de quels documents les Messagers auraient-ils pu avoir besoin ? Tillman leur avait échappé, mais il restait bredouille.

Kuutma sentit qu'il apprenait de ces échecs. Tillman avait été un mercenaire pendant neuf ans et son expérience se résumait essentiellement aux combats en zone urbaine. Il se sentait à son aise dans les villes, il savait comment se rendre invisible dans la foule et reconnaître un passage là où n'importe qui d'autre aurait vu une impasse. Il semblait donc évident que la prochaine tentative pour le prendre au piège devrait avoir lieu là où ses compétences ne lui seraient d'aucune aide.

Magas. Erzurum. Bucarest. Munich. Paris. Tillman se dirigeait immanquablement vers l'ouest et il était à présent inévitable que son parcours s'achève là où il ne voulait pas qu'il aille. Kuutma pouvait lui aussi se montrer paranoïaque. Il employa toutes les ressources qu'il avait à sa disposition pour surveiller les principales gares situées au nord de Paris, ainsi que les ports entre Quimper et la Hollande.

Pendant ce temps, il fit le bilan de ce qu'il savait de l'homme qui était devenu la plus fascinante source d'irritation de sa vie, qui était déjà loin d'être sereine. Le plus intéressant à ses yeux, sans l'ombre d'un doute, était la période de la vie de Tillman qui avait commencé le jour où il était rentré chez lui pour trouver une maison vide et froide et découvrir que sa famille avait disparu.

Tillman aurait très bien pu redevenir ce qu'il était auparavant – un homme endormi, rendu docile par paresse, puis par un contentement bovin. Il aurait pu trouver une autre femme, et être tout aussi heureux avec elle, vu que pour un homme respectable, toutes les femmes se ressemblaient. Mais il en fut autrement. Il s'orienta dans une tout autre direction et acquit de nouvelles compétences. Il était devenu soldat, un homme qui tue sans le moindre sentiment humain, ce qui n'était pas surprenant car plus rien dans sa propre vie ne semblait nécessiter l'usage de tels sentiments. Ce fut une réaction extrême, cela ne faisait aucun doute. Mais à présent, rétrospectivement, on pouvait interpréter cette décision autrement.

Douze années de vie militaire, tout d'abord dans l'armée régulière, puis en tant que mercenaire. Pour la première fois, Tillman semblait totalement absorbé par sa tâche, pleinement engagé. Il avait été promu au grade de caporal, puis à celui de sergent. Les soldats qui servaient avec lui l'avaient surnommé Escroc – un hommage à sa capacité à se sortir de n'importe quelle situation.

Tillman semblait avoir trouvé un nouveau foyer et une nouvelle famille. Mais Kuutma, qui avait fini par remettre les évidences en question, pensa que cela avait été une illusion. Tillman n'avait jamais eu l'intention de trouver une nouvelle famille. Il était résolu, encore et toujours, à retrouver celle qu'il avait perdue. Pendant toutes ces années, il s'était préparé à une tâche bien précise. Acquérir de façon minutieuse et exhaustive un ensemble de compétences qui seraient parfaitement appropriées lorsqu'il quitterait la vie de soldat – de façon soudaine et inattendue – pour se lancer dans sa quête actuelle.

Une conversation revint à la mémoire de Kuutma, avec une acuité troublante. La dernière fois… non, pas la dernière fois. Il y avait eu une autre fois après ça. Mais tout près de la terrible fin, il y avait eu ce moment indélébile.

— *Te pardonnera-t-il ?*

— *Nom de Dieu, mais qu'est-ce que ça peut te faire ?*
— *Te pardonnera-t-il ?*
— *Jamais.*
— *Alors, c'est un idiot.*
— *Oui.*

Pour tout point de départ, Tillman disposait d'un nom : Michael Brand. Le jour de sa disparition, Rebecca Tillman avait rencontré Michael Brand, avec lequel elle avait rendez-vous. Hélas, elle avait laissé la trace de ce nom, de l'heure et du lieu de ce rendez-vous sur un bloc-notes près du téléphone dans la cuisine, et même si elle avait déchiré la page qu'elle avait emportée, Tillman avait réussi à en déchiffrer les caractères sur la page suivante.

Le nom ne menait nulle part, bien sûr. L'hôtel où Rebecca avait convenu de rencontrer Brand n'avait pas été la scène d'actes charnels, ni d'actes criminels, et les expertises médicolégales n'avaient rien révélé. C'était simplement le lieu où on lui avait dit ce qu'on devait lui dire, pour que les arrangements nécessaires puissent être faits. D'ailleurs, il était tard, plus tard qu'il n'aurait dû l'être, et le retard était toujours à déplorer dans ce genre de situations. Peut-être que si Brand avait été plus attentif à son devoir... mais Brand était par nécessité un instrument brutal et incertain.

Mais Tillman était dans une impasse. Cela aurait dû être à la fois le début et la fin de sa quête. Il avait un nom, mais rien à rattacher à ce nom. Pour tout fait, il avait un rendez-vous, mais aucune hypothèse ne donnant un sens à ce rendez-vous. Il aurait dû renoncer.

Treize ans plus tard, il n'avait pas renoncé. Il avait surgi des éclaboussures rouges des batailles du monde, un homme qui s'était consacré à la violence et à la mort, pour reprendre avec une énergie inattendue une quête que, c'était évident à présent, il n'avait jamais réellement abandonnée. Il cherchait sa femme, mais après une si longue absence peut-être n'était-elle même plus en vie. Il cherchait ses enfants, qu'il ne reconnaîtrait même pas s'il les voyait. Il essayait de reconstruire, par la seule force de sa volonté, le seul moment de joie véritable de sa vie.

C'était d'une importance capitale pour Kuutma et ceux qui l'employaient et plaçaient leur confiance en lui. Tillman devait échouer. C'était aussi, à un autre niveau, important pour le destin de vingt millions de personnes.

Parce que si Tillman s'approchait seulement de la vérité, c'était le nombre de gens qui mourraient.

11

L'intendant n'était pas disponible lorsque Kennedy arriva à l'université du Prince Régent. Le département Histoire semblait désert, à l'exception de l'homme à l'air triste qui était à l'accueil, encadré en toile de fond par le panneau qui affichait un nombre interminable de concerts des années passées : Dresden Dolls, Tunng, Earlies. Elle demanda au réceptionniste s'il pouvait lui ouvrir le bureau : cela dépassait le cadre de ses attributions. Et personne d'autre n'était disponible sur place ? Personne. Et dans le bâtiment principal ? Le bâtiment principal était également en dehors de ses attributions.

Elle lui montra sa plaque.

— Faites venir quelqu'un immédiatement, lui dit-elle d'une voix sèche et déterminée. Je ne suis pas en train de demander un délai pour rendre mes devoirs, j'enquête sur un meurtre.

L'homme à l'air triste décrocha le téléphone et s'exprima avec insistance. Deux minutes plus tard, Ellis entra brusquement, l'air agacé et énervé.

— Inspecteur Kennedy, dit-il. Je ne m'attendais pas à vous revoir si vite.

Son expression en disait beaucoup plus long, mais n'exprimait rien de flatteur.

— J'aimerais jeter un coup d'œil au bureau du professeur Barlow, Monsieur Ellis. Cela serait-il possible ?

— Maintenant ?

Le manque d'enthousiasme de l'intendant était palpable.

— Oui, dans l'idéal je voudrais le voir maintenant.

— C'est juste qu'il y a une cérémonie de remise de diplômes demain, et il y a beaucoup à faire si nous voulons être prêts. Ce serait beaucoup plus pratique si vous pouviez attendre jusqu'à la semaine prochaine.

Elle ne se donna pas la peine de répéter son discours sur l'enquête criminelle.

— Je me contenterai d'emprunter la clé et de trouver le chemin par moi-même, lui dit-elle. Je sais que vous êtes un homme très occupé. Mais bien sûr, s'il est trop tard maintenant, je peux revenir demain matin.

Pendant votre fichue cérémonie de remise de diplômes.

L'intendant s'empressa de céder. Il ordonna à l'homme triste de la réception de prendre la clé de la femme de ménage qui se trouvait dans un meuble fermé à clé, juste derrière lui.

— Cela ouvre toutes les portes qui donnent dans ce couloir, lui dit Ellis. Mais évidemment, je devrai en être informé si vous avez l'intention d'aller dans une autre pièce, pour des raisons de confidentialité.

— Seule cette pièce m'intéresse, dit Kennedy. Merci.

Ellis lui tourna le dos, prêt à partir, mais Kennedy lui posa une main sur le bras pour le retenir. Il se retourna, l'air mécontent.

— Monsieur Ellis, il y a une autre chose que je voulais vous demander avant que vous partiez. Le professeur Barlow était membre d'un groupe sur Internet ou d'un genre de club. Les Ravellers. Savez-vous quoi que ce soit à leur sujet ?

— Plus ou moins, admit Ellis à contrecœur. Ce n'est pas mon domaine, comme je vous l'ai déjà dit, mais oui, je sais ce qu'ils font.

— C'est-à-dire ?

— Ils traduisent des documents. Des documents très anciens et très difficiles. Des codex en mauvais état de conservation, des fragments isolés de leur contexte, ce genre de choses. Certains de leurs membres, comme Stuart, sont des professionnels dans ce domaine, mais je pense que beaucoup de membres ne sont que des amateurs éclairés. C'est un lieu où ils échangent des idées, émettent des hypothèses et obtiennent un retour d'information. Stuart avait l'habitude de plaisanter en disant que, quand la CIA découvrirait à quel point les Ravellers étaient doués, soit elle les recruterait, soit elle les ferait tuer.

Kennedy ne comprit pas la plaisanterie. Face à son absence d'expression, Ellis entra dans les détails.

— Leur spécialité, c'est le décryptage de codes, certains des premiers codex sont en très mauvais état, ce qui revient souvent à déchiffrer un message à partir d'environ un tiers des caractères. On a donc recours aux rayons X, à l'analyse de fibres et toutes sortes de choses pour trouver les pièces manquantes.

— D'où vient ce nom ? demanda Kennedy. Les Ravellers ?

C'était au tour d'Ellis de paraître confus cette fois.

— Je n'en ai aucune idée. Peut-être est-ce la version négative du verbe anglais *unravel*, ce qui voudrait donc dire « trouver un lien entre les choses », « associer de petits éléments pour donner naissance à une signification plus globale » ? Ou peut-être qu'il s'agit d'un terme technique. Je ne sais pas.

— Savez-vous qui sont les autres membres du groupe et comment je pourrais les contacter ?

L'intérêt de l'intendant, assez faible au départ, commençait visiblement à s'épuiser.

— Il faudrait que vous preniez contact avec la personne qui dirige le forum, je suppose, dit-il. Je pense que cela ne devrait pas poser trop de problèmes.

Une pensée lui traversa l'esprit et il ajouta :

— En supposant, bien sûr, que le serveur et les modérateurs sont basés ici, en Grande-Bretagne, dit-il d'un air songeur. Cela risque d'être plus difficile s'ils sont aux États-Unis, ou ailleurs en Europe. Cela poserait des problèmes de juridiction, non ?

— C'est possible. Merci, Monsieur Ellis, vous m'avez beaucoup aidée.

Elle prit la clé et se dirigea vers l'escalier. Derrière elle, elle entendit la litanie de l'homme à l'air triste, à qui on s'adressait à voix basse, mais sur un ton accablant. Manifestement, l'intendant trouvait que cela aurait pu être réglé sans son intervention.

Le cabinet de travail de Barlow était exactement tel qu'elle se le rappelait, sauf que c'était un peu plus tard dans la journée, et que soleil brillait moins intensément à travers les stores. Elle resta sur le pas de la porte, essayant de se remémorer ce qu'elle avait vu la première fois, ce qui s'était suffisamment détaché du cadre ambiant pour avoir marqué son inconscient. C'était une ligne, se rappela-t-elle, une ligne qui n'était pas à sa place, et plus bas que la hauteur des yeux. Elle ne la voyait plus à présent, mais peut-être était-ce dû au changement de lumière.

Elle prit à deux mains l'article de journal encadré, le verre tourné vers l'extérieur. Captant la lumière venant de la fenêtre, elle s'en servit pour la réfléchir à travers la pièce, comme un spot qu'elle aurait déplacé.

Cela lui prit un certain temps, mais elle arriva à ses fins. Une des dalles de moquette se détachait des autres, créant une ombre le long de son bord de fuite. Comme si elle avait été soulevée avant d'être remise en place, mais qu'elle n'était pas revenue exactement à la même place qu'avant.

Kennedy s'agenouilla. Glissant les ongles sous le rebord de la dalle, elle la souleva doucement. Au-dessous, sans aucune protection, il y avait une carte rectangulaire légèrement brillante sur le plancher poussiéreux. Sur le haut, il n'y avait qu'un seul mot : *Ici ?* griffonné au stylo bleu et souligné deux fois. Puis, dans l'angle inférieur droit, plusieurs groupes de caractères étaient écrits avec soin, plus nettement, en noir.

P52

P75

NH II-1, III-1, IV-1

EG2

B66

C45

En tournant la carte, elle vit qu'il s'agissait d'une photographie.

Elle représentait un bâtiment, à une certaine distance : une usine, ou plus probablement une sorte de gigantesque entrepôt. Un mur en béton peint en gris se dressait sur six étages ou plus sur l'asphalte fendillé d'un parking envahi de mauvaises herbes. En dehors de quelques petites fenêtres près du haut, il n'y avait aucune autre ouverture. Dans un coin de la photo, on voyait un petit tronçon de route. Il y avait une barrière grillagée qui semblait relativement intacte, mais un certain nombre de signes indiquaient que l'endroit tombait en ruine – les ordures empilées contre la barrière, les mauvaises herbes entre les pavés et, sur un côté de la photo, une carcasse de voiture abandonnée et ses roues dépourvues de pneus abandonnées sur des briques. L'image était floue et plutôt mal cadrée : la photo avait été prise n'importe comment, ou peut-être très vite, par quelqu'un qui aurait été dans une voiture ou dans un train. Cela ressemblait à la photo test qu'on prend pour faire avancer le film de son appareil jusqu'à la première photo, au début d'une nouvelle pellicule. Mais qui utilisait encore des pellicules de nos jours ?

Kennedy retourna la carte de nouveau pour regarder les chiffres qui se trouvaient au dos. Un code quelconque ? Si c'était le cas, ce n'était sans doute pas un très long message. À moins que les chiffres ne se réfèrent aux passages d'un livre, un code déterminé à l'avance, ou quelque chose de ce genre. Ou peut-être formaient-ils la combinaison d'un verrouillage numérique ou un mot de passe permettant d'ouvrir un document. Elle n'avait aucun moyen de le savoir sans le moindre indice pour l'orienter dans la bonne direction.

Elle étiqueta la photo, la mit dans un sac et griffonna dans son carnet quelques notes sur le lieu où elle l'avait trouvée. Puis, elle souleva les dalles adjacentes pour s'assurer qu'elle ne passait pas à côté d'une évidence. Mais il n'y avait rien.

Elle n'avait pas eu l'intention de procéder à une fouille approfondie de la pièce, juste de suivre une intuition, mais malgré tout, elle se retrouvait à chercher d'autres planques possibles : derrière les tableaux qui étaient au mur, sous les tiroirs du bureau, derrière la face cachée des meubles. Elle ne trouva rien d'autre, et l'énorme quantité de papiers et de livres la fit battre en retraite. Il fallait que quelqu'un jette un coup d'œil avisé sur tout ça, et ce quelqu'un n'était pas elle.

Son sens de la paranoïa était en éveil, et n'ayant pas oublié l'intrus qui était entré par effraction dans le cottage de Barlow, Kennedy pensa à vérifier la porte cette fois. C'était une serrure standard à cinq points intégrée à la poignée. Il y avait de légères éraflures autour du trou de la serrure, et beaucoup trop de jeu dans le mécanisme. Elle avait été forcée.

Cela présentait à la fois un aspect positif et un aspect négatif. D'un côté, celui qui était entré par effraction n'avait pas trouvé la photo cachée.

D'un autre côté, comment savoir ce qu'il avait trouvé ?

12

Chris Harper détestait la routine et les tâches répétitives, et il détestait encore plus le fait qu'il était plutôt performant dans ce domaine. Après avoir contacté tous les membres du forum du site des Ravellers sans avoir déterré de nouveau corps, il passa aux deux autres choses que Kennedy lui avait demandé de faire.

Michael Brand ne résidait plus à l'hôtel Pride Court, fut au regret de l'informer le réceptionniste. Brand était parti quelques semaines plus tôt, et il avait réglé sa note le 13 juin. Trois jours après la mort de Barlow et d'Hurt, deux jours après celle de Devani. La sœur de Barlow avait raison, Brand était à Londres pendant tout ce temps, tandis que ses petits camarades Ravellers mouraient de façon pittoresque et ambiguë d'un bout à l'autre du pays. Puis, il avait attendu quelques jours avant de partir vers de nouveaux horizons. Peut-être était-il venu pour mettre Barlow en garde ; à moins qu'il ne lui ait apporté quelque chose ou reçu quelque chose de sa part. Peut-être connaissait-il le tueur. Peut-être *était-il* le tueur. Quoi qu'il en soit, aucune de ces hypothèses ne collait avec le fait qu'il soit resté dans un hôtel londonien miteux pendant deux jours après le déluge.

— A-t-il laissé l'adresse de son domicile ? demanda Harper.

L'employé se montra plus réservé, mais changea brusquement d'attitude quand Harper fit mention d'une enquête en cours. Alors, il lui donna sans rechigner une adresse à Gijón, en Espagne, assortie d'un numéro de téléphone.

Harper le remercia, raccrocha et composa le numéro. Il obtint la tonalité monocorde qui indiquait que la communication n'avait

pas été établie, puis il y eut un déclic et une voix irritante annonça :
« Désolé, le numéro n'est pas attribué. Désolé, le numéro n'est
pas… »

Harper consulta les listes électorales espagnoles via la base
de données d'Interpol. Il entra l'adresse de Gijón : 12 Campo del
Jardin. Les trois noms correspondants étaient Jorge Ignacio Argiz,
Rosa Isabella Argiz et Marta Pacheco. Pas de Michael Brand, et le
numéro de téléphone qui se rapportait à cette adresse n'était pas
celui donné par Brand. Harper composa le numéro et tomba sur
Jorge Argiz. Jorge connaissait-il un certain Michael Brand ? Jorge
parlait assez bien anglais pour pouvoir assurer au détective qu'il ne
connaissait personne de ce nom.

Harper mit Brand de côté et reprit à zéro ses recherches sur les
Ravellers.

La toute première chose qui s'afficha sur Internet était leur forum
en ligne, Ravellers.org, qui, derrière une page d'accueil respectable
et luxueuse, cachait des centaines de pages de charabia sur diverses
lectures et des identifications controversées. Des lectures et des
identifications de quoi ? Il ne semblait y avoir aucun moyen de
le savoir. Les fils de discussion du forum avaient tous des titres
du type : « *Pigment spread link varinant 1-1000, NH papyri 2.2.1
– 3.4.6* », « *PH 1071 imaged in infra-red spectrum – using 1000
filter !* » et « *Challenged zayin in DSS 9P1, line 14, position 12* ».
Harper aurait aussi bien pu lire du sanscrit. Il ne faisait d'ailleurs
aucun doute que certains messages comportaient des passages en
sanscrit, et ne s'en excusaient même pas.

Il y avait une fonction « Contact » dans le menu, mais l'adresse
e-mail qui s'affichait appartenait au domaine Freeserve, qui
n'existait plus ; ce qui voulait probablement dire qu'elle n'avait pas
été changée depuis des années et que le serveur en question n'était
plus actif. Harper envoya malgré tout un message, doutant que qui
que ce soit le reçoive – et il ne pouvait afficher aucun message sur le
forum sans être membre, ce qui semblait être un moyen plutôt long
d'arriver à ses fins.

Il retourna aux résultats de sa recherche et affina les paramètres,
croisant les termes *Ravellers* et *Barlow*. Les deux premiers résultats
obtenus étaient visiblement des genres de spams fourre-tout. *Lisez*

les articles sur Ravellers Barlow et *Regardez les photos et les vidéos de Ravellers Barlow !* Le troisième, cependant, était un message assez court qui figurait sur un forum différent, annonçant un prix attribué au Dr Sarah Opie pour son aide à l'enseignement. Parmi les nombreux messages du fil de discussion, il y en avait un de Stuart Barlow intitulé *C'est bien mérité, Sarah !* Le message avait été écrit dix-huit mois plus tôt. Il était apparu dans la liste de résultats d'Harper parce que le Dr Opie avait indiqué être membre des Ravellers dans ses centres d'intérêt et remerciements. De plus, elle faisait partie du personnel de l'université du Bedfordshire, non pas dans la faculté d'histoire (d'ailleurs il semblait ne pas y en avoir) mais dans le département Informatique et Technologie.

Harper composa le numéro du standard de l'université et demanda à parler au Dr Opie. Quand la réceptionniste lui demanda l'objet de son appel, il déclina son identité et expliqua que son appel concernait une enquête criminelle. Quelques instants plus tard, on lui passait le Dr Opie.

— Je suis vraiment désolé de vous déranger, dit-il, mais je fais partie de l'équipe qui enquête sur le meurtre du professeur Stuart Barlow. D'après ce que je comprends, vous apparteniez à une organisation dont il était également membre. Les Ravellers.

Il y eut un long silence à l'autre bout du fil. Harper était sur le point de reprendre la parole quand le Dr Opie se décida enfin à répondre – par une question.

— Qui êtes-vous ?

Sa voix, qui paraissait plus jeune que ce à quoi il s'était attendu, était également affaiblie par la tension nerveuse et la méfiance.

Il le lui avait déjà dit, mais le répéta néanmoins :

— Je m'appelle Christopher Harper. Je suis inspecteur et je travaille pour l'Agence de lutte contre la grande criminalité de Londres…

— Comment est-ce que je peux en être sûre ?

Elle avait répliqué avant même qu'il ait terminé sa phrase.

— Vous raccrochez et vous vérifiez, suggéra Harper. (Étant donné le nombre de morts de plus en plus élevé, sa paranoïa était compréhensible.) Appelez Scotland Yard, demandez le centre d'opérations, puis l'inspecteur de la division. Indiquez mon nom et dites que je vous ai demandé d'appeler. J'attends votre appel.

Il s'attendait à ce qu'elle raccroche, mais elle resta en ligne. Il entendit les bruits sourds de quelqu'un qui bouge et respire à une faible distance, le signe qu'il y avait toujours quelqu'un à l'autre bout du fil.

— Vous avez dit que votre appel concernait Stuart.

— À vrai dire, pas seulement. Cela concerne aussi une ou deux autres choses.

— Quelles choses ?

Harper hésita. Je suis en train d'établir une liste d'historiens décédés. En connaissez-vous certains ? Ce type de questions lui semblait plutôt lourd de sens, avant même qu'il les ait prononcées.

— Écoutez, dit-il, pourquoi ne pas raccrocher et me rappeler ? Je pense que vous vous sentirez mieux si vous savez que vous n'avez pas affaire à un illuminé.

— Je veux savoir de quoi il s'agit, dit la voix à l'autre bout du fil, dont la tension avait monté d'un cran.

Harper prit une profonde inspiration. Du temps où il portait un uniforme, ce qui ne remontait qu'à un an de cela, il enviait aux inspecteurs leur prestige et leur autorité naturelle. Mais peut-être était-ce un truc qu'il fallait apprendre.

— Cela concerne une série de morts suspectes, dit-il, avant d'ajouter une piètre rectification : enfin, potentiellement suspectes.

Il entendit un bruit creux – comme si le téléphone lui avait échappé avant de tomber par terre.

— Allô ? dit Harper. Vous êtes toujours là ?

— Quelles morts ? Dites-moi. Quelles morts ?

— Stuart Barlow. Catherine Hurt. Samir Devani.

Opie laissa échapper un petit cri.

— Oh mon Dieu. Ce n'étaient pas… des accidents ?

— Attendez, dit Harper. Vous les connaissiez tous ? Dr Opie, c'est important. D'où les connaissiez-vous ?

Pour seule réponse, il entendit le bruit sec qu'elle fit en raccrochant. Il attendit, indécis, pendant une minute et demie. S'il rappelait le standard de l'université, la ligne sonnerait occupé si elle cherchait à le rappeler.

Juste à l'instant où il s'était résolu à la rappeler, le téléphone sonna. Il décrocha.

— Un appel de l'extérieur pour vous, dit le réceptionniste. Dr Opie.

— Passez-la-moi s'il vous plaît, dit Harper.

Il attendit en silence qu'on lui transfère l'appel.

— Dr Opie ?

— Oui.

— D'où connaissiez-vous ces trois personnes ?

Il connaissait déjà la réponse à cette question, ce qui expliqua en partie l'impression de *déjà vu*[2] qu'il eut en l'entendant prononcer ces mots :

— Ils étaient membres des Ravellers. Ils faisaient tous partie du groupe. Et...

Il attendit, mais rien ne vint.

— Et ?

— Ils travaillaient sur la même traduction.

---

2 En français dans le texte. (NdT)

13

Tillman réapparut à Calais, où il avait réservé une place sur le ferry qui traversait la Manche en direction de Douvres. Cela n'avait rien d'étonnant, c'était le plus court chemin par la mer, le temps le moins long pendant lequel il serait enfermé et vulnérable. Malgré tout, Kuutma ne considéra rien comme acquis. Il veilla à maintenir ses hommes en place sur toute la côte Nord, et ses taupes des bureaux de la SNCF resteraient en alerte tant qu'il n'aurait pas confirmation que Tillman était bien sur le ferry.

Même à ce stade, Kuutma procéda de façon méthodique et méticuleuse. C'était la dernière traversée de la journée, le bateau quittant le port à vingt-trois heures quarante, mais la gare maritime de Calais était encore bondée. Les Messagers – qui étaient toujours trois, comme à Bucarest et Paris – montèrent à bord en dernier et restèrent près des sorties, qu'ils surveillèrent jusqu'à ce que la porte d'étrave soit fermée et que le ferry quitte le rivage.

Kuutma resta sur le quai, aux aguets. Tillman allait-il apparaître sur le pont au dernier moment, prétextant avoir oublié quelque chose pour débarquer ? Était-ce un autre double ou triple bluff ?

Apparemment pas. Il n'y eut aucune alerte de dernière minute, aucune manœuvre de diversion ni effet de panique, aucun faux départ. Le ferry partit sans incident, avec Tillman à son bord. Tillman et les trois Messagers qui étaient là pour le tuer.

Il aurait voulu être avec eux. Et une fois encore, il était assailli de pensées stériles venant interrompre le fil de ses raisonnements, de façon aussi vaine que dangereuse. Mais il était prêt à admettre, maintenant que tout cela était presque fini, qu'il détestait Tillman et qu'il avait attendu trop longtemps pour agir contre le mercenaire parce qu'il doutait de la pureté de ses motivations. Il ne ferait plus la même erreur.

Il n'y avait plus personne pour qui la faire.

Tillman regarda la côte française s'éloigner, en proie à des sentiments contradictoires.

Kartoyev avait confirmé beaucoup de choses qu'il savait déjà, il lui avait donné quelques nouveaux indices et indiqué sa prochaine destination. Pour la première fois, il avait le sentiment de se rapprocher de Michael Brand, et qu'après avoir été à la poursuite d'un nom, puis d'un fantôme, c'était maintenant un homme qu'il traquait, qu'il apercevait presque.

D'un autre côté, il devait tenir compte de nouvelles anomalies. Les drogues, pour commencer. Il n'avait jamais trouvé de lien jusqu'à présent entre Brand et le trafic de drogue. Il avait dirigé des opérations clandestines en Colombie, et il savait comment ce commerce se pratiquait. Les déplacements de Brand d'un bout à l'autre du monde n'étaient pas ceux d'un type qui vendait ou achetait de la drogue. Peut-être ceux d'un exécutant, mais qu'exécutait-il ? Et pourquoi, s'il était impliqué dans le trafic de drogue, irait-il si loin pour se procurer des ingrédients qu'on trouvait facilement dans la plupart des pays ? L'ex-Union soviétique n'était pas la base de Brand, Tillman en était sûr. Ses séjours étaient trop brefs et essentiellement liés à quelques contacts spécifiques.

Un écran de fumée, alors ? Brand achetait ses produits chimiques en république d'Ingushetia parce qu'il ne voulait pas laisser de trace pouvant conduire à sa véritable base d'opérations. Et il avait refusé l'offre de Kartoyev qui lui proposait de la méthamphétamine, sans doute parce qu'il voulait la faire lui-même. Et il avait l'intention d'en préparer des quantités dix fois plus élevées que de coutume.

Il lui fallait mettre ça de côté pour y réfléchir plus tard. Tillman avait plus urgent à penser pour l'instant.

Au cours de son voyage à travers l'Europe en direction de l'ouest, il avait plus que jamais pris conscience qu'il était poursuivi, tout autant que poursuivant. À Bucarest, il avait été sauvé par un coup de chance. Se promenant dans Matasari, une ville où tout le monde surveillait ses arrières, il s'était dit, d'après la réaction d'un homme croisé dans la rue, qu'il était peut-être suivi. Il ne s'était pas retourné, mais il avait mis sa théorie à l'épreuve en traversant un marché qui fourmillait de monde, forçant ainsi ses poursuivants à se rapprocher. Il s'était faufilé d'étal en étal de façon aléatoire, mémorisant les visages alentour, et après une demi-heure il avait clairement isolé une personne qui le filait, et possiblement deux autres. Une fois acquise la certitude d'être suivi, il ne restait plus qu'à décider quand les semer. Mais il n'avait aucune idée de qui ils étaient, ni de ce qu'ils voulaient.

À Paris, il était préparé. S'attendant à être retrouvé, à l'affût de la moindre poursuite ou surveillance, il avait réussi à retourner la situation, en suivant à son tour l'un des mystérieux individus qui le suivaient jusqu'à sa base. Mais il n'en avait pas tiré grand-chose. La maison qu'ils avaient louée près du périphérique n'était pas meublée, à l'exception de trois sacs de couchage étalés sur le parquet. Ces hommes étaient de véritables ascètes. Tout comme les premiers saints du christianisme qui passaient des années dans le désert, mortifiant leur chair. Tillman fut inquiet à l'idée que les gens qui le pourchassaient étaient capables d'un dévouement aussi strict. Et il fut tout aussi inquiet de constater qu'ils étaient si nombreux. Il ne savait absolument pas pourquoi une organisation de cette ampleur pouvait kidnapper des femmes et des enfants dans les rues de Londres.

Mais peut-être que le terme *pourchassaient* était trop fort. Il était possible qu'ils aient seulement voulu voir jusqu'où les recherches de Tillman l'avaient conduit. Et s'il allait dans la bonne direction, ou s'il était encore en train de tourner en rond. Il regretta, maintenant qu'il était trop tard, de ne pas être allé en Belgique et aux Pays-Bas, et de ne pas avoir fait plus d'efforts pour laisser de fausses pistes. Mais en fin de compte, il n'y avait pas trente-six façons de se rendre en Grande-Bretagne depuis l'Europe continentale si on ne voulait pas prendre l'avion. Et même avec des ressources limitées, il était possible de garder un œil sur chacune d'elles.

Et il devait absolument se rendre en Grande-Bretagne. Il était resté à Paris assez longtemps pour contacter d'anciens amis et des relations qui travaillaient dans des entreprises de sécurité privées.

Beaucoup d'entre eux étaient encore en exercice dans ce monde amphibie, à la limite de la légalité, et ils avaient pu lui donner des informations précieuses et brûlantes d'actualité sur Michael Brand. Pendant treize ans, ce salaud était resté sous la ligne de flottaison. À présent, il était hors de l'eau, et Tillman devait y être aussi. Il n'avait pas d'autre choix.

Tillman s'éloigna du bastingage et se fraya un chemin parmi les gens qui étaient sur le pont, se dirigeant vers la porte à double battant qui menait à l'intérieur. Il en profita pour jeter un coup d'œil à sa montre. La traversée ne durait que quatre-vingt-dix minutes, et il constata avec satisfaction que vingt minutes s'étaient déjà écoulées.

Dans l'espace bar-restauration, il y avait beaucoup plus de monde. Des familles étaient assises en petits groupes distincts, marquant leur territoire avec des sacs à main et des sacs à dos. La plupart avaient l'air triste ou fatigué, mais des familles plus heureuses s'affichaient sur les murs, derrière eux, sur des posters géants, maintenant une sorte d'équilibre karmique. En l'absence de siège libre, les gens étaient assis dos aux cloisons, tandis que d'autres étaient accoudés au bar qui occupait le côté droit de la pièce. Un seul barman servait de la Stella Artois pression avec une seule pompe. La pompe de Guinness qui était juste à côté portait la mention HORS SERVICE. Un peu plus loin, le bar se transformait naturellement en comptoir où les gens faisaient la queue pour acheter des sandwiches et des chips. Il flottait dans l'air une odeur de bière éventée et de friture rance.

Tillman n'avait pas faim, et il préférait le whisky à la bière. Il considéra les bouteilles de Bell, Grant et Johnny Walker alignées derrière le bar, tous des whiskys parfaitement buvables. Dans l'armée, il n'avait jamais bu que pour sombrer dans l'oubli, et il ne s'était pas accordé ce luxe ces derniers temps. Il fut tenté pendant une seconde ou deux, ralentit le pas, puis chassa cette idée de son esprit et passa devant le bar sans s'arrêter. Plus tard, une fois qu'il serait à Londres, il trouverait peut-être un bar et redécouvrirait cette caresse chimique passagère. Pour l'instant, il préférait rester éveillé et vigilant.

Il cherchait un endroit pour s'asseoir correspondant à ses critères habituels : une vue sur toutes les sorties, un mur dans le dos et quelque chose à proximité, comme un mur ou un comptoir pour pouvoir se mettre à l'abri en cas de besoin. Dans cette pièce bondée, il savait que ce ne serait pas possible. Mais il avait aussi conscience qu'il était plutôt ridicule d'appliquer de tels critères dans un lieu où la moindre attaque serait contrariée par la panique instantanée qu'elle sèmerait, et où l'assassin n'aurait aucune issue possible, même si l'attaque était réussie. De plus, les gens qui l'avaient suivi à Bucarest et à Paris n'avaient encore rien fait qui laisse suggérer qu'ils lui voulaient du mal. Tout ce qu'ils avaient fait, les deux fois, était de le suivre.

Était-il pris d'un accès de paranoïa ? Son habituelle prudence était-elle en train de le faire basculer dans la folie et la psychose ? Ou avait-il réagi à un signal qui n'avait pas encore franchi les barrières de son inconscient ? En général, il faisait confiance à son instinct, mais il n'était peut-être pas au mieux de sa forme, cela faisait trop longtemps qu'il tirait sur la corde. Le poids de la lassitude s'abattit sur lui, si brusquement qu'il en ressentit presque les symptômes physiques, accompagnés d'un sentiment de rejet pour la foule qui l'entourait – le brouhaha de voix lui sembla être comme la manifestation extérieure de la confusion de son propre cœur et de son âme.

Tillman avança jusqu'au bout de l'espace bar et pénétra dans une salle plus petite avec des machines à sous d'un côté et des toilettes de l'autre. Il fouilla dans son fourre-tout, à la recherche d'un des sacs de monnaie qu'il trimbalait – celui qui contenait des pièces en euros. Il trouva Monsieur Snow, la licorne, et mit le jouet en peluche dans la poche de son jean, telle une mascotte peu efficace, puis glissa quarante ou cinquante euros de pièces dans le bandit manchot. Tirer la manette et appuyer sur les boutons au hasard faisait passer le temps sans accaparer son attention, ce qui lui permettait de surveiller le flot de gens qui passaient, ainsi que ceux qui flânaient. Ils passaient et flânaient de façon très convaincante. Aucune anomalie, aucun signal d'alarme. Mais il n'y en avait pas eu non plus à Bucarest. Il ne tiendrait pas sur la distance s'il sous-estimait ses ennemis.

Quand Tillman finit par venir à bout de ses pièces, il jeta un coup d'œil à sa montre. Ils avaient sans doute déjà parcouru plus de la moitié du chemin à l'heure qu'il était. Il retourna au bar, se mit dans la file d'attente et acheta un café, mais une fois encore, il ne supporta pas longtemps le bruit et la foule qui le bousculait. Il sortit avant même d'avoir bu deux gorgées de son jus de chaussette.

Il n'y avait plus beaucoup d'endroits où aller. Il décida de passer la dernière demi-heure à se promener sur le pont, mais il se sentit gagné par la fatigue. En l'absence de caféine, il pouvait au moins s'asperger le visage d'eau froide.

Les toilettes ressemblaient à un cube sans fenêtre, avec des urinoirs le long d'un mur, des lavabos de l'autre côté et trois cabinets au fond. Il avança sur le sol inondé d'eau qui avait débordé d'un lavabo rempli de papier toilette en guise de bonde. Un seul néon à la lumière vacillante éclairait la scène déprimante. Il suspendit sa veste sur un distributeur de préservatifs, laissant tomber son fourre-tout à ses pieds et couler l'eau pendant un bon moment avant de finir par accepter qu'elle ne serait jamais froide. Malgré tout, il s'aspergea le visage d'eau tiède, et passa la tête un instant sous l'air du sèche-mains. Derrière lui, la porte grinça en s'ouvrant, et grinça de nouveau en se refermant.

Quand il se releva, ils étaient là. Deux hommes en costume, d'une beauté saisissante, à l'allure soignée et à l'air sérieux. Le genre de type qui peut frapper à votre porte pour demander si vous avez rencontré Jésus ou s'il peut compter sur votre vote pour le candidat conservateur. Tillman eut seulement le temps d'apprécier leur troublante synchronisation – qui ne pouvait s'expliquer que par des exercices sans fin avec le même entraîneur ou commandant. À cet instant, ils levèrent les mains, et les courtes lames qu'ils tenaient brillèrent, une en hauteur, l'autre plus bas, réfléchissant la lumière du néon.

Tillman saisit sa veste qui était sur le distributeur de préservatifs de la main gauche et la jeta en l'air devant lui, reculant de dix pas, autant que la petite pièce le permettait. Derrière cet écran en mouvement, il sortit son lourd Mateba Unica de sa ceinture et ôta le cran de sûreté du même geste.

Les deux hommes semblaient avoir une longueur d'avance sur lui. Lorsqu'il leva son revolver, l'un d'eux se détourna à moitié, puis donna un coup de pied à contre-courant : un parfait *yoko geri*. Tillman le vit venir, mais l'homme était d'une rapidité si inhumaine que cela ne lui fut d'aucun secours. Le talon du type vint frapper le poignet de Tillman avant qu'il ait eu le temps de faire le moindre mouvement, lui faisant lâcher le revolver. Il tomba sur le sol avec fracas. Les deux couteaux s'approchèrent de lui en quelques mouvements d'une rare violence, l'un visant le cœur de Tillman, l'autre son visage. Pris de court, il fit une feinte à droite et rabattit sa veste vers le bas, comme un fléau, pour qu'elle s'enroule autour du poignet de l'homme qui se trouvait à sa gauche. La lame de l'autre homme toucha le haut de son bras et fit une entaille large et profonde, mais il ignora la douleur. Tirant de toutes ses forces sur la veste, Tillman attira ainsi l'homme vers lui et lui donna un coup de tête en plein visage, et comme il ne tomba pas, il passa derrière lui pour qu'il lui serve de bouclier et ainsi avoir un instant de répit.

De nouveau, les deux hommes réagirent à l'unisson en une fraction de seconde. Celui qui était entortillé dans la veste s'accroupit et l'autre se pencha au-dessus de lui, attaquant Tillman de plus belle à grands coups de lame. Tillman recula tant bien que mal, esquivant le coup de justesse.

L'attaquant sauta par-dessus son camarade agenouillé et avança de nouveau, donnant de petits coups de couteau au niveau du ventre de Tillman, qui baissa la main de façon instinctive pour bloquer le coup qui risquait de l'éventrer : ce geste instinctif faillit le tuer. Le couteau monta là où il avait baissé sa garde, ayant toute latitude pour atteindre sa cible. Reculant en faisant un mouvement de côté, il sentit et entendit l'air passer tout près de son visage.

L'autre homme s'était relevé et avançait derrière le premier, et à ce stade, la situation avait toutes les chances d'empirer. Tillman tenta d'évaluer quelles étaient ses chances. Les prouesses de karaté ne l'impressionnaient pas outre mesure : les deux hommes étaient légèrement plus costauds que lui, et même les couteaux n'étaient pas un avantage décisif dans un espace aussi restreint. Ce qui rendait la situation impossible, c'était qu'ils étaient deux contre un, ainsi que leur incroyable rapidité. Tout bien considéré, il serait certainement mort dans les dix prochaines secondes.

Le seul espoir de Tillman était de changer la donne. Levant le bras au-dessus de sa tête, il donna un coup de poing juste au centre du néon.

En l'absence de fenêtre, le tube fluorescent était la seule source de lumière de la pièce. Lorsque le verre s'écrasa contre les doigts nus de Tillman, la pièce fut plongée dans le noir absolu.

Tillman se jeta au sol et roula. Il tâtonna à la recherche du revolver, dont il avait gardé en mémoire l'emplacement exact. Rien.

Il entendit des bruits de pas dans les flaques d'eau. Quelque chose bougeait à sa droite. Il donna un coup de pied qui atteignit sa cible, roula de nouveau. Cette fois, il sentit le métal froid et familier de l'Unica sous ses doigts. Il le prit en main, le leva en l'air et commença à tirer en décrivant un arc de cercle, une, deux, trois fois.

C'était un risque calculé. Tirer à l'aveugle avait révélé là où il se trouvait. Dans l'obscurité la plus complète, rien n'aurait été plus facile que de lancer un de ces couteaux méchamment aiguisés vers les coups de feu. Mais l'Unica était équipé d'une cartouche .454 Casull, qui dépassait même le pouvoir d'arrêt[3] du Magnum. Même si ses agresseurs portaient tous les deux un gilet pare-balles sous leur élégant costume, à cette distance cela ne ferait aucune différence. Un seul tir réussi et ils étaient hors jeu, de façon définitive.

Le revolver à hauteur d'homme, se déplaçant en zigzag, Tillman se dirigea vers la porte. Sa très bonne mémoire visuelle lui fut une fois de plus utile, et après seulement trois pas, il sentit la poignée de la porte dans son dos.

Un autre mouvement, sur la gauche cette fois. Tillman tira dans cette direction – ce qui ne laissait plus qu'une balle dans le chargeur de son Unica – et ouvrit la porte d'un coup de pied en arrière. Un rai de lumière envahit la pièce, ainsi que le tintement incongru des machines à sous. Les deux hommes s'étaient rapprochés de Tillman dans l'obscurité. L'un d'eux se tenait le bras, visiblement touché par la dernière balle. L'autre se jeta sur Tillman, pointant le couteau droit sur lui.

Sans cette lumière au moment fortuit, Tillman aurait pris le coup de couteau en pleine gorge. Averti au dernier instant, il mit en action son entraînement de *krav maga*, qui datait de la période où

---

3 Le pouvoir d'arrêt est la capacité d'une munition à mettre un adversaire hors de combat dès le premier impact provenant du tir d'une arme à feu. (NdT)

il était mercenaire. Tandis que les deux hommes arrivaient dans le couloir, Tillman, qui tenait toujours son revolver d'une main, saisit le poignet du premier homme de son autre main et le tordit, faisant tomber son couteau à terre. Puis, il lui donna aussitôt un coup de crosse sur la tête pour compléter son mouvement. L'homme tomba au sol et Tillman en profita pour s'échapper. Un de ses adversaires était à terre, l'autre était au minimum blessé, et quoi qu'il en soit, il ne pouvait pas se permettre de rester sur place, ni d'être mêlé à une enquête officielle.

Tillman s'éloigna de l'espace bar-restaurant. Il se dit qu'on y avait sans doute entendu les coups de feu et qu'il ne pourrait pas traverser la pièce au milieu de la panique. Ralentissant le pas, il prit la première à droite dans le couloir et tomba aussitôt sur un nouveau flot de gens qui se précipitaient hors du magasin duty-free. Manifestement, le bruit du grabuge était également arrivé jusqu'ici, mais personne n'avait l'air de savoir d'où venaient les coups de feu. Et personne ne semblait avoir décidé de quel côté courir. Tillman se fraya un chemin dans la foule aussi vite qu'il put. Car à cet instant, le plus grand danger pour les passagers était de se trouver près de lui.

Il trouva un escalier, le gravit et se retrouva sur le pont supérieur déserté. Au même moment, une femme arriva sur le pont par une autre porte, à l'extrémité opposée. Elle s'immobilisa en le voyant et le dévisagea avec une expression qui pouvait être de la perplexité ou de l'inquiétude.

— Retournez à l'intérieur ! lui cria-t-il.

Il s'approcha du bastingage et regarda au loin. Il y avait encore quelques bons kilomètres avant d'arriver jusqu'à la côte de Douvres, mais le navire n'était plus sûr à présent, alors il n'avait vraiment pas d'autre choix. S'il restait là, il serait interrogé, et s'il était interrogé, il serait arrêté – pour la détention d'un revolver sans permis de port d'armes, dans le meilleur des cas.

Il avait laissé la plupart des documents qu'il avait sur lui dans sa veste, qui se trouvait encore dans les toilettes. C'étaient des ennuis en perspective, là encore, étant donné qu'il voyageait sous son propre nom cette fois. Mais c'étaient des ennuis qui pouvaient être ajournés. Il ôta ses chaussures d'un coup de pied.

La douleur fulgurante qu'il ressentit sur le côté de son corps le prit totalement par surprise. Une secousse brutale qui se transforma brusquement en pure agonie. Il se tourna et vit la femme avancer vers lui, prenant un second couteau qu'elle portait sur la hanche avant de le soupeser. Le manche de sa première arme dépassait à présent de sa cuisse, où elle était enfoncée jusqu'à la garde.

La femme était belle, et ses traits étaient très semblables à ceux des hommes qui l'avaient attaqué dans les toilettes : peau claire, yeux et cheveux noirs, avec quelque chose de solennel dans le visage, semblable à la solennité d'un enfant à qui on demande de se lever pour réciter quelque chose.

Il ne pouvait rien faire pour éviter le second lancer. Elle avait déjà rejeté la main en arrière, et tandis qu'il levait son arme, il savait qu'il ne pouvait pas viser et tirer dans le temps qu'il lui restait. Il visa son bras malgré tout et appuya sur la gâchette en même temps qu'elle lâcha le couteau. Le couteau était d'une telle rapidité qu'il en était presque devenu invisible, sauf pour une petite partie de sa trajectoire où la lumière d'un lampadaire se refléta sur la lame et l'éclaira d'une lueur dorée incongrue.

La balle atteignit la lame et l'envoya voler au-dessus de la tête de Tillman. C'était plus une question de chance que de jugement et il savait qu'il ne pourrait renouveler cet exploit avant une éternité.

Il grimpa sur le bastingage, puis sauta. Un troisième couteau vola au-dessus de son épaule, tout près, et l'accompagna dans le grand saut.

Il fut englouti dans l'eau et continua de descendre, l'eau devint de plus en plus froide et hostile. À dix mètres de fond il ralentit, s'arrêta, et commença à remonter.

Il fit un effort sur lui-même, à cause de sa jambe qui commençait à se raidir, et culbuta dans l'eau pour nager vers le fond de l'océan. Il lui était impossible de se diriger dans l'eau couleur bleu nuit, il ne savait donc pas où il se trouvait par rapport au ferry. Rester au fond aussi longtemps que possible était le meilleur moyen de s'en distancer.

Quand il commença à être à bout de souffle, il arrêta de nager et commença à se laisser remonter à la surface. Ses poumons vides avaient désespérément besoin d'air, et il s'aperçut qu'il avait perdu quelque chose, qui s'enfonçait dans les profondeurs, où il lui était désormais impossible d'aller. Quelque chose de pur et blanc qui scintillait comme l'aile d'un oiseau.

Monsieur Snow.

Tillman émergea à la surface loin derrière le ferry. Il ne vit aucune silhouette sur le pont regardant ou pointant dans sa direction. La nuit le dissimulerait, et les assassins ne signaleraient probablement pas qu'il avait sauté. On ne ferait sans doute pas de recherches. L'eau glacée empêcherait ses plaies de saigner et il avait peu de chance de manquer la côte Sud de l'Angleterre étant donné l'étendue de la cible.

Il avait également une réponse à sa question. Enfin. Les individus qui l'avaient suivi voulaient réellement sa mort. Peut-être cela voulait-il dire que Michael Brand avait peur de lui. C'était ce qu'il espérait en tout cas.

Impossible de retrouver Monsieur Snow dans l'obscurité des eaux glaciales. Il avait besoin de toutes les forces qu'il lui restait s'il voulait atteindre la côte en vie. « Je suis désolé », murmura Tillman, non pas au jouet, mais à sa fille, qu'il avait perdue tant d'années plus tôt. Il eut l'impression d'avoir trahi la confiance de Grace, d'une certaine façon. C'était comme s'il venait de perdre un lien qu'il ne pouvait réellement pas se permettre de perdre.

La survie. C'était tout ce qui importait à présent. Il se repéra grâce au sillage du ferry pour s'orienter vers le nord et essayer d'atteindre le rivage qui était encore à une quinzaine de kilomètres.

14

Lorsque Kennedy appela depuis l'université du Prince Régent pour voir où en était Harper, il lui dit – avec une autosatisfaction bien pardonnable – qu'il avait trouvé un lien entre les trois universitaires qui venaient de mourir. La nouvelle était spectaculaire, mais au fil du récit, elle le devint de moins en moins, à mesure que Kennedy lui indiquait, les unes après les autres, les questions qu'il aurait dû poser à Sarah Opie lorsqu'il était encore en ligne avec elle : les trois Ravellers qui étaient morts étaient-ils seulement en contact par le biais du forum ou se connaissaient-ils par ailleurs ? Depuis combien de temps travaillaient-ils sur un projet commun, et qui était au courant ? Quelqu'un d'autre collaborait-il avec eux, qui ne faisait pas partie du forum ? Elle n'était pas en train de l'engueuler, c'était juste sa façon de travailler, comme il le savait déjà, même s'ils se connaissaient encore peu.

— Je pensais que cela pouvait attendre qu'on lui rende visite, dit Harper, contrarié. Enfin, on avance, non ? On a le lien. Et si on a le lien, on est sans doute sur le point de trouver le mobile. Je savais que nous aurions besoin de sa déposition, et je ne voulais pas lui mettre d'idée préconçue en tête.

— Vous avez bien fait, Harper. Mais dites-moi… Quel était ce document qu'ils traduisaient ?

— Le codex Rotgut, dit Harper. C'est une sorte de sujet de plaisanterie permanent sur le forum, apparemment. La plupart des gens pensent que c'est bidon. Mais Barlow avait un nouveau point de vue sur la question d'après le Dr Opie, suite à ses recherches sur les premiers chrétiens. Les acrostiches.

— Les gnostiques.

— Si vous voulez. Tout est parti de Barlow. Il a commencé à essayer de traduire ce Rotgut et il a embarqué les deux autres dans cette aventure.

— Juste les deux autres ? Je veux dire, personne d'autre n'est impliqué dans le projet ? Personne n'a besoin d'être prévenu que quelqu'un risque de vouloir le tuer ?

Harper était plus sûr de lui cette fois.

— Aucun autre collaborateur. Barlow a contacté un autre type, parce que c'est un expert sur tout ce qui concerne les premiers textes : Emil Gassan, il travaille quelque part en Écosse. Mais il a refusé de façon catégorique d'avoir quoi que ce soit à faire avec Barlow. Il lui a dit d'aller se faire voir, en résumé.

— Et Opie ? Comment sait-elle tout ça ?

— Par les messages du forum ? dit Harper d'une voix hésitante. Ok, j'admets que c'est une simple supposition. Je lui ai posé la question deux fois, de façon directe, mais elle l'a éludée à chaque fois. C'est une amie de Barlow. Enfin, il la connaissait en tout cas, parce qu'il a publié ce message sur le forum quand elle a reçu un prix. Mais elle a dit qu'elle n'avait rien à voir avec le projet. Elle a été catégorique. Et elle l'a répété deux fois.

— Et malgré tout, elle savait de quoi il était question, dit Kennedy.

Harper commença à avoir l'impression qu'en substance, elle insinuait qu'il était un imbécile et qu'il était incapable d'interroger un suspect.

— Ce n'est pas comme si c'était un secret, rappela-t-il à Kennedy en essayant de ne pas sembler agressif. Cette femme est un membre actif du site des Ravellers, alors je n'ai pas trouvé curieux qu'elle sache de quoi il était question. Voulez-vous que je la convoque ?

Il regarda sa montre en même temps qu'il posa cette question. Il était plus de six heures, ce qui voulait dire qu'il ne pourrait sans doute pas joindre Opie sur le campus à cette heure. Harper devrait se procurer le numéro de son domicile et essayer de la joindre au débotté, et Opie serait loin d'en être enchantée. Son humeur était devenue de plus en plus sombre au fil de l'interrogatoire. Elle était effrayée et bouleversée, comme n'importe qui le serait en apprenant que trois personnes de sa connaissance avaient peut-être été les victimes d'un même tueur. Ses réponses étaient devenues de plus en plus succinctes et monosyllabiques, non parce qu'elle refusait de coopérer, selon Harper, mais parce qu'elle avait du mal à appréhender la situation. Un traumatisme physique provoque un choc psychologique. Un traumatisme psychologique paralyse les rouages de la pensée et les empêche de tourner – ce qui était la vraie raison pour laquelle il n'avait pas insisté auprès du Dr Opie pour qu'elle donne davantage de détails. Il avait eu peur de provoquer une sorte de crise nerveuse qu'il n'aurait pas été capable de gérer à distance.

— Pas ce soir, dit Kennedy au grand soulagement d'Harper. Je pense que la prochaine étape est de communiquer ces informations à l'inspecteur divisionnaire. Quand il nous a mis ce dossier sur les bras, il pensait l'envoyer aux oubliettes. Il doit savoir le tour que tout cela a pris pour pouvoir décider des ressources nécessaires.

Harper était scandalisé.

— Vous voulez dire qu'il est temps de confier l'affaire à une autre équipe ? Jamais de la vie, Sergent. C'est *mon* tueur en série. Enfin, le nôtre. Et je lui ai même trouvé un nom.

— Harper, je ne veux même pas…

— L'Historien. Il faut penser à ce genre de choses, Kennedy. Si vous voulez faire les gros titres, il faut donner aux journalistes quelque chose à se mettre sous la dent. J'attends avec impatience la première conférence de presse.

— C'est très bien, Harper. Mais s'il y a une conférence de presse, il y a de bonnes chances pour qu'on n'en fasse pas partie.

— J'en ferai partie, coûte que coûte.

Le soupir de Kennedy se fit entendre à l'autre bout de la ligne. Le soupir d'une mère aux prises avec un enfant turbulent.

— Ils ne voudront probablement pas faire trop de publicité autour de tout ça à cause du premier cafouillage dans l'enquête sur la mort de Barlow. Et s'ils organisent une petite sauterie avec les médias, je suis prête à parier que Summerhill en personne sera au micro. Nous aurons peut-être le privilège d'être assis dans un coin, en prenant un air solennel. Avez-vous rédigé un compte rendu sur toutes les informations que vous avez recueillies ?

— Plus ou moins, oui, mentit Harper.

Il n'avait que les notes qu'il avait prises au fur et à mesure, griffonnées de son écriture illisible. Il n'avait encore rien tapé et n'avait pas créé de dossier.

— Laissez-le sur mon bureau. J'y ajouterai mes propres notes et je le déposerai dans le casier de Summerhill ce soir. Demain matin, on ira le voir pour qu'il prenne une décision. Si l'interrogatoire d'un témoin majeur est encore en instance, ce sera une façon de lui forcer la main : il ne voudra pas interrompre le bon déroulement de l'enquête, surtout s'il y a le moindre risque que cela apparaisse dans le dossier. Donnez-moi quand même le numéro de l'autre type, celui qui est en Écosse et qui a dit non à Barlow. Je vais l'appeler maintenant et tirer cette histoire au clair.

— Ok.

Harper lut à haute voix le numéro qu'on lui avait donné pour joindre Emil Gassan. Il était inquiet.

— Vous ne pensez pas réellement que Summerhill puisse nous retirer cette affaire, si ?

— Vous, peut-être pas. Mais il va certainement nommer un autre responsable.

— Pourquoi ?

— Parce que dès l'instant où cela n'est plus une perte de temps pure et simple, cela cesse d'être mon affaire attitrée. Finalement, ne laissez pas vos notes sur mon bureau. Envoyez-moi le dossier et j'imprimerai l'ensemble.

Harper ne dit rien, mais il savait qu'elle pensait à Combes et à son équipe. Ils n'auraient eu aucun scrupule à prendre ce qui était sur le bureau de Kennedy et à le lire, que ce soit dans l'intention de préparer un mauvais coup ou par simple curiosité. S'ils voyaient quelque chose qui les intéressait, ils feraient tout pour mettre la main dessus, et Kennedy et lui seraient évincés sur les deux fronts. C'était ainsi qu'Harper voyait les choses en tout cas : ce triple meurtre était comme un fruit prometteur tombé dans son escarcelle, donnant raison à la loi universelle qui, il l'espérait, porterait un jour son nom. La loi selon laquelle les grands détectives attiraient, comme par magie, les affaires dignes de leur incroyable talent.

Une fois que Kennedy eut raccroché, Harper se rendit compte qu'il avait oublié de lui dire que Michael Brand avait donné un faux nom et une fausse adresse. Les révélations du Dr Opie avaient effacé cette précieuse information de son esprit. Peut-être Kennedy aurait-elle été plus impressionnée s'il avait commencé par lui dire qu'ils tenaient peut-être un suspect. Eh bien, elle le verrait sur ses notes, et elle pourrait alors lui dire quelles questions il aurait dû poser à l'Espagnol pendant qu'il l'avait au téléphone.

Il tapa ses notes – une autre tâche fastidieuse pour laquelle il avait un don légèrement embarrassant – et il commença à se préparer à partir. Mais il n'avait pas encore éteint son ordinateur, que Stanwick entra d'un pas tranquille, puis commença à lire le dossier par-dessus son épaule. Harper tourna le moniteur pour l'en empêcher.

— Nom de Dieu, je jetais un œil, c'est tout, marmonna Stanwick. De toute façon, je croyais que votre affaire était une merde dont on n'arrivait pas à se débarrasser. C'est pour ça qu'ils vous l'ont confiée à toi et Calamity Jane. Alors, où est le grand secret ?

— Le tueur est quelqu'un du service, dit Harper. Il se pourrait que ce soit le commissaire. Ça pourrait même être toi.

Stanwick le regarda fixement, l'air perplexe.

— Et c'est censé vouloir dire quelque chose ?

— Ouais, dit Harper en se penchant pour débrancher l'ordinateur alors que le dossier était toujours ouvert. C'est censé vouloir dire : « Occupe-toi de tes oignons. »

Harper se dirigea vers la sortie, s'attendant à sentir une main se poser sur son épaule, et à ce que ce grand type lui fasse faire demi-tour et lui colle son point sur la figure. Mais Stanwick se contenta de siffler, en signe de surprise. Harper n'avait déjà pas fait bonne impression un peu plus tôt en refusant de se joindre à ceux qui descendaient en flèche la réputation de Kennedy, mais ce sifflement indiquait clairement que la guerre était déclarée.

Harper s'en fichait complètement. Il était ambitieux, de manière générale, mais bien plus en termes d'expérience que de récompenses liées à sa carrière. Il voulait voir et faire des choses extraordinaires. Il s'était senti à l'étroit lorsqu'il était un officier en uniforme, et peut-être qu'il en serait de même pour le grade d'inspecteur. Il voulait juste faire ce que bon lui semblait.

Après le départ d'Harper, les bureaux se vidèrent peu à peu. Lorsque Kennedy arriva, aux alentours de huit heures, il n'y avait plus personne, ce qui n'était pas pour lui déplaire.

Il lui fallut un certain temps pour rédiger le compte rendu de sa journée de travail. On ne pouvait pas dire qu'elle avait beaucoup avancé : les découvertes, bien que sensationnelles, pouvaient être résumées en quelques paragraphes explosifs. Elle voulait juste se couvrir. Même si les conneries dans cette affaire avaient eu lieu avant qu'on lui confie le dossier, cela ne lui offrirait pas une grande protection si une tête devait tomber. Et avec trois meurtres passés inaperçus au lieu d'un, une décapitation semblait de moins en moins improbable.

Alors, elle s'assura que les notes qui figuraient dans le dossier étaient immaculées. Harper et elle avaient suivi le protocole à la lettre, ils s'étaient montrés d'une courtoisie à toute épreuve avec les témoins, ils avaient répondu à toutes les questions qu'on leur avait posées, ils s'étaient efforcés de prendre des notes tout en travaillant à un rythme effréné. En résumé, ils s'étaient comportés comme de véritables saints.

En lisant les notes d'Harper, elle découvrit la bombe à retardement... Michael Brand, et elle jura à haute voix. Nom de Dieu ! Pourquoi Harper n'avait-il pas interrogé Opie là-dessus en lui demandant ce que Brand disait sur son propre compte sur le forum des Ravellers ? Publiait-il encore des messages ? Les modérateurs du site avaient-ils ses coordonnées ? Si Brand mentait à propos de son adresse, il était impossible de savoir sur quoi d'autre il avait pu mentir – et Rosalind Barlow avait dit que son frère l'avait rencontré la veille de sa mort. C'était peut-être leur homme, ou un témoin qui pouvait être d'une importance capitale, et il avait déjà trois semaines d'avance sur eux.

Que restait-il ? Il restait l'Écossais. Emil Gassan. Elle l'appela au numéro que lui avait donné Harper, mais découvrit que ce n'était que le standard de l'université. On lui dit que le Dr Gassan était parti, et elle réussit à persuader la réceptionniste – après le cirque habituel de l'identification – de lui donner ses coordonnées personnelles. Elle essaya son domicile, où elle n'eut aucune réponse, et son portable, qui était éteint. À court de possibilités, elle laissa ses propres coordonnées sur son répondeur, ainsi qu'un message indiquant qu'elle souhaitait lui parler dans les plus brefs délais au sujet d'une enquête en cours. Elle nota dans un coin de sa tête de penser à essayer de le rappeler un peu plus tard.

Préoccupée, elle imprima les notes d'Harper et y ajouta les siennes. Elle détestait ce jeu qui consistait à passer son temps à rattraper le retard pris – la sensation d'être coincée par le mauvais boulot d'autres policiers. Ils allaient avoir trois semaines de retard sur tout, et jamais ils ne les rattraperaient. Elle envoya les notes à Summerhill en pièce jointe d'un e-mail, puis elle alla jusqu'au bureau de sa secrétaire pour y déposer une copie du dossier, au-dessus de la pile pour qu'elle le voie en arrivant le lendemain matin.

Elle avait terminé. Plus rien ne l'empêchait de rentrer chez elle à présent. Aucune bonne raison pour ajourner son retour.

Elle alla chercher son manteau dans la fosse aux ours, remarquant par la même occasion que le piège à rats avait disparu de sa corbeille. Qui que soit celui qui l'avait apporté jusque-là, il avait sans doute voulu le récupérer. À moins qu'elle ne le retrouve ensuite dans son classeur à tiroirs ou dans son vestiaire.

Comparées à ce qui l'attendait maintenant, ces provocations mesquines avaient repris des proportions plus raisonnables.

15

Il était dix heures lorsque Kennedy rentra à son appartement, dans le coin le plus populaire du quartier de Pimlico ; elle arriva juste à temps pour entendre Izzy dire des obscénités devant son père pour la quatrième fois consécutive. Ce qui voulait dire qu'elle devait s'excuser auprès d'Izzy, tout en étant en même temps énervée après elle. C'était le genre de cocktail aigre-amer qui rendait Kennedy irritable.

Izzy vivait dans l'appartement au-dessus du sien et elle arrivait à allier le fait de s'occuper du père de Kennedy – et des enfants de leurs voisins du dessous – avec un boulot régulier. Mais son boulot régulier consistait à recevoir des appels sur une ligne de téléphone rose, et elle commençait à neuf heures du soir le plus souvent. Si Kennedy rentrait tard, Izzy sortait juste son téléphone et se mettait au boulot – et Peter avait l'occasion d'entendre une centaine de variations de « T'en as envie, chéri ? Tu veux me la mettre ? »

Izzy ne semblait pas éprouver de difficultés à faire face à la situation, beaucoup moins que Kennedy en tout cas. Elle n'était absolument pas inhibée par le fait que le vieil homme l'écoute faire son numéro. Ça lui permettait même de mieux assurer, d'après ce qu'elle disait, lorsqu'elle essayait de provoquer une légère réaction chez Peter. Elle savait que son boss écoutait parfois les conversations pour s'assurer que ses filles se donnaient du mal pendant que les clients, eux, se faisaient du bien. Elle ne voulait pas avoir de réprimande sur la qualité de ses propos salaces, et troubler un tant soit peu le calme presque zen de Peter lui permettait de se fixer un objectif.

Kennedy trouvait cela dérangeant à beaucoup de niveaux, et ce sentiment était d'autant plus complexe qu'elle trouvait Izzy incroyablement séduisante. La femme était une petite brunette avec une taille très fine et des fesses très rebondies, ce qui correspondait à son idéal. Mais en raison de la commodité de leur arrangement concernant la garde de son père, et parce qu'Izzy avait presque dix ans de moins qu'elle, elle n'avait jamais tenté sa chance.

Chaque fois qu'elle surprenait Izzy en pleine conversation sexuelle avec des hommes qui abusaient d'eux-mêmes en solitaire, elle ressentait un mélange doux-amer d'excitation et de frustration.

Mais elle n'avait pas vraiment le choix, car en vérité, la garde occasionnelle de son père devenait de plus en plus permanente. Kennedy se confondit en excuses auprès de sa voisine. Izzy fit un petit signe de la main indiquant que cela n'avait pas d'importance, le téléphone encore collé à l'oreille, même si elle était entre deux représentations.

— Il a déjà mangé, dit-elle ensuite en empochant la petite liasse de billets que Kennedy venait de lui donner. Des spaghettis à la bolognaise, j'en faisais pour les petits monstres d'en bas de toute façon. Mais je ne lui ai pas donné de spaghettis parce qu'il ne les supporte pas, alors il a juste mangé la sauce à la viande. Peut-être que tu ferais mieux de lui demander s'il ne veut pas de toasts ou autre chose pour le dîner.

Kennedy raccompagna Izzy jusqu'à la porte, écoutant d'une oreille distraite le compte rendu de la journée. Ce que Peter avait mangé et bu, l'humeur de Peter, des détails sur l'incontinence de Peter. Izzy considérait que ce flot d'informations faisait partie du contrat, alors Kennedy devait l'écouter, ou du moins rester à attendre qu'Izzy ait terminé son énumération.

Izzy finit par partir et Kennedy alla voir comment allait son père. Toutes les lumières étaient éteintes et la télé était allumée – un documentaire sur Channel 4 portant sur les dangers de la vaccination. Il était assis devant l'écran, le regardant le plus souvent, mais le reste du temps son regard se promenait sur les murs et au sol. Il était vêtu d'un pantalon et d'une chemise, mais seulement parce qu'Izzy avait la phobie des hommes âgés qui traînaient en pyjama : elle avait donc sans doute choisi les vêtements pour lui, et l'avait aidé à s'habiller. Il avait les cheveux en bataille et la lumière de la télévision ondulait sur son visage buriné, dessinant des ombres changeantes, semblables à des nuages courant sur une montagne, en vitesse accélérée.

— Salut, papa, dit Kennedy.

Peter regarda dans sa direction et fit un hochement de tête.

— Bienvenue à la maison, dit-il d'un air distrait.

Il l'appelait rarement par son nom, et lorsqu'il le faisait, il n'avait qu'une chance sur quatre de ne pas se tromper. Il l'appelait Heather à peu près aussi souvent qu'il l'appelait Janet (sa mère), Chrissie (sa sœur) ou Jeannine (sa nièce). À l'occasion, il l'appelait Steve (son frère), même si personne dans la famille n'avait vu Steve depuis qu'il avait eu dix-huit ans et qu'il était parti de la maison.

Kennedy alluma la lampe et Peter cligna des yeux, gêné par la soudaine lumière éblouissante.

— Tu as envie de toasts, papa ? lui demanda-t-elle. Une tasse de thé ? Des biscuits peut-être ?

— Non, je vais attendre le dîner, dit Peter, avant de fixer à nouveau son attention sur la télévision.

Elle lui prépara quelques toasts de pain de seigle malgré tout, et les lui apporta. Il ne se rappellerait pas avoir dit non, et un peu de féculents ne lui feraient pas de mal s'il avait mangé uniquement un bol de sauce spaghettis. Elle lui servit les toasts sur un plateau, accompagnés d'une tasse de café instantané, et elle se retira dans sa chambre, où il y avait un équipement TV, une chaîne hi-fi et un bureau. C'était comme si tout le reste de l'appartement était une maison pour personne âgée et que cette pièce était son territoire. Elle était plus petite que certaines chambres dans lesquelles elle avait vécu lorsqu'elle était étudiante, mais c'était plus ou moins tout ce dont elle avait besoin – ce qui, à ce stade de sa vie, était un triste constat plutôt qu'une chose dont elle était fière.

Mais elle éprouvait des remords à laisser Peter seul après avoir passé la soirée dehors. C'était ridicule, elle le savait. C'était comme si le fantôme de sa sœur lui soufflait : « Après ce que ce salaud nous a fait endurer… » Elle n'avait aucun argument pour sa défense. Peter avait été un horrible mari et père, et il était infiniment plus supportable dans l'état où il se trouvait à présent. Sa cruauté, ses défaillances avaient façonné Kennedy, mais au même titre que son exemple et ses attentes. En fin de compte, rien de tout cela n'avait d'importance. Cela se résumait au fait qu'on était ou non capable de prendre de la distance, et manifestement, elle en était incapable.

Alors, elle prit son café et retourna au salon, puis resta assise à regarder la fin de l'émission avec son père. Quand ce fut terminé, elle éteignit la télé.

— Alors, comment s'est passée ta journée ? lui demanda-t-elle.

— Pas mal, dit-il. Pas mal.

Il ne répondait jamais autre chose.

Kennedy lui parla de son enquête criminelle sans trop entrer dans les détails. Peter écouta calmement, hochant la tête ou murmurant « Oh » de temps à autre, mais lorsqu'elle s'arrêta, il ne fit aucun commentaire et ne posa aucune question. Il se contenta de la regarder fixement, attendant de voir si elle allait ajouter quelque chose. Mais elle ne s'était attendue à aucune réaction. Elle avait juste ressenti l'envie à ce moment-là de le traiter comme un être humain, étant donné que personne d'autre n'était prêt à faire ça pour lui.

Elle alluma la chaîne et mit de la musique : les légendaires Gipsy Queens and Kings chantaient *Sounds from bygone age*. La mère de Kennedy, Janet, qui avait toujours revendiqué avoir du sang tsigane dans les veines – ce que Peter avait toujours trouvé absurde – n'avait rien écouté d'autre que Fanfare Ciocarlia pendant la dernière année de la maladie qui l'a emportée. Peter méprisait tout ça du vivant de sa mère, comme il méprisait la plupart des choses qu'elle faisait, mais à sa mort il avait pleuré, pour la deuxième fois de sa vie, à la connaissance de Kennedy. Puis il s'était mis à écouter l'album, tard le soir ou tôt le matin, dans un silence hypnotisé. Et ensuite il avait commencé à acheter de la musique tsigane des Balkans en quantité industrielle. Kennedy ne savait pas du tout si cela lui plaisait ou non. Elle imaginait cependant que parfois, si la musique l'atteignait au moment propice, ces albums pouvaient jouer le rôle de condensé sonore de sa femme défunte. La musique avait le pouvoir – de façon intermittente en tout cas – de le changer, lorsqu'il l'écoutait et dans les instants qui suivaient.

Ce soir-là, elle semblait avoir cet effet. Le regard de Peter sembla plus attentif et plus clair lorsque le violon et l'accordéon commencèrent à s'affronter. Elle ne mit que trois morceaux, parce que la clarté était une arme à double tranchant. S'il se rappelait que Janet était morte, son humeur deviendrait plus sombre et imprévisible, et il ne dormirait sans doute pas de la nuit.

— Tu as l'air fatigué, Heather, dit-il à Kennedy alors que les dernières notes de *Sirba* flottaient encore dans l'air. Tu travailles trop, tu devrais être un peu plus égoïste et penser un peu à toi.

— Comme tu l'as toujours fait, répliqua-t-elle.

Le ton de la plaisanterie était pleinement assumé. Il était plus douloureux qu'agréable de l'entendre parler de nouveau comme avant. Soudain, il lui manqua, mais elle le détesta aussi, car cela le faisait revivre tel qu'il était – quelqu'un qui était responsable de ce qu'il avait fait et qu'on pouvait détester.

— Je travaillais pour toi, marmonna Peter. Toi et les gosses. Et toi, pour quoi travailles-tu ?

C'était une bonne question, même si à sa façon de formuler les choses, il semblait la confondre avec sa mère. Elle lui donna une réponse superficielle.

— Le bien public.

— Oui, c'est ça, grommela Peter. Le public te remerciera, comme il le fait toujours, ma chérie. Comme j'ai été remercié.

— On fait toujours ce qu'on fait de mieux, dit-elle.

C'était une meilleure réponse, et Peter l'accepta en riant, hochant la tête. Puis son regard changea de nouveau, il sembla moins vif à mesure que son esprit quittait l'îlot de conscience au milieu de l'océan de brouillard où il flottait le plus souvent.

Elle lui fit un petit signe de la main, clignant des yeux, puis elle sortit avant de laisser échapper ses larmes.

Depuis sa chambre, plus tard, Kennedy essaya de joindre Emil Gassan de nouveau. Cette fois, elle eut plus de chance et quelqu'un répondit à son domicile. Il avait une voix aiguë et peu affable et aucun accent écossais.

— Emil Gassan, dit-il.

— Dr Gassan, je m'appelle Heather Kennedy. Je suis sergent de la police de Londres.

— La police ? fit aussitôt Gassan d'une voix à la fois inquiète et légèrement indignée. Je ne comprends pas.

— J'enquête sur la mort d'un de vos anciens collègues – le professeur Stuart Barlow.

— Je ne comprends toujours pas.

— Il est possible que sa mort soit suspecte, surtout si l'on tient compte des morts fortuites de deux autres universitaires avec qui le professeur Barlow était en relation.

— Suggérez-vous que le professeur Barlow a été assassiné ? Je croyais qu'il était tombé dans les escaliers !

— Je ne suggère rien à ce stade, Dr Gassan. Je réunis juste des informations. Auriez-vous un peu de temps à me consacrer à propos du projet de traduction du professeur Barlow ?

— Barlow ? Le projet de Barlow ? Mon Dieu, vous ne voulez pas parler du Rotgut, au moins ?

— Si. Le Rotgut.

— Eh bien, j'aurais du mal à qualifier cette chose idiote de projet, Sergent…

Il attendit qu'elle termine sa phrase.

— Kennedy.

— Et d'ailleurs, j'hésiterais à considérer Stuart Barlow comme un collègue. Ça fait presque vingt ans qu'il n'a rien publié, vous le saviez ? Il lance des hypothèses farfelues sur ce forum… Comment s'appelle-t-il déjà ? Les Ravellers. Mais quelques e-mails par-ci, par-là n'ont jamais abouti à des connaissances sérieuses. Et quant à l'idée qu'on puisse découvrir quoi que ce soit de nouveau sur le codex Rotgut à ce stade… eh bien, des esprits bien plus brillants que Barlow ont échoué avant lui.

La dernière déclaration était accompagnée d'un rire dédaigneux.

— Donc, lorsqu'il s'est adressé à vous, dit Kennedy, et qu'il vous a demandé si vous vouliez faire partie de son équipe…

— J'ai dit non. De façon catégorique. Je n'avais pas de temps à perdre.

Kennedy tenta sa chance. Toute cette affaire semblait s'articuler autour de choses qui dépassaient largement le cadre de ses compétences, et l'arrogance de ce type devait s'appuyer sur un certain degré de connaissances.

— Avez-vous le temps de m'expliquer ce qu'est le Rotgut exactement, Dr Gassan ? J'ai entendu plusieurs explications jusque-là, mais ce n'est pas encore tout à fait clair dans mon esprit.

— Eh bien, vous n'avez qu'à lire mon livre. *Textes paléographiques : substance et substrat*. Presses de l'université de Leeds, 2004. C'est disponible sur Amazon. Je peux vous envoyer le numéro ISBN, si vous voulez.

— Je ne suis pas une experte, Monsieur Gassan. Je me perdrais sans doute dans les détails. Et comme j'ai la chance de vous parler directement…

Il y eut un silence pesant à l'autre bout du fil.

— Que voulez-vous savoir ? finit par demander Gassan. Je n'ai pas le temps de vous faire un cours approfondi sur les bases de la paléographie, Sergent Kennedy. Pas depuis le début. Et même pour une simple introduction, je me fais en général payer pour ça.

— J'aimerais en avoir les moyens, dit Kennedy. Mais je n'ai vraiment pas besoin d'en apprendre beaucoup. Juste ce que vous pensez que le professeur Barlow essayait de faire, et pourquoi cela aurait pu avoir de l'importance – pour lui, ou pour qui que ce soit dans votre domaine. Manifestement, de votre point de vue, il commettait des erreurs élémentaires. Je voudrais juste connaître un peu mieux le contexte pour comprendre en quoi il se trompait, parce que pour l'instant, je piétine.

Une fois de plus, il semblait hésitant. Était-elle allée trop loin dans la flatterie ? Gassan n'était vraisemblablement pas un imbécile, quelle que soit l'impression qu'il donnait au téléphone.

Imbécile ou non, il mordit à l'hameçon.

— Pour expliquer le Rotgut, je dois expliquer quelques bases sur les connaissances bibliques.

— Tout ce qui sera nécessaire.

— Un rapide aperçu, alors. Parce que j'ai vraiment d'autres choses à faire.

— Un rapide aperçu, ce sera parfait. Cela ne vous dérange pas si j'enregistre ? J'aimerais que mes collègues puissent en profiter aussi.

— Tant que vous citez vos sources, dit Gassan avec méfiance.

— Bien sûr.

— Très bien, Sergent. Quelle est l'étendue de vos connaissances sur la Bible ?

16

RETRANSCRIPTION DE LA DÉCLARATION DU DR EMIL GASSAN, 23 JUILLET. DÉBUT : 22H53.

Emil Gassan : Très bien, Sergent. Quelle est l'étendue de vos connaissances sur la Bible ?

Sergent Kennedy : Mes connaissances sont assez limitées, je suppose. Je sais qu'il y a deux testaments.

EG : Effectivement. Et vous savez, bien sûr, que le Nouveau Testament a été écrit bien plus tard.

SK : Bien sûr.

EG : Combien d'années plus tard ?

SK : Oh, cela doit être au moins mille ans, non ? Le Nouveau Testament a été écrit juste après les événements qu'il décrit – juste après la mort du Christ. Et l'autre doit dater… disons, du temps des pharaons.

EG : En partie, oui. Mais l'écriture de la Bible a pris pas mal de temps – pour qu'elle soit telle que nous la connaissons maintenant. Une partie du texte date du XIIIe siècle avant J.-C. Mais d'autres parties ont été écrites mille ans plus tard. Les manuscrits de la mer Morte, qui sont nos plus anciens exemplaires de certains passages de l'Ancien Testament, ne datent que d'un siècle avant le Christ. Et ils n'ont cessé de changer. Leur contenu – ce qui était considéré comme la parole de Dieu – était différent de génération en génération.

SK :   Est-ce que cela a un rapport avec le codex Rotgut ?

EG :   Oh, je commence à peine, Sergent Kennedy. Donc, cela faisait environ mille ans qu'on était en train d'écrire l'Ancien Testament. Le Nouveau Testament était semblable par certains aspects, différent par d'autres. Il a fallu un certain temps avant qu'il prenne la forme que nous lui connaissons maintenant, mais l'écriture en tant que telle s'est faite assez rapidement. La plupart des textes clés étaient déjà rédigés à la fin du IIe siècle. Voilà pour la théorie qui prévaut. Maintenant, combien d'évangiles y a-t-il ?

SK :   Quatre ?

EG :   Merci d'avoir joué. La bonne réponse est plus proche de soixante.

SK :   Hum… Matthieu, Marc, Luc, Jean…

EG :   Thomas, Nicodème, Joseph, Marie, Philippe, Matthias, Barthélemy… et je ne parle que des livres qui portent le nom d'« évangile ». Le mot ne veut pas dire grand-chose, en définitive. Pour un officier de police, c'est peut-être l'équivalent… de la déposition d'un témoin. La déposition de quelqu'un qui a été témoin d'événements exceptionnels.

SK :   C'est une analogie intéressante.

EG :   Merci. Je m'en resservirai peut-être. En tout, il y a près de cent autres livres qui ont été incorporés à la Bible à différentes périodes, ou par différentes églises, mais qui n'en font désormais plus partie. Quoique certains d'entre eux en fassent encore partie dans d'autres écoles du christianisme. Les fois grecque et slave orthodoxes par exemple ont une Bible très différente de celle de l'Église catholique. Elle comporte beaucoup plus de livres, qui ont été ajoutés.

SK :   Vous parlez des apocryphes ? Des écrits apocryphes ?

EG :   Oui, enfin, en partie. Mais ce que je veux également dire, c'est que l'apocryphe de l'un est l'orthodoxie de l'autre. Le débat sur ce qui était réellement le monde saint et ce qui ne l'était pas a duré jusqu'au Moyen

Âge. Et il est difficile de dire qui est sorti gagnant. Les différentes Églises ont pris leurs propres textes et chacune d'elles a dit qu'elle possédait le texte véritable. Les livres qui sont généralement qualifiés d'« apocryphes » sont ceux dont personne n'a voulu. Mais même ces textes-là ont parfois été mis en avant – ou inversement, des livres qui faisaient partie de la Bible en ont été exclus, comme *Le Pasteur* d'Hermas. Les premiers Pères de l'Église le déplacèrent juste après les Actes des Apôtres. À présent, personne ou presque ne se souvient de ce dont il s'agissait.

SK : Alors, le codex Rotgut est-il un livre apocryphe ? Quelque chose qui a été retiré de la Bible ?

EG : Vous tenez absolument à en venir au but, n'est-ce pas, Sergent Kennedy ? Mais j'ai bien peur que nous en soyons encore loin. Au début de l'ère chrétienne, cette question de ce qui venait de Dieu et de ce qui venait de l'homme était littéralement une question de vie et de mort. Ils se sont battus pour ça. Ils se sont tués mutuellement pour décider qui avait la meilleure version de la vérité. Je veux dire qu'il y a eu des meurtres, tout comme il y a eu des exécutions et des martyres. Arius, le prêtre d'Alexandrie, fut empoisonné et mourut dans des douleurs atroces, parce qu'il avait attaqué la Sainte-Trinité. Et de nombreux textes religieux datant de cette époque sont véritablement polémiques. En substance, ils disent « Ne croyez pas ceci, croyez cela » et « Tenez-vous à l'écart des gens qui disent telle et telle chose ». Avez-vous entendu parler de saint Irénée ?

SK : Non, j'ai bien peur que non. Oh, attendez… La sœur de Stuart Barlow a dit qu'il l'avait étudié à un moment donné.

EG : Stuart a tout étudié à un moment ou à un autre. L'évêque Irénée de Lyon, qui devint ensuite saint Irénée, a vécu à la fin du IIe siècle après J.-C., dans ce pays qu'on appelait encore la Gaule. Et il a écrit une œuvre de grande importance, *Contre les hérésies*. C'était, pour l'essentiel, une attaque contre les fois déviantes – une liste de ce que les bons chrétiens avaient ou non le droit de lire. La plupart des écrits qu'il a attaqués appartenaient à ce que l'on appelle désormais la tradition gnostique.

SK :   Encore une marotte de Stuart Barlow.

EG :   Je vous renvoie à mon commentaire précédent.

SK :   Et vous voulez dire que le codex Rotgut est lié à la tradition gnostique ?

EG :   Oh, oui.

SK :   Je vous en prie, continuez Dr Gassan.

EG :   *Contre les hérésies* de saint Irénée est bien un appel à la prudence destiné aux premiers chrétiens. Il dit aux fidèles ce qu'ils doivent éviter. Il parle de toutes les idées qui circulaient à l'époque – des vestiges, pour certaines, des siècles précédents, mais qui avaient fini par faire partie de la religion du Christ – et qui, selon le point de vue de l'évêque, étaient des bombes à retardement. Il met ses ouailles en garde contre ses prétendus saints qui ont la bouche remplie de promesses et de mauvaises intentions. Et il avait particulièrement à cœur d'attaquer les mouvements gnostiques, qui étaient presque comparables à des sociétés secrètes au sein du christianisme – des religions mystérieuses transmettant un savoir obscur sur la vie et les enseignements du Christ. Un savoir qui parfois s'opposait directement aux enseignements des Églises orthodoxes.

SK :   Alors, le Rotgut est-il une des choses attaquées par Irénée ?

EG :   (Il rit) Pas exactement.

SK :   Ok, je n'ai pas tout compris apparemment.

EG :	Le codex Rotgut[4] date du XVe siècle, Sergent. Il a été baptisé ainsi parce qu'au Portugal un capitaine l'a échangé contre un tonneau de rhum. C'est la traduction – en anglais – d'un évangile.
DSK :	Un évangile apocryphe ?
EG :	Absolument pas. C'est l'Évangile de saint Jean. La totalité de l'Évangile de saint Jean, pas très bien traduit mais très proche de la version actuelle. Sauf qu'à la fin – et c'est ce qui le rend fascinant et controversé – il y a autre chose. Quelques versets d'un autre évangile. Et celui-ci est très apocryphe parce qu'on ne l'a jamais trouvé. Il n'en a jamais été fait mention où que ce soit. Sept versets d'un autre évangile, qui commencent par une mention très étrange. Savez-vous ce qu'est un codex, Sergent ?
SK :	Oui, depuis peu. Un des tout premiers livres, c'est ça ?
EG :	Exactement. Mais ce n'était encore qu'un assemblage de pages pliées et cousues ensemble. Contrairement aux livres modernes, ils réunissaient souvent plusieurs textes qui n'avaient aucun lien entre eux. Les gens de l'époque ne connaissaient pas vraiment le concept du livre tel que nous le connaissons, c'est-à-dire un seul texte avec une seule couverture. Les codex n'avaient même pas de couverture, seulement des pages, reliées entre elles. Et lorsqu'on arrivait à la fin de ce qu'on écrivait avant d'arriver à la fin de la page, très souvent, on commençait à écrire autre chose sur cette même page.
SK :	Et c'est ce qui se passe dans le Rotgut.
EG :	C'est exactement ce qui se passe dans le Rotgut. Les versets qui ont été ajoutés à la fin ne sont pas de saint Jean. Et ils n'appartiennent à aucun évangile que nous connaissons. Mais Judas Iscariote y joue un rôle de premier plan, et Irénée parle d'un évangile de Judas

---

4 *Rotgut* veut dire *tord-boyaux* en anglais. (NdT)

qui datait de son époque – un évangile qui, selon lui, comportait des enseignements très maléfiques.

SK : Vous voulez donc dire qu'à la suite de l'Évangile de saint Jean, le Rotgut comporte un court extrait de cet autre évangile ? L'évangile de Judas.

EG : Eh bien, c'est possible. Il est possible que ce soit l'évangile de Judas. Certainement un évangile dans lequel le Christ s'adresse à Judas seul, et en secret.

SK : Donc, le Rotgut…

EG : Enfin, nous ne savons pas. Le Rotgut semble au moins être une traduction d'un codex – un livre dans lequel se trouverait l'Évangile de saint Jean, suivi de l'évangile de Judas. Mais si c'est le cas, alors l'original – le véritable codex, écrit en araméen, duquel a été tirée cette traduction partielle en anglais – n'a jamais été trouvé, ou du moins n'a jamais été formellement identifié.

SK : C'est plutôt décevant.

EG : N'est-ce pas ? Le capitaine de Veroese aurait mieux fait de garder son rhum. C'était un marché de dupes.

SK : Attendez, je ne suis pas sûre d'avoir compris après tout, Dr Gassan. Je pensais que ce que faisait Barlow, c'était une nouvelle traduction du codex Rotgut.

EG : Non, c'est impossible. Le Rotgut est déjà une traduction. C'est écrit en anglais. En mauvais anglais, mais en anglais malgré tout.

SK : Alors, qu'est-ce que Barlow voulait en faire ?

EG : J'ai bien peur que ce soit à lui qu'il faille poser la question.

SK : Il ne vous a pas dit ce qu'il comptait faire, quand il vous a parlé de son projet ?

EG : Il a dit qu'il avait une nouvelle approche. Que le Rotgut ne se résumait sans doute pas à tout ce qu'on avait imaginé. Mais il n'était pas prêt à m'en dire plus à moins que je ne n'accepte de participer au projet, et je n'avais absolument aucune intention de le faire.

SK : Seriez-vous prêt à avancer des hypothèses ?

EG : Certainement. Je suppose que, quoi que ce soit, c'était une totale perte de temps. S'il m'avait dit qu'il avait l'intention d'apporter un nouvel éclairage à la vie et aux œuvres du Christ par un examen approfondi de la comédie musicale *Jésus Christ Superstar*, j'aurais trouvé un tout petit peu plus d'intérêt à son projet. Y a-t-il autre chose que je puisse faire pour vous, Sergent Kennedy ?

SK : Docteur, vous en avez déjà fait plus qu'assez.

EG : Je vous en prie. Bonne nuit.

17

Kennedy dormit, et rêva de Judas. Il ne semblait pas très heureux. Il était assis dans un champ, sous un arbre nu, auquel était suspendue une corde avec un nœud. Elle savait donc à quel moment cela correspondait. Celui de son suicide. Pourtant, il semblait occupé à compter l'argent qu'il tenait à la main.

À un moment donné, il remarqua qu'elle se trouvait là. Il leva les yeux, posa sur elle un regard triste et sombre, et lui montra les pièces. Trente pièces d'argent.

— Je sais, dit Kennedy. Je sais que c'est grave.

C'était une phrase d'une chanson des Smiths, et elle eut envie de s'en excuser. Mais alors, elle vit Judas pendu à l'arbre, se balançant lentement, allant et venant, comme le plus horrible des carillons éoliens.

Ce moment, auquel elle venait d'assister, était déjà passé.

18

Tillman mit un certain temps à reprendre ses esprits après avoir enfin atteint la plage de Folkestone. Trempé, gelé, affaibli par l'épuisement et la perte de sang, il savait qu'il ne pouvait se payer le luxe d'aller dans un hôpital. Il devait continuer d'avancer s'il voulait rester en vie. Autrement, il succomberait à l'hypothermie, et au choc.

Il avait de la chance, d'un certain côté. Folkestone à trois heures du matin était un endroit où il était assez facile de faire ses courses. Il entra par effraction dans une pharmacie pour se procurer des bandages et de la Betadine, et il piqua les sacs en plastique déposés devant une boutique solidaire pour pouvoir changer de vêtements. Des toilettes pour hommes situées près d'un parking pour caravanes devinrent son vestiaire et sa salle d'opération.

Ses blessures à l'épaule et à la cuisse saignaient beaucoup trop, et la Betadine ne ralentissait pas le processus. Tillman se dit que l'eau glacée lui avait sans doute sauvé la vie. Un truc dangereux – sans doute quelque chose qui recouvrait les lames de couteau – empêchait son sang de coaguler. Il fractura cette fois la porte d'une petite épicerie où il chercha en vain un briquet, avant de finir par se contenter d'allumettes. Il utilisa quelques allumettes pour allumer une branche de sapin tombée au sol. Puis il mordit son tee-shirt lorsqu'il cautérisa sa plaie profonde avec la flamme. L'odeur entêtante de la résine de sapin se mélangea de façon écœurante à celle de la chair qui brûlait. Quand ce fut terminé, il ajouta encore une couche de désinfectant, les mains tremblantes, et pansa les blessures du mieux qu'il put.

Se rendre à Londres était le nouveau défi qui l'attendait. Au moins, il avait toujours son portefeuille, qui était dans la poche de son pantalon et non dans la veste qu'il avait laissée sur le ferry. Tillman décida de se tenir l'écart des gares, sachant qu'il avait l'air assez mal en point pour que quelqu'un soit tenté d'appeler la police s'il essayait d'acheter un billet de train. Un car de nuit lui sembla être une meilleure idée. Il était presque certain qu'il y avait une gare routière à Folkestone, et la ville était assez petite pour qu'il la trouve sans trop de difficultés. Le premier car de la journée partait avant le lever du jour. Il acheta un ticket dans une minuscule cabine qui se trouvait près d'un immense parking, attendit loin des réverbères l'arrivée du conducteur et se joignit à la courte file d'attente au dernier moment. Il ne suscita aucun commentaire, seulement quelques regards méfiants. Il avait l'air d'un ivrogne exceptionnellement baraqué, et avait l'odeur d'une pharmacie en feu. Parfait. Personne ne voudrait croiser son regard, et encore moins lui parler. Il pourrait dormir, si ses blessures lui en laissaient le loisir.

À la gare Victoria, la situation s'améliora. Il commanda un énorme petit-déjeuner avec des œufs au plat dans un café qui se trouvait dans Buckingham Palace Road. Le propriétaire avait souvent affaire à des SDF qui venaient des foyers voisins et il se foutait pas mal de ce à quoi Tillman pouvait ressembler et de son odeur. Il se sentit bien mieux après avoir mangé, et la douleur de ses blessures commençait à s'apaiser un peu. Assez pour pouvoir marcher et penser clairement.

Il lui fallait s'installer quelque part en attendant d'avoir des nouvelles de Vermeulens et apprendre ce que Michael Brand avait fait à Londres et s'il s'y trouvait toujours. Il devait se tenir prêt à bouger, et vite.

Tillman était encore propriétaire de la maison de Killburn, où il avait vécu et fondé une famille avec Rebecca, mais il n'envisagea pas un instant la possibilité d'y retourner. Ceux qui avaient essayé de le tuer sur le ferry devaient être bien informés de ses déplacements complexes. Ils devaient donc également connaître son passé, qui lui en revanche, était transparent.

Après avoir rendu une petite visite dans un entrepôt de St Pancras, une de ses nombreuses planques d'urgence, il se rendit à Queen's Park en métro. Là, il réserva une chambre d'hôte. Il paya en espèces, en montrant un faux passeport au nom de Crowther – qui faisait partie du dernier lot acheté à Assurance avant qu'elle mette un terme à leurs transactions. Il se demanda soudain si le passeport était encore sûr. Peut-être pas assez pour tout ce qui impliquait une recherche dans une base de données. La prochaine fois qu'il prendrait un avion – si toutefois il décidait un jour que c'était un moyen sûr de voyager – il devrait probablement se procurer une nouvelle identité.

Sortant de ses poches le peu de choses qu'il avait en sa possession pour assurer sa survie et faisant le compte de ce qu'il devait se procurer et remplacer dans les jours qui suivraient, il se rappela la noyade de Monsieur Snow. Le souvenir était comparable à la ligne d'un pêcheur, au bout de laquelle il y aurait eu un grand requin blanc. Tillman tira dessus, sentit la tension et très vite, désespérément, se focalisa sur autre chose.

Il ôta ses vêtements et ses bandages, et prit une douche froide. Il ne voulait pas risquer de faire couler de l'eau chaude, ni même tiède, sur ses plaies à peine refermées. Il appela Vermeulens et laissa un message sur son répondeur en lui donnant le numéro de son nouveau portable. C'était une matinée radieuse et ensoleillée, mais les épais rideaux obstruaient presque toute la lumière. Il s'allongea – sur le ventre, ce qui semblait lui faire le moins mal à l'épaule – et dormit pendant dix-huit heures d'affilée.

Il fut réveillé par le téléphone. Il le chercha à tâtons, essayant de reprendre ses esprits et de se rappeler où il était.

— Salut, dit-il d'une voix enrouée, avant de marquer une pause pour s'assurer de qui était au bout du fil.

— *Hoe gaat het met jou*, Leo ?

— Benny.

— Oui, c'est moi. Tu as disparu de la circulation pendant un moment. Je t'ai appelé au numéro habituel, mais un type que je ne connaissais pas a répondu. Il a dit qu'il était un de tes amis. J'ai choisi de supposer le contraire.

Son téléphone se trouvait dans la poche de sa veste. Les hommes aux couteaux et leur petite assistante l'avaient sans doute récupéré. Ils avaient certainement cherché un répertoire ou une liste de numéros gardés en mémoire, ce que Tillman ne faisait jamais. Ils avaient donc laissé le téléphone allumé, espérant que des amis ou des contacts de Léo l'appellent. C'était une stratégie maladroite et opportuniste qui ne risquait pas de les mener très loin. Seulement une demi-douzaine de personnes avaient ce numéro, et personne excepté Vermeulens n'était susceptible de l'appeler sans arrangement préalable.

— Ce n'était pas un de mes amis, confirma Tillman.

— Pourtant, il avait l'air très anxieux à ton sujet et il voulait s'assurer que tu allais bien. Ou, du moins, il voulait savoir où te rendre visite pour le cas où tu serais souffrant.

Tillman rit.

— Tu parles ! Je suis sûr que j'aurais eu droit à des fleurs. Probablement des chrysanthèmes.

— Tu déranges, Leo. Je le sais parce que des rumeurs circulent sur toi, et il est peu probable qu'elles soient fondées.

— MacTeale.

— Entre autres. Tu es un trafiquant de drogue maintenant, d'après ce qu'on raconte, mais en plus tes associés dans ce genre d'opérations ont été arrêtés deux fois dans des coups montés. Et tu t'en sors à chaque fois. Il est donc évident que tu as décidé qu'il était très lucratif de vendre les gens qui sont dans ton camp.

— Je ne deale pas de drogue, Benny. Et je ne balance pas.

— Bien sûr que non. Tu n'as jamais été assez bosseur pour ça. Mais des rumeurs comme ça coûtent de l'argent, Leo. Quelqu'un veut te priver de ton confort, t'empêcher de t'approvisionner et te couper de tes amis.

— Et aussi me priver d'oxygène. Je viens juste de descendre d'un ferry où on a essayé de me couper en morceaux comme un poulet. Du boulot de professionnel.

— Des professionnels, acquiesça Vermeulens, c'est exactement là où je voulais en venir. Et ils ont beaucoup de relations et ont accès à la fois à l'argent et aux réseaux. Tu devrais faire attention à toi.

— C'est pour ça que tu appelais ?

— Non, Leo. Je n'appelais pas pour ça. Je sais qu'on est amis, mais en général, je ne me tracasse pas pour ta santé au point de t'appeler pour te dire de mettre une écharpe pendant les longues soirées d'hiver. De toute façon, c'est sûrement l'été là où tu es.

— Comment sais-tu où je suis, Benny ?

Il entendit les accents de paranoïa dans sa propre voix. Quelque chose avait changé dans l'esprit de Tillman, dans le monde qui l'entourait. C'était comme si la terre sous ses pieds avait bougé, devenant légèrement en pente, de sorte qu'à chaque pas, il devait rétablir son équilibre pour pouvoir continuer à avancer.

— Le téléphone, Leo. Ton nouveau numéro est un numéro anglais. Ce qui veut sans doute dire que tu es revenu en Angleterre, mais tu remarqueras que je ne pose pas de question. En attendant, laisse-moi venir au but, c'est au sujet de Michael Brand.

Tillman se redressa dans son lit.

— Qu'est-ce que tu as sur Michael Brand ?

— Il s'est montré très indiscret. C'est le moins qu'on puisse dire.

— Qu'est-ce que ça veut dire ?

— Il est recherché pour meurtre, Leo. Pour un paquet de meurtres. Je pense que ta chance est en train de tourner.

19

Le lendemain matin, ils attendirent devant le bureau de Summerhill pendant plus de quarante-cinq minutes, mais celui-ci ne se montra pas. L'agent de police Rawl, de garde ce matin-là, dit qu'il était en route, mais avait été retardé. Puis, quelques minutes plus tard, elle rectifia :

— Il a dû faire un détour et aller d'abord à Westminster pour intervenir lors d'une commission d'enquête. Une histoire de financement et d'appropriation, ou quelque chose comme ça. Il en aura pour une heure au moins.

Kennedy et Harper réfléchirent et se concertèrent. L'argument qui consistait à laisser l'entretien avec le Dr Opie en attente tenait toujours. Summerhill ne pourrait pas les empêcher de travailler sur l'affaire si quelque chose devait être fait sur-le-champ. D'un autre côté, ils devaient recueillir le témoignage d'Opie, et le plus tôt serait le mieux.

— Avez-vous pris un petit-déjeuner ? demanda Harper.

— Non, admit Kennedy.

Le petit-déjeuner ne faisait pas partie de ses habitudes.

— Eh bien, allons prendre quelque chose. On pourra préparer les questions en mangeant et revenir dans une demi-heure. S'il n'est toujours pas revenu, on se rendra sur les lieux.

Kennedy accepta, en dépit de sa légère réticence. Sa journée de travail ressemblait en général à une course de vitesse en ligne droite. Manger, comme tout ce qui appartenait à la vie quotidienne, était relégué au second plan.

Mais quelqu'un venait de rouvrir le Queen Ann Café and Business Centre, à l'angle de Broadway, un lieu original que Kennedy avait toujours beaucoup aimé. Elle accepta donc, et ils se rendirent sur place.

L'endroit était beaucoup plus fréquenté que ce à quoi elle s'était attendue, et parler des détails de l'affaire semblait étrange en présence de tant gens susceptibles de se montrer curieux. Ils essayèrent un certain nombre de périphrases, mais un meurtre était un meurtre, quels que soient les noms qu'on pouvait lui donner. Ils abandonnèrent à peu près au moment où on les servit – des œufs au bacon accompagnés de saucisses pour Harper et des toasts avec du beurre pour Kennedy.

— Vous savez que le petit-déjeuner est le repas le plus important de la journée, n'est-ce pas ? dit Harper en regardant l'assiette monacale de Kennedy.

— Pour moi, c'est plutôt le dîner, répondit-elle.

— Quoi de spécial pour le dîner ? Vous ajoutez une tranche de plus ? Un muffin ? De la confiture de fraise ?

Kennedy envisagea de lui dire que ce n'étaient pas ses oignons, mais elle leva les yeux vers lui et vit que la plaisanterie était simplement destinée à détendre l'atmosphère, rien de plus. Il ne savait toujours pas comment s'adresser à elle, ni quelle était la base de leur relation professionnelle. Et cela faisait moins de vingt-quatre heures qu'elle lui avait dit d'appuyer sur le bouton du siège éjectable sur lequel il était assis.

— De la marmelade, dit-elle. Avec des morceaux.

Harper siffla.

— Avec des morceaux ! Voilà qui est mieux.

Il mangea vite, et il avait presque terminé son assiette tandis que Kennedy en était encore à beurrer ses tartines.

— Alors, vous avez toujours eu envie de travailler dans la police ? lui demanda-t-il, entre deux coups de fourchette.

— Oui, dit Kennedy. Toujours. (Ce n'était pas l'entière vérité, mais cela s'en rapprochait assez. Elle avait toujours voulu gagner l'approbation de son père.) Et vous, demanda-t-elle, détournant instinctivement la conversation.

— Que voulez-vous savoir sur moi ?

— Quand avez-vous décidé que c'était ce que vous vouliez faire ?

— En sixième, dit Harper sans hésiter.

Le système de numérotation avait changé depuis l'époque de Kennedy. Elle dut faire une transposition mentale.

— La première année de collège, dit-elle. Vous deviez avoir douze ans.

Harper était en train de terminer sa dernière saucisse, avec laquelle il sauçait son reste de jaune d'œuf. Cela semblait mobiliser toute son attention, même s'il avait l'air de réfléchir à l'explication qu'il allait donner.

— J'étais un gamin fluet, finit-il par dire, et plutôt rêveur. Je faisais partie de ces gosses qui sont plutôt calmes. Pour être honnête, j'étais une vraie poule mouillée, comme disait ma mère quand elle était de mauvaise humeur. De temps en temps, on s'en prenait à moi à l'école primaire, mais rien de bien méchant. Les professeurs étaient là pour veiller à ce que ça ne tourne pas au vinaigre et j'avais l'habitude de me planquer dans leurs jupons. Je n'avais pas honte ! (Il repoussa son assiette.) Puis, j'ai déménagé et je suis allé à Burnt Hill – dans un établissement secondaire polyvalent. Et là tout est allé de travers. Le petit garçon à sa maman fut tout à coup propulsé en pleine jungle. (Il sourit à Kennedy, l'invitant à se moquer de lui.) La première fois que j'ai vu un gamin sortir un couteau dans une bagarre, ça m'a vraiment ouvert les yeux. C'était comme si... une sorte d'équilibre venait d'être rompu. La volonté de faire le mal des gamins qui m'entouraient – et leur aptitude à le faire – avait tout à coup augmenté de façon considérable. C'est à ce moment-là que j'ai compris à quoi servaient les flics et que j'ai commencé à vouloir en être un. (Il lui sourit de nouveau.) Et huit ans plus tard, mon rêve est devenu réalité. Vous n'aimez pas les histoires qui finissent bien ?

Kennedy accueillit la brève biographie par un hochement de tête solennel.

— Ok, dit-elle. Merci. Je vous comprends un peu mieux maintenant.

Elle vit qu'il la regardait d'un air légèrement inquisiteur, ce qui l'irrita un peu.

— Qu'y a-t-il ? À quoi pensez-vous ?

— À vous. Je me pose une question, mais peut-être pouvez-vous m'aider à y répondre. Vous semblez accorder beaucoup d'importance à votre boulot et vous avez l'air plutôt douée. Je ne vous connais que depuis une journée environ, et je vous vois déjà, plus ou moins, comme quelqu'un qui envisage de faire carrière dans la police. Ce que je veux dire, c'est que ça n'a rien d'anodin pour vous. Vous ne diriez jamais que c'est « juste un boulot ». Je me trompe ?

— Quel est le rapport avec ce que nous disions ?

— Eh bien, je ne sais pas s'il y en a un. Je pose juste la question parce que ça me semble important, étant donné qu'on travaille ensemble.

— Non, ce n'est pas juste un boulot. Et alors ?

Harper leva les mains au ciel.

— Alors, comment vous êtes-vous retrouvée dans une situation aussi ridicule ? C'est comme si vous l'aviez fait exprès. Comme si vous vouliez être mise à l'écart et détestée. Enfin, je veux dire... Soutenir votre propre version des faits au lieu de confirmer les dires des autres membres de votre service. Témoigner contre d'autres officiers de police dans une enquête officielle. C'est un choix délibéré, n'est-ce pas ?

Kennedy envisagea plusieurs réponses. La plupart d'entre elles revenaient à dire à Harper d'aller se faire foutre. Cependant, elle finit par changer d'avis :

— Le reste de mon service venait juste d'envoyer quatre balles dans le corps d'un homme qui n'était pas armé.

— Ce n'était pas vraiment la question, n'est-ce pas ?

— Pourquoi cela ne serait-il pas la question ? Vous pensez que Marcus Dell importe peu parce qu'il était noir et défoncé ?

— Nom de Dieu ! lança Harper en haussant les épaules. Écoutez, j'ai essayé de postuler pour l'unité d'intervention rapide dès que j'ai obtenu mon grade d'inspecteur. Le délai d'attente est de trois ans, je le savais. Mais les tests pour obtenir un permis de port d'armes sont si difficiles que je n'ai même pas été présélectionné. Je n'ai pas obtenu une note assez élevée en Contrôle des impulsions. Il me paraît donc logique que qui que ce soit ayant obtenu le droit de porter une arme a prouvé qu'il était capable de s'en servir. Vous comprenez ce que je veux dire, Kennedy ? Vous faites partie d'un groupe d'élite. Vous avez gravi tous les échelons. Vous êtes parmi les meilleurs. Alors, une fois que vous êtes dans une situation comme celle-là, je me dis que votre équipe passe avant tout. Peu importe si ce type, Dell, était armé ou non. Il avait l'air d'être armé, et il a agressé un officier de police. Vous n'avez pas à vous mettre à la place des pauvres bougres qui doivent prendre cette décision, n'est-ce pas ? Je dirais que c'était plutôt élémentaire dans ce cas. Alors, qu'est-ce qui m'échappe ?

Harper resta silencieux, posant sur elle un regard interrogateur. Ils auraient pu rester comme ça jusqu'à l'heure du jugement dernier. Kennedy ne pensait lui devoir aucune explication, et ne se souciait pas outre mesure de ce qu'il pensait d'elle. En revanche, elle ne supportait pas la fausse logique. Elle savait où cela menait.

— Avez-vous la moindre idée du nombre de morts que la police de Londres a à son actif, Harper ? lui demanda-t-elle. Le nombre total. En remontant jusqu'en 1829, quand ils ont viré les sergents de ville et formé la police moderne ?

Harper poussa un soupir de désapprobation.

— Non, et vous non plus.

— Exact. Vous avez raison. Mais je peux vous dire combien il y a de morts en moyenne par an. Je ne parle pas d'accidents. Je veux parler de policiers qui tirent dans l'intention de tuer.

Harper réfléchit.

— Voyons, je vais essayer de deviner. Je sais que c'est beaucoup moins de…

— C'est un.

Harper écarquilla les yeux, visiblement surpris, mais ne dit rien.

— Oui, dit Kennedy. Certaines années, ça monte jusqu'à deux, ou hélas, parfois trois, mais d'autres, il n'y en a aucun. Alors, en moyenne, sur le long terme, c'est juste un.

Et elle ne dit pas : *Et l'année dernière, ce seul homme, c'est moi qui l'ai tué.* Cela ne semblait pas nécessaire.

Harper hocha la tête, acceptant le chiffre, invitant Kennedy à en venir au fait.

— À travers tout le pays – et je compte le pays de Galles et l'Écosse – la pire année jusqu'à présent a été 2005. Une très mauvaise année. Une honte et un scandale. Trois fois plus de victimes que l'année précédente. C'est monté à six. Six hommes abattus dans l'année. Dans le pays. Vous avez compris ça, Harper ? Mais vous savez, on peut mettre la barre un peu moins haut si on compte toutes les morts survenues suite au contact entre un civil et un officier de police – les passages à tabac lors des détentions provisoires, les méthodes de contention douteuses, les poursuites à grande vitesse qui vont un peu trop loin. Quel est le score maintenant ? Vous avez une idée ?

— Non, Kennedy. Aucune idée, mais je suis sûr que vous allez me le dire.

— C'est moins de cent par an. Beaucoup moins. La plupart du temps, on est près de soixante. Il y a des villes en Amérique – et pas même des villes particulièrement grandes – qui comptent plus de morts pendant les gardes à vue que l'ensemble de notre île. Et je vais vous dire pourquoi. C'est parce que la plupart des flics ne sont pas là pour marquer des points, ni pour faire la guerre. Ils sont là pour faire un boulot. Un boulot difficile. Un boulot où il y a du sang, de la sueur et des larmes.

Le ton de Kennedy était tellement cassant qu'il aurait fallu être un homme très courageux pour le contredire. Mais Harper n'en avait jamais eu l'intention.

— C'était également là où je voulais en venir, dit-il. Que le boulot est vraiment dur et que si on le fait pendant un certain temps, alors on mérite peut-être un peu d'amour et de compréhension. Mais vous tirez une conclusion différente, apparemment.

— Ce n'est pas seulement une conclusion différente, Harper. C'est la conclusion opposée. Si vous êtes fier de ces chiffres, ou si vous pensez seulement qu'ils ont un sens, alors vous vous montrez plus exigeant envers les officiers, et non moins exigeant. Parce que la pire chose que quelqu'un puisse faire, c'est de laisser passer des choses inacceptables sans rien dire. À nous trois, mon équipe et moi, nous avons tué un homme, et nous n'avions aucune bonne raison de le faire. Si vous pensez que nous devrions nous en tirer en toute impunité, alors vous pouvez vous installer confortablement et regarder ces chiffres grimper, encore et encore. On peut rester assis et regarder toute notion de responsabilité disparaître, tandis que des cow-boys tels que Gates et Leakey réintègrent le service avec les félicitations, comme s'ils s'étaient sacrifiés pour l'équipe.

Arrivée au bout de sa tirade, elle avait haussé le ton et quelques personnes aux autres tables lui lancèrent des regards agacés.

— Ok, fit Harper, je vois. Je suppose que c'est ce que j'avais envie d'entendre, et je comprends votre point de vue.

— Non, vous ne comprenez pas, lui assura-t-elle d'un air grave.

Parce qu'elle avait laissé de côté l'essentiel. Cela n'avait pas été son intention. Elle avait juste trouvé, une fois arrivée à ce point, que c'était la partie la plus difficile à exprimer avec des mots.

Mais Harper la regardait toujours, attendant la fin de l'histoire. Alors elle la lui raconta, sans trop savoir pourquoi.

Avant qu'il y ait H. Kennedy, sergent 4031, il y a eu P. Kennedy, sergent 1117. Il a servi douze ans en uniforme et vingt-huit dans la division. Il a obtenu son permis de port d'armes en 1993.

Le 27 février 1997, le sergent Peter Kennedy a poursuivi un homme armé, Johnny McElvoy, qui fuyait la scène d'un règlement de comptes entre gangs. La poursuite a conduit Peter dans une ruelle, où dans l'obscurité il pensa être tombé dans une embuscade. Il s'avéra qu'il avait tort. Il tira trois fois sur une femme enceinte à une distance de six mètres.

Aussi incroyable que cela puisse sembler, la femme a survécu. Mais la balle a atteint son utérus, tuant l'enfant qu'elle portait, et elle a traversé le bas de sa colonne vertébrale et l'a laissée paraplégique.

Son père fut dévasté. Ses amis, cependant, l'ont soutenu et ont décidé entre eux d'une version des événements qui a épargné, à lui comme à la police, beaucoup d'ennuis et d'embarras. McElvoy, ont-ils dit, avait pris une position défensive dans la ruelle, et leur a tiré dessus. Kennedy avait riposté et la femme, sous le coup de la panique, a couru dans la trajectoire de la balle.

À ce stade de son récit, Kennedy s'interrompit. Harper la regardait, attendant visiblement la suite, mais c'était le point où les choses se compliquaient, prenaient un sale tour et devenaient plus difficiles à expliquer.

— Ils l'ont couvert, résuma-t-elle.

— J'avais compris, dit Harper. Mais c'était un accident, non ? Juste un horrible accident.

— Harper, cet accident a foutu une vie en l'air et en a avorté une autre.

— Et alors… ? fit Harper, un peu décontenancé.

Kennedy était exaspérée qu'il ne comprenne pas.

— Alors, mouiller ses amis n'est pas une réaction appropriée dans une situation comme celle-là. Si c'était une erreur légitime, alors la vérité devrait suffire. Si c'était une bavure, alors la vérité doit être révélée et un flic doit perdre le permis de port d'armes qu'il n'aurait jamais dû avoir en premier lieu.

Harper se cala dans son fauteuil et la regarda d'un air circonspect.

— Ok, dit-il. Qu'est-ce que vous omettez de me dire ?

— Je n'omets rien, dit Kennedy.

— Si. Jusque-là, je suis d'accord avec vous, ce qu'a fait votre père était terrible. Vraiment terrible. Et je comprends que cela vous ait marquée. Mais cela ne vous a pas empêchée d'entrer dans la police, ni de faire une demande de permis de port d'armes. Alors, où est la cicatrice, Kennedy ? Qu'est-ce qui vous a réellement marqué ?

Kennedy ne répondit pas. Elle laissa un billet de dix livres sterling pour les petits-déjeuners et le pourboire, puis se leva pour regagner les bureaux de la police judiciaire. Sur le chemin du retour, elle garda le silence, et Harper aussi. Il semblait avoir ce don de l'interrogatoire, celui de faire peser le silence, jusqu'à ce qu'on ressente le besoin de dire quelque chose pour le meubler.

— Ok, finit par lâcher Kennedy.

Et elle lui dit ce qui, pour elle, avait été le pire. La chose que, même après tout ce temps, elle ne pouvait décrire sans avoir la voix qui tremble. La façon dont Peter Kennedy avait réuni sa femme et ses trois enfants pour leur enseigner tous les détails du mensonge, au cas où quiconque – un camarade d'école, quelqu'un qu'ils auraient rencontré à Sainsbury – leur aurait posé des questions. Heather, Steve et la petite Chrissie, ainsi que leur mère, durent répéter comme des perroquets au sergent Peter Kennedy les événements dans l'ordre exact où ils s'étaient déroulés, encore et encore, et quand ils se trompaient, il criait après eux avec une fureur sortie tout droit de la panique de son âme, et quand ils récitaient avec justesse, il les prenait dans ses bras avec un amour fervent.

— Ça a détruit notre famille, dit Kennedy. Il y avait ce putain de mensonge entre nous, tout le temps. On ne pouvait pas en parler, alors on ne parlait pas du tout. Il n'a jamais eu de grade supérieur à celui de sergent, parce que peu importe ce que disaient les registres, tout le monde savait ce qui s'était passé. Tout le monde savait où était le problème. Il a commencé à boire comme un trou, et je pense que c'est ce qui a déclenché sa maladie d'Alzheimer. Le cancer de ma mère n'a peut-être pas été provoqué par le stress, mais ça l'a sans doute poussée à renoncer beaucoup plus vite. Je n'ai pas vu mon frère depuis dix ans, et je vois Chrissie une fois tous les trente-six du mois.

— Et votre père est mort ?

Kennedy pensa au type bourré de manies qui traînait les pieds dans son appartement.

— Oui, dit-elle. Mon père est mort.

— Alors, vous êtes devenue lesbienne pour lui rendre la monnaie de sa pièce ?

Kennedy se raidit, s'arrêta et se retourna pour faire face à Harper, prête à mettre en pièces son petit ego facétieux. Mais Harper souriait et leva les mains en signe de capitulation.

— J'essayais juste de détendre l'atmosphère, dit-il.

— Imbécile.

— Non, pas vraiment. Sigmund Freud a dit…

— Je vais probablement récupérer mon permis de port d'armes à un moment donné, Harper. Essayez de ne pas l'oublier.

Il hocha la tête, le sourire toujours aux lèvres, et mit aussitôt fin à sa plaisanterie.

Summerhill ne s'était toujours pas montré. Rawl dit qu'il n'était même pas encore entré dans la salle de la commission.

Kennedy prit la décision. Ils iraient à Luton et seraient de retour à l'heure du déjeuner. Ils seraient probablement rentrés avant le retour de Summerhill. Elle alla récupérer le dossier pour y ajouter la déposition d'Opie, pour le cas où elle aurait quelque chose de pertinent à dire, et en profita pour laisser un mot à Summerhill lui expliquant ce qu'ils faisaient. Pendant ce laps de temps, elle demanda à Harper de lancer une recherche Interpol au nom de Michael Brand. Il n'était pas exclu qu'ils aient de la chance, après tout.

La voiture qu'ils conduisaient la veille n'était pas disponible, ils signèrent donc le registre pour en emprunter une autre. Ils la trouvèrent, après une brève recherche, dans le garage de Caxton Street : une Volvo S60 vert bouteille en bon état, à l'exception d'une profonde rayure sur toute la longueur, côté passager. En ouvrant les portières, il s'en échappa une odeur de tabac froid. Harper jura et Kennedy fit la grimace. Mais il aurait été trop fastidieux de retourner à l'intérieur pour remplir de nouveaux papiers.

Ils avaient échappé aux embouteillages des heures de pointe lorsqu'ils arrivèrent sur la M1, mais la circulation avançait encore lentement. Harper voulut mettre le gyrophare sur le toit et activer la sirène. Ils avaient déjà perdu tellement de temps que Kennedy n'en vit pas l'utilité.

Contrairement à l'université du Prince Régent, Park Square semblait encore fourmiller d'étudiants marchant d'un air résolu, même en cette période de l'année, et le parking était presque plein. Ils durent en faire deux fois le tour, juste devant une camionnette Bedford blanche qui faisait exactement la même chose, avant qu'Harper ne se gare sur une place destinée aux membres de l'université, où il était indiqué RÉSERVÉ en grandes lettres jaunes. La camionnette passa lentement devant eux et Heather aperçut brièvement son conducteur : un homme d'une petite cinquantaine d'années, d'une étonnante beauté, du genre aristocratique. Ses cheveux noirs étaient lissés et brillants, comme s'ils avaient été oints d'huile. Son visage, cependant, était aussi blanc que celui d'une statue grecque, et son regard qu'elle croisa à peine lui donna une désagréable sensation de déjà vu. C'était un peu l'expression qu'elle lisait dans le regard de son père lorsqu'il replongeait dans les contrées intérieures de la démence. Un regard qui ne parvenait jamais à atteindre le monde extérieur, ou allait bien au-delà. Perturbée, elle détourna les yeux.

20

À l'entrée principale, on les dirigea vers la faculté d'informatique. Il leur fallut traverser une grande pelouse et grimper au troisième étage pour rejoindre le laboratoire, où une centaine d'étudiants travaillaient en silence sur des machines flambant neuves. Non, en silence n'était pas l'expression appropriée. La pièce était remplie du murmure des doigts tapant sur les claviers. Sarah Opie était assise à un poste de travail qui ne semblait pas différent des autres, en dehors du fait qu'il leur faisait face et était relié à un immense écran LCD placé au-dessus de sa tête. L'écran était éteint.

Le Dr Opie était plus jeune que ce à quoi s'était attendu Harper : plus jeune et beaucoup plus séduisante, avec des cheveux blond vénitien mi-longs légèrement ébouriffés. Elle devait avoir une vingtaine d'années, assez jeune pour avoir obtenu son doctorat très récemment. Assez jeune pour que les étudiants qui étaient dans la salle semblent avoir le même âge qu'elle. Elle avait essayé de se distinguer d'eux par une tenue habillée, mais le tailleur rayé bleu foncé qu'elle portait faisait presque l'effet d'un déguisement – celui d'une strip-teaseuse portant un costume de secrétaire.

Opie les attendait. Elle se leva et se dirigea sans un mot vers son bureau qui était séparé du laboratoire par une grande cloison de verre. Elle attendit qu'ils la rejoignent, la main sur la poignée, puis ferma la porte. Certains étudiants avaient levé la tête à l'arrivée des enquêteurs, et continuaient de les observer à la dérobée. Le Dr Opie leur tourna le dos pour faire face aux deux enquêteurs, les bras croisés avec une certaine raideur.

Elle regarda Harper en premier.

— Je vous ai dit tout ce que je sais, dit-elle calmement.

— Voici le sergent Kennedy, dit-il. Elle est chargée de l'affaire, et elle aimerait que vous lui répétiez ce que vous savez. J'ai également des questions à vous poser suite à notre conversation d'hier. J'espère que ça ne vous dérange pas.

Il était évident à sa tête que cela la dérangeait, mais elle acquiesça presque imperceptiblement, avant de s'asseoir sur une des deux chaises qui se trouvaient dans le bureau. Kennedy prit l'autre chaise, laissant Harper s'adosser en équilibre précaire contre la paroi vitrée.

— Nous avons donc trois morts, dit Kennedy après avoir branché son dictaphone et obtenu la permission du Dr Opie de l'utiliser. Stuart Barlow. Catherine Hurt. Samir Devani. Ils s'intéressent tous à l'Histoire – ou tout du moins aux documents anciens – et sont membres de ce groupe auquel vous appartenez, qui aime discuter de tout ça. Donc, vous disiez qu'ils travaillaient tous sur un projet précis ?

Le Dr Opie fronça les sourcils en signe d'impatience, celle de quelqu'un qui a déjà abordé un sujet et ne souhaite pas y revenir.

— Oui, dit-elle, sans rien ajouter.

— Et avaient-ils discuté de ce projet sur votre forum en ligne ? poursuivit Kennedy.

— Oui.

— Et il s'agit d'un forum d'histoire. Mais vous n'êtes pas historienne, visiblement.

— Non.

Cette fois, Kennedy attendit, fixant silencieusement le Dr Opie du regard, dans l'expectative. Harper savait ce qu'elle était en train de faire, et prit soin de ne pas intervenir. Les questions fermées étaient intéressantes parce que précises, mais si le témoin n'était pas du genre loquace, on pouvait tomber dans le schéma question fermée/ réponse monosyllabique. Le silence dura quelques secondes, mais il finit par avoir l'effet escompté.

— C'est un passe-temps pour moi, dit Sarah Opie. J'ai étudié les lettres classiques à l'école, et j'étais assez bonne en grec. Les gens trouvent ça un peu bizarre pour une spécialiste en informatique, mais j'adore les langues. Et je suis plutôt douée. J'ai eu un petit ami juif qui m'a appris un peu d'hébreu, et de là, je suis remontée à l'araméen. Ce qui me fascine avec l'araméen et le grec classique, c'est la façon dont la chaîne de caractères est presque identique à celle des langues modernes, mais parfois il y a eu un déplacement de l'accent tonique, et les mêmes signes ont fini par désigner des sons très différents. Bien sûr, dans certains cas, on ne sait même pas à quoi ressemblaient les sonorités de la langue vivante. Nous avons des textes anciens et des locuteurs modernes, alors il n'est pas facile de...

— Pouvez-vous nous dire ce que vous savez du projet Rotgut de Stuart Barlow ? interrompit Kennedy.

Harper faillit laisser échapper un sourire. Après avoir réussi à ce que le Dr Opie dépasse le stade des monosyllabes, elle devait maintenant la modérer. C'était toujours trop ou pas assez.

— Le professeur Barlow est venu sur le forum pour chercher des collaborateurs, leur dit Opie. C'est comme ça que tout a commencé. Il a dit qu'il voulait appréhender le Rotgut sous un angle nouveau, et il a demandé si cela intéressait quelqu'un. C'était le titre du fil de discussion : *Quelqu'un a-t-il envie d'aborder le Rotgut avec une nouvelle approche ?*

— Et quand était-ce ?

Opie secoua la tête en signe d'ignorance, mais répondit néanmoins.

— Il y a deux ans au moins. Peut-être trois. Il faudrait que je remonte les fils de discussion pour vérifier. Ils sont toujours disponibles sur le site.

— Qui a répondu ? demanda Harper.

La voix d'Opie trembla légèrement à mesure qu'elle débitait les noms.

— Cath... Catherine Hurt. Sam Devani. Stuart a contacté Emil Gassan parce qu'il a beaucoup de connaissances en araméen, la langue du Nouveau Testament, mais Gassan n'a rien voulu savoir.

— Pourquoi ?

— Il trouvait que Stuart manquait de qualifications académiques, au même titre que le reste de son équipe à vrai dire. Et il ne voulait pas être associé à eux.

— Il n'y avait donc que ces trois-là, dit Kennedy. Barlow. Hurt. Devani.

— Oui, juste ces trois-là.

— Personne d'autre que vous ayez pu oublier ?

Opie ne cacha pas son exaspération.

— Non, personne.

— Et Michael Brand ?

— Michael Brand… dit-elle d'un ton neutre. Non, il n'a jamais fait partie du projet.

— Mais vous le connaissez ?

— Pas vraiment. Je pense avoir vu son nom sur le forum une fois ou deux. Il n'a jamais participé à aucune des discussions auxquelles j'ai pris part. Et je ne vais que sur le forum, je n'assiste pas aux symposiums. Je ne suis pas historienne, alors je ne pourrais pas obtenir de financement pour assister à une conférence d'histoire, et je ne pourrais pas me permettre de le faire avec mon propre salaire.

— C'est un peu inhabituel, non ? demanda Kennedy. Que vous puissiez faire partie du même forum sans vous connaître ?

Opie haussa les épaules.

— Pas vraiment. Combien de membres sont enregistrés sur le forum des Ravellers ? La dernière fois que j'ai regardé le compteur, il y en avait plus de deux cents. Il y a un compteur sur la page d'accueil, qui informe de l'arrivée de nouveaux membres – il indique aussi le fil de discussion dans lequel ils se présentent. Ils n'envoient pas tous des messages de façon régulière. Pour ma part, je ne le fais pas, sauf si j'ai un projet en cours. Je dirais que j'en connais bien vingt ou trente, et je pourrais vous donner le nom de vingt autres personnes. Enfin, le pseudonyme qu'ils utilisent sur le forum.

— Vous avez dit « quand je travaille sur un projet », commença Harper, avant d'être interrompu par Kennedy qui ne voyait visiblement aucun intérêt à entendre le Dr Opie parler d'elle-même.

Elle voulait en apprendre davantage sur le groupe de Barlow et sur ce qu'il faisait. Elle évinça la question d'Harper, ce qui l'agaça un peu, mais étant plus gradée que lui, elle avait le droit de diriger l'entretien.

— Le professeur Barlow vous a-t-il déjà parlé de ce qu'il essayait de faire exactement ? lui demanda-t-elle. Que voulait-il dire quand il parlait d'une nouvelle approche ?

— Eh bien, oui, dit Opie visiblement perplexe. Bien sûr qu'il m'en a parlé.

— Pourquoi bien sûr ?

— Stuart et moi étions bons amis. J'ai dit que je n'allais à aucune conférence, mais quand elles avaient lieu à Londres, de temps en temps je prenais le train pour aller voir les quelques personnes que je connaissais après la fin des sessions du vendredi ou du samedi. Nous allions prendre quelques verres, parfois nous dînions ensemble. C'est ainsi que j'ai rencontré Cath, de même que Stuart. Il était vraiment drôle – comme un personnage de bande dessinée, celui du professeur distrait. Mais c'est une des personnes les plus intelligentes que j'aie rencontrées. Je crois que c'est pour cela qu'il n'a jamais rien publié. Il avait une idée incroyable, mais en travaillant dessus, il avait une autre idée incroyable et il laissait la première inachevée. Quand il parlait, il ne finissait pas ses phrases non plus, dit-elle en souriant, se rappelant sans doute une conversation précise, mais elle reprit aussitôt son sérieux. Alors, vous savez, il était impossible qu'il ne me parle pas de quelque chose d'aussi important. Il m'en aurait probablement parlé avant qui que ce soit.

— Pourriez-vous nous faire un résumé de ce projet ? demanda Kennedy, ramenant de nouveau Opie vers le sujet qui les occupait. Je pense que cela pourrait nous être utile à ce stade, ajouta-t-elle.

Opie regarda – avec nostalgie, peut-être – par la vitre qui donnait sur sa classe. Certains de ses élèves jetaient encore de temps à autre un coup d'œil en direction de son bureau, mais la plupart d'entre eux travaillaient dans le calme. Pas d'émeute à l'horizon. Ils étaient peut-être tous en train de surfer sur des sites pornos ou de jouer à la bataille navale, mais ils le faisaient discrètement.

— Ok, dit Opie d'un air résigné. Stuart a dit qu'il voulait employer une approche par la force.

— Ce qui veut dire ?

— Eh bien, je ne sais pas s'il savait ce que cela voulait dire à ce moment-là, mais en fin de compte, on peut dire que cela se résumait à traiter des chiffres à grande vitesse. Il s'agissait de numériser le Rotgut, puis de l'interroger en employant un programme très perfectionné qui a pratiquement dû être créé de zéro. C'est pour cela que Stuart avait besoin d'aide en informatique. Vous voyez, il pensait que le meilleur moyen de trouver le document source du Rotgut était de…

— Attendez un instant, lâcha Harper. Vous pouvez répéter ça ? Il avait besoin… ?

Opie lui lança un regard interloqué.

— Il avait besoin d'aide en informatique. Parce que ce qu'il avait en tête allait impliquer des centaines d'heures de…

— Est-ce que c'est de vous dont il s'agit ? demanda Harper, l'interrompant de nouveau. L'aide en informatique, c'est de vous dont il s'agit ?

— Bien sûr, que c'est moi. J'ai conçu le programme et j'ai lancé l'application. Comment croyez-vous que je puisse savoir tout ça ?

— Mais vous avez dit que vous ne faisiez pas partie de l'équipe ! s'exclama Kennedy, se levant brusquement.

Le Dr Opie avait toujours l'air perplexe, mais elle semblait à présent terrifiée et sur la défensive.

— Je n'en faisais pas partie, dit-elle en éloignant involontairement sa chaise de Kennedy, qui se tenait au-dessus d'elle, un peu trop près apparemment. Je ne faisais que des recherches pour eux. Je m'occupais du support informatique. Stuart, Cath et Sam étaient les membres de l'équipe. C'étaient eux qui allaient écrire la monographie, si jamais elle était publiée. Enfin, s'ils trouvaient ce qu'ils espéraient trouver. Stuart m'a juste demandé de m'occuper du support informatique, et j'ai dit oui. Cela ne fait pas de moi…

— Ce que cela fait de vous, dit brusquement Kennedy, l'interrompant, c'est une cible. Si quelqu'un tue les membres de ce groupe, pourquoi devraient-ils faire une distinction entre vous et les trois autres ? Vous avez dit que vous vous contentiez de les aider, mais vous leur avez parlé, vous avez travaillé avec eux. D'un point de vue extérieur, est-ce que vous n'aviez pas l'air de faire partie de l'équipe ?

Opie secoua la tête, énergiquement dans un premier temps, puis de façon moins convaincante à mesure qu'elle prenait conscience de la situation.

Elle laissa échapper un rire incrédule et sembla légèrement horrifiée. Harper compatit. L'incrédulité était une réaction compréhensible. Lorsqu'on vivait dans le milieu élitiste des théories obscures et des arguties universitaires, on avait sans doute la sensation qu'il existait au moins une ou deux tours d'ivoire d'une blancheur immaculée entre soi et le monde rouge sang. Mais à présent, l'Historien était là, et les murs commençaient à tomber. Pendant un court instant, il éprouva de la culpabilité envers la part infime de lui-même qui se réjouissait secrètement de la situation.

— Mais non, dit Opie de nouveau. Je ne fais pas partie de l'équipe.

Mais ce n'était plus qu'une faible protestation à présent.

— Oui, vous assuriez le support technique, dit Kennedy. Le professeur Barlow voulait que vous l'aidiez. Qui d'autre était au courant de cela ? En avez-vous parlé sur le forum ?

— Bien sûr ! Ce n'était pas un secret, dit Opie en se levant, hors d'elle. Tout ce que j'ai fait, c'est exécuter le programme. Je n'ai même pas lu les sorties sur imprimante. ça n'avait aucun sens pour moi.

Kennedy s'apprêtait à ajouter quelque chose, mais se ravisa. Elle se tourna vers Harper, l'interrogeant d'un simple regard, et il acquiesça à sa question muette d'un hochement de tête. Les détails n'avaient aucune importance. Ce qu'elle lui demandait, c'était si cette petite fête devait être transférée dans un autre lieu, et la réponse était forcément positive. Ils pouvaient se tromper sur tout le reste : les accidents qui avaient tué Hurt et Devani n'étaient peut-être que des accidents et les cambriolages du pavillon de Barlow et de son bureau n'étaient peut-être que d'étonnantes coïncidences. La disparition de Michael Brand – Harper se souvint tout à coup qu'il n'en avait encore pas dit un mot à Kennedy – pouvait être le fait d'un innocent qui avait juste été distrait en notant son adresse. Peu importait. Ils n'avaient qu'une seule priorité ici, et une seule façon d'envisager les choses. Ils avaient des raisons de penser qu'un témoin était en danger, et ils devaient l'emmener avec eux.

— Je ferais peut-être mieux de déplacer la voiture devant l'entrée ? demanda-t-il à Kennedy.

— Oui. Merci Chris, faites-le maintenant, dit-elle avant de lever la main pour lui faire signe d'attendre, puis, se tournant vers Opie, elle lui demanda : Y a-t-il une issue de secours ?

— Pardon ? demanda Opie, qui ne semblait pas comprendre où elle voulait en venir.

— Je parlais de l'immeuble. Y a-t-il une autre sortie ?

— Seulement l'escalier de secours.

— On part par là, et on y va ensemble, dit Kennedy à l'intention d'Harper, avant d'ajouter : Dr Opie, nous vous emmenons pour assurer votre protection. Prenez immédiatement tout ce dont vous avez besoin. Nous enverrons ensuite quelqu'un à votre domicile pour y chercher ce que vous souhaitez. Il est possible que vous ne puissiez pas rentrer chez vous avant un bon moment.

— Je suis au beau milieu d'un cours, fit remarquer Opie, comme si cela avait encore la moindre importance.

— Dites-leur que le cours est terminé, ou bien de continuer à travailler sans surveillance. Je suppose que vous pouvez leur faire confiance ? demanda Kennedy.

— Oui, mais…

— Nous expliquerons à vos employeurs – aux responsables du département – que vous n'êtes pas responsable et que c'était notre décision. Et je suis sûre qu'ils trouveront quelqu'un pour vous remplacer pendant votre absence.

Opie ne semblait toujours pas satisfaite, et elle continua de protester jusqu'à ce que Kennedy prenne son sac et le lui mette entre les mains. Ce qui eut pour effet de la pousser à agir et de la faire taire. Elle prit quelques affaires sur son bureau – une clé USB, un porte-monnaie et quelques marqueurs – et les mit dans son sac. Puis elle lança à Kennedy un regard perplexe, qui était peut-être adressé à Dieu ou à Némésis, avant de se diriger vers la porte. Presque aussitôt, elle laissa échapper un petit cri et fit demi-tour, se précipitant vers son bureau. Elle retourna quelques papiers, fouilla dans une corbeille de courrier en plastique rouge, et finit par trouver un papier jaune plié.

— Le mot de passe, dit-elle à Harper et Kennedy. C'est pour mes dossiers, je le change toutes les semaines.

— Vous écrivez votre mot de passe ? demanda Harper, sur un ton légèrement scandalisé.

— Bien sûr que non, répliqua Opie. Mais j'en garde une trace mnémotechnique, pour le cas où je l'oublierais.

Elle alla dans la salle de classe, suivie d'Harper et Kennedy.

Les étudiants levèrent tous la tête, sachant que quelque chose de peu ordinaire était en train de se produire, et curieux de voir de quoi il s'agissait.

— Nous terminons le cours un peu plus tôt que prévu, dit le Dr Opie. Si vous voulez continuer à travailler, vous pouvez rester jusqu'à midi et demi. Et la date de remise de votre devoir sur les bases de données ne change pas, alors sachez gérer votre temps. Je vous verrai la semaine prochaine.

Les étudiants se retournèrent vers leur écran, mais il était évident à leurs brusques mouvements et au bruit de leurs affaires que la plupart d'entre eux pliaient bagage. Kennedy poussa Opie vers la porte, pressée de partir avant le début de l'exode.

Brusquement, Kennedy s'arrêta. Elle se tourna pour regarder Harper, semblant perplexe ou contrariée.

— Attendez, dit-elle. Ces hommes ressemblent…

Le bruit d'une chaise qu'on tirait retentit. Harper sentit quelque chose derrière son coude. Il se retourna et se retrouva nez à nez avec un homme d'environ dix ans de plus que lui, brun à la peau blanche, vêtu d'une chemise blanche et d'un ample costume beige. L'homme avait une expression étrange, d'un calme détaché, mais ses pupilles étaient énormes. L'effet de la drogue, pensa Harper, il avait forcément pris quelque chose.

Harper mit la main sur l'épaule de l'homme pour le faire asseoir. L'homme lui saisit le poignet, l'enserrant comme avec des menottes, et le tordit de façon soudaine et inattendue.

Harper eut le souffle coupé et il sentit ses jambes céder sous lui à mesure que la douleur se propageait dans son bras.

Il entendit Kennedy crier, mais ne comprit pas ce qu'elle disait. Il donna un coup de poing maladroit, avec la main gauche. Le coup atteignit l'épaule de l'homme au lieu de la mâchoire visée.

L'homme, tenant toujours fermement le bras d'Harper, répliqua, le frappant en plein estomac, ce qui provoqua un cri retentissant.

Harper ne parvenait pas à reprendre son souffle. L'homme lui lâcha le bras, et à sa propre surprise, Harper tomba en arrière, faisant tomber un ordinateur qui était sur le bureau, derrière lui. Il entendit des cris, et n'en comprit pas la raison. L'homme qui venait de le frapper pleurait, et ses larmes étaient rouge sang.

De nouveaux cris. Harper essaya de se redresser, mais ses jambes tremblaient et ne parvenaient pas à supporter son poids. L'homme aux yeux ensanglantés continua de le regarder fixement – un regard plein de mépris – avant de se détourner.

À cause des cris, Harper ne pouvait avoir entendu le bruit du sang qui gouttait sur le sol, entre ses pieds. Mais il aperçut une goutte qui tombait. Il porta la main à son ventre et sentit l'humidité collante, qui en disait horriblement long. Il regarda ses doigts rouges, et un rire incrédule s'échappa de sa gorge.

L'univers se réduisit au rouge, qui envahissait tout. Il était aussi chaud que l'enfer et avait un goût de fer.

21

Le premier et le seul signe avant-coureur fut cette double sensation de déjà vu.

Kennedy dévisageait l'homme, et soudain, la mémoire lui revint. C'était l'homme qu'elle avait vu sur le parking, dans la camionnette Bedford blanche. Mais à présent, ils étaient deux. Presque identiques.

Kennedy hurla au milieu de la pièce :

— À terre ! Tout le monde à terre !

Puis, elle s'avança pour aider Harper qui était tombé à terre. Elle tenta un simple coup de karaté, le seul qu'elle connaissait.

Elle ne l'atteignit même pas, loin de là. L'homme évita le coup et se rapprocha d'elle, se déplaçant à une rapidité terrifiante, sans même sembler faire d'effort particulier. Pendant un instant, Kennedy le dévisagea et elle se rendit compte qu'il pleurait : des larmes rouges comme du sang lui coulaient sur le visage. Bizarrement, cette vision lui donna un haut-le-cœur et cette révulsion instinctive la sauva. Elle se pencha en arrière, comme par une peur atavique de la contamination. Le couteau que l'homme avait utilisé contre Harper, dont la courte lame était tachée de sang de façon obscène, passa juste devant le visage et la poitrine de Kennedy, avant de la toucher à l'épaule. La lame était si aiguisée qu'elle traversa son chemisier et sa veste aussi vite qu'elle transperça la chair et le tendon.

Les cris retentirent autour d'elle, de façon intense et prolongée, comme si une rock star était entrée dans une salle remplie d'adolescents. L'homme fut déstabilisé, et Kennedy donna un coup de pied dans sa direction, l'atteignant à la cheville. Il vacilla, perdit l'équilibre et elle lui donna un coup de poing dans la mâchoire au milieu de sa chute.

Son jumeau, si différent de lui et si étrangement semblable à la fois, se tenait juste derrière lui. Il avait le bras tendu en direction de Kennedy. Il avait un pistolet à canon long pointé sur elle. Ses yeux, qui la fixaient avec calme, étaient bleu pâle et injectés de sang.

Face à l'arme, Kennedy ressentit une soudaine absence de volonté, un anéantissement de la pensée. Elle resta immobile, non parce qu'elle était pétrifiée, mais parce qu'elle ne pouvait se décider à faire le moindre geste.

— *Da b'koshta*, dit l'homme.

Il tira trois fois, si vite que le bruit de chaque coup de feu sembla se superposer au précédent. Kennedy tressaillit et se raidit, attendant que la mort l'emporte.

Sarah Opie fit une danse brève et brutale à mesure que les balles atteignaient leur cible, une à une, et elle ne commença à tomber qu'après avoir été touchée par la troisième balle.

Le son vint ensuite, traînant, comme le tonnerre paresseux après l'éclair déjà disparu. Trop tard, bien trop tard, Kennedy se jeta en avant. Le pistolet, en un mouvement rapide, la visa à la tête, mais cette fois le coup de poing de Kennedy fut plus rapide et mieux dirigé, et elle l'envoya valser. S'étant rapprochée de l'homme, elle essaya de lui donner un coup de pied dans les jambes pour le mettre à terre, mais le manque d'espace joua contre elle. Elle heurta l'angle saillant d'un bureau et trébucha. Quelque chose vint cogner contre sa tempe gauche et la projeta violemment à terre. Des éclairs de lumière et d'ombre se succédèrent tour à tour devant ses yeux.

Elle essaya de bouger, de se relever. À mesure que sa vue revenait par bribes – les angles et les couleurs étaient tellement distordus qu'elle en eut la nausée – elle se retrouva nez à nez avec le Dr Opie. Les lèvres de la femme, aussi blanches que son visage, bougeaient sans sembler produire aucun son, et ses doigts tremblaient tandis qu'elle griffait le sol carrelé.

Il y eut une accalmie dans la salle encore emplie de hurlements, et Kennedy entendit, avec une clarté irréelle, des bribes de ce que disait le Dr Opie. « Une colombe est… une colombe est… »

La lumière soudain occultée fut comme un signal d'alarme et Kennedy leva les yeux. L'homme au pistolet apparut au-dessus d'elle, puis lui asséna un violent coup de pied dans la poitrine. La douleur se propagea à partir d'un point précis au milieu de sa cage thoracique comme un feu d'artifice. Le coup de pied la projeta un peu plus loin. Le souffle coupé, elle rassembla son attention vacillante autour de l'incroyable douleur comme s'il s'était agi d'un gros objet solide, auquel elle se serait raccrochée.

Avec des gestes mesurés mais précis, le meurtrier – car c'était bien un assassin – aida son collègue à se relever. Les deux hommes enjambèrent Kennedy, disparurent de son champ de vision, et elle entendit leurs pas s'éloigner. Ou peut-être sentit-elle seulement les vibrations de leurs pas contre sa joue à même le sol. Les cris avaient repris de plus belle, il était donc difficile de percevoir tout autre son dans l'atmosphère sonore déjà saturée.

Elle roula sur elle-même pour se mettre sur le dos et ensuite – laborieusement, luttant contre la nausée et essayant de ne pas sombrer dans l'inconscience – elle se releva péniblement. Elle prenait de minuscules inspirations, et c'était aussi douloureux que si elle avait avalé du fil de fer barbelé.

Quelques étudiants n'avaient pas réussi à atteindre la porte assez vite et s'étaient entassés aux quatre coins de la pièce, terrorisés par l'horrible spectacle qui venait de se dérouler sous leurs yeux.

— Appelez la police, leur dit Kennedy.

D'un pas chancelant, elle se mit à courir malgré tout. Les tueurs allaient regagner leur camionnette. Il était encore temps de les arrêter, ou au moins de noter leur fichu numéro de plaque d'immatriculation.

Elle faillit tomber dans les escaliers, avançant trop vite pour arriver à garder son équilibre – un équilibre vacillant, quoi qu'elle fasse. Le temps avançait à un rythme pizzicato, chaque instant étant semblable à des cordes pincées au rythme de son pouls irrégulier. Sa manche était imbibée de sang, si sombre qu'il était plus noir que rouge. Dans le hall, les étudiants s'écartèrent, effrayés à la vue de cette folle en état d'ébriété, au visage tuméfié couvert de sang. Kennedy arriva au niveau des portes à double battant, les poussa avec peine et se propulsa, chancelante, dans la lumière du jour.

Elle vit immédiatement la camionnette. Elle était un peu plus haute que les voitures compactes garées sur le parking. Elle vit un des hommes se hisser sur le siège du conducteur. L'autre avait ouvert la portière côté passager, mais s'était tourné pour jeter un coup d'œil au vigile qui lui avait sans doute donné du fil à retordre, pensa Kennedy. La main de l'homme se dirigea vers sa veste. Le vigile était en colère, obèse, inconscient et sur le point de mourir.

— Police ! hurla Kennedy. Vous êtes en état d'arrestation !

L'assassin se tourna pour lui jeter un coup d'œil furtif tandis qu'elle avançait entre les voitures sur l'asphalte. Kennedy s'approchait de lui à grandes enjambées et il termina ce qu'il avait commencé, glissant la main dans sa veste pour en sortir ce qui se trouvait à l'intérieur. Mais ce n'était pas le revolver auquel elle s'était attendue. C'était le couteau. Elle fut parcourue d'un soulagement absurde. Le couteau la tuerait peut-être, mais il mais il ne l'annihilerait pas comme une croix annihile un vampire. Il n'avait même pas l'air particulièrement redoutable, même si elle savait, à ce stade, ce qu'il pouvait faire. Il avait une drôle de forme asymétrique, bombée sur un côté. Elle continua d'avancer tandis que le vigile reculait, tout en marmonnant : « Oh, merde ! »

Le bras de l'assassin se déplia, dans un mouvement abstrait et parfait, alignant le couteau et son regard avec une grande précision, rendant sa fine lame invisible.

— Vous êtes en état d'arrestation ! répéta Kennedy avec davantage de conviction cette fois, même si elle avait de plus en plus de mal à parler. Baissez votre arme, sinon je vous garantis que si je mets la main dessus, je vais vous transformer en bouillie.

— *Da b'koshta*, dit l'homme.

C'étaient exactement les mêmes sons qu'il avait prononcés dans le laboratoire. Il mit son arme en arrière et Kennedy se raidit comme un gardien de but face à un penalty, décidant à l'avance de quel côté elle allait se jeter. S'il la manquait, elle n'aurait qu'une ou deux secondes pour agir, et elle était résolue à en faire usage.

Il y eut une détonation, qui résonna de façon brève, semblant venir de toutes les directions à la fois et le couteau explosa dans la main de l'assassin. Mais il ne cria pas. Il ne proféra aucun son, à vrai dire. Il porta une main à son torse, les doigts étrangement recroquevillés, et dirigea son regard à la gauche de Kennedy. Le deuxième coup de feu le toucha à la poitrine, visible à la grande tache rouge qui commençait à se former sur sa veste claire.

Le tireur apparut, courant et tirant en même temps. Une balle fit voler en éclats une des vitres arrière de la camionnette, puis il tira une balle perdue, d'après ce que Kennedy pouvait en juger.

L'assassin se jeta – ou tomba – à l'intérieur du véhicule par la portière déjà ouverte. Le moteur gronda.

Le nouveau venu – un homme grand, plus grand et encore plus baraqué que le plus costaud des deux tueurs – se trouvait à peine à un mètre de la camionnette quand celle-ci fit une brusque marche arrière, le forçant à faire un bond de côté. Elle s'engagea dans l'allée étroite, vint heurter l'arrière d'une voiture garée là, puis prit un grand virage en zigzaguant en direction du portail d'entrée.

Le nouveau venu visa avec soin et tira encore deux fois. La première balle atterrit dans le décor. La seconde fit sauter un bout des pare-chocs de la Bedford, mais manqua le pneu. La camionnette fit voler les barrières fermées, avant de disparaître. Le tireur baissa son arme, qui ressemblait à un revolver un peu bizarre et se tourna vers Kennedy.

Blond roux, les traits burinés, l'homme faisait au moins un mètre quatre-vingt-dix, était bâti pour les bagarres dans les bars et les travaux de force. Il était difficile de l'associer à la précision de ses tirs. Pourtant, son visage avait quelque chose de troublant : un regard d'un stoïcisme grave, qui n'offrait aucune prise. Kennedy pensa que plus d'un homme courageux aurait pu fléchir sous ce regard.

Mais les yeux bleu délavé de l'homme n'étaient pas plongés dans ceux de Kennedy. Ils étaient concentrés sur sa blessure.

— Vous feriez mieux de vous faire soigner au plus vite, dit-il d'une voix douce qui contredisait la dureté des traits de son visage. Vraiment, maintenant.

Puis il partit à la poursuite de la camionnette et un instant plus tard, il avait disparu, comme si tout cela n'avait été qu'une hallucination. Comme si elle s'était endormie et qu'elle avait rêvé, peut-être devant le bureau de Summerhill, avec Harper sifflotant à ses côtés.

Harper !

Elle retourna à l'intérieur en chancelant et gravit les escaliers. La cage d'escalier et le couloir grouillaient de gens qui, pour la plupart, s'écartèrent de son chemin à la vue du sang. Elle avait encore son badge à la main et le montra d'un geste rapide, chaque fois que c'était nécessaire pour éviter d'avoir à parler. Elle avait les oreilles pleines d'un horrible bourdonnement monotone proche du larsen.

La foule était plus dense devant le laboratoire informatique, et composée, pour la plupart, des étudiants qui avaient échappé au drame et revenaient lentement pour en voir les conséquences. Elle vit un bon nombre d'hommes en costume qui essayaient de rétablir le calme en en faisant simplement la demande à haute voix. Kennedy en attrapa un et lui cria en plein visage :

— Appelez les secours. Demandez une ambulance, répéta-t-elle à plusieurs reprises.

L'homme, chauve et rougeaud, regarda d'un air ébahi son visage contusionné, son badge, puis son visage de nouveau, jusqu'à ce qu'elle le pousse pour le forcer à agir. La voix de Kennedy était de plus en plus grave, sa mâchoire la faisait souffrir à l'agonie à chaque mot prononcé, mais seul un demeuré n'aurait pas compris le message en entendant le ton de sa voix.

Harper était toujours étendu là où il était tombé, et semblait mal en point. Il était à peine conscient, se tenant le ventre, d'où s'écoulaient des quantités inimaginables de sang.

Kennedy s'agenouilla près de lui, puis se mit en position assise, s'adossant à un bureau tombé au sol, à bout de force. Harper tourna la tête vers elle pour la regarder, sans voix.

— Tenez bon, Harper, dit-elle.

Puis, elle fit quelque chose qui l'étonna, même au milieu de tout ce qui se passait. Elle souleva la tête d'Harper, de façon maladroite mais avec soin, et la posa sur ses genoux, en lui caressant les cheveux et le front blanc trempé de sueur, jusqu'à ce que ses yeux finissent par se fermer.

On lui dit ensuite que sa blessure n'aurait pas dû mettre sa vie en danger. Elle était profonde, mais avait épargné les principaux organes et – de peu – l'artère de la cavité abdominale. Harper aurait pu risquer, plus tard, une péritonite, comme c'était toujours le cas en cas de blessure au niveau de la cavité abdominale, mais avec une opération chirurgicale immédiate et des antibiotiques à large spectre, il aurait dû se remettre complètement.

Il mourut dans ses bras, tandis que son sang coulait comme une intarissable fontaine.

DEUXIÈME PARTIE

LE COLOMBIER

22

Elle passa six jours dans le cirage.

Sa blessure à l'épaule avait nécessité un grand nombre de points de suture, mais elle avait suppuré, du sang d'abord, et ensuite un liquide clair pendant trois jours. Il y avait un anticoagulant sur la lame du couteau, lui dirent les médecins. C'était la seule explication. C'était la raison pour laquelle Harper était mort si vite d'une blessure à laquelle il aurait dû survivre. Ils n'avaient pas encore identifié la substance, il leur était donc impossible de la neutraliser. Tout ce qu'ils pouvaient faire, c'était attendre que son corps l'ait éliminée, la garder sous perfusion sanguine et changer ses pansements régulièrement.

Le bas de son visage avait enflé à tel point qu'elle fut incapable de parler avant le quatrième jour, mais elle trouva son aspect grotesque et disproportionné bien plus difficile à encaisser que la douleur, atténuée par la morphine. La plupart des dégâts avaient été causés par le dernier coup de pied, qui lui avait fêlé deux côtes. Les médecins les avaient remises en place avec une bande entourant le sternum et l'ensemble de la colonne vertébrale. Elle avait l'impression de porter un corset qu'elle ne pouvait ni enlever ni desserrer.

Étendue sur un lit d'hôpital, essayant de réfléchir en dépit des analgésiques qui lui embrouillaient l'esprit, elle ressassait les événements, essayant de combler ses trous de mémoire – qui ne concernaient pas les moments où elle avait dû se battre, mais ce qui s'était passé ensuite. Elle se rappelait s'être adossée au bureau renversé, avec la tête d'Harper sur les genoux. Et la main d'Harper sur sa blessure, sous celle de Kennedy, pressant dessus pour ralentir le saignement. Ils étaient peut-être restés ainsi pendant des heures ou seulement quelques minutes. Les étudiants s'étaient tous enfuis, et, pour seule compagnie, ils avaient le corps de Sarah Opie, dont le regard semblait incrédule, plutôt que plein de reproches.

Elle se rappelait avoir parlé à Harper et l'avoir entendu répondre. Mais quand elle repensa à ce qu'il lui avait dit, elle prit conscience que ce n'était pas sa voix mais celle de son père. *Pourquoi veux-tu être flic ? Est-ce qu'on n'a pas assez donné ?*

— À quel moment peut-on dire que c'est assez ? marmonna-t-elle d'une voix rendue inintelligible par sa mâchoire enflée.

Oui, continue de me parler, Heather. Fais-moi revenir vers toi.

Puis il y eut un autre blanc.

Ensuite, quelqu'un était en train de détacher sa main du ventre d'Harper, où elle était devenue inutile, mais elle fut incapable de desserrer le poing qu'elle avait gardé crispé pendant trop longtemps dans la même position.

— C'est un policier, dit-elle aux auxiliaires médicaux. Nous sommes des policiers, dit-elle avec effort d'une voix ressemblant à celle de l'assistant de Frankenstein. Appelez le commissariat.

— Pouvez-vous vous lever ? lui demanda quelqu'un. Pouvez-vous marcher ?

Elle avait dû faire les deux. Elle se rappelait être montée dans l'ambulance, s'être assise sur le lit à roulettes, avoir regardé le corps d'Harper tandis qu'ils l'étendaient face à elle dans une enveloppe en plastique opaque de quatre-vingt-dix centimètres de large sur deux mètres trente de long.

Un autre blanc. Elle regardait fixement le visage d'Harper. Quelqu'un avait sans doute ouvert la housse mortuaire.

Une voix dit :

— Hé, vous n'êtes pas censée faire ça.

Harper semblait préoccupé, il avait les yeux fermés, les paupières plissées et une ride marquée sur le front, comme s'il était en train d'essayer de se souvenir de quelque chose.

Elle lui caressa la joue. Il avait la peau trop froide, le teint cireux.

Je suis désolée, lui dit-elle sans parler. *Je suis désolée, Chris.*

Puis, alors qu'elle ne savait pas du tout si c'était vrai ou non : *Je les aurai.*

Le septième jour, Dieu se reposa. Kennedy n'était pas Dieu : elle retourna à son travail et se retrouva face à la commission des plaintes.

Elle était présidée par l'inspecteur divisionnaire Summerhill, qui jouait le rôle du juge impitoyable. Cependant, il la ménagea pendant la première demi-heure de l'interrogatoire, tandis qu'il examinait avec elle le contenu du dossier. Après avoir établi – à l'intention de la responsable des ressources humaines, Brooks, et de l'experte de la commission indépendante des plaintes contre la police, une vieille virago intraitable nommée Anne Ladbroke – que cette affaire impliquait trois homicides potentiels, il se prépara à la mise à mort, avec une animosité clinique et détachée.

— Pourquoi vous êtes-vous fourrée là-dedans, avec l'agent Harper, sans renforts ? demanda-t-il. Il devait sembler évident que le Dr Opie était en danger.

— Non, Monsieur. Ce n'était pas évident du tout, dit-elle malgré sa mâchoire qui lui faisait mal quand elle parlait, mais elle avait beaucoup de choses à dire et cela n'allait pas l'en empêcher. Les trois personnes décédées étaient toutes directement liées au projet de recherche de Stuart Barlow sur le codex Rotgut. Le Dr Opie avait expressément nié toute implication dans ce projet. C'est seulement lorsque nous l'avons interrogée que nous avons compris qu'elle faisait partie de l'équipe de Barlow – chose qu'elle-même, comme vous l'avez entendu sur l'enregistrement, continuait à nier.

La pièce, une simple réserve, était une étuve dépourvue d'air conditionné. À chaque inspiration, elle sentait la forte odeur des cartouches de toner. Parler de ces événements les ramenait à son esprit d'une manière saisissante, et ces souvenirs se superposaient aux moments passés à se les rappeler sur son lit d'hôpital. Après un certain temps, tous les souvenirs devaient se métastaser ainsi, jusqu'à ce qu'on ne se rappelle plus que les émotions qui avaient accompagné chaque moment successivement revisité et corrigé.

— Seulement en la questionnant…, dit Summerhill d'un air songeur. Quelque chose que vous auriez pu faire la veille. Pourquoi avoir attendu ?

Kennedy examina ses yeux dépourvus de toute expression.

— Pour la même raison, Monsieur, dit-elle. Il ne semblait y avoir aucune raison d'agir plus vite parce que Sarah Opie avait été identifiée comme un témoin utile, et non comme une victime potentielle. Si elle s'était montrée plus franche avec l'agent Harper – si elle lui avait dit qu'elle avait créé un logiciel et assuré un support technique pour Barlow et son équipe – nous aurions tiré des conclusions différentes et agi plus vite.

— Donc la faute revient en partie à la technique d'entretien défaillante de l'agent Harper, résuma Summerhill avec une désinvolture pleine de fiel. Malgré tout, en tant que chargée de l'enquête, vous devez assumer une part des responsabilités.

L'experte de la commission indépendante des plaintes prit des notes.

Ne me pousse pas trop, espèce de connard. Je pourrais me rebiffer.

— Je n'accepte pas qu'il y ait eu le moindre manquement dans l'interrogatoire du Dr Opie par l'inspecteur Harper, dit-elle, avant d'ajouter après un court instant : Monsieur. Comme vous le savez – comme vous le saviez en me confiant ce dossier – cette affaire est arrivée dans le service après avoir été considérée à tort comme un accident. L'enquête a été réouverte après les résultats de l'autopsie qui n'ont pu confirmer la présomption de mort accidentelle. Par la suite, nous avons établi les preuves d'un cambriolage, et d'un mystérieux suiveur, tous deux liés à notre affaire. Une plainte a été déposée dans les deux cas, mais aucune n'avait été jointe au dossier. Cette accumulation d'erreurs a rendu l'identification d'un même mode opératoire plus difficile pour nous. En dépit de cela, l'inspecteur Harper a réussi à découvrir les deux autres morts suspectes et à les relier à celle du professeur Barlow. Tout cela en une seule journée. À tout point de vue, il a géré cette affaire de façon exemplaire.

Summerhill fit tout un cinéma en examinant les papiers entassés devant lui, puis la regarda à nouveau :

— Votre niveau d'exigence est peut-être moins élevé que pour la plupart d'entre nous, Sergent.

— C'est possible, Monsieur, répondit Kennedy sans la moindre inflexion.

— À Park Square, dit Summerhill en retournant à la lecture de ses documents, vous avez établi que le Dr Opie était une victime potentielle, mais vous n'avez toujours pas appelé de renforts.

— Nous avons décidé de l'emmener nous-mêmes. Nous avons considéré qu'agir rapidement s'imposait.

— Et que, par conséquent, les protocoles standard étaient négociables.

Kennedy réfléchit avant de répondre.

— Vos questions précédentes portaient sur un délai excessif, Monsieur, dit-elle en regardant Summerhill dans les yeux. Êtes-vous maintenant en train de dire qu'en emmenant le Dr Opie en détention par mesure de protection, je n'ai pas suffisamment retardé le délai ? Dans ce cas, rappelez-vous que ses meurtriers étaient déjà dans les murs. Les renforts ne seraient pas arrivés à temps, à moins de se téléporter. Nous pensions que nous manquions de temps et, mon Dieu, nous avions raison.

— Vous auriez pu rester dans le bureau du Dr Opie, dit Brooks. Avec la porte fermée.

— Avec la porte fermée ? répéta Kennedy, restant de marbre.

— Oui.

— Les murs étaient en verre, et les tueurs avaient des armes à feu.

As-tu ne serait-ce que lu le dossier, espèce d'enculeuse de mouches ?

— Malgré tout, interrompit brusquement Summerhill, nous pouvons supposer sans trop nous avancer qu'il y avait d'autres bureaux dans ce bâtiment, dont les murs étaient plus solides. Rétrospectivement, tout est toujours parfait, Sergent Kennedy, mais nous parlons de votre éventuelle capacité à prendre une décision – décision qui, en fin de compte, a causé la mort d'un de vos collègues policiers et d'un informateur civil.

Il y eut un silence pesant. Kennedy attendit qu'on y mette fin. Summerhill semblait à court d'inspiration à présent, ce que Kennedy interpréta comme un mauvais signe. Cela montrait à quel point le vernis derrière lequel il cachait son désir de se débarrasser d'elle était mince.

Brooks s'engouffra de nouveau dans la brèche.

— Il y a eu une autre altercation, dit-elle. Enfin, un autre affrontement, je veux dire. Vous avez suivi les deux hommes – les meurtriers – sur le parking.

— Oui.

— Où un troisième tireur est apparu. Et apparemment, il a blessé un des siens.

— Je ne pense pas qu'ils étaient ensemble. Il agissait contre eux, non avec eux.

— Ou bien c'était un très mauvais tireur.

— Il a désarmé une de ces racailles qui avait un couteau à la main d'un seul coup de feu. Il l'a touché une seconde fois avant qu'il n'ait le temps de remonter dans le véhicule dans lequel ils se sont enfuis, puis il a touché le véhicule en question alors qu'il était en mouvement. Je dois dire qu'il était plutôt bon.

Pour toute réponse, Kennedy entendit un bruissement de papier, puis Brooks demanda :

— Et il est resté sur place, quand le van a démarré ?

— Oui. Mais pas longtemps, il s'est presque aussitôt mis à sa poursuite.

— Avez-vous essayé de l'arrêter, Sergent ?

Kennedy ravala la première réponse qui lui vint à l'esprit, puis la seconde.

— Comme vous le lirez dans mon rapport, finit-elle par dire, j'avais déjà essayé d'arrêter les tueurs. L'intervention du troisième homme a eu lieu au moment où ils s'apprêtaient à m'attaquer pour la deuxième fois. De plus, je n'étais pas armée. Un policier non armé, agissant seul, n'est pas censé accoster un assaillant armé sans avoir l'espoir raisonnable d'être en mesure de l'abattre.

Surtout quand il vient très probablement de lui sauver la vie.

— On en revient donc à l'absence de renforts.

— Je suppose que oui.

— Votre description du troisième homme est très sommaire.

— J'ai sans doute été distraite par mes côtes cassées et ma blessure à l'épaule.

Brooks haussa les sourcils, visiblement stupéfaite, telle une victime innocente d'un sarcasme criminel.

— Votre ton ne vous aide pas, Sergent, dit Summerhill.

— Je suppose que non.

Sa patience était à bout, mais heureusement, ils semblaient être à court de questions.

Mais l'inspecteur divisionnaire avait gardé le meilleur pour la fin.

— Revenons à ce qui s'est passé dans le laboratoire informatique, dit-il. Et plus précisément au coup de feu qui a abattu le Dr Opie. L'inspecteur Harper était déjà blessé à ce stade, n'est-ce pas ?

Kennedy hocha la tête avec méfiance.

— Oui.

— Mais l'homme au couteau – celui qui l'a attaqué en premier, et vous ensuite, était à terre.

— C'est exact.

— Quand le deuxième homme a sorti un pistolet et l'a pointé sur le Dr Opie, où étiez-vous par rapport à eux ?

Elle voyait où tout cela l'entraînait, mais elle n'avait aucun moyen de faire dévier le cours des choses.

— J'étais entre les deux, admit-elle.

— À quelle distance du tireur, quatre mètres ?

— Plus ou moins.

— C'est-à-dire ? Plus, ou moins ?

— Moins, probablement. Peut-être trois mètres.

— À deux pas, donc. Et le revolver était dirigé derrière vous, vers quelqu'un d'autre. Selon votre appréciation, auriez-vous pu avoir la possibilité de vous interposer et de désarmer l'homme avant qu'il ne tire ?

Kennedy se rappela cet instant d'horreur figée, l'épuisement de sa capacité à penser, se mouvoir et agir. Il avait été enraciné dans un autre souvenir : celui de Marcus Dell titubant vers elle, enserrant les mains autour de son cou, et celui de son G22 dans la paume de sa main tandis qu'elle envoyait la balle de 40 pour un court voyage à travers la cage thoracique de Dell.

Certaines choses sont trop douloureuses pour les rendre plus vivaces encore avec un mensonge.

— Tout s'est passé très vite, dit-elle, consciente de sa légère hésitation, de sa voix tremblante. Peut-être... que j'ai eu une seconde d'hésitation. C'est difficile à dire, je ne m'en souviens pas. Mais le tireur était très rapide. Très professionnel.

— Il a tiré trois fois. Cela a dû prendre quelques secondes.

— Je suppose que oui.

— Mais vous n'avez pas eu assez de temps pour pouvoir intervenir ?

— J'ai dit que je ne m'en souvenais pas.

Summerhill commença à rassembler ses papiers et à les glisser dans le dossier.

— Bien, dit-il, nous allons délibérer. Nous vous prions de bien vouloir rester à notre disposition pour le reste de la journée. Nous vous ferons part de notre décision avant que vous partiez ce soir.

Ce fut très soudain, et l'esprit de Kennedy était encore assailli d'images qui la défiaient et l'accusaient. Elle avait attendu ce moment, mais une fois venu, elle n'était pas prête.

— C'est tout ? demanda-t-elle, d'une voix qui lui sembla stupide et morose.

— Pour l'instant, oui, dit Summerhill. Vous pouvez vous adresser aux Ressources humaines, si vous avez des questions sur le déroulement de cette procédure. Madame Brooks sera disponible toute la journée.

C'était maintenant ou jamais : l'heure du coup de grâce avait sonné.

— En fait, Monsieur, dit Kennedy, j'aimerais vous parler. En privé.

Surpris alors qu'il était en train de refermer le dossier et par la même occasion de mettre un terme à la carrière de Kennedy, l'inspecteur divisionnaire leva les yeux vers elle, légèrement décontenancé.

— Je pense que nous avons toutes les informations dont nous avons besoin, Sergent, dit-il.

— Il s'agit d'une information relative à la façon dont a été menée l'enquête, insista Kennedy d'une voix posée et courtoise.

Cependant, c'est une information de nature sensible, qui ne peut être abordée qu'avec les officiers chargés du dossier.

Le visage de Summerhill passa par diverses émotions, qu'il essaya tant bien que mal de cacher derrière le masque de l'indifférence professionnelle.

— Très bien, finit-il par dire, nous en discuterons dans mon bureau. Et ensuite, dit-il à l'attention de Brooks et Ladbroke, je vous rejoindrai.

Une fois la porte de son bureau fermée à la curiosité du monde, Summerhill s'affala dans son fauteuil, mais sans inviter Kennedy à en faire autant. Elle s'assit malgré tout.

— Que voulez-vous me dire ? demanda-t-il.

— J'ai du sang tzigane, dit Kennedy d'une voix qui était encore loin d'être posée.

Summerhill la dévisagea, quelque peu déconcerté.

— Quoi ?

— Honnêtement, Jimmy. Je peux vous dire la bonne aventure. D'ici deux mois, peut-être trois, je vous vois vider les tiroirs de votre bureau et partir à la tombée du jour. Et il pleut. Il pleut des cordes.

L'expression de Summerhill indiquait que ce charabia n'avait toujours aucun sens pour lui.

— Vous disiez que vous aviez des informations pertinentes sur l'affaire, lui rappela-t-il froidement.

— Pertinentes par rapport à la façon dont l'affaire a été menée, corrigea-t-elle. Oui, c'est le cas. Elles figurent déjà dans ma messagerie, et elles y sont depuis une semaine. Et aussi dans celle du serveur départemental, et qui sait où encore ? Les services centraux gardent une copie de tout, n'est-ce pas ? Alors il y a des copies un peu partout, pour le cas où quelqu'un voudrait y jeter un coup d'œil. L'en-tête s'intitule : *Dossier de l'affaire Stuart Barlow*. Allez-y, regardez.

Ce que fit Summerhill, il trouva un e-mail datant d'une semaine, et haussa les épaules.

— Et alors ?

— Alors vérifiez la date. C'était la nuit précédant le jour où nous sommes allés à Luton pour voir Sarah Opie. Cela vous attendait à votre arrivée le lendemain. Seulement, vous êtes arrivé en retard. Je le sais parce qu'on vous a attendu pendant plus d'une heure avant de renoncer et d'aller interroger le témoin.

Summerhill fit un geste brusque : *Venez-en au fait.*

— Avez-vous seulement lu le message, Jimmy ? Je vous disais que l'affaire avait pris des proportions réellement effrayantes. Je vous suggérais de reconsidérer la taille de l'équipe qui travaillait sur cette affaire et d'élargir le champ d'investigation de l'enquête. Je vous ai demandé de prendre une décision – de façon urgente – sur les priorités immédiates.

— Tout cela, dit Summerhill, ne change rien aux faits. Vous vous êtes rendue sur place sans renforts et un civil est mort. Ainsi que votre coéquipier, qui était nouveau dans ses fonctions et suivait votre exemple.

Elle hocha la tête.

— Oui, dit-elle gravement. Je sais. Il est mort dans mes bras, Jimmy. Il est peu probable que je l'oublie. Mais je pensais que votre première question, dans cette salle, était de savoir pourquoi nous avions attendu si longtemps. Il n'a pas semblé vous traverser l'esprit que c'était vous que nous attendions.

Summerhill secouait déjà la tête.

— Non, non, Sergent. Je suis désolé, mais ça ne marchera pas. J'étais absent parce que j'étais à Westminster, à faire mon boulot de divisionnaire. Et en mon absence, vous devez vous adresser à un autre officier supérieur.

Kennedy n'était pas allée plus loin dans son esprit. Les choses s'arrêtaient là. Le reste n'était qu'une supposition, et elle pouvait avoir aussi bien raison que tort. Elle pensa à Harper étendu sur ses genoux, se vidant de son sang. L'horreur de ce moment, encore vivace dans son esprit, la figea, ce qui lui permit de rester calme et posée.

— Peut-être, concéda-t-elle. Peut-être étiez-vous à Westminster. Mais cela fait au moins cinq ou six fois que j'entends cette histoire de commission d'enquête, mais une de ces fois était au mois de janvier, avant la fin des vacances parlementaires. Vous avez eu des problèmes avec l'alcool, n'est-ce pas Jimmy ? Quelques avertissements, vous avez même failli passer en conseil de discipline une fois, en tout cas c'est ce qui se dit. Alors ma théorie, c'est que l'agent Rawl a deux croix à porter : l'ordre de vous couvrir quand vous arrivez en retard, et un total manque d'imagination.

Elle marqua une nouvelle pause. C'était à ce moment-là que le ciel allait lui tomber sur la tête, si jamais cela devait se produire. Il se passa un long moment, lui sembla-t-il, avant que Summerhill ne se décide à parler. Quand il le fit, sa voix fut bien plus posée et agressive qu'elle ne l'avait espéré.

— Sergent, dit-il, vous semblez penser que vous pouvez faire retomber la pression qui pèse sur vos épaules en m'attaquant. Laissez-moi répéter, pour le cas où vous ne m'auriez pas entendu la première fois : vos actes ont causé la mort d'un policier. Essayer de me faire chanter ne peut en aucun cas avoir une incidence…

— J'aurai votre peau, dit Kennedy.

Summerhill continua à parler en même temps qu'elle, alors elle ne pouvait pas être sûre qu'il l'ait entendue.

— … la décision d'un tribunal indépendant, dans lequel je ne suis…

— Si Rawl vous couvrait, je vous ferai plonger.

— … qu'un des membres. La décision est prise par nous tous.

— Alors donnez-moi un enterrement honorable, dit Kennedy, la gorge serrée. Allez-y, parce que c'est tout ce qui me reste. Mais je vous jure que si vous me dites que vous ne pouvez rien faire, ou si vous essayez seulement de m'enlever cette affaire, je fais en sorte que mon avocat crie sur tous les toits qu'Harper est mort parce que vous étiez trop saoul pour venir travailler. Et si j'ai raison, si vous n'avez pas été appelé par les Communes ce jour-là et que vous n'ayez aucun membre du Parlement qui se porte garant de vous, alors ce que Rawl a inscrit dans l'agenda suffira à prouver que vous avez menti. Ils vont vous démolir. Et cela ne ramènera pas Chris Harper parmi les vivants, mais cela voudra dire qu'il y aura eu un peu de justice au milieu de la merde habituelle.

Ils terminèrent l'entretien tous deux debout, se regardant en chiens de faïence, et il fut le premier à être à court d'arguments.

— Faites-moi savoir ce que vous aurez décidé, marmonna-t-elle, soudain dégoûtée par lui et par elle-même.

Elle quitta le bureau de Summerhill sans se retourner, alla dans la fosse aux ours pour attendre le verdict, mais l'atmosphère était devenue très pesante. Ils étaient tous au courant du rapport en cours, et ils en connaissaient la raison. Elle était responsable de la mort d'un inspecteur. Elle était passée de quelqu'un qu'ils détestaient à quelqu'un qu'ils voulaient désavouer. Personne ne croisa son regard.

Elle n'était même pas sûre de pouvoir croiser son propre regard à cet instant, si elle avait eu un miroir sous la main. Elle savait, de façon objective, qu'Harper était déjà blessé quand elle était restée figée face au revolver. Agir plus vite ne l'aurait pas sauvé, mais cela aurait pu sauver Sarah Opie.

Elle avait repassé la scène dans son esprit tant de fois maintenant, qu'elle avait perdu le fil de ses souvenirs, qui lui revenaient dans le désordre, sous des angles biaisés, brouillés et incompréhensibles. Malgré tout, elle devait vivre avec.

23

Kuutma était loin de Londres quand il répondit à l'appel de l'équipe d'Abidan. En fait, il était à Moscou, rétablissant des réseaux de communication qui avaient été endommagés par le meurtre de Kartoyev, causé par Tillman. Il se trouvait dans l'antichambre du ministre russe du commerce, un hall qui faisait la moitié d'un terrain de football, voyageant sous son identité habituelle et attendant de savoir si on pouvait le recevoir.

Quand Abidan lui parla du mystérieux tireur qui était apparu à peine trop tard pour saboter la mission, Kuutma sut aussitôt à sa description – la taille, la carrure, ses cheveux entre le châtain clair et le roux et, bien sûr, la justesse du tir – qu'il s'agissait de Tillman. Son inquiétude ne faisait que se confirmer : Tillman avait pris son temps, mais il n'avait cessé de se diriger vers Londres depuis la mort de Kartoyev, et maintenant il avait établi un lien entre Michael Brand et les morts récentes.

Le problème était inhérent à la charte même des Messagers, car c'était ainsi qu'ils travaillaient, qu'ils avaient toujours travaillé, et qu'ils devaient continuer à le faire jusqu'à ce que les trente siècles soient écoulés (et le temps leur manquait déjà ; on pouvait ne pas être d'accord sur le décompte, mais ce décompte était arrêté). Ils prirent la drogue, le *kelalit*, et cela leur procura force et rapidité. C'était un sacrement. C'était aussi une neurotoxine qui, au final, soit les tuait, soit les rendait fous. Kuutma était donc constamment en train de former de nouveaux Messagers et avait des problèmes récurrents à trouver des responsables d'équipes qui avaient suffisamment d'expérience.

Des erreurs avaient été commises dans la façon de gérer le projet Rotgut, tout comme dans le cadre du vol 124. Des détails avaient été négligés, des opportunités n'avaient pas été saisies, des méthodes alambiquées avaient été employées là où des formules simples étaient à portée de main. Il incombait à Kuutma, à présent, de gérer ces situations et de les amener à une issue heureuse.

Étant un homme honnête, il reconnut aussi ses propres erreurs de jugement. Tillman était encore en vie : Kuutma devait assumer la responsabilité de cette circonstance désastreuse et y remédier.

Il pouvait presque justifier de s'en charger lui-même à ce stade. Mais la force de son désir de le faire devait être considérée comme une mise en garde, lui intimant de ne pas le faire : ses émotions étaient impliquées, et par conséquent il ne pouvait faire confiance à son jugement.

L'équipe d'Adiban était décimée à présent. Hirah avait été touché à la poitrine et à la main. Les deux blessures avaient déjà en partie cicatrisé, un autre effet secondaire du *kelalit*, mais en cela, comme en tout le reste, les drogues donnaient autant qu'elles prenaient. Aucun problème avec la blessure à la poitrine, mais les os et les muscles de la main s'étaient déformés en guérissant et étaient restés dans une position non naturelle. La main était inutilisable.

Kuutma réfléchit et prit une décision.

— Tu dois raccompagner Hirah à Ginat'Dania, dit-il à Abidan. Il a besoin de se reposer et d'être avec sa famille. La blessure infligée – à son âme, aussi bien qu'à sa chair – guérira plus vite là-bas.

Abidan sembla consterné.

— Mais, *Tannanu*, dit-il, la mission…

— Je sais, Abidan. Il y a encore du travail à faire. Beaucoup de travail peut-être, maintenant que Tillman est impliqué.

— Tillman ?

— L'homme qui a tiré sur Hirah. C'est son nom.

Le ton d'Abidan exprima le choc, et peut-être la crainte.

— Mais Tillman… Leo Tillman… était l'homme qui…

— Abidan, fit Kuutma pour faire taire son Messager par cette légère réprimande.

— Oui, *Tannanu* ?

— Retourne à Ginat'Dania. Emmène ton équipe avec toi. J'ai une autre équipe sur place maintenant. Ils ont poursuivi Tillman depuis la France et ils seront heureux d'avoir une autre chance de se confronter à lui.

— Est-ce que je peux demander, *Tannanu*, de quelle équipe il s'agit ?

Abidan était circonspect, mais mécontent. Il était blessant d'être écarté et de ne plus être en première ligne, ce que Kuutma pouvait comprendre.

— L'équipe de Mariam de Danat. Mariam elle-même, Ezei et Cephas. Prends soin de toi, Abidan, tu peux être fier de ce que tu as accompli.

Il éteignit son téléphone et regarda fixement le mur qui était face à lui. Sur le mur, il y avait un tableau représentant la retraite de Russie de Napoléon, telle que l'avait imaginée un peintre soviétique, dont la signature au bas de la toile était illisible. Dans le tableau, Napoléon était effondré sur sa selle, regardant avec une mine défaite la neige qui tourbillonnait à l'infini. Derrière lui, des soldats français mourants s'étendaient à perte de vue, arborant tous une variation de la même expression : l'humiliation du conquérant, amplifiée et dupliquée comme par magie, comme dans une galerie des glaces.

Kuutma pensa qu'il aurait aimé voir cette expression sur le visage de Tillman.

— *T'oubliera-t-il ?*

— *Jamais.*

— *Alors, c'est un imbécile.*

— *Oui. Et tu devrais avoir peur de lui. Il est bien, bien trop stupide pour savoir quand il a perdu, ou quand capituler. Il ne tiendra pas compte de ce mot. Il ne renoncera jamais. Il te regardera dans les yeux, un jour, Kuutma, et l'un de vous tremblera.*

L'équipe de Mariam. Il les avait formés lui-même. Et même s'il ne projetait pas de se rendre à Londres en personne, il garderait un œil sur eux et les guiderait – non pas directement vers Tillman parce que la situation liée au Rotgut exigeait une résolution immédiate.

Mais manifestement, Tillman avait emprunté une trajectoire qui le préparait à une collision certaine avec le Rotgut.

Et d'une façon ou d'une autre, quelle que soit la vitesse accumulée, et quelles que soient les ressources qu'il aura à sa disposition, il sera anéanti par cette collision.

24

C'était une victoire partielle, et si Kennedy avait eu quoi que ce soit à perdre dans le service, cela aurait été une victoire à la Pyrrhus. Alors que Summerhill avait été content, avant, de la laisser se débrouiller et de l'abandonner à la merci de la fosse aux ours, il était désormais sur son dos, et s'impliquait bien davantage.

Elle fut blanchie par la commission de déontologie et ils la laissèrent sur l'affaire, mais il était maintenant devenu hors de question qu'un simple sergent soit en charge du dossier. Summerhill s'était déjà nommé responsable, ce qui voulait dire que Kennedy travaillerait directement sous ses ordres. Juste dans sa ligne de mire, à toute heure du jour.

Au lieu d'avoir juste remplacé Harper, il avait élargi l'équipe travaillant sur l'affaire au nombre de cinq, sans se compter lui-même. L'autre sergent, pour bien humilier Kennedy et lui faire prendre conscience de son échec, était Josh Combes. Trois agents de police venaient parachever le tableau, et elle les connaissait tous. Stanwick était le toutou de Combes, purement et simplement ; McAliskey était compétent mais avait la sale habitude de ramper, et il avait échoué au concours de sergent deux fois ; Cummings était très indépendant, doué pour tout, sauf pour partager.

Kennedy imprima une copie du dossier et l'emporta chez elle ce soir-là. Après un long bain chaud, elle s'assit sur le canapé en peignoir, les cheveux mouillés enroulés dans une serviette, pour le lire. Le dossier n'était pas beaucoup plus épais que quand elle l'avait laissé, une semaine plus tôt. La prochaine réunion d'information était à neuf heures le lendemain matin. Summerhill allait chercher à la prendre en défaut s'il pouvait, et tout le monde se réjouirait du spectacle.

Son père entra et regarda par-dessus son épaule tandis qu'elle lisait, ce qui était plutôt inhabituel. Il ne lisait plus de livre, ni de magazine. Sa faculté de concentration ne dépassait jamais la lecture d'une phrase. Mais elle avait été absente près d'une semaine, ce qui l'avait déstabilisé. Sa sœur, Chrissie, s'était occupée de lui (de très mauvaise grâce). Elle l'avait emmené chez elle, dans le Somerset, où les objets n'étaient plus à la même place que dans son souvenir, et où son tour pour regarder la télévision passait après celui de son mari obsédé de cricket et de sa fille adolescente. Cela n'avait pas dû être drôle pour lui. Malgré tout, si Alzheimer présentait un avantage, c'était que les souffrances passées arrêtaient probablement d'exister dès qu'on les oubliait.

— C'est une affaire de meurtre, papa, dit-elle. De multiples meurtres. Quatre civils morts et un flic.

Elle pensait que cela risquait de le faire réagir – la mort d'un policier – mais il ne semblait pas l'avoir entendue. Il n'essayait pas de lire le dossier non plus. Il restait juste debout près d'elle, en la regardant attentivement. Peut-être lui avait-elle manqué et avait-il besoin de s'assurer qu'elle était revenue. Quoi qu'il en soit, ça ne plaisait pas beaucoup à Kennedy.

— Il y a des gâteaux roulés dans la cuisine, papa, dit-elle.

Il aimait les mini-roulés, ceux qui se présentaient sous forme individuelle, emballés dans du papier aluminium, et il répondit à sa phrase de façon pavlovienne. Il partit les chercher d'un pas traînant, laissant Kennedy se replonger dans le dossier.

L'hypothèse de travail sur les trois morts initiales – celles de Barlow, d'Hurt et de Devani – était maintenant celle du meurtre. La voiture qui avait renversé Catherine Hurt avait été trouvée par hasard, abandonnée cent cinquante kilomètres plus loin, à Burnley, après avoir été volée à quelques rues du lieu où Hurt avait été tuée. Elle puait le désinfectant et s'avéra dépourvue d'empreintes ou de fibres. Des caméras de sécurité l'avaient filmée au cours de son trajet, mais aucune image n'était assez nette pour que l'on puisse apercevoir le conducteur.

Les fibres des vêtements qu'Harper et elle avaient trouvés à l'université de Prince Régent correspondaient aux vêtements que Barlow portait au moment de sa mort, l'hypothèse selon laquelle il avait été traîné et hissé en haut de l'escalier alors qu'il était inconscient semblait donc solide.

D'après les rapports de la balistique, le pistolet qui avait tué le Dr Opie était un Sig-Sauer P226, régulièrement employé par les forces de police et par l'armée à travers le monde. L'arme avait été achetée en Allemagne, parmi un gros chargement d'armes destiné, à l'origine, à l'armée israélienne. D'après ce que l'on savait, le conteneur dans lequel il avait été transporté de Lübeck à Haïfa avait disparu en cours de route et n'avait jamais déposé son chargement.

Emil Gassan avait été placé en détention par mesure de protection. Quand il avait entendu parler des événements de Park Square, il n'avait pas trop protesté – même s'il semblait être en état de choc à l'idée que le travail de Stuart Barlow ait pu inspirer quoi que ce soit d'autre qu'un léger mépris.

On avait commencé des recherches pour retrouver Michael Brand, mais il restait introuvable. Il avait payé en espèces à l'hôtel Pride Court, montré de faux papiers d'identité indiquant qu'il était enseignant à l'université des Asturies de Gijon où – bien sûr – personne n'avait jamais entendu parler de lui. Combes avait lancé une alerte le concernant, mais il n'avait toujours pas fait surface. Les descriptions des deux hommes qui avaient tué le Dr Opie et Chris Harper, ainsi que celle du troisième homme sorti de nulle part, avaient également été diffusées : personne ne s'était manifesté.

Empreintes de pas. Numéros d'immatriculation. Barrages de police. Fouilles. Aucune empreinte digitale, ni d'image précise. C'était comme essayer d'attraper des fantômes, mais elle ne pouvait rien trouver à redire aux méthodes de Summerhill. Il semblait faire tout ce qu'il pouvait, tout ce qu'elle aurait fait à sa place.

Le téléphone sonna, interrompant le fil de ses pensées qui tournaient en rond. Elle décrocha distraitement, s'attendant à entendre quelqu'un du service à propos de cette connerie de commission de déontologie.

— Kennedy, dit-elle brièvement.

— Joli nom, dit une voix masculine. Des Irlandais dans la famille ?

C'était une voix qu'elle connaissait, sans pour autant être capable de la situer immédiatement. C'était aussi une voix qui l'avait fait sursauter, et elle laissa échapper quelques feuilles du dossier, qui glissèrent sur le canapé, puis au sol.

— Qui est-ce ? demanda-t-elle.

La réponse lui vint à l'esprit au même moment que celle de l'homme.

— Nous nous sommes rencontrés au campus de Park Square. Il y a une semaine. J'étais celui qui n'essayait pas de vous tuer.

Elle marqua une pause, tandis qu'elle se demandait ce qu'elle allait bien pouvoir répondre. Le plus simple était encore le mieux.

— Que voulez-vous ?

Il n'y eut aucune pause à l'autre bout du fil.

— Parler.

— De quoi ?

— De l'enquête.

— Quelle enquête ?

L'homme soupira bruyamment, semblant agacé ou impatient, elle ne savait pas trop.

— Quand j'étais gamin, j'étais un bon petit catholique, dit-il. Mais ça fait longtemps que personne ne m'a demandé de réciter la messe. Je suis au courant de l'évolution de votre enquête, Sergent. C'est d'ailleurs pour ça que j'étais à Park Square, à vous regarder en train d'essayer d'arrêter sans arme deux tueurs prêts à tout. Je suis au courant du meurtre de Barlow, et je sais qu'il y a eu d'autres meurtres liés à ce premier assassinat – même si vous n'avez pas encore réussi à trouver un mobile, ni à trouver un lien entre les trois victimes, en dehors de l'évidence qu'ils se connaissaient. Je sais que vous avez été dans la tourmente à cause de la mort de votre coéquipier, et je sais que vous n'êtes plus chargée de l'affaire. Mais je parie que vous en savez plus sur ce qui s'est passé que n'importe lequel des types qui ont pris le train en marche la semaine dernière. Et comme j'ose espérer que nous avons déjà brisé la glace, il m'a semblé logique de vous appeler.

C'était au tour de Kennedy de commencer à s'énerver.

— Écoutez, dit-elle, je vous suis reconnaissante pour ce que vous avez fait. Vous m'avez sortie du pétrin. Mais avec tout le respect que je vous dois, tout ce que je sais de vous, c'est que vous savez vous servir d'un revolver, et que vous ne vous encombrez pas de tir d'avertissement ni de sommation. Cela peut faire de vous pas mal de choses, mais flic n'en fait pas partie.

— Je ne suis pas un flic. J'ai de bons amis flics, et beaucoup plus qui l'ont été.

— Alors, qui êtes-vous ? Un garde du corps ?

— Non.

— Un militaire ?

— Pas exactement.

— Vous travaillez pour la sécurité d'une entreprise quelconque ?

— Je vous ai dit que je n'étais pas là pour dire la messe. Si nous voulons parler, le téléphone n'est pas le meilleur moyen.

— Non. Où, alors ?

— Il y a un café près de la station de métro. Costella. J'y serai dans cinq minutes. Et je n'y serai plus dans sept.

— Ça ne me laisse pas beaucoup de temps.

— Non. Et, plus précisément, ça ne vous laisse pas le temps de me réserver une surprise. Plus sérieusement, Sergent, nous pourrions nous rendre d'importants services, mais je ne vous demande pas de me faire confiance et je ne suis pas assez stupide pour avoir confiance en vous. Attendez-moi devant le café, et prenez votre téléphone portable. Nous commencerons par là.

Elle entendit un clic et la ligne fut coupée.

Kennedy réfléchit aux choix qui s'offraient à elle tandis qu'elle enfilait un jean, un pull et des chaussures. Elle ne pouvait rien faire pour ses cheveux, qui n'étaient qu'à moitié secs et complètement ébouriffés. Elle les rassembla sous une casquette et courut à l'étage supérieur, chez Izzy.

Izzy était au téléphone, comme on pouvait s'y attendre.

— Eh bien, j'aime quand elles sont grosses, dit-elle en regardant Kennedy, mais parlant à celui qui était à l'autre bout du fil. Je les aime *très* grosses, dis-moi que tu les caresses en ce moment, chéri.

Kennedy leva les mains, les doigts écartés. Dix minutes. Izzy secoua la tête énergiquement, mais Kennedy avait déjà un billet de vingt livres à la main. Izzy changea d'avis, saisit le billet et fit signe à Kennedy de s'en aller.

Kennedy partit.

25

Kennedy arriva au café Costella vers la fin de la septième minute. L'endroit était désert – c'était assez petit pour que personne ne puisse être assis à l'intérieur sans être visible depuis la rue – et personne ne l'attendait à l'extérieur. Elle fit un lent demi-tour sur elle-même, scrutant avec attention tous les gens alentour, mais aucun d'eux ne ressemblait de près ou de loin à l'homme très baraqué qu'elle avait rencontré si brièvement la semaine précédente.

Son portable sonna à l'instant où elle terminait son repérage.

— Kennedy.

— Je sais. Je vous vois. Marchez jusqu'au bout de la rue. Il y a une église. Entrez à l'intérieur. Achetez une bougie et allumez-la.

— Vous êtes un bon petit catholique.

— Oh, j'ai menti à ce sujet. La bougie, c'est juste pour me laisser le temps de faire le tour du pâté de maison une ou deux fois – pour voir si vous n'êtes pas suivie.

— Je ne suis pas en train de vous tendre un piège. Si c'était le cas, j'emploierais un mouchard, pas une filature.

— En partant du principe que vous avez un mouchard chez vous, bien sûr. Là-dessus, je vous accorde le bénéfice du doute, Sergent. Les gens qui m'inquiètent pour l'instant ne sont pas les membres de votre équipe.

Kennedy alla jusqu'à l'église – un bâtiment moderne insignifiant en brique jaune – et fit ce qu'on lui avait demandé. Allumer une bougie votive et la placer sur le porte-cierge en métal situé dans la nef collatérale lui sembla être un acte dépourvu de sens – mais à son grand étonnement, elle se sentit légèrement mal à l'aise en accomplissant les différentes étapes de ce rituel. La mort d'Harper était encore trop vive dans son esprit. Cette pantomime de la dévotion ne lui semblait pas de très bon goût.

Elle se retourna, s'attendant à moitié à voir apparaître l'homme baraqué entré sans un bruit dans l'église, tandis qu'elle avait le dos tourné. Mais elle était toujours seule.

Kennedy attendit, se sentant un peu ridicule. Son téléphone ne sonna pas de nouveau, et personne n'apparut. Après cinq minutes, elle sortit par la porte par laquelle elle était entrée. L'homme était adossé au mur, juste à côté de la porte, les mains enfoncées dans les poches d'une grosse veste noire. À cet instant, il ressemblait moins à un ange exterminateur qu'à un maçon ou un terrassier, il avait l'air totalement inoffensif en dépit de sa forte carrure. Son visage buriné était impénétrable.

— Très bien, dit-il. On dirait que nous sommes seuls.

— Super, dit Kennedy. Et maintenant ?

— Allons prendre un verre, dit l'homme baraqué. Dans un pub très bruyant.

Le pub Crown and Anchor dans Surrey Street était bondé, il faisait donc parfaitement l'affaire. On lui servit un whisky à l'eau que l'homme baraqué – qui s'était présenté sous le nom de Tillman – lui avait commandé sans lui demander son avis. Elle n'y toucha pas, mais il ne toucha pas au sien non plus. C'était sans doute une simple mesure de camouflage. Tout comme le bruit, expliqua Tillman.

— Il n'y a pas grand-chose à faire contre les micros ou les gens qui lisent sur les lèvres. Mais un endroit comme celui-ci leur complique sérieusement la tâche.

— Alors vous pensez encore que je suis suivie ? lui demanda Kennedy, aussi impressionnée que perplexe.

Quoi qu'il en soit, il était évident qu'il se tenait sur ses gardes. Tillman secoua la tête.

— Non, je suis à peu près certain que vous n'êtes pas suivie. Ce n'est pas vous qu'ils visaient à Luton, n'est-ce pas ? Ils voulaient l'informaticienne – la dernière de la liste. J'étais le seul à vous suivre – parce que je pensais que vous suiviez quelqu'un d'autre. Quelqu'un que je poursuis depuis longtemps.

Kennedy le regarda dans les yeux.

— Vous avez dit que Sarah Opie était la dernière sur la liste. La liste de qui ? Et comment le savez-vous ?

— C'est une simple déduction, dit Tillman. Vous n'êtes partie à la recherche de personne d'autre, vous ne pensez donc pas que quelqu'un d'autre soit en danger. Je ne dis pas que vous avez raison, ni qu'il n'y aura pas d'autre meurtre.

Tillman la regarda, dans l'expectative, espérant qu'elle confirme ou nie ce qu'il venait de dire. Elle ne fit ni l'un ni l'autre, et se contenta de croiser son regard, laissant la balle dans son camp.

— Alors, de quoi est-il question ? finit-il par lui demander. Barlow était le premier – ou le premier que vous avez trouvé. Ils travaillaient ensemble sur quelque chose. Et c'est pour cela qu'ils sont morts. C'est l'hypothèse de travail.

— Ce bruit que vous entendez, c'est celui que je fais quand je ne parle pas, lui dit froidement Kennedy. Vous avez l'avantage, Tillman. Vous êtes en train de me dire des choses que vous ne devriez pas savoir sur ma propre affaire – des choses que nous n'avons pas divulguées au public, ni à qui que ce soit en dehors du service. Je ne vous dirai rien tant que vous n'aurez pas dit comment vous savez ces choses. Et je ne vais certainement pas partir du principe que comme vous êtes déjà à mi-chemin, je devrais vous aider à parcourir le chemin qui vous reste.

Tillman hocha la tête, lui accordant ce point.

— Ok, dit-il. C'est équitable. Michael Brand.

— Quoi, Michael Brand ?

— Vous le cherchez. Moi aussi. La différence, c'est que vous le cherchez depuis dix jours. Je le cherche depuis treize ans. Avez-vous déjà fait ces trucs que les gens font dans les films, comme de tendre un cheveu en travers d'une porte ou de glisser une allumette dans le chambranle pour savoir si quelqu'un est entré dans votre chambre en votre absence ?

— Pas encore, dit Kennedy. Je vais peut-être m'y mettre.

— C'est ce que je fais depuis des années, Sergent. Toutes sortes de cheveux et d'allumettes, de cales en carton, de boîtes de conserve et de bouts de ficelle. Mon propre petit réseau, qui se déploie dans le passé et dans le futur et dans toutes les directions, uniquement pour m'informer quand Michael Brand réapparaît. J'ai des amis, et des amis d'amis, dans d'improbables petites oasis, partout dans le monde, qui captent ces informations dès qu'elles surgissent, ici ou là. Des bribes d'un code viral sur une base de données en ligne. Des services de presse à l'ancienne qui font des veilles médias dans deux douzaines de pays où les ordinateurs sont encore une curiosité ou sur lesquels je ressens le besoin de garder un œil. Michael Brand est une obsession pour moi, vous voyez. Il sort rarement de sa tanière, mais quand il le fait, je veux le savoir. Alors, lorsqu'il est apparu dans votre enquête, je me suis manifesté par la même occasion. C'est la réponse courte.

Kennedy était perplexe. Il n'y avait pas grand-chose dans son discours qui lui avait semblé très sensé, même si Tillman l'avait prononcé d'une voix calme et mesurée. Elle ne répondit pas. Au bout d'un moment, elle prit son verre de whisky en guise de distraction et en but une gorgée. Ce n'était pas très bon, mais ça valait toujours mieux que de regarder Tillman comme on regardait un dingue dans le bus.

Il se mit à rire, l'air un peu contrit, comme s'il avait déchiffré son expression.

— Ok, dit-il. Peut-être que cela demande à être replacé dans le contexte. J'ai perdu ma femme et mes enfants, il y a quelques années.

— Je suis désolée, dit Kennedy, prononçant la phrase dénuée de sens qu'on dit dans ces cas-là. Comment sont-ils…

— Comment sont-ils morts ? Ils ne sont pas morts. Je les ai juste perdus. Je suis rentré à la maison un soir, et ils n'étaient pas là. La maison avait été entièrement vidée. C'était il y a treize ans. Je les cherche encore.

Il lui raconta l'histoire dans les grandes lignes. La police refusant de faire une enquête, la peine, la peur et la confusion qu'il a éprouvée. Et sa prise de conscience, en fin de compte, de la nécessité d'aborder le problème avec une approche totalement différente s'il ne voulait pas rester à la case départ.

En l'écoutant, Kennedy supposa d'abord que Tillman était comme n'importe quel homme encore amoureux d'une femme qui s'était lassée de lui avec le temps. Mais la conviction absolue de cet homme commença à la gagner. Treize ans, c'est une très longue période de déni, et une longue période pour jouer à cache-cache avec trois enfants. Une femme seule pouvait assez facilement se cacher. Mais une femme avec trois enfants devait déclarer leur identité auprès de médecins, de dentistes, dans des écoles et auprès de toutes sortes de services. Ils forment un groupe distinctif et facilement identifiable. À moins d'être morts, bien sûr. Elle ne mentionna pas cette possibilité, mais une fois encore, Tillman sembla lire dans ses pensées.

— Elle a laissé un mot, dit-il, me demandant de ne pas la suivre. Et il y avait une sorte de logique… Non, je veux dire un genre de signature, dans les choses qui ont été prises. J'ai dit que la maison avait été vidée, mais ce n'était pas exactement vrai. Quelques affaires ont été laissées. Uniquement des choses qui n'avaient pas d'importance. Des choses qui n'auraient pas manqué aux enfants. Des livres. Des jouets. Des vêtements. C'était le choix de Rebecca, et elle a fait exactement les bons choix, à l'exception de…

Sa voix s'éteignit.

— À l'exception de ?

— Rien. Rien d'important.

Kennedy haussa les épaules.

— Ok. Mais alors, qu'est-ce que ça implique pour vous, Tillman ? Cela veut dire qu'elle est partie de son plein gré, non ?

— Non, dit-il d'un ton cassant. Cela veut dire qu'elle savait qu'ils seraient en vie et qu'ils seraient ensemble. Elle a pris toutes les choses dont ils auraient besoin, pour une vie ailleurs. Mais je ne crois pas – je ne peux me résoudre à croire – qu'une vie sans moi était ce qu'elle voulait. Et même s'il était possible que je me trompe sur ce point, Sergent, je voudrais malgré tout la retrouver et lui demander pourquoi. Et je voudrais aussi retrouver mes enfants. Mais je ne me trompe pas. Rebecca est partie parce qu'elle n'avait pas le choix. Et elle m'a laissé un mot me disant de ne pas les chercher parce qu'elle ne pensait pas que je sois capable de les trouver et de les ramener de là où ils allaient. Elle essayait de m'épargner au moins un peu de peine.

Il s'interrompit, la regardant attentivement. Il semblait important pour lui qu'elle accepte tout cela sur la foi de ce qu'il venait de lui dire. Kennedy éluda la question.

— Michael Brand, lui rappela-t-elle.

Tillman hocha la tête. C'était la question qui s'imposait, la raison de leur présence. Ce pour quoi ils se parlaient.

— Rebecca l'a vu, dit-il. Elle lui a donné rendez-vous, ou l'inverse, plus vraisemblablement. Dans un Holiday Inn qui se trouve à cinq minutes à pied de la maison, où il était enregistré en tant que client. C'était le jour de leur départ. Et elle y est allée. Elle l'a rencontré. Le réceptionniste connaissait Brand de vue – un type d'une trentaine d'années, d'après lui, avec le crâne rasé et un regard très dur, peut-être celui d'un policier ou d'un type ayant appartenu à l'armée. J'ai montré au réceptionniste une photo de Rebecca et il s'est rappelé l'avoir vue avec Brand. Je ne sais pas ce qui s'est passé entre eux, ce qu'il lui a dit. Mais quoi qu'il en soit, ils sont partis ensemble. Ils sont allés à la maison, je suppose, et Rebecca a commencé à préparer ses affaires. C'est la dernière fois que je les ai vus, elle et les enfants.

La voix de Tillman était restée posée tout au long de son récit. Kennedy ne pouvait pas imaginer les efforts que cela lui avait demandés. S'il cherchait encore treize ans plus tard, les événements qu'il décrivait étaient une plaie ouverte qui avait englouti toute sa vie. Elle savait aussi, comme Tillman devait le savoir, que même s'il avait raison sur tous les points, cela ne voulait pas dire que sa famille était encore en vie maintenant, ni qu'elle l'était une heure après avoir quitté la maison. Il pouvait courir après des fantômes : quatre fantômes – ou cinq, si on comptait Brand.

Et, dès qu'on commençait à réfléchir à la situation, Brand était le point faible du château de cartes.

— Cela ne peut être le même homme, dit-elle. Votre Michael Brand et le nôtre…

— Et pourquoi pas ?

— Pour quelle raison serait-ce le même ? Votre Michael Brand a des rendez-vous clandestins avec des femmes mariées dans des hôtels bon marché. Mon Michael Brand raconte des mensonges sur des forums universitaires et apparaît dans des séminaires d'histoire.

Il commet de multiples meurtres, puis il disparaît. Ils n'ont pas grand-chose en commun, Tillman. Et ce n'est sans doute pas un nom si peu courant. Sérieusement, quelles sont les chances que votre homme soit le même que le nôtre ?

Tillman faisait tournoyer le whisky dans son verre, mais ne l'avait toujours pas goûté.

— Approximativement ? lui demanda-t-il calmement. Je dirais cent pour cent. Même en tenant compte de ce que vous venez de dire, il s'agit du même modus operandi : il apparaît, prend une chambre dans un hôtel, fait ce pour quoi il est venu, et ensuite il disparaît. Ce sont deux missions très différentes, manifestement, mais il procède de la même façon, dans les deux cas.

— Je ne vois toujours pas…

— Laissez-moi terminer, Sergent. Parce que je vous promets que vous allez apprécier mon travail de détective. Je suis sur les traces de Michael Brand depuis très longtemps. Cela veut dire que j'ai eu l'occasion de faire des choses que vous n'avez pas faites. J'ai constitué un album. Un genre de bases de données, sauf que les bases de données sont sur un ordinateur, et que les ordinateurs et moi, ça fait deux. Ce sont seulement des notes que j'ai prises, au fur et à mesure.

Il se pencha vers elle au-dessus de la table et la fixa de son regard de vieux marin.

— Ce n'est pas uniquement une histoire de nom. Il y a d'autres choses qu'il ne change pas. S'il donne une fausse adresse, c'est toujours la même fausse adresse : Garden Street, ou Garden Road, Garden Avenue, ou autre, mais c'est toujours Garden quelque chose. Où votre Michael Brand a-t-il dit qu'il habitait ?

— Campo del Jardin, murmura Kennedy. Vous auriez pu lire cela dans le dossier.

— Je n'ai pas lu votre dossier. Mais j'étais prêt à parier n'importe quoi là-dessus. Quoi qu'il en soit, ce n'est pas tout. J'ai rencontré un des contacts de Brand en Russie – désolé, dans l'ex-Union soviétique – qui m'a dit que l'homme que je poursuivais venait à Londres. C'est ainsi que j'ai eu connaissance de votre enquête. Mais vous avez raison, cela aurait encore pu être un autre Michael

Brand. Une totale coïncidence. Alors je me suis renseigné auprès de plusieurs personnes, et j'ai obtenu l'adresse de l'hôtel où il résidait.

— Le Pride Court, à Bloomsbury.

— Exactement. Êtes-vous allée jeter un coup d'œil à la chambre ?

— Non, admit Kennedy. Pas personnellement. Un de mes collègues a organisé une fouille des lieux.

— A-t-il trouvé quelque chose ?

— Pas à ma connaissance.

— Non, eh bien moi, si. J'ai trouvé ceci.

Tillman glissa une main dans sa poche, en sortit quelque chose de petit et brillant, qu'il tenait entre le pouce et l'index, et le posa sur la table. C'était une pièce d'argent.

Kennedy se contenta de la regarder un instant. C'était comme si une partie de son rêve venait de se matérialiser, et elle en fut profondément perturbée. Elle fit un effort sur elle-même pour se ressaisir, espérant qu'il ne remarque rien, et tendit la main pour la prendre, mais elle s'arrêta et lança un regard à Tillman :

— Je peux ?

— Bien sûr, dit-il, allez-y. Elles ne portent jamais d'empreinte. Il n'y a jamais la moindre trace, où que ce soit, après que Brand a fait le ménage. Juste ces pièces.

La pièce semblait ancienne et usée : on savait que c'était une pièce uniquement parce que c'était un petit morceau de métal plat sur lequel se dessinaient les contours d'un visage humain. Elle était loin d'être circulaire, et loin d'avoir une forme régulière. Le visage s'était estompé au point qu'il était impossible de dire si c'était celui d'un homme ou d'une femme, mais le front portait une série de petites bosses qui pouvaient représenter un genre de coiffe, peut-être une couronne de lauriers. Elle retourna la pièce. L'avers était encore plus difficile à discerner : une forme qui aurait pu être un oiseau aux ailes repliées, ou peut-être simplement une gerbe de blé, ainsi que quelques symboles qui semblaient comporter les lettres K et P.

L'anomalie sauta aux yeux de Kennedy après avoir retourné la pièce plusieurs fois. L'argent s'oxydait rapidement et prenait une patine noire qui était difficile à ôter. Si cette pièce était si ancienne, pourquoi était-elle si brillante ? Il devait s'agir d'une sorte de reproduction. Mais c'était assez lourd pour être du métal solide.

— Il l'a laissée dans le siphon du lavabo, lui dit Tillman. Vos collègues auraient dû mieux chercher. Brand – ma version, Brand 1.0 – laisse toujours une de ces pièces lorsqu'il reste quelque part plus d'une journée. Il avait pour habitude de les laisser dans des endroits assez évidents, comme sur le linteau d'une porte ou derrière une tête de lit. Il le fait encore, parfois, mais ces temps-ci, il fait en général preuve d'un peu plus d'imagination.

Kennedy secoua la tête.

— Je ne comprends pas, marmonna-t-elle. S'il se donne la peine de donner de fausses adresses, pourquoi laisser une carte de visite ?

— Pourquoi toujours garder le même nom ? riposta Tillman. Là est la vraie question. Et je ne connais pas la réponse. Mais lui, si. Autrefois, je pensais qu'il jouait avec moi et qu'il me narguait. C'était comme s'il me disait : « Je peux laisser autant d'indices que je veux, et malgré tout, tu ne me rattraperas jamais. » Mais je ne pense pas qu'il savait que je le cherchais, jusqu'à il y a deux ans à peu près, et malgré tout, il a fait toutes ces choses, pendant tout ce temps. Alors l'explication est ailleurs. Peut-être cela deviendra-t-il évident quand nous saurons ce qu'il fait exactement.

Ce qu'il fait exactement ? Le bon sens de Kennedy se manifesta dans un dernier effort de rébellion.

— Il n'y a aucune sorte de mission qui puisse allier le fait d'avoir kidnappé votre famille il y a treize ans et le meurtre de quatre professeurs d'histoire aujourd'hui.

— Trois professeurs d'histoire. Une enseignante en informatique.

— Quand même. Et je ne voudrais pas briser vos illusions, mais il y avait deux tueurs à Park Square. Et non un. Et il est possible qu'aucun d'eux ne soit Michael Brand.

— Il est certain qu'aucun d'eux n'était Michael Brand, dit-il. Je ne pense pas qu'il tue lui-même ses victimes.

— Et que fait-il alors ?

— Je vous le dirai. Mais pas sans contrepartie. Je vous ai déjà donné beaucoup d'informations. Vous partagez avec moi tout ce que vous apprenez au cours de votre enquête – tout ce que vous savez déjà, et tout ce que vous apprendrez ensuite – et je vous dirai ce que je sais.

Kennedy n'eut même pas besoin de réfléchir. Elle secoua la tête.

— Non.

— Pourquoi, non ?

— Parce que je suis sergent de police, Tillman, et vous n'êtes rien. Je vous suis reconnaissante d'être intervenu quand ce type était sur le point de me découper en rondelles, mais je ne peux pas parler d'une affaire en cours avec des gens qui ne font pas partie de l'équipe chargée de l'enquête. Et en particulier avec des gens qui ne font même pas partie de la police.

Tillman resta silencieux, examinant le visage de l'inspectrice.

— Êtes-vous sérieuse ? finit-il par lui demander.

— Je suis sérieuse.

— Alors je suppose qu'on a terminé.

Il tendit la main pour récupérer la pièce, mais Kennedy la conserva.

— C'est une preuve matérielle, dit-elle. Elle est liée à une enquête criminelle, et vous n'avez aucun droit de la garder en votre possession.

— Donnez-moi la pièce, Sergent. Ce n'est pas à sens unique. Je suis venu vous faire une offre. Vous l'avez refusée. Nous revenons au point de départ.

Elle ouvrit son sac à main et laissa tomber la pièce à l'intérieur.

— Kennedy…

Elle l'interrompit.

— Non, de droit, je devrais vous emmener au poste en tant que témoin, si ce n'est en tant que suspect. Je ne le ferai pas parce que je vous dois quelque chose, et parce que vous avez traversé suffisamment d'épreuves sans que j'en rajoute. Mais vous n'avez pas à garder cette pièce à conviction, Tillman. Il y a une frontière entre nous. Je suis d'un côté de cette frontière et vous, de l'autre. J'ai le droit de partir à la recherche de criminels. C'est mon boulot. Pas vous. Alors ce que vous avez fait à cet homme – celui qui était sur le point de me poignarder – cela fait aussi de vous un criminel.

Tillman fit un geste d'impatience.

— Vous parlez de détails sans importance, dit-il. Je pensais que vous étiez peut-être quelqu'un qui pouvait voir plus loin que ce genre de conneries.

— Non, je ne suis pas ce genre de personne, dit-elle, pensant qu'il était important de lui expliquer pourquoi, même si c'était évident et élémentaire pour elle. Je peux faire de mauvaises choses sans que cela m'empêche de dormir une seconde, mais celle-là n'en fait pas partie. Je ne peux pas partager d'informations avec vous, Tillman. Pas en restant flic. Cela m'obligerait à franchir une ligne qui a encore de l'importance pour moi.

Elle avait beaucoup d'importance, elle le comprenait maintenant. Elle avait la voix tremblante. Parler de ce genre de choses avait fait remonter à la surface les émotions et les angoisses qui étaient venues se greffer à ce qu'elle avait fait à Marcus Dell. Ce que Tillman avait fait au tueur d'Harper était différent – et ce que son père avait fait, pendant toutes ces années, était également différent. Mais, d'une certaine manière, les différences semblaient plutôt ténues à cet instant précis.

Elle se leva, et Tillman retira sa main.

— Ok, dit-il. Gardez la pièce. J'en ai d'autres. Et vous allez avoir du mal à expliquer où vous l'avez trouvée, et vous aurez encore plus de mal à la consigner comme preuve. Je suis désolé qu'on n'ait pu trouver un terrain d'entente, Sergent Kennedy. Si vous changez d'avis, vous avez mon numéro sur votre portable maintenant. Mais ne m'appelez pas, à moins que vous ne soyez disposée à partager. C'était votre dernier coup gratuit.

Le regard qu'il lui lança en prononçant ces mots fut ce qui la marqua le plus. Il la marqua parce qu'il était en totale contradiction avec ses paroles. Il parlait comme un dur dans un film. Et il offrait l'image d'un homme suspendu à la corniche d'un grand immeuble, dont les doigts se décrochaient, un à un, comme le compte à rebours annonçant le désastre.

Il s'éloigna, laissant son verre de whisky sans y avoir touché.

Kennedy vida le sien.

De retour chez elle, après avoir remercié Izzy et mis son père au lit, Kennedy se replongea dans le dossier. Elle en fouilla les profondeurs troubles, sans trouver la moindre pépite d'or.

Mais il y avait malgré tout certaines pistes qu'elle pouvait suivre. Trois en tout.

Il y avait les dernières paroles du Dr Opie, tandis qu'elle était étendue, mourante. Kennedy les avait mentionnées dans son rapport, mais elles ne semblaient mener nulle part et personne n'y avait prêté attention. Il était difficile de voir ce qu'on pouvait faire de ça.

Il y avait la photo qu'elle avait trouvée dans le bureau de Barlow. La photo d'un bâtiment en ruine dans un lieu indéfinissable et anonyme, qui portait une série de caractères dénués de sens au dos. Barlow l'avait cachée. Son meurtrier, ou peut-être quelqu'un d'autre, avait fouillé à la fois son domicile et son bureau, mais ne l'avait pas trouvée. Ou alors – ce qui ne serait pas très bon signe mais dont il faudrait tenir compte – il l'avait trouvée et remise à sa place parce qu'elle était sans intérêt.

Et il y avait le couteau.

Elle mit un moment à s'endormir. Elle pensait sans cesse au regard tourmenté que lui avait lancé Tillman avant de partir, et à son parcours : un périple de treize ans en plein désert qui ne pouvait en aucun cas le conduire dans un pays où coulent le lait et le miel. Dans les affaires d'enlèvement, la plupart des enquêteurs comptaient par tranches de trois jours. Les trois premiers jours, c'était cinquante-cinquante : la victime supposée avait autant de chances d'être retrouvée vivante que morte. Chaque période de trois jours après cela doublait les risques qu'elle ne soit plus en vie.

Tillman croyait-il vraiment que sa quête folle pouvait aboutir, ou était-ce simplement une façon d'occulter la quasi-certitude que sa femme et ses enfants étaient morts ?

Dans un cas comme dans l'autre, elle suspectait que ses recherches étaient la seule chose qui lui permettait de continuer à avancer. Tel un requin, il mourrait s'il se retrouvait un jour dans une impasse.

26

Les réunions matinales étaient une des choses qui mettaient à rude épreuve l'âme des hommes. L'âme des femmes aussi, d'ailleurs. Summerhill la commença en refermant un pan entier de l'enquête.

— Comme vous le savez, dit-il, on a rapporté dans nos locaux tous les ordinateurs du professeur Barlow – les deux qui se trouvaient à l'université et un autre qui était à son domicile. On les a confiés à nos experts en informatique pour voir ce qu'on pouvait en tirer mais ils se sont avérés vierges. Il n'y a absolument rien sur les machines. Aucun dossier, aucun e-mail, aucune photographie, pas même de cache Internet. Quelqu'un a procédé à un nettoyage complet du système, sur les trois ordinateurs. Barlow avait deux disques durs externes, et ils sont également vierges. Il y avait une demi-douzaine de disques enregistrables, qui se sont avérés également vierges, ils n'ont même pas été formatés. C'est tout ce qu'on a trouvé. On est en train de passer en revue toutes ses archives papier, mais il ne semble pas y avoir quoi que ce soit de neuf ou d'intéressant.

Kennedy pensa aux cambriolages du bureau de Barlow et de son domicile. Peut-être était-ce uniquement dans ce but : ce n'était pas une pêche aux informations, mais un grand nettoyage. Si les experts en informatique de la police qui étaient capables de trouver toutes sortes d'informations improbables étaient restés bredouilles, c'était manifestement du boulot de professionnel. La plupart des gens pensaient que le simple fait de cliquer sur SUPPRIMER permettait d'effacer un document, alors qu'en fait, cela ne faisait qu'attirer l'attention sur le dossier en question, tout en permettant de l'écraser par la suite. Celui qui avait tué Barlow s'était montré bien plus minutieux.

— Qu'en est-il des autres victimes ? demanda-t-elle. Avons-nous aussi réquisitionné leurs dossiers et leurs documents papier ? Enfin, je veux dire que si nous supposons que le mobile est lié, d'une façon ou d'une autre, au projet Rotgut du professeur Barlow…

Combes poussa un soupir, secouant la tête, mais ce fut Summerhill qui l'interrompit.

— Nous ne supposons absolument pas cela, Sergent, dit-il. Ou du moins, si jamais le projet fournit un motif, il y a fort à parier que ce soit un motif indirect. Le projet est ce qui a rassemblé les victimes – mais cette relation existait déjà à travers le forum des Ravellers. Une fois assemblée, l'équipe de Barlow a mis le doigt sur quelque chose qui a attiré l'attention d'un groupe de tueurs très professionnels et organisés. Ils ont peut-être acheté un document ou un objet au marché noir et ont accidentellement marché sur les plates-bandes du cartel criminel à qui ils l'ont acheté. Il y a beaucoup de scénarios qui pourraient expliquer la série de meurtres, et très peu d'entre eux ont un rapport direct avec les recherches de Barlow. Les gens ne deviennent en généralement pas victimes de meurtre à cause d'un désaccord sur un sujet de thèse universitaire.

— Parce que si nous savions au moins…

— Nous n'excluons aucune piste.

Le ton de Summerhill était plus cassant cette fois : *Arrêtez de jouer les trouble-fête, quand vous devriez être reconnaissante d'être encore sur l'affaire*, voilà ce qu'il disait, en substance.

— Bien entendu, nous avons examiné les ordinateurs des autres victimes, particulièrement celui d'Opie étant donné que tous les dossiers étaient sauvegardés sur le serveur de l'université et nous avons pu remonter assez loin. Nous n'avons trouvé aucune correspondance avec Barlow, ni aucune référence à son nom. Nous n'avons pas non plus trouvé de dossier faisant référence au codex Rotgut, au projet ou à qui que ce soit qui était impliqué. Évidemment, nous aurions pu appliquer d'autres paramètres de recherche, mais à ce stade de l'enquête, nous n'avons pas voulu nous perdre dans les détails étant donné qu'il est question, au bas mot, de milliers de pages de documents, de dizaines de milliers d'e-mails, et peut-être de millions de mots. Et, à moins d'avoir une piste plus précise, cela nous a semblé être une perte de temps.

Summerhill détourna les yeux de Kennedy et croisa le regard de Combes.

— Voyons là où vous en êtes, dit-il. Josh, commencez.

Combes les informa de la progression des recherches sur l'insaisissable Michael Brand. Il avait lancé une recherche sur les principales chaînes d'hôtels en Grande-Bretagne et en Espagne pour vérifier si l'homme avait déjà été enregistré sous ce nom. Il avait également envoyé une description verbale et un portrait-robot, tous deux fournis par le réceptionniste du Pride Court : il s'agissait d'un homme d'âge moyen, chauve, de taille moyenne, aux yeux marron et à la peau blanche, avec un accent étranger difficile à déterminer.

Ce n'était qu'un début de piste, et il n'avait pas encore eu de retour. En attendant, Combes avait aussi lancé une recherche sur les bases des données des compagnies d'aviation, des trains et des ferries, pour essayer de dresser l'itinéraire de Brand avant son arrivée au Pride Court, et après son départ. Une recherche parallèle sur les prisons et les casiers judiciaires s'était déjà avérée négative. Il n'y avait personne du nom de Michael Brand dans tout l'univers qui avait un casier judiciaire et pouvait correspondre à l'âge ou à la description du Michael Brand qu'ils recherchaient.

Combes recherchait maintenant auprès des autres membres du forum des Ravellers si l'un d'entre eux avait rencontré Brand ou eu une correspondance privée avec lui.

Stanwick et McAliskey avaient relevé les témoignages concordants des étudiants qui avaient été témoins de la mort de Sarah Opie. Ils avaient également visionné les bandes des caméras de sécurité de l'université, espérant trouver des images des deux meurtriers, soit dans le laboratoire informatique, soit en chemin. Ils n'étaient pas en veine. Les films étaient enregistrés sur des disques, et le disque qui les intéressait avait subi une erreur de formatage, ce qui voulait dire qu'il était illisible. Ils avaient trouvé un technicien qui allait peut-être être en mesure d'extraire des données exploitables sur le disque, mais le processus s'avérait assez lent. Entre-temps, ils avaient diffusé des portraits-robots sur l'émission télé *Crimewatch*, en demandant à quiconque ayant vu les deux hommes d'appeler un numéro vert prévu à cet effet. Une demi-douzaine d'agents de police en uniforme passaient en revue les centaines d'appels déjà reçus.

Cummings avait repris l'enquête sur la mort de Samir Devani, la seule qui pouvait encore être considérée, en théorie, comme un accident. En démontant et en examinant les composants de l'ordinateur qui s'est avéré fatal, il avait pu, plus ou moins, éliminer cette éventualité. Deux fils formaient un faux contact, et il était extrêmement peu probable que les fils aient pu se retrouver dans cette position de façon naturelle. À présent, Cummings essayait de déterminer qui avait pu avoir accès à l'ordinateur dans les seize heures précédant sa dernière utilisation.

Summerhill les entendit tous, alternant questions et suggestions à un rythme rapide, comme l'exigeaient les circonstances. Puis, il marqua une pause lorsque vint le tour de Kennedy.

— Quoi que ce soit de votre côté, Sergent Kennedy ? demanda-t-il avec une douceur suspecte.

Aucune tâche ne lui avait été assignée, et elle n'était sortie de l'hôpital que depuis une journée. Peut-être que cette lueur dans le regard du divisionnaire était due au fait qu'il s'attende à ce qu'elle réponde « non ».

— Je souhaiterais faire des recherches sur l'arme du crime, dit Kennedy. Enfin, je veux parler de l'autre arme du crime. Nous avons toutes ces infos concernant le revolver, mais rien sur le couteau qui a tué Harper. Je pense que ça vaut la peine…

— Lame de sept centimètres de large, dit Combes. Très tranchante, qui comporte probablement un angle à l'extrémité. Y a-t-il autre chose que vous vouliez savoir ? dit-il sans même lui adresser un regard.

— Je pense que cela vaut la peine d'approfondir, continua-t-elle, s'adressant toujours à Summerhill. Ce Michael Brand a un accent étranger, d'après les déclarations des témoins, et à Luton, je suis à peu près certaine que l'agresseur qui tenait le revolver s'est adressé à moi dans une langue étrangère. Peut-être que les trois hommes sont tous de la même région – du même pays. Le couteau avait une forme très étrange. Il se pourrait qu'il corresponde à une région bien précise. Et si c'est le cas, nous obtiendrons peut-être assez d'informations pour pouvoir faire appel à la police locale.

Summerhill ne semblait pas impressionné, mais il n'écarta pas l'idée d'emblée.

— Avez-vous vu le couteau clairement ? Assez nettement pour pouvoir le reconnaître si vous le voyez ? demanda-t-il.

Kennedy fit un signe de tête en direction du tableau de conférence qui se trouvait dans un coin de la pièce.

— Je peux… ?

— Allez-y.

Elle traversa la salle, prit un marqueur et commença à dessiner ce qu'elle avait vu. Derrière elle, quelqu'un murmura :

— Vous avez deviné ce que c'est ?

Et quelqu'un d'autre se mit à rire. Elle les ignora, essayant de se rappeler la forme exacte de l'horrible et étrange lame. Elle n'était pas plus longue que le manche du couteau, et plus large, elle était également asymétrique, surmontée d'un côté de l'extrémité par une forme ressemblant à une demi-tête de champignon. Elle semblait peu pratique et inapte à quoi que ce soit, mais elle s'était avérée aussi coupante qu'un rasoir et un seul coup de cet instrument avait suffi à tuer Chris.

Elle reposa le marqueur et se retourna pour faire face au reste de l'équipe.

— Ça ressemblait à ça, dit-elle en regagnant sa place.

Ils le regardèrent un moment.

— Ok, dit McAliskey de façon laconique. C'est distinctif.

— Cela pourrait être un couteau de lissage pour le plâtre, observa Cummings. Ou une part de gâteau. Mais ça ne ressemble pas tellement à l'arme d'un crime.

— J'aimerais parler à quelqu'un des Armureries royales, dit Kennedy à Summerhill. À moins que vous n'ayez besoin de moi pour autre chose. J'aimerais également consulter de nouveau les archives du forum des Ravellers pour voir si je peux trouver des informations sur ce que Barlow essayait de faire avec son projet Rotgut.

— Il n'y a rien, dit Combes. On a déjà vérifié tout ça. Barlow n'a rien publié sur le forum en dehors de son premier appel à volontaires. Personne n'a su pourquoi il cherchait des volontaires, excepté ceux qu'il a choisis pour faire partie de son équipe, et... mince ! Il ne nous reste plus personne à interroger, c'est bien ça ?

— Cela suffit, Sergent Combes, grommela Summerhill. Bon, très bien. Faites ça, Kennedy. Les URL et codes d'accès sont dans le dossier.

— J'aimerais également revoir Rosalind Barlow.

— La sœur du professeur ? Pourquoi ?

— Parce que le professeur lui a parlé de Michael Brand, et que ce dernier semble désormais occuper une place centrale dans cette affaire – comme témoin ou comme suspect.

Elle était désagréablement consciente en faisant cette stipulation, que ce n'était qu'un écran de fumée. Après avoir parlé à Tillman, elle avait désormais la conviction qu'il était le coupable dans l'histoire. Elle devait faire attention à ne pas éveiller l'attention.

— De plus, ajouta-t-elle, si Barlow voulait garder son projet secret, il pourrait être intéressant de lui demander s'il en parlait chez lui.

Summerhill acquiesça, mais se tourna vers Combes.

— Occupez-vous de ça, Josh.

— Mais elle me connaît déjà, fit remarquer Kennedy, essayant de garder son calme.

— Essayons de faire preuve d'esprit d'équipe, Sergent Kennedy, dit Summerhill en joignant les mains comme s'il s'apprêtait à diriger une prière collective, puis les rouvrant, il ajouta : Appelez-moi si vous trouvez quelque chose, autrement, laissez vos notes sur mon bureau avant six heures ce soir. Qu'attendez-vous, Messieurs ? Le déluge ?

Ils plièrent bagage et se dispersèrent. Summerhill avait donc décidé de la garder au commissariat, se dit Kennedy tout en regagnant la fosse aux ours. Ou en tout cas il essayait. Mais il ne pouvait pas lui interdire de quitter les lieux. Il pouvait seulement assigner les pistes les plus prometteuses à d'autres policiers.

Ce qui voulait simplement dire qu'elle devait trouver d'autres pistes.

Lorsqu'elle appela les Armureries royales, ce fut un stagiaire qui répondit, il la laissa en attente pendant un long moment, avant de lui passer une certaine mademoiselle Savundra, la directrice des acquisitions des différentes collections. Savundra se montra expéditive : son ton indiquait qu'elle avait beaucoup de choses à faire, une tendance à s'énerver facilement et ni temps ni patience pour la moindre requête inhabituelle passant par des voies peu orthodoxes. Kennedy ne nourrissait pas de grands espoirs, mais elle lui décrivit le couteau malgré tout.

— Comme ça, rien ne me vient à l'esprit, dit Savundra.

— Est-ce que je peux vous faxer un croquis de la lame ? Cela pourrait vous évoquer quelque chose, ou vous pourriez le faire circuler parmi vos collègues.

— Mais certainement, dit-elle sans toutefois lui donner le numéro et lui indiquer le moment où elle pouvait être contactée avant que Kennedy le lui demande.

— Pour être honnête, les antiquités sont une partie de moins en moins importante de notre activité.

— Ce couteau a récemment été employé dans un meurtre.

— Vraiment ? Eh bien, envoyez le croquis. En le voyant, j'aurai peut-être une inspiration soudaine.

Kennedy dessina le couteau de nouveau, sur une feuille A4, et la faxa.

Ensuite elle essaya les Couteaux Sheffield, où elle parla à monsieur Lapoterre, leur principal ingénieur concepteur. Il se montra beaucoup plus avenant, mais n'avait jamais entendu parler de quoi que ce soit ressemblant de près ou de loin à ce que Kennedy lui avait décrit. Il la rappela dès qu'il eut reçu le fax, mais seulement pour confirmer qu'il n'avait pas la moindre idée.

— Nous faisons beaucoup de couteaux avec des lames asymétriques, dit-il, mais je n'ai jamais rien vu de tel.

— Cela ne vous rappellerait pas des couteaux qui seraient fabriqués dans un endroit précis dans le monde ? tenta Kennedy, un peu désespérée.

— Cela ne me rappelle rien du tout. C'est comme si… vous aviez trouvé un squelette d'oiseau, que vous sachiez que c'est bien un oiseau parce que tous les os sont là où ils sont d'ordinaire chez les oiseaux. Mais cela ne ressemble à rien. Il ne rentre dans aucune des catégories que je connais. Désolé.

Découragée, elle passa à son autre mission de la journée : le forum de discussion des Ravellers, que d'autres avaient épluché avant elle, sans succès. Kennedy se connecta sur le forum et entra le code qui donnait accès aux archives. Immédiatement, elle se rendit compte de l'ampleur de la tâche et comprit que Combes – même s'il s'était montré catégorique – n'avait pas pu consulter l'ensemble des archives. Il y avait sept mille pages, ou plutôt sept mille fils de discussion, dont certains étaient extrêmement longs. Il devait y avoir des dizaines de milliers de messages. Probablement deux mois de travail, juste pour les lire une fois dans l'intégralité.

Mais il y avait peut-être un moyen de les trier d'une façon ou d'une autre. Le site ne possédait pas de moteur de recherche, mais elle savait comment employer le logiciel du service qui était prévu à cet effet. Le pseudonyme de Barlow était enregistré dans le dossier avec les codes d'accès BARLOW PRCL, son nom et le code servant à identifier son université.

Une première recherche lui apprit que Barlow avait posté des commentaires sur deux cent dix-huit fils de discussion, et qu'il était à l'origine de soixante et onze d'entre eux. Elle se concentra sur ceux-là en premier.

Elle rencontra aussitôt le même problème dont s'était plaint Harper. Les intitulés, qui en théorie indiquaient le thème de chaque fil de discussion, étaient si obscurs que, dans la plupart des cas, ils n'apportaient aucun indice sur leur possible contenu.

AWMC Catal-Hyuk négliger/réviser ?

Mauvaise affectation du sigmoïde moyen par période stat 905 Greensmith 2B

Propositions de rempl/suppr pour Branche Codex M1102

Elle cliqua sur quelques titres au hasard. Dans les plus anciens, comme elle avait pu s'y attendre, les manuscrits de la mer Morte étaient souvent cités. Barlow lançait des polémiques à l'encontre des interprétations existantes, proposant ses propres interprétations contradictoires, et était vivement critiqué, applaudi ou l'objet de moqueries, selon les cas.

Puis les manuscrits disparaissaient peu à peu du tableau, et d'autres sujets apparaissaient. Il était toujours question de traduction et d'interprétation textuelle, mais portant à présent presque exclusivement sur le Nouveau Testament – des fragments épars d'évangiles identifiés par des séries de lettres et de numéros. Le point de vue de Barlow semblait souvent controversé, mais Kennedy ne savait pas si c'était parce que ses arguments étaient trop abstrus, car les plaisanteries entre chercheurs lui échappaient totalement.

Elle finit par trouver le fil de discussion qu'elle cherchait. L'intitulé, comme le Dr Opie le lui avait déjà dit, était : *Quelqu'un a-t-il envie d'aborder le Rotgut avec une nouvelle approche ?* Sous le titre, il y avait quelques phrases laconiques : *J'envisage d'aborder le Rotgut sous un angle nouveau – pour le plaisir, et pour un livre que j'écris, et non pour chercher un financement. Travail de Romain, traitement de données interminable, fortune et célébrité possibles. Des volontaires ?*

Cela suscita une courte série de commentaires, polémiques ou moqueurs pour la plupart. Pourquoi revenir au Rotgut ? Et sans financement ? Barlow ne pouvait être sérieux. Il n'y avait rien de nouveau à découvrir sur la question, et le codex n'était peut-être même pas une traduction, juste un amalgame de textes. Les réponses positives étaient venues de HURT LDM et DEVANI [champ de gauche laissé vierge]. Rien de Sarah Opie. Barlow promit de contacter ses collaborateurs par téléphone, et le fil de discussion tourna court après quelques railleries peu sympathiques de la part des autres membres du forum. Puis, bien plus tard – presque deux ans plus tard d'après l'intitulé, et seulement trois mois avant la mort de Barlow – une autre réponse apparut, venant de BRAND UAS. *Je suis très excité par ce que vous avez déjà accompli. J'adorerais en discuter avec vous, et peut-être vous aider à surmonter certaines difficultés.*

Après cela, plus rien.

Puis, il y eut des chutes fatales dans des escaliers obscurs, des ordinateurs électrifiés, des gens renversés par des conducteurs en fuite et des couteaux lancés en plein jour.

Alors comment Barlow a-t-il répondu à Brand ? se demanda Kennedy. Il n'a pas répondu dans le fil de discussion, pas même pour lui demander un numéro où le joindre. Peut-être a-t-il consulté le profil de Brand pour y trouver ses coordonnées. Elle essaya et vit qu'il n'y avait rien. Brand était juste un nom, et rien d'autre.

Uas, découvrit-elle dans un des répertoires du site, voulait dire « Université des Asturies, Espagne ». Pourtant, si Barlow avait suivi ce même cheminement, il aurait aussitôt découvert que Brand était un imposteur. Mais pensant sans doute que personne, excepté un historien, ne pouvait être sur un forum d'histoire, il ne s'était pas donné la peine de procéder à cette vérification.

Un message privé, alors. Les messages privés avaient un code d'accès différent, mais le modérateur du forum des Ravellers l'avait également fourni à la police. Kennedy ouvrit une nouvelle fenêtre dans les archives, et découvrit que les données étaient enregistrées sous l'identifiant de chaque membre. Sous le nom de Barlow, il y avait une vingtaine de messages.

Il y avait un message adressé à Sarah Opie, un peu après les premiers contacts avec les trois membres de l'équipe : *Sarah, te rappelles-tu la conversation que nous avons eue lors du dîner des Fondateurs ? Penses-tu qu'il serait possible de faire ce que je t'ai demandé en employant ton propre système, ou les machines de ton lieu de travail ? Appelle-moi et discutons-en.*

Et un message adressé à Michael Brand, daté du même jour que son post sur le forum : *Monsieur Brand, vous m'intriguez. Je sais que Devani vous a parlé au FBF, mais je sais aussi qu'il ne vous a rien dit. Comment avez-vous entendu parler de nous ? Merci de ne pas répondre sur le forum. Je préférerais calmer les spéculations sur le sujet plutôt que de les attiser. Mon numéro de poste à l'université est le 3274.*

Rien après ça. Rien qui semblait lié au projet en cours en tout cas. Puis, elle eut l'idée de chercher parmi les autres messages privés du site des Ravellers si quelqu'un y avait mentionné le codex Rotgut. Mais elle ne trouva rien. Le Rotgut n'était pas un sujet brûlant. Personne ne faisait de commérage sur le grand projet de Barlow, ni ne se demandait où il voulait en venir. Tout le monde semblait s'en foutre. En regardant les intitulés des messages, elle comprit que la plupart des discussions étaient liées à l'argent – subventions de recherche, budgets départementaux, bourses, fonds d'investissement… Personne n'avait assez d'argent et nul ne savait d'où proviendrait le prochain salaire.

C'était dur pour tout le monde, sauf pour Barlow et sa petite bande : ils faisaient ça pour le plaisir.

Et ils étaient morts.

Kennedy décida de faire une pause et elle se rendit au bureau d'Harper pour voir s'il avait laissé traîner d'éventuels documents liés à l'affaire. Sous un tas de papiers sans intérêt, elle trouva une série de demandes d'informations adressées à Interpol qu'il avait remplies concernant Michael Brand. C'étaient les originaux, car elles avaient été envoyées par fax. En y jetant un coup d'œil, elle s'aperçut qu'il avait commis une erreur élémentaire. Il avait seulement demandé à recevoir une copie des dossiers dans lesquels Michael Brand figurait en tant que suspect ou témoin potentiel. Il y avait une infinité de cas intermédiaires, dans lesquels le nom de Brand avait pu apparaître dans les témoignages d'autres personnes, et elle voulait aussi pouvoir consulter ces informations. Elle envoya une demande modifiée – le même formulaire, avec quelques cases cochées en supplément. Comme il s'agissait du même formulaire, elle n'avait pas besoin de renvoyer une demande d'autorisation à Summerhill, mais elle ajouta son nom et sa signature au bas et – avec un léger pincement au cœur – barra ceux d'Harper.

Elle passa encore quelques appels concernant le couteau, mais ne trouva rien de plus, et quitta le service à cinq heures pile – pour la première fois en sept ans.

Izzy fut stupéfaite de la voir rentrer à l'appartement avant six heures, presque indignée.

— Tu ne rentres jamais si tôt d'habitude, dit-elle, rassemblant ses affaires. Il n'y avait pas de crime aujourd'hui ?

— Je ne m'occupe que des crimes sérieux, dit Kennedy. Il y a eu des crimes aujourd'hui, mais que des crimes amusants.

Comme toujours, elle raccompagna Izzy jusqu'à la porte.

— Il est d'une humeur de chien, rapporta Izzy. Il a pleuré tout à l'heure en écoutant cette horrible musique avec les violons larmoyants. Il parlait de ta mère.

Kennedy fut surprise et déconcertée.

— Qu'a-t-il dit à propos de ma mère ?

— Il a dit qu'il était désolé. « Désolé, Caroline, de t'avoir fait du mal. » Ce genre de trucs.

Kennedy pensait qu'elle n'était plus capable de ressentir quoi que ce soit pour son père maintenant, excepté un mélange d'affection un peu triste et de ressentiment à moitié digéré. Mais cela lui fit mal : cela vint raviver des plaies encore à vif. Elle reprit son souffle et Izzy comprit qu'elle avait gaffé.

— Quoi ? dit-elle, perturbée. Je suis désolée, Heather. Qu'est-ce que j'ai dit ?

Kennedy secoua la tête.

— Ça va, dit-elle. C'est juste… (Mais il y avait trop de choses à expliquer.) Le nom de ma mère, c'était Janet, murmura-t-elle.

— Ah, oui ? Alors, qui était Caroline ? Sa maîtresse ?

— Non, juste une femme qu'il a tuée. Bonne nuit, Izzy.

Elle referma la porte.

27

Il n'y eut pas de réunion le lendemain matin. Summerhill était dans les murs, mais il resta dans son bureau, et les autres inspecteurs se dispersèrent de bonne heure et sans consultation. Kennedy resta à poireauter dans la fosse aux ours, et continua de démarcher les experts en couteaux, sans résultat.

Elle n'avait rien reçu d'Interpol, mais elle pouvait accéder à leurs archives en ligne et voir si elle pouvait trouver quoi que ce soit parmi les affaires plus anciennes déjà classées pour lesquelles aucune autorisation entre services ne serait nécessaire.

Le système de recherche des archives d'Interpol était complexe et nécessitait d'entrer un grand nombre de données inutiles pour pouvoir interroger le système. Mais Kennedy avait beaucoup de temps à sa disposition.

Elle finit par tomber sur plusieurs Michael Brand, qui avaient été impliqués dans des larcins et dans un viol, mais leur âge et description ne correspondaient pas au Michael Brand qu'elle recherchait. Mais dix ans plus tôt, dans la partie Nord de l'État de New York, et ensuite, sept ans plus tôt, en Nouvelle-Zélande, il y avait eu des affaires de personnes disparues dans lesquelles apparaissait le nom de Michael Brand.

Kennedy consulta les informations disponibles sur les deux affaires, et fut sidérée et horrifiée par ce qu'elle découvrit.

L'affaire de New York : une femme, Tamara Kelly, et ses trois enfants, ont été déclarés disparus par le mari, Arthur Shawcross, un représentant d'une entreprise de fournitures de bureau. Il est rentré chez lui après une semaine de déplacement, sa maison avait été vidée et sa femme et ses enfants avaient disparu. Le jour précédent, sa femme avait reçu un appel venant d'un numéro que Shawcross ne connaissait pas. Le numéro s'avéra correspondre à un certain Michael Brand, mais l'enquête n'a pas permis de retrouver l'homme en question.

Nouvelle-Zélande : Erwin Gaskell, un charpentier et ébéniste, s'était absenté pendant deux jours pour rendre visite à sa mère qui était en convalescence après une opération du cœur. À son retour, il avait trouvé sa maison carbonisée. Sa femme, Salomé, et leurs trois enfants n'étaient plus là. À cause des soupçons d'incendie criminel, les résidents d'un motel proche avaient été interrogés. L'un d'eux, Michael Brand, n'avait pas pu être interrogé parce qu'il n'était jamais revenu chercher les affaires qu'il avait laissées dans sa chambre. Il avait été vu en train de parler à Salomé Gaskell le jour de sa disparition – ou du moins quelqu'un correspondant à sa description. La description était d'ailleurs plutôt sommaire : seuls le crâne chauve et les yeux sombres étaient restés gravés dans l'esprit des gens.

Des femmes avec trois enfants, chaque fois. Qu'est-ce que cela pouvait signifier, nom de Dieu ? D'abord, que Michael Brand était peut-être moins fou qu'il n'en avait l'air. Ensuite, qu'il était mêlé à un trafic de femmes et d'enfants d'une ampleur jusqu'ici insoupçonnée.

De l'esclavage sexuel ? Mais alors pourquoi enlever la famille dans son intégralité, à chaque fois ? Et pourquoi des familles avec exactement la même configuration ? Et enfin, pourquoi les femmes acceptaient-elles de rencontrer Brand et de lui parler, comme l'avait fait Rebecca Tillman, et apparemment les deux autres femmes ? Comment parvenait-il à les convaincre ?

Des meurtres en série ? Brand était-il un psychopathe, recréant un moment capital de son propre passé ? Cela semblait ridicule s'il s'agissait du même Brand qui était capable de mobiliser une phalange d'assassins pour descendre Barlow et son équipe infortunée.

À ce stade, momentanément à court d'idées et se sentant comme un lion en cage, Kennedy se mit à improviser dans tous les sens. Elle repartit à la pêche au couteau, appelant musées et archives en leur lisant au téléphone les séries de lettres et de chiffres qui figuraient au dos de la photographie soigneusement cachée par Barlow.

P52

P75

NH II-1, III-1, IV-4

Eg2

B66, 75

C45

Personne n'avait connaissance de ce que cela pouvait signifier.

Kennedy passa à autre chose, employant les moteurs de recherche sur Internet. Mais c'était inutile, parce que les séries alphanumériques étaient partout – dans les numéros de série de produits et de composants, sur les plaques d'immatriculation des voitures et des trains, bref, ils apparaissaient dans tout ce qui existait. Et il n'y avait aucun moyen de restreindre le champ de recherche.

Elle décida, tant qu'elle y était, de consulter les notes des autres inspecteurs sur la base de données du service, pour voir s'ils avaient trouvé des éléments nouveaux. Mais elle ne réussit pas à se connecter.

Elle jeta un coup d'œil alentour. Aucun des policiers chargés de l'affaire n'était rentré, mais McAliskey avait laissé son ordinateur allumé et connecté – une faute passible de mesures disciplinaires si quelqu'un avait daigné le signaler. Kennedy s'installa à son bureau et ouvrit le dossier depuis son poste.

Ce qu'elle vit la fit pester contre l'écran, encore sous l'effet du choc.

Les accès de rage n'étaient pas dans ses habitudes, mais elle fit le trajet entre la fosse aux ours et le bureau de l'inspecteur divisionnaire à la vitesse d'un ouragan. Rawl sembla stupéfaite de la voir.

. — Il est… il ne prend pas de…, commença-t-elle.

— Je n'en ai que pour un instant, dit Kennedy, passant déjà devant elle à grandes enjambées.

Summerhill était au téléphone. Il leva les yeux quand elle entra, mais resta sans réaction.

— Oui, dit-il. Oui, Monsieur, j'en suis bien conscient. Nous ferons de notre mieux. Merci. Vous de même.

Il raccrocha et la regarda, de l'autre côté de son bureau, puis fit un petit signe pour l'inviter à parler.

— Vous m'avez enlevé l'accès au dossier, dit-elle.

— Pas exactement.

— Mon mot de passe ne fonctionne pas. Qu'entendez-vous par « pas exactement » ?

— C'est un contretemps administratif, Heather. Rien de plus. Quand on fait l'objet d'une commission d'enquête, tous les dossiers en cours doivent être examinés à la loupe par les Ressources humaines et la commission de déontologie. Cela veut forcément dire que votre sécurité est compromise. Tous les mots de passe sont désactivés et tous les codes d'accès sont modifiés. Vous recevrez un nouveau mot de passe dans un jour ou deux.

— Et en attendant, je suis là pour apporter le putain de thé ?

— Vous ne savez pas ce que vous…

Kennedy posa brusquement la feuille imprimée sur son bureau et il la regarda un moment avant de comprendre ce que c'était : une page issue des notes de Combes de la veille.

— Combes a vu Rosalind Barlow hier après-midi et elle lui a dit d'aller se faire foutre, résuma Kennedy.

Summerhill hocha la tête.

— Oui. Votre suggestion de lui demander si son frère avait jamais parlé de son travail valait la peine d'être suivie, mais elle s'est montrée on ne peut moins coopérative.

— Jimmy, elle a demandé à me parler, à moi.

— Je suis au courant.

— Elle a refusé de parler à Combes et elle a expressément demandé à me parler. Quand envisagiez-vous de me le dire ?

Il croisa le regard de Kennedy, ne semblant absolument pas désolé.

— Si vous lisez le reste des notes du sergent Combes, vous verrez qu'il n'a pas eu l'impression que Rosalind Barlow avait quoi que ce soit à ajouter à ses déclarations précédentes. Il a indiqué qu'une nouvelle visite lui semblait inutile.

— Mais, merde ! Elle a demandé à me parler ! Pensez-vous que c'était parce qu'elle n'avait rien à dire, ou parce qu'elle pensait que Combes était un petit con prétentieux, une tête de nœud avec une voix suraiguë et qu'elle préférait parler à un être humain ?

— Kennedy, je vous conseille de modérer votre langage. Je n'ai pas l'intention de laisser passer les injures entre collègues.

Kennedy haussa les épaules d'un air découragé.

— Mais nom de Dieu, dit-elle d'une voix tendue, est-ce que je suis sur cette affaire ou aux chiottes ? Si vous refusez de me donner quoi que ce soit de substantiel à faire, alors qu'est-ce que je fais là ?

Summerhill sembla comme revigoré en entendant ses propos, comme s'il avait vu venir tout ça de loin, et qu'il était content d'en être enfin arrivé là.

— Souhaitez-vous être mutée ? demanda-t-il en reculant son siège en direction du tiroir contenant les dossiers de mutation.

Elle se mit à rire.

— Non, dit-elle. Désolée de vous décevoir, Jimmy. Je ne demande pas à être mutée. Je pensais que nous avions déjà eu cette conversation et que nous nous étions compris, mais peut-être était-ce de la naïveté de ma part. Continuez comme bon vous semble. Et en attendant, demandez à Rawl de me donner un mot de passe provisoire. Vous pouvez me tenir pieds et poings liés si vous voulez, mais n'essayez pas de me voiler la face.

Elle se leva, et lui lança un regard plein de méfiance et de dégoût.

— Je ne veux pas que vous parliez à Rosalind Barlow, Heather, lui dit-il. Ce n'est pas une façon productive de faire usage de votre temps, et son hostilité envers ce bureau et cette enquête en fait un témoin peu fiable.

— Je pense que cela fait d'elle une âme sœur, mais c'est vous le patron.

— Essayez de ne pas l'oublier.

— Si je l'oublie, je suis sûre que vous me le rappellerez.

Elle partit de façon précipitée pour ne pas avoir le visage de Summerhill à portée de main, si toutefois elle éprouvait l'envie irrépressible de frapper sur quelque chose.

De retour à son bureau, elle réfléchit à la situation.

Summerhill était déterminé à la tenir à l'écart. Peut-être qu'à sa façon, il se sentait tout à fait à l'aise avec sa décision : elle avait eu sa chance avec cette affaire et avait prouvé à Park Square qu'elle n'était pas capable de la gérer, et un policier était mort sur le terrain. Sa tactique désespérée après la commission des plaintes lui avait permis de revenir dans l'équipe, mais l'inspecteur divisionnaire venait de lui dire, à sa façon si dénuée de charme, qu'elle n'irait pas plus loin.

Cela lui laissait trois options.

Elle pouvait la fermer et regarder le monde s'agiter autour d'elle depuis le confort de son bureau. Dans ce cas, autant être morte.

Elle pouvait ressortir ses ultimatums précédents et essayer de pousser Summerhill dans ses derniers retranchements. Mais elle n'avait pas bluffé la première fois, alors que cette fois, elle serait obligée de le faire. Et elle avait juste un peu plus à perdre maintenant qu'elle avait récupéré son poste.

Ou…

Elle sortit son téléphone portable et fit défiler les appels entrants. Elle n'eut pas trop de mal à trouver le numéro de Tillman : c'était le seul qu'elle ne reconnut pas au premier coup d'œil. Elle appuya sur la touche RAPPEL.

— Allô ?

— Tillman.

— Sergent Kennedy. (Il ne sembla pas surpris, mais il y avait comme une attente dans sa voix, une question implicite.)

— Ce n'est pas un marché du tout ou rien que vous me proposez, si ?

— Je ne sais pas ce que vous voulez dire. Nous mettons des informations en commun, c'est tout. Je ne vous demande pas de travailler avec moi – juste de me dire ce que vous savez. Entendons-nous sur une règle cependant : pas de mensonge, même par omission. Pas de rétention d'informations pour prendre l'avantage.

— Et vous ferez de même avec moi ?

— Vous avez ma parole.

— Ok, dit-elle en passant au bureau de McAliskey, où le dossier était toujours ouvert. J'ai quelque chose pour vous, pour commencer. Un petit cadeau, parce que je pense que je vous dois bien ça.

Elle lui parla des deux autres femmes – noms, lieux, dates et heures. Elle l'entendait noter les détails, probablement dans le but de les vérifier auprès de ses propres contacts. Il ne réagit pas à la nouvelle cependant, pas d'une façon qu'elle pouvait percevoir par téléphone en tout cas.

— Ok, dit-elle. Vous avez tout noté ?

— Oui, dit Tillman. Bon, et maintenant ?

— Vingt questions. Vous commencez.

Pendant une heure, il la mit sur la sellette. Elle commença par Stuart Barlow, et passa aux autres victimes connues : la cause de la mort, le lien avec les Ravellers, le projet secret de Barlow (qui en tant que prétexte à plusieurs homicides, semblait toujours aussi ridicule), l'inconnu qui le suivait et la progression de l'enquête. Tillman posait à chaque fois des questions précises et circonstanciées. Le genre de questions que poserait un flic. Pourquoi avaient-ils décidé que la mort de Barlow était un meurtre ? Les tueurs avaient-ils laissé des empreintes ou des traces ADN sur les scènes de crime ? À défaut, avaient-ils trouvé la moindre preuve matérielle indiquant qu'il y avait un lien entre les trois affaires, ou s'appuyaient-ils uniquement sur la série de morts suspectes ? Kennedy lui répondit quand elle put, et avoua son ignorance quand elle n'avait rien à proposer. Lorsque Tillman arriva au bout de ses questions – ou, du moins, quand il resta silencieux – elle ajouta certaines remarques personnelles.

— Nous sommes encore dans le flou en ce qui concerne le mobile, mais je pense qu'il est significatif que Barlow et son équipe aient ressenti le besoin de garder le secret sur leur découverte – ou ce qu'ils cherchaient.

— En quoi est-ce significatif ? demanda Tillman.

— Je n'en ai aucune idée. Mais il peut y avoir un lien étroit entre la recherche historique légitime et la chasse au trésor. Vous vous rappelez ces énormes découvertes l'an dernier, par des Anglo-Saxons – de l'or viking qui valait des millions ? Cela devient un trésor si on le déclare. Les personnes qui le trouvent et les propriétaires fonciers obtiennent une récompense, et l'État en devient propriétaire. Supposons que Barlow soit tombé sur quelque chose de ce genre. Et que quelqu'un d'autre ait découvert ce qu'il avait en sa possession ?

— Cela peut en effet être un mobile de meurtre, consentit Tillman.

— Vous n'avez pas l'air très convaincu.

— Vous non plus, Sergent.

— Heather. C'est Heather, Tillman. Heather Kennedy. Ce n'est pas un flic qui vous parle, maintenant. Je suis allée aussi loin que je pouvais en tant que flic. Vous parlez à une citoyenne concernée.

— Entendu, Heather. Je m'appelle Leo.

— Je sais. J'ai fait des recherches sur vous. Et vous avez raison, je ne crois pas que ce soit seulement une histoire d'argent. Il s'agit d'un mobile important, à usages multiples, et ils sont prêts à tout pour l'obtenir, mais les types croisés à Luton, ils se comportaient avant tout comme des soldats. Et ils ont tué trois personnes en l'espace de deux jours, de trois façons différentes. Ils ont accès à de nombreux réseaux, et un solide entraînement.

— Les cartels du crime organisé peuvent mener leurs opérations comme de véritables armées, précisa Tillman.

— Oui, j'en suis sûre. Mais dites-moi si je me trompe, ne fonctionnent-ils pas aussi comme des entreprises ? Import-export, distribution, service des ventes, excellentes sources d'approvisionnement, et turnover massif. Si ce qu'ils vendaient n'était pas illégal, ils seraient dans le top 100 du magazine *Fortune*. Est-ce qu'ils iraient à la chasse aux antiquités volées ? Je ne pense pas. Cela correspondrait à un autre type de criminel. Le genre de type qui n'a pas d'infrastructure à l'échelle mondiale.

— Alors, où cela vous mène-t-il ?

— À me poser des questions sur Michael Brand, Leo. Et c'est pour cette raison que je vous ai appelé. Je pense que cette affaire ne va pas être résolue par la seule logique inductive, comme dans une histoire de Sherlock Holmes. Peut-être que nous avons besoin de ce que vous savez.

— C'est une raison. Quelle est l'autre raison ?

— J'y viendrai plus tard. Parlez-moi de Michael Brand.

— Je voudrais que vous me disiez une chose avant, dit Tillman.

— Allez-y.

— Je remarque que vous avez l'air de penser que Michael Brand et celui qui suivait Barlow sont deux personnes différentes. Pourquoi ?

Elle dut réfléchir à la question avant de répondre. Elle avait fait cette supposition au tout début de l'enquête et cela faisait un moment qu'elle n'y avait pas pensé.

— C'est surtout parce que Barlow connaissait déjà Brand par l'intermédiaire du forum. À un moment donné, peu de temps avant le meurtre de Barlow, ils se sont rencontrés. Alors, pourquoi Brand se donnerait-il la peine de se faire passer pour un professeur d'université, s'il avait l'intention de suivre Barlow partout comme un détective privé de seconde zone ?

— Ce sont donc deux approches différentes d'un même problème.

— Oui, dit Kennedy. Je pense que c'est exactement ça. Nous savons que quelqu'un a fouillé dans les affaires des victimes – maisons, bureaux, ordinateurs. Ils cherchent donc quelque chose, et ils sont toujours bredouilles. Alors Brand fait ami-ami avec Barlow. C'est la partie de l'équation où il agit en douceur. Mais il a un de ses sbires aux trousses de Barlow pour le cas où ils trouveraient ce qu'ils cherchent en le suivant ou en fouillant dans ses affaires.

— Et quand les deux approches échouent, ils tuent tout le monde.

— Et ils passent tout ce qu'ils possèdent au peigne fin.

— Ok, dit Tillman.

Il resta silencieux un moment. Kennedy attendit. Brand était le centre de tout pour Tillman, c'était évident, à cause de ce qu'il lui avait dit lors de leur dernière rencontre. Elle devina qu'il était sur le point d'aborder un nouveau point douloureux. Alors, elle n'avait absolument pas anticipé ce qu'il finit par dire.

— Brand est un acheteur.

— Il est quoi ?

— Ou un entremetteur, peut-être. Quelqu'un qui cherche des fournisseurs et obtient des choses pour quelqu'un d'autre.

— Quel genre de choses ?

— Tout et n'importe quoi. Il n'a pas d'habitudes précises. Les armes et les médicaments sont les deux constantes, mais toutes sortes d'autres trucs viennent se mêler à ça. Des ordinateurs et des cartes mères. Des logiciels. Des machines-outils. De l'équipement de surveillance électronique. Et... au milieu de tout ça...

Kennedy remplit le silence pesant.

— Des femmes avec exactement trois enfants.

— Oui, acquiesça Tillman.

— Très bien. Alors partons du principe qu'il y a une constante dans tout ce qui se produit maintenant. Brand essaie de mettre la main sur autre chose – quelque chose que Barlow et son équipe ont trouvé, ou ont fait, ou juste dont ils sont au courant. Il intervient. Il fait intervenir ses sbires. Il fait ami-ami avec Barlow, puis le tue et met sa maison à sac. Mais il n'a pas trouvé ce qu'il voulait parce que ses hommes sont encore là. Ils cherchent toujours.

Elle n'entendit rien d'autre que la respiration de Tillman pendant quelques secondes.

— Ils cherchent toujours, reconnut-il. Mais votre scénario ne fonctionne pas.

— Pourquoi ?

— Parce qu'ils n'ont pas essayé de parler à Sarah Opie, ils l'ont juste descendue. Je ne crois pas que ce soit une simple question d'approvisionnement. Je ne pense pas qu'il s'agisse d'une transaction comme une autre. Il y a autre chose, c'est pourquoi je pense qu'on a peut-être une chance ici. Brand est un expert dans l'art d'apparaître, comme s'il était sorti de nulle part, d'obtenir ce qu'il veut, et de disparaître à nouveau. Il ne reste jamais où que ce soit très longtemps et ne laisse jamais de trace. Mais cela fait… quoi ? Deux mois que Barlow a été assassiné ? Et les hommes de Brand sont toujours là. Alors il ne maîtrise pas totalement la situation. Il…

Kennedy prononça les mots manquants, cette fois encore.

— Limite les dégâts.

— Je réfléchis… Oui, sans doute. Vous disiez que vous vouliez me demander autre chose.

Elle lui parla du couteau et du fait que, malgré tous ses efforts, elle n'était pas parvenue à l'identifier. Il sembla content d'être confronté à un problème concret et précis. Il lui demanda de raccrocher pour qu'elle puisse prendre une photo de son propre dessin et la lui envoyer par téléphone. Puis, il la rappela.

— J'ai croisé un couteau exactement comme celui-là récemment, dit-il.

— Vous l'avez croisé ? Comment ça ?

— Quelqu'un l'a lancé sur moi.

— Êtes-vous sûr que c'était le même genre de couteau ?

— J'ai dû cautériser la plaie en y mettant le feu pour arrêter de saigner.

— Ok, reconnut Kennedy. C'était le même.

— Je n'ai jamais pensé à partir à la recherche du couteau, dit Tillman, semblant peut-être anormalement agité. Vous voyez ? C'est pour ça qu'il vaut mieux être deux à réfléchir au problème.

Kennedy rit malgré elle.

— Mais on n'est pas plus avancés l'un que l'autre, fit-elle remarquer.

— D'accord. Mais je connais quelqu'un. Un ingénieur.

— Un ingénieur ? Tillman, ce que je veux dire, c'est que l'origine du couteau pourrait…

— Il s'y connaît vraiment en couteaux. C'est un véritable excentrique. Il s'appelle Partridge. Laissez-moi lui parler et je vous rappelle.

Tillman raccrocha, et Kennedy rassembla ses affaires. À ce moment précis, elle ressentait une sorte d'étrange parenté avec le mystérieux Michael Brand. S'il était en train de limiter les dégâts, de reprendre le contrôle d'une situation délicate, embrouillée et insoluble, alors elle aussi : elle devait compenser pour les erreurs des autres, les siennes, et rectifier le tir. Elle devait trouver un chemin sans danger au milieu d'un champ de mines dont elle était en partie responsable. Mais un tel chemin n'existait peut-être pas.

Quoi qu'il en soit, elle savait par où elle devait commencer.

28

— Je n'avais pas l'intention de créer de problèmes, dit Rosalind Barlow. J'ai juste une tolérance limitée à la connerie. Votre collègue n'a pas cessé de me mentir. Et il a continué, même après que je lui ai expressément demandé d'arrêter. Alors je lui ai demandé de partir.

Elle coupa les feuilletés aux fruits en tranches et les disposa dans l'assiette avec un soin que Kennedy considéra comme presque maniaque. L'assiette portait le logo de l'endroit où elles avaient convenu de se rencontrer : Caravaggio, à la City, à moins d'un kilomètre de l'immeuble Gherkin où travaillait Rosalind.

— Je ne pense pas que le sergent Combes ait réellement pu vous mentir, répondit Kennedy avec circonspection. Mais peut-être ne vous a-t-il pas tout dit.

— Il ne m'a pas donné le début d'une information, maugréa-t-elle. Il m'a débité un tas d'inepties, en prenant un air supérieur, sur la façon dont l'enquête avait évolué. Il était crucial selon lui qu'ils entendent de nouveau mes premières déclarations pour être sûrs que je n'avais rien oublié... quel est mot a-t-il employé ?... de pertinent. Mais quand je lui ai demandé ce qui avait changé, il n'a pas voulu me répondre franchement. J'ai dit que je pensais que vous étiez en charge de l'affaire, il s'est mis à rire et il a dit non. Juste non, mais comme s'il pouvait en dire bien plus long s'il le voulait. Je lui ai demandé ce qu'il entendait par non, et il m'a rembarrée comme une écolière, me disant que ce n'était pas vraiment mon affaire, qu'il était là pour réentendre mes déclarations et avait peu de temps à sa disposition. Ensuite il a ajouté – ce qui a provoqué ma réaction – que si cela m'intéressait qu'il trouve l'assassin de mon frère, je ferais mieux de répondre aux questions et de le laisser faire son boulot. Alors, j'ai décidé de me taire.

Kennedy hocha la tête. Cette scène était loin d'être déplaisante à imaginer.

— Il est vrai qu'on a élargi le champ d'investigation, dit-elle, choisissant ses mots avec soin.

Elle parla à Rosalind des autres décès – la plupart d'entre eux, du moins. Elle se surprit à éluder ce qui était arrivé à Harper, mais Rosalind avait lu ce qui s'était passé dans les journaux et savait plus ou moins ce que Kennedy avait omis.

— Étiez-vous sur place ? demanda-t-elle. Quand l'autre homme est mort ? Ce policier, Harper ?

— J'y étais, dit Kennedy. Sarah Opie était le dernier membre de l'équipe du projet de votre frère qui était encore en vie. Nous ne le savions pas quand nous sommes arrivés sur place, mais cela est devenu clair au fil de notre entretien. Nous avons décidé de l'emmener en détention par mesure de protection, mais nous sommes partis trop tard. Et ils l'ont eue, elle aussi.

— Juste sous vos yeux, dit Rosalind avec un regard pénétrant.

— Juste sous mes yeux, reconnut Kennedy.

Elle savait que c'était un témoignage de sympathie, et non une accusation, mais elle eut malgré tout du mal à contrôler les intonations de sa voix et ses émotions. Rosalind sembla remarquer la tension qui pesait sur Kennedy et ne parla plus d'Harper.

— Pourquoi s'en prendre à Opie à ce moment précis ? demanda-t-elle plutôt. Après si longtemps, je veux dire. Je pensais que les autres morts avaient toutes eu lieu plus ou moins au même moment ?

— Oui, c'est bien ça. Et, à vrai dire, je pense qu'elle est morte parce que nous sommes allés la voir. Le fait que les tueurs étaient sur place exactement en même temps que nous ne peut être une coïncidence. Ils nous surveillaient, soit pour découvrir ce que nous savions exactement, soit pour obtenir des informations.

— Ou les deux.

— Oui, ou les deux.

Avec un sang-froid incroyable, Rosalind engloutit la moitié des feuilletés – trois tranches, dont elle ne fit à chaque fois qu'une bouchée.

— Il n'y a donc pas un seul tueur, mais plusieurs, dit-elle.

— Je dirais qu'il y en a deux, répondit Kennedy. Et il y a un troisième homme, en arrière-plan – l'homme que votre frère a rencontré sous le nom de Michael Brand. Nous ne savons toujours pas quel est son rôle exact, mais il est difficile de croire qu'il soit tout à fait innocent.

— Et vous ne savez pas pourquoi ils ont fait ça ? Pourquoi ils ont tué Stu, et tous ces autres gens ?

— Non, pas encore.

— Pensez-vous qu'ils vont s'en prendre à moi, maintenant ?

— Je n'en sais rien non plus, admit Kennedy avec franchise. Mais je ne pense pas. Ils ne s'en sont pas pris à vous la dernière fois que vous avez parlé. Si nous avons raison, et que le projet de votre frère est la clé de l'énigme, le véritable lien entre les victimes, alors vous ne courez aucun risque, tant qu'ils pensent que vous ne savez rien. Et pour l'instant, c'est ce qu'ils semblent décidés à croire. Bien sûr, nous n'avons toujours pas la moindre idée de leur objectif, ni de leur mobile. Et tant qu'il en sera ainsi, nous ne pourrons mesurer les risques de façon sérieuse.

Rosalind réfléchit pendant quelques secondes, en silence.

— Très bien, dit-elle enfin. Je prends le risque. Je veux voir ces salauds sous les verrous. Que voulez-vous savoir ?

— Tout ce que vous pourrez me dire. Tout ce qui concerne le travail de votre frère.

— Stu ne parlait pas de son travail. Mais vous savez que votre collègue, le petit dur, a pris son ordinateur, n'est-ce pas ?

— Oui, il n'y a rien dessus, dit Kennedy.

— Rien d'utile, vous voulez dire ? demanda Rosalind.

— Le contenu du disque dur a été effacé.

Rosalind écarquilla les yeux.

— Alors, pourquoi vous posez-vous encore la question du mobile ? demanda-t-elle. Ils essaient de détruire le livre. Forcément.

— Ce n'est toujours pas une explication, Rosalind. À moins de savoir pourquoi. Vous avez vous-même dit qu'il n'y avait rien d'important dans ce livre – aucune réputation n'est en jeu. Le Rotgut existe depuis le xve siècle, c'est ça ? Et c'est juste une autre traduction d'un évangile qui existait déjà dans un grand nombre de versions différentes.

— Stu disait que tout l'intérêt était là, répliqua Rosalind.

— Que voulez-vous dire ?

— Que le Rotgut était rebattu et dépourvu de valeur. Alors, pourquoi le capitaine de Veroese a-t-il donné un tonneau de rhum pour quelque chose qui n'était ni ancien, ni rare ?

Kennedy haussa les épaules.

— Où voulez-vous en venir ? demanda-t-elle.

— Je n'en sais rien, admit Rosalind d'un air abattu. Je me rappelle juste que Stu disait cela à quelqu'un avec qui il avait une discussion animée.

— Qui ? Qui était cette personne ?

— Il parlait au téléphone. Je n'ai pas la moindre idée de qui il s'agissait. Cela fait des mois. Très probablement un des membres de son équipe.

Kennedy réfléchit à cette énigme.

— C'est peut-être quelque chose qui serait lié au document en tant que tel, avança-t-elle, et non à ce qui est écrit dans le manuscrit. Comme la matière dont il est fait, ou la reliure, ou un message caché à côté duquel on serait passé...

Elle se tut, prenant soudain conscience du peu qu'elle savait sur ce document à cause duquel cinq personnes étaient mortes, et peut-être une sixième. C'était comme si elle ressentait une légère honte à en savoir si peu.

— Rosalind, où est le Rotgut ? Je veux dire, l'original ?

— Au scriptorium d'Avranches, dit aussitôt Rosalind. En Bretagne. Ou en Normandie. Dans le Nord de la France en tout cas. Mais la British Library[5] en a une magnifique copie numérisée, qui comporte toutes les pages, en très haute résolution. C'était la version employée par Stu, la plupart du temps. Il n'est allé consulter l'original que deux fois.

---

5 Bibliothèque nationale du Royaume-Uni, située à Londres. (NdT)

Kennedy décida d'aborder l'autre point qui la tracassait.

— Je vous ai dit que le contenu de l'ordinateur de votre frère avait été effacé, dit-elle. Tous les dossiers de Sarah Opie étaient sauvegardés sur le réseau informatique de son université, et ils ont tous été retrouvés intacts. Mais il n'y avait rien concernant le projet.

— Ces fichiers auraient-ils pu être trafiqués aussi ? demanda Rosalind.

— Nous ne pensons pas. Effacer toute trace d'un ensemble de fichiers sur un serveur important sans laisser aucun indice de son passage… c'est possible, mais cela demande un très haut niveau de compétence. Et s'ils étaient capables de faire ça, la force brute qui a été employée pour effacer les données de l'ordinateur de votre frère n'aurait aucun sens. Ils auraient agi avec autant de discrétion dans les deux cas.

— Que me demandez-vous, Sergent Kennedy ?

— Eh bien, je pensais que votre frère savait qu'il était suivi et peut-être aussi que cela avait un lien avec ses recherches. Est-il possible qu'il ait eu un autre lieu secret, soit dans votre pavillon soit à Londres, à l'université du Prince Régent, où il aurait pu cacher des documents ou des disques relatifs au projet ? S'il disposait de ce genre de planque, il a peut-être dit aux autres d'effacer toutes les données en leur possession au cas où leurs ordinateurs auraient couru un risque.

— Cela fait beaucoup de si, fit remarquer Rosalind.

— Je sais. Mais ce lieu existe-t-il ?

— Si c'est le cas, il ne me l'a jamais dit.

Kennedy sentit son courage l'abandonner un peu. Elle abattait sa dernière carte, ou plutôt, ses deux dernières cartes.

— Ok, dit-elle, essayant de parler d'une voix neutre et détachée. J'aimerais vous soumettre une chose ou deux, et si elles vous évoquent quoi que ce soit, j'aimerais que vous m'en fassiez part.

— Entendu, dit Rosalind.

Kennedy sortit de son sac la photographie qu'elle avait trouvée sous une des dalles du bureau de Barlow. Elle la posa sur la table, et la poussa en direction de Rosalind.

Rosalind regarda l'image pendant un long moment, mais finit par secouer la tête.

— Non, dit-elle. Désolée. Je n'ai jamais vu cela avant. Et je ne sais pas où la photo a été prise.

— Cela ressemble à une sorte d'usine abandonnée, dit Kennedy. Ou à un entrepôt. Savez-vous si votre frère avait un lien quel qu'il soit avec ce genre d'endroit ? Ou s'il a pu le visiter ?

Quand Rosalind secoua la tête pour la seconde fois, Kennedy retourna la photo pour lui montrer les séries de caractères qui figuraient au dos.

— Et cela ? Est-ce que cela vous évoque quelque chose ?

— Non, dit Rosalind, désolée. Quelle est l'autre chose ?

— Elle est encore plus ténue, admit Kennedy. Au moment de mourir, le Dr Opie a mentionné quelque chose que je n'ai pas compris. Elle a parlé d'une colombe.

Rosalind leva les yeux de la photo, qu'elle regardait toujours.

— Une colombe ?

— Je n'ai entendu que quelques mots. Elle a dit : « Une colombe, une colombe est… », et ce qu'elle a dit ensuite, je n'ai pas réussi à…

Elle s'arrêta net. Rosalind la dévisageait avec attention, et son regard semblait soit perplexe, soit méfiant.

— Je vais devoir supposer que ce que vous me dites est vrai, dit Rosalind, et que ce n'est pas une plaisanterie de mauvais goût. Parce que vous ne me donnez pas l'impression d'être le genre de personne qui fasse des blagues de mauvais goût.

— C'est vrai, lui assura Kennedy. Pourquoi ? Vous savez ce qu'elle essayait de me dire ?

Rosalind hochait lentement la tête. Ce n'était pas « Une colombe est », mais « Le Colombier ». Ou peut-être « Au Colombier ».

Elle n'avait pas fini. Il y avait forcément autre chose. Elle attendit simplement, tout en regardant Rosalind boire une gorgée de café.

Elle reposa la tasse et heurta la soucoupe, comme si sa main avait tremblé.

— Désolée, dit Rosalind. Cela a réveillé de vieux souvenirs. On y allait souvent quand on était gosses, dit-elle avant de se taire de nouveau, de secouer la tête et de regarder Kennedy droit dans les yeux. Mes parents étaient propriétaires de deux maisons, le cottage et la maison de campagne. Cela s'appelle « La ferme du

Colombier ». C'est dans le Surrey, près de Goldaming, juste à la sortie de l'A 3100 en fait, et vous ne pouvez pas la louper, parce que papa avait fait installer un horrible panneau.

Kennedy resta silencieuse un instant. Elle ne voulait pas laisser percevoir l'excitation dans sa voix.

— Vous avez dit que Stu était devenu un peu paranoïaque pendant les quelques semaines précédant sa mort, finit-elle par dire.

— Oui, mais pas assez apparemment, fit remarquer Rosalind avec une pointe d'amertume dans la voix.

Kennedy acquiesça d'un triste hochement de tête.

— Alors il est au moins possible qu'il ait organisé des réunions à la ferme avec les membres de son équipe. S'il pensait être surveillé à l'université et si on est entré dans votre maison par effraction…

— Cela semblerait logique, reconnut Rosalind.

— Avez-vous les clés de la ferme ?

— J'ai *toutes* les clés. Pas moins de quatre ! Elles sont toutes sur le même porte-clés, dans le tiroir de la cuisine, à la maison. Je pensais que personne n'y était allé depuis des années. Voulez-vous venir les chercher ?

Kennedy réfléchit pendant un moment qui sembla très long.

— En fait, dit-elle enfin, non, je ne veux pas venir les chercher. Je pense réellement qu'Harper et moi avons été suivis jusqu'à Luton, et sans nous en rendre compte. Envisageons le pire des scénarios. S'ils surveillent encore mes allées et venues, ils savent que nous nous voyons en ce moment. Cela peut sembler dingue, mais vous avez vous-même dit que la paranoïa de votre frère n'a pas suffi à le sauver. Assurons-nous de ne pas commettre la même erreur.

Rosalind ne sembla pas exactement considérer les propos de Kennedy avec sérénité, mais elle parut en accepter la logique.

— Entendu. Comment envisagez-vous les choses ? demanda-t-elle en lui rendant la photographie, que Kennedy rangea aussitôt dans son sac.

— Envoyez-vous des documents par coursier, quand vous êtes sur votre lieu de travail ?

— Tout le temps.

— Prenez un jeu de clés avec vous demain matin en partant travailler. Mettez-les dans une enveloppe et envoyez-les à Isabella Haynes. C'est ma voisine.

— À quelle adresse ?

— 22, East Terrace, Pimlico. Appartement 4, dit Kennedy. Deux et deux font quatre. Pensez-vous pouvoir vous en souvenir sans le noter ?

— 22, East Terrace, Pimlico. Appartement 4.

— À Pimlico.

— Vous pouvez me donner le code postal, si vous voulez. Je ne l'oublierai pas. Et je ne le confondrai pas avec le numéro de l'appartement.

Kennedy le lui donna, puis posa sa carte de crédit sur la table. Rosalind Barlow la poussa dans sa direction.

— Allez-y, dit-elle. Vous aurez de mes nouvelles demain. Et nous ferons les comptes plus tard. Mais tout cela à une condition.

— Je vous écoute, dit Kennedy en se levant tout en enfilant sa veste.

Rosalind leva les yeux vers elle.

— Tenez-moi informée de tout ce que vous trouverez. Quand vous pourrez.

Elle vit le chagrin et la culpabilité dans le regard de l'autre femme, et elle se demanda si c'était aussi ce que Rosalind voyait en la regardant.

De retour dans la fosse aux ours, Kennedy rédigea le compte rendu de son entrevue avec Rosalind Barlow. Mais elle omit le moindre détail pouvant laisser entendre qu'elle avait eu accès à des informations utiles sur l'affaire.

Son téléphone portable, qu'elle avait mis en mode silencieux pendant son entrevue avec Rosalind, se mit à vibrer dans sa poche. Elle prit l'appel.

— Kennedy.

— Grosse journée ? demanda Tillman.

— Oui, mais pas nécessairement très productive.

— Peut-être que le meilleur est pour la fin. J'ai parlé à Partridge et il a trouvé votre couteau.

29

Kennedy repéra John Partridge immédiatement car il était exactement tel que Tillman l'avait décrit – et aux antipodes de ce à quoi elle s'était attendue après avoir entendu sa voix cultivée et hésitante. C'était un homme baraqué au visage rougeaud qui semblait tout droit sorti d'une publicité pour les saucisses de porc. Il portait un pull col roulé gris et un pantalon cargo, et non un tablier de boucher, comme l'avait imaginé Kennedy. Elle se faufila entre la foule d'écoliers et de touristes japonais pour rejoindre Partridge sur le perron du British Museum, où il passait aussi inaperçu qu'un moine dans un salon de massage.

Kennedy avança vers lui et lui tendit la main.

— Monsieur Partridge ?

— Sergent Kennedy ? demanda-t-il, lui serrant la main de façon extrêmement rapide et délicate. Ravi de vous rencontrer. C'est toujours un plaisir de rencontrer les amis de Leo.

— C'est vous qui me faites une faveur, lui rappela-t-elle. Où est le couteau ?

Partridge sourit.

— Il n'est pas loin, dit-il. Dans les antiquités du Moyen-Orient. Venez.

Il passa devant, et tandis que Kennedy essayait de le suivre, il entama une longue liste des raisons pour lesquelles il n'était pas la personne la plus qualifiée sur le sujet.

— Vous devez comprendre, dit-il, que votre petit problème dépasse largement le champ de mes compétences, et il n'est même pas voisin des domaines dans lesquels je suis un tant soit peu spécialisé. En réalité, je suis physicien.

— Leo Tillman a dit que vous étiez ingénieur.

— Je suis physicien de formation. Et ingénieur de profession. J'ai étudié à l'institut de technologie du Massachusetts, en sciences des matériaux. Donc mon domaine de prédilection, au sens large, est plutôt les propriétés physiques des objets. À l'intérieur de ce domaine, qui est bien plus vaste qu'il n'y paraît, j'ai une spécialité moins étendue : la balistique. Cela fait un an que je me consacre entièrement aux équations balistiques de Lagrange, qui sont soi-disant obsolètes, et traitent de la pression des gaz en expansion dans la chambre d'un pistolet après l'amorce de la détonation. Alors, en matière d'armes tranchantes, je suis aussi innocent qu'un enfant.

— Et malgré tout, vous avez trouvé une solution au problème en une seule journée, dit Kennedy, espérant que la conversation ne soit pas de nouveau détournée vers le sujet des équations obsolètes. C'est impressionnant.

— Encore plus impressionnant que vous ne l'imaginez, dit Partridge avec jubilation. C'est tellement loin de ma discipline, Sergent Kennedy, dit-il en se tournant vers elle pour observer sa réaction. Il ne s'agit même pas d'une arme.

Kennedy fronça les sourcils et la mort laborieuse d'Harper lui revint en mémoire, contre sa volonté.

— J'ai vu les dégâts que cela pouvait faire, dit-elle sur un ton aussi neutre que possible.

— Oh, oui, c'est dangereux, admit Partridge, toujours le sourire aux lèvres. Et même meurtrier. Mais sa signification est liée au fait qu'il n'a jamais été destiné à blesser ou tuer.

— Vous me devez une explication, dit Kennedy.

Le sourire sembla s'éclairer un peu plus.

— Vous l'aurez, le moment venu.

Partridge s'arrêta devant une porte ouverte. Un panneau indiquait CHAMBRE 57 : ANCIEN LEVANT. Par la porte, Kennedy aperçut une vitrine remplie de pots en terre glaise. C'était ainsi qu'elle avait toujours imaginé le British Museum étant enfant, et aussi pourquoi elle lui préférait les musées d'histoire naturelle et de sciences, et même le musée Victoria et Albert.

— Le Levant, dit Partridge avec la lente précision d'un professeur d'université, est la région qui, de nos jours, englobe la Syrie, le

Liban, la Jordanie, Israël et les territoires adjacents occupés par Israël.

— Alors, quand appelait-on cela le Levant ? demanda Kennedy.

Elle commençait à se demander si tout cela n'était pas une chasse aux chimères, et si c'était le cas, combien de temps il lui faudrait pour se dépêtrer de cet homme bien intentionné, mais qui avait quelque chose d'irritant.

— Je ne suis pas historien, lui rappela Partridge. Je pense que la plupart des pièces exposées ici datent d'une période qui s'étend entre huit mille et cinq cents ans avant la naissance du Christ. Idéalement, j'aurais aimé vous montrer un exemplaire plus récent de votre couteau asymétrique, mais pour cela, j'aurais dû vous emmener à l'Île aux Musées de Berlin. Il n'y en a aucun ici, en Grande-Bretagne, de la période correspondante.

Il entra dans la salle, et de nouveau, Kennedy le suivit. Ils passèrent devant les pots, devant des dalles de pierre ornées de bas-reliefs, avant de s'arrêter devant une vitrine remplie d'instruments en métal.

— La seconde étagère, dit Partridge.

Mais Kennedy l'avait déjà vu. Malgré elle, et en dépit du fait qu'elle savait que Partridge n'avait besoin d'aucune confirmation, elle leva la main et toucha la vitre du bout du doigt.

— Là, dit-elle. Celui-là.

Pour ce qui était de l'état, c'était aux antipodes de l'arme qui lui avait transpercé l'épaule et mis fin à la vie d'Harper. La surface décolorée était piquée de vert-de-gris, au point qu'il était impossible de savoir quel était le métal d'origine, et la poignée usée était réduite à un pic plutôt mince. Mais la lame avait exactement la même forme que celle qui était restée gravée dans son esprit : très courte, presque aussi large que longue, avec une extension asymétrique arrondie et crochue à l'extrémité.

Maintenant qu'elle le voyait alors qu'elle avait tout son sang-froid, il semblait un peu ridicule. À quoi pouvait servir un couteau aussi insignifiant ? Et pourquoi avait-il une extrémité arrondie, là où on s'attendrait à quelque chose de pointu ?

Kennedy sentit sa poitrine se serrer et son souffle s'accélérer à mesure que la haine montait en elle.

— Qu'est-ce que c'est ? demanda-t-elle, rassurée d'entendre que sa voix ne tremblait pas.

— C'est un rasoir, dit Partridge. Les hommes l'employaient pour se raser et tailler leur barbe. Celui-ci est en bronze, et comme vous pouvez le voir sur la note qui l'accompagne, il a été trouvé dans un tombeau à Semna. Mais ce type d'instrument est en général associé à une époque plus récente et à une autre région du Moyen-Orient.

Il se tourna pour lui faire face, joignant les mains dans son dos.

— Pendant l'occupation d'Israël et de la Palestine par les Romains, dit-il, les Juifs vaincus n'avaient pas le droit de porter d'arme. Mais ils ne pouvaient être arrêtés pour possession d'un nécessaire à raser. Pas dans un premier temps, en tout cas. Alors, les combattants de la liberté se sont mis à circuler avec ce type de rasoir dans leur manche. Quand ils passaient devant un soldat romain, le rasoir pouvait être immédiatement disponible, prêt à être employé et caché de nouveau en l'espace de quelques secondes. C'était donc l'instrument des assassins, et il était d'une efficacité redoutable. Le terme romain pour désigner un couteau à lame courte était *sica*, on appelait donc les insurgés qui les employaient les *sicaires* : les hommes-couteaux.

— Mais c'était il y a deux mille ans, dit Kennedy.

— Plus ou moins, reconnut Partridge. Et si vous voulez en savoir plus sur le contexte historique de votre couteau, j'ai bien peur de ne pouvoir vous aider. Nous avons déjà épuisé mes connaissances sur le sujet. Mais pas tout à fait mes connaissances sur l'objet en tant que tel. Voulez-vous que je vous dise comment je suis parvenu à reconnaître votre couteau ? Je veux dire, en quoi il correspond un peu à un profil d'arme contemporaine, en dépit de son caractère très ancien ?

— Oui, s'il vous plaît, dit Kennedy.

— À cause de ses propriétés aérodynamiques. Il appartient à une classe d'objets comportant une lame pouvant être lancée sur une cible et l'atteindre sans tourner sur eux-mêmes. Le couteau volant moderne en est l'exemple le plus connu. Il a été conçu par un ingénieur espagnol, Paco Tovar, qui voulait éviter l'habitude ennuyeuse qu'avaient la plupart des couteaux de parfois atteindre leur cible avec le manche. Son couteau emploie la technique du lancer longitudinal qui lui confère une certaine stabilité. Le lancer du *sica* n'est pas longitudinal, et il n'a jamais été conçu pour être lancé, il est donc assez mystérieux qu'il reste aussi stable dans sa trajectoire. En fait, cela est dû à la forme peu orthodoxe de sa lame. C'est ce que j'ai appris lors d'un symposium sur le sujet à Munich en 2002, où je remplaçais un collègue.

— Monsieur Partridge, voulez-vous dire que cette propriété – de rester stable lors du lancer – est assez rare ?

— Oui, pour les armes qui comportent à la fois une lame et un manche, dit-il. En général, le manche doit être assez épais pour une bonne prise en main et être facilement transportable, tandis que la lame doit être plus mince et plus légère. Ce déséquilibre affecte le lancer.

— Cela serait-il une raison suffisante pour que l'on emploie encore ce type de couteau ?

Partridge fit une moue tout en considérant la suggestion.

— C'est possible, admit-il, mais je suppose que le couteau volant fait la même chose de façon beaucoup plus efficace, tout comme une demi-douzaine de variantes apparues depuis.

— Mais elles sont assez récentes ?

Le vieil homme hocha la tête.

— Elles datent des dix dernières années.

— Merci Monsieur Partridge, vous m'avez vraiment été très utile.

— Ce fut un grand plaisir, lui dit-il en s'inclinant légèrement.

Kennedy le laissa, admirant toujours les couteaux, le front plissé par la concentration.

Elle rejoignit Tillman au cimetière de la City de Londres, où elle le trouva assis adossé à une tombe avec un revolver – le même étrange pistolet dont il s'était servi à Park Square – posé sur les genoux. Il regardait le déroulement de funérailles qui avaient lieu de l'autre côté du cimetière, près des portes d'entrée. De là où il était assis, il avait une vue panoramique.

— Ça vous dérangerait de ranger ce truc ? demanda Kennedy.

Tillman lui fit l'honneur d'un sourire bref et énigmatique.

— Vos désirs sont des ordres.

Il ne fit aucun geste en direction de l'étui de son revolver, et elle comprit alors qu'il était en train de le nettoyer. Elle s'adossa à la tombe et le regarda à l'œuvre.

— Vous avez l'air de bonne humeur, commenta-t-elle d'un ton maussade.

— Oui, j'ai plutôt une bonne intuition concernant tout ça, Sergent.

— À propos des morts en particulier, ou juste sur tout ce bordel en général ?

Tillman se mit à rire.

— À propos de là où nous en sommes. Vous devez comprendre que ça fait longtemps maintenant que je recherche Michael Brand. Peut-être même depuis plus longtemps que vous n'êtes inspectrice. Et pendant tout ce temps, je ne me suis jamais senti aussi près de le trouver que maintenant. Nous nous sommes rencontrés au bon moment. Ce que vous savez et ce que je sais, tout cela se complète presque à la perfection. Nous sommes en bonne position.

— Je suis contente que vous le pensiez, dit Kennedy.

Malgré elle, le curieux revolver avait attiré son attention. Elle avait finalement compris pourquoi il semblait si étrange, et elle s'efforçait de ne pas poser de question. Elle ne voulait pas montrer le moindre intérêt pour le fichu pistolet. Mais il surprit son regard et lui tendit le revolver pour qu'elle y jette un coup d'œil.

— Ça va, merci, dit-elle, avant d'ajouter, malgré elle : Le canon est aligné avec le bas du barillet. À quoi ça rime ?

— Mateba, modèle 6 Unica, dit Tillman. Il ouvrit le barillet pour le lui montrer. Oui, le barillet est monté au-dessus du canon. Ça veut dire qu'il y a très peu de recul. Il tourne le barillet et arme le chien après la mise à feu du projectile précédent.

— Je n'avais jamais rien vu de tel.

— C'est le seul revolver automatique qui existe. Le Webley-Fosbery l'a précédé pendant un bon moment, mais il a fait son temps. Mateba produit encore l'Unica parce qu'il y a pas mal de gens qui recherchent cette combinaison : une incroyable précision avec un canon en acier.

— Je vous crois sur parole.

— Vous devriez. Je sais de quoi je parle. Je ne suis pas un grand tireur, mais avec ce calibre à la main, j'ai tendance à ne pas manquer ma cible.

Elle repensa à Park Square, et à la façon dont il avait désarmé l'homme au couteau avec une seule balle. Difficile de le contredire sur ce point.

Elle s'assit à côté de lui.

— Alors, dit-elle, vous avez eu droit au cours magistral sur le couteau ?

— Partridge m'a mis au courant. C'est plutôt intéressant, n'est-ce pas ? Vos victimes travaillaient sur un évangile très ancien et ces tueurs se servent d'un très vieux couteau. Même origine : la Judée Samarie, 1er siècle après J.-C.

— Oui, c'est intéressant. Mais je ne sais pas trop où ça nous mène.

— Moi non plus. Je compte sur vos talents d'inspectrice pour assembler tous les éléments et y trouver un sens.

— Ce n'est pas drôle, Tillman.

— Je ne ris pas. Le lieu serait mal choisi pour plaisanter. Mais je suis sérieux quand je dis que nous nous approchons de quelque chose, dit-il avant de se plonger dans ses réflexions. À vrai dire, votre affaire est arrivée au bon moment pour moi. J'étais sur le point d'abandonner. Je ne me l'étais pas vraiment formulé ainsi, mais je commençais à être en perte de vitesse. Puis j'ai suivi cette piste, donnée par un type en Europe de l'Est, je suis venu ici, je vous ai rencontrée…

— Le destin n'existe pas, Tillman, dit-elle, effrayée par le ton de sa voix.

Il la regarda et secoua la tête.

— Non, je le sais. Rien n'est écrit, il n'y a aucune providence. Pas d'autre destin que ce que nous en faisons. Malgré tout, je suis content que nous soyons embringués dans cette histoire, et que ce soit ensemble.

Kennedy détourna les yeux. Elle n'aimait pas qu'on lui rappelle à quel point son partenaire de facto était sur la corde raide. Cela lui rappelait à quel point sa propre situation était désespérée.

— Écoutez, dit-elle. J'ai peut-être une piste sur le projet de Barlow.

Elle parla à Tillman de l'absence de fichier lié au Rotgut sur l'ordinateur de Sarah Opie, et de la ferme du Colombier. Mais elle se garda de lui donner le nom du lieu en question.

— Cela semble valoir la peine d'y jeter un coup d'œil, dit-il. Voulez-vous faire ça ce soir ?

— Non. La sœur de Barlow ne m'envoie la clé que demain matin. Et je veux que vous restiez à l'écart tant que nous n'avons pas établi s'il s'agit ou non d'une scène de crime. Si vous arrivez le premier, la moindre preuve sera contaminée, et vous risquez de laisser des preuves de votre côté. Je ne veux pas que le reste de l'équipe qui travaille sur cette affaire soit à vos trousses de façon accidentelle.

Tillman ne semblait pas convaincu.

— Quelles preuves ? lui demanda-t-il. Quelle scène de crime ? Vous allez sur place en partant du principe que les tueurs ne connaissent même pas l'existence de ce lieu, non ?

— J'espère que non.

— Alors il n'y a rien à contaminer.

— C'est vrai, si j'ai raison. Mais nous n'avons aucune idée de ce sur quoi nous allons tomber. Et étant donné que cela concerne directement l'affaire, je veux aller sur les lieux en premier. Seule.

Il se leva et la regarda dans les yeux d'un air grave.

— Le marché, c'est qu'on partage toutes les informations en notre possession, lui rappela-t-il. Ça ne peut marcher que si on respecte ça.

— Je vous jure, dit Kennedy, que quoi que nous trouvions, je vous en informe immédiatement. Je veux juste faire une visite éclair. Après tout, il n'y a peut-être rien à trouver. Dans ce cas, je pourrai faire comme si je n'avais jamais été sur place. Parce qu'il y a un autre facteur dont on doit tenir compte : Rosalind Barlow. Si ces... sinistres visages pâles ont l'impression qu'elle sait quoi que ce soit, ils risquent de l'éliminer, comme ils l'ont fait avec Sarah Opie.

— Placez-la en détention par mesure de protection alors. Comme vous avez fait pour l'autre type – Emil quelque chose.

— Gassan. Emil Gassan. Je le ferais si je le pouvais. Mais je ne suis plus le capitaine du navire. À vrai dire, on m'a plutôt dit de me contenter de compter les mouches.

Tillman la regarda d'un air perspicace.

— Vous avez donc besoin de moi, autant que j'ai besoin de vous.

— Si cela peut vous rassurer, alors oui, Tillman, j'ai besoin de vous. Et je vais avoir encore plus besoin de vous si nous sommes sur une piste sérieuse. C'est pourquoi je veux que vous restiez en dehors de tout ça tant que je n'aurai pas jeté un coup d'œil sur place.

Il hocha la tête, apparemment satisfait.

— Ok, dit-il. Je vous fais confiance.

— Vraiment ? fit Kennedy, perplexe. Pourquoi ?

— Je sais juger les gens. Surtout lorsqu'il s'agit de sergents. J'ai moi-même été sergent pendant quelques années, et j'en ai connu un certain nombre. Il était assez facile de discerner les salauds des saints.

— Et pour ceux qui étaient entre les deux ?

— Il n'y en avait pas tant que ça. Dans d'autres grades, il y a davantage de zones d'ombre. Les sergents sont plus contrastés.

Il l'avait regardée avec attention tout au long de cette conversation, mais à présent, son regard s'était tourné vers les portes du cimetière, où les dernières personnes assistant aux obsèques avaient peu à peu disparu.

— Si vous voulez rendre vos derniers hommages, je pense que c'est le moment, dit-il.

— Mes hommages ? fit-elle, suivant son regard. Pourquoi ? De qui était-ce les funérailles ?

— Sarah Opie. Je suppose qu'elles auraient dû avoir lieu plus tôt, mais vos collègues ne pouvaient rendre le corps avant d'avoir procédé à l'autopsie.

Elle se sentit tout à coup comme désorientée.

— Que faisiez-vous aux obsèques de Sarah Opie ? demanda-t-elle.

— Je n'étais pas aux obsèques. Je les observais depuis là où nous sommes. Au cas où.

— Au cas où quoi ?

— Au cas où nos amis à la peau blanche auraient décidé de venir surveiller les lieux. Pour moi, ou pour vous, ou qui que ce soit qu'ils auraient manqué. J'ai fait un tour de reconnaissance avant, et pendant, et personne ne s'est présenté.

Kennedy n'avait rien à répondre à ça. Et elle ne voyait pas ce qu'elle pouvait dire à la tombe de Sarah Opie. Pour ce genre de choses, au moins, elle pensait que les actes en disaient plus long que les mots.

30

La matinée suivante lui sembla longue. Kennedy la passa, pour l'essentiel, dans la fosse aux ours, à lire les notes qui figuraient dans le dossier, sans trouver grand-chose de nouveau ou d'intéressant.

Mais elle avança un peu sur un point, en recoupant les déclarations des témoins de Park Square qui avaient été relevées par Stanwick et McAliskey. La plus intéressante venait de Phyllis Church, l'employée de l'agence de location qui avait loué la Bedford blanche aux tueurs de Sarah Opie. Les hommes avaient utilisé de fausses pièces d'identité extrêmement bien imitées et grâce auxquelles ils se faisaient passer pour des marchands de vin portugais en visite à Londres pour un salon professionnel.

La description de Phyllis Church concordait avec celle des autres témoins. Elle se rappelait leurs cheveux noirs et leur teint pâle et s'était demandé s'ils avaient un lien de parenté étant donné leur ressemblance. Mais elle avait également dit que l'un d'eux devait être blessé parce qu'il saignait. Kennedy relit le compte rendu trois fois.

C'était le plus jeune des deux. Il s'est frotté l'œil. Ensuite, quand j'étais en train de faire une photocopie de son passeport pour le dossier, je l'ai regardé et je pensais qu'il pleurait. Mais c'était du sang. Il y avait du sang qui coulait de ses yeux. Juste un peu. Comme s'il pleurait, mais du sang et non des larmes. Ça donnait la chair de poule. Puis, il a vu que je le regardais et il s'est tourné pour que je ne puisse plus le voir. Et l'autre lui a dit quelque chose en espagnol. Enfin, je suppose que c'était de l'espagnol, je ne le parle pas. Et le jeune est allé l'attendre dehors. Je ne l'ai pas revu après ça.

Les mots éveillèrent un écho en elle, et du fond de sa mémoire, remonta l'image de l'homme qui avait tué Harper. C'était vrai : il avait des larmes rouges qui lui coulaient sur les joues. Dans le chaos et l'horreur du moment, elle l'avait oublié.

Elle fit des recherches sur les affections congénitales et les effets indésirables de certaines drogues. Mais elle n'obtint que des évidences : presque n'importe quoi pouvait provoquer une rupture des minuscules capillaires des yeux, d'une forte toux jusqu'à une tension artérielle trop élevée, ou même le diabète.

Mais pleurer du sang était une autre histoire. Cela portait un nom : haemolacria, terme qui n'était qu'une description des symptômes. Ce phénomène semblait bien plus rare, et était bien plus souvent associé à des statues du Christ et de la Vierge Marie qu'à une pathologie. Une tumeur cancéreuse dans le conduit lacrymal pouvait la provoquer, tout comme certaines formes rares de conjonctivite. Kennedy décida d'exclure, pour l'instant, la possibilité que les tueurs de Park Square puissent tous les deux souffrir d'une de ces pathologies.

Un long article qu'elle trouva sur un site de médecine alternative évoquait la survenue de larmes enrichies de sang chez les adeptes des extases religieuses lors des rituels au cours desquels ils appelaient les dieux à venir en eux. Mais il s'avéra qu'aucun de ces cas n'avait été authentifié.

Elle appela Ralph Prentice, à la morgue, une vieille connaissance à qui elle n'avait pas parlé depuis la mort de Marcus Dell.

— J'aurais besoin de votre aide pour quelque chose de particulier, dit Kennedy.

— Allez-y, dit Prentice. Vous savez que je suis une mine d'or pour tout ce qui concerne les informations les plus inutiles. Et les trois joyeux drilles qui sont sur ma table ce matin sont beaucoup moins séduisants que vous.

— C'est mon jour de chance, alors ? dit Kennedy.

— Oh oui, j'avais une vraie bombe hier.

— Oublions votre vie sexuelle un instant, Prentice, connaissez-vous quoi que ce soit qui puisse faire pleurer des larmes dans lesquelles il y aurait du sang ?

— L'œstrus, répondit aussitôt Prentice.

— Pardon ?

— L'œstrus. L'ovulation. Certaines femmes font ça tous les mois. Si vous avez l'intention de tomber enceinte, c'est un assez bon repère.

— Certaines femmes ?

— C'est extrêmement rare, cela touche peut-être deux ou trois femmes sur un million.

— Ok, et pour les hommes ?

— C'est moins fréquent. J'imagine qu'une infection du conduit lacrymal peut provoquer un léger écoulement de sang. En fait, je suis sûr que la conjonctivite peut provoquer cela, mais les yeux injectés de sang sont bien plus fréquents.

— Il s'agit de deux hommes qui ont ce symptôme en même temps. Les deux hommes qui ont tué Chris Harper la semaine dernière.

— Ah. (Il y eut un long silence à l'autre bout de la ligne.) Eh bien, finit par dire Prentice, en laissant de côté le scénario où l'un attrape une infection et la transmet à l'autre, il y a deux possibilités.

— Lesquelles ?

— Des drogues ou médicaments et le stress. Peut-être une conjonction des deux.

— Quelles drogues exactement ?

— Aucune dont j'aie entendu parler, admit le pathologiste. Mais cela ne veut pas dire qu'elles n'existent pas. J'ai un bouquin derrière moi qui répertorie vingt-trois mille délices pharmaceutiques, dont mille au moins qui sont arrivés sur le marché au cours des douze derniers mois.

— Existe-t-il une liste des éventuels effets indésirables ?

— Toujours. C'est une des raisons pour lesquelles le livre a été écrit. Cela permet aux médecins de voir s'il existe des contre-indications pour un patient donné.

— Je vois. Pourriez-vous faire une recherche pour moi, Prentice ? Je voudrais savoir quels médicaments citent l'haemolacria dans la liste…

— Il y a vingt-trois mille composants différents, Heather. Désolé, mais il n'y a pas assez d'heures dans une journée, et de jours dans une semaine. Et je dois faire mon boulot.

— J'ai compris, dit-elle d'une voix contrite. Je suis désolée, Ralph, j'ai parlé sans réfléchir. Mais il doit y avoir des formulaires en ligne, non ? Des sites sur lesquels on peut entrer ces données dans un moteur de recherche ?

— Forcément, admit Prentice. Mais il faut que vous compreniez que ces listes d'effets indésirables font parfois trois ou quatre pages. Alors vous risquez de trouver des centaines de substances qui citent comme éventuel effet indésirable la présence de sang dans les sécrétions. À votre place, je ne me donnerais pas cette peine, à moins d'avoir d'autres éléments permettant de réduire la liste.

Kennedy le remercia et raccrocha. Elle consulta Internet malgré tout, et trouva une base de données gérée par un hôpital de l'État de New York, qui proposait ce service aux hypocondriaques locaux et elle lança la recherche. Prentice avait largement surestimé le nombre de résultats : seulement dix-sept médicaments comportaient l'haemolacria comme effet indésirable rare. C'étaient tous des dérivés de méthamphétamine, apparemment destinés à traiter des troubles du déficit de l'attention ou l'obésité exogène.

C'est à ce moment-là que Stanwick entra dans la fosse aux ours, suivi, quelques secondes plus tard, par Combes. Kennedy n'était pas très enthousiaste à l'idée de rester en leur compagnie, ce qui était réciproque. Mais elle attendait qu'Izzy vienne lui remettre la clé de la ferme du Colombier, et elle ne voulait pas quitter son bureau. Elle enregistra la liste de médicaments, referma le dossier et se mit à compléter ses notes avec ce que John Partridge lui avait appris sur le couteau.

Son téléphone sonna et elle décrocha.

— Salut, fit la voix de Tillman.

— Salut, dit-elle. Peut-on parler plus tard ?

— Je préférerais qu'on parle maintenant, avant votre départ.

— De quoi ?

— Des visages pâles.

Elle eut un instant d'hésitation.

— Où êtes-vous ?

— À St James's Park. De votre côté.

— Je vous y retrouve.

Elle prit son manteau et sortit.

Elle tourna un moment dans le parc, et vit Tillman adossé à un réverbère, la regardant avec un semblant d'impatience. Elle avança vers lui.

— Ok, dit-il sans préambule. Il y a deux nuits, j'ai réservé une chambre d'hôte, à Queen's Park. Ça avait l'air plutôt clean, mais hier soir, quand j'y suis retourné, il y avait déjà une infestation.

— Attendez, vous voulez dire qu'il y avait...

— Deux charmants jeunes hommes d'une ressemblance inquiétante qui attendaient mon retour. Peau claire et cheveux noirs. Les mêmes hommes que j'ai rencontrés sur le ferry, je crois. Ils ont failli me tuer cette fois-là, et ils n'auraient pas manqué de le faire hier soir s'ils m'avaient aperçu. Et quand j'ai essayé de les suivre, ils se sont fondus dans le paysage comme neige au soleil.

Kennedy assimila la nouvelle en silence, tandis que Tillman la regardait, attendant une réponse.

— La ressemblance physique, dit-elle enfin, je pense que c'est un genre d'illusion optique. Ils ont une façon de bouger, et des expressions, qui sont une sorte de signature. Cela occulte les différences d'âge et de carrure qui sont pourtant flagrantes.

— On se fout de la ressemblance familiale, dit Tillman sans animosité. Sergent, ils sont à mes trousses. Ça veut dire qu'ils sont aussi après vous. Si vous avez parlé à qui que ce soit de cette ferme, ou si vous l'avez noté dans votre dossier, je vous parie qu'ils savent déjà où elle se trouve et qu'ils y seront avant vous.

— Je n'en ai parlé à personne, dit Kennedy.

— Et vous ne l'avez noté nulle part ? N'êtes-vous pas obligée de le faire quand il y a un élément nouveau sur une affaire ?

— Si, mais je ne l'ai pas fait. Personne n'est au courant en dehors de nous, Leo. Et je ferai en sorte que les choses restent ainsi.

— Je veux venir avec vous.

— Non, nous en avons déjà discuté. J'y vais d'abord seule. Ensuite, je vous donne l'adresse.

— Ok, dit-il à contrecœur. Vous allez avoir besoin de mon nouveau numéro. J'ai changé, au cas où.

Il le lui donna et elle le nota à l'intérieur de son poignet, puis quitta Tillman.

De retour dans la fosse aux ours, le colis l'attendait sur son bureau. Izzy l'avait laissé à l'accueil en son absence. Elle leva les yeux vers Combes et Stanwick, qui travaillaient ensemble sur quelque chose à l'autre bout de la pièce, ne la regardaient pas et ne semblaient pas avoir remarqué sa présence. Mais même s'ils avaient jeté un œil au colis, ils n'auraient trouvé aucune mention de Rosalind Barlow. L'expéditeur indiqué sur l'emballage était Berryman Sumpter, Conseillers financiers.

Kennedy ouvrit le paquet et glissa la main à l'intérieur. Du bout des doigts, elle toucha le métal froid. Elle sortit une grosse clé ancienne ternie par le temps. Puis elle déchira l'étiquette comportant l'adresse de l'expéditeur, au cas où, et elle la mit dans la poche de sa veste avant de jeter l'emballage dans la poubelle.

Il y avait encore une chose dont elle avait besoin. Elle quitta la fosse aux ours et se rendit au sous-sol, où se trouvaient les casiers où étaient entreposées les preuves. L'agent de surveillance était quelqu'un qu'elle ne connaissait pas. Le casque qu'il avait autour du cou cachait l'étiquette portant son nom. Elle avait vu le type ôter son casque à la hâte en la voyant descendre les escaliers. Il était si fraîchement sorti de l'école qu'il se redressa sur sa chaise à mesure qu'elle approchait, comme un écolier. Devant lui, il y avait un magazine de cinéma, ouvert.

— Sarah Opie, dit-elle en l'écrivant sur le registre. Affaire numéro 1488870.

Elle lui montra une pièce d'identité et l'agent ouvrit la porte et la laissa entrer, puis il sortit le casier métallique qui portait le numéro demandé et le posa sur la grande table centrale. Pendant quelques instants, il la regarda passer au crible les poches de la femme morte.

Kennedy sortit son calepin et prit quelques notes. L'attention de l'agent se détourna progressivement vers une revue de cinéma d'art martial coréen.

1487860 était le casier de l'affaire Marcus Dell. Kennedy vit le casier sur une étagère du bas, à la hauteur de ses genoux. Elle le tira légèrement vers elle et jeta un coup d'œil à l'intérieur. C'était là où sa vie avait commencé à dérailler. À l'instar de la boîte de Pandore, celle-ci contenait tous les maux de la vie de Kennedy. Ou du moins, elle en était la source.

Elle l'ouvrit néanmoins. Le faire sans avoir signé le registre était une grave infraction, qui aurait pu lui valoir un avertissement écrit, mais l'agent de surveillance était plongé dans son magazine et semblait avoir oublié son existence. Elle s'agenouilla et regarda les effets de Marcus Dell. Elle glissa une main à l'intérieur du casier et prit le téléphone délabré qui avait entraîné sa mort. Étiqueté et mis sous scellé, inviolé sous le plastique froid. Sa relation au monde avait été définitivement interrompue.

Kennedy prit une décision, un compromis avec elle-même.

— Ok, dit-elle quelques instants plus tard.

L'agent de sécurité leva les yeux et vit qu'elle avait déjà remis les différents sacs et enveloppes dans le casier. Il vint vers elle et les compta rapidement, puis vérifia avec un peu plus de précaution pour s'assurer que tous les chiffres correspondaient à ceux inscrits sur le registre. Ils étaient tous là et corrects. Il hocha la tête, referma le casier et le remit à sa place sur l'étagère.

— Avez-vous trouvé ce que vous cherchiez ? lui demanda-t-il.

— Oui, merci, acquiesça Kennedy.

L'agent la laissa sortir et remonter l'escalier. Combes l'attendait au milieu, adossé au mur. Il lui lança un regard dur et hostile et ne se donna pas la peine de tourner autour du pot.

— Dites-moi ce que vous manigancez, Sergent, dit-il sur un ton plein de sarcasmes. Ou je vous jure que je vais vous faire regretter d'être née.

31

Kennedy resta de marbre en s'arrêtant devant Combes qui lui barrait le chemin. Elle décida de le laisser parler en premier. Peut-être serait-il assez bavard pour lui dire ce qu'il savait déjà, ce qui lui permettrait de décider ce qu'elle devait lui dire de plus – si jamais c'était nécessaire.

Combes sembla ravi de mener la danse.

— Vous êtes venue ici pour fouiner dans les preuves versées au dossier, dit-il.

— Et alors ?

— Et alors si cela concerne les meurtres du Rotgut, je suis en droit de vous demander ce que vous cherchiez et pourquoi.

— Les meurtres du Rotgut ? répéta-t-elle. C'est comme ça qu'on les appelle maintenant ?

— Je suis sérieux. Vous êtes censée travailler sur le couteau et sur le forum des historiens. Si vous avez de nouvelles informations, vous auriez dû les indiquer dans le dossier et en donner une copie aux membres de l'équipe.

— Il n'y a rien de nouveau, dit Kennedy. Rien de solide en tout cas, je voulais juste jeter un coup d'œil sur les éléments dont on dispose sur Park Square.

— Ah oui ? fit Combes sans se donner la peine de cacher son scepticisme et son agressivité. Sur un coup de tête ? Rien à voir avec le paquet que vous venez de recevoir ?

— Je ne fais jamais rien sur un coup de tête, Combes. Je ne sais pas trop de quel paquet vous parlez, ni pourquoi vous pensez que ça vous regarde.

Combes tenait l'enveloppe Fedex froissée dans son dos depuis le début, comprit-elle alors. Il la brandit sous son nez.

— Je parle de ce paquet, lui dit-il. Vous vous en souvenez maintenant ?

Le regard de Kennedy passa de l'enveloppe froissée au visage de Combes, qui visiblement l'attendait au tournant.

— C'est un comportement très étrange, dit-elle, de faire mes poubelles comme ça.

Combes ne semblait aucunement décontenancé.

— Berryman Sumpter, dit-il. Le courtier chez qui travaille Rosalind Barlow. J'ai dû aller la voir à son bureau, Kennedy. Vous pensiez que je ne m'en souviendrais pas, deux jours plus tard ?

— Je ne pensais pas que cela vous regardait, lui dit Kennedy. Et je ne le pense toujours pas.

— Vous n'avez pas porté cet élément au dossier.

— Ce qui peut vouloir dire qu'il n'a aucun rapport avec l'affaire.

— Mais vous avez déchiré l'enveloppe pour que personne ne puisse fouiller dans votre corbeille et faire le rapprochement.

Là-dessus, il avait marqué un point.

— J'ai le droit de faire ce que je veux de ma correspondance privée, dit-elle pour gagner du temps.

— Et ce que vous avez fait, c'est de venir aussitôt ici, pour chercher quelque chose dans les preuves versées au dossier. C'est une incroyable coïncidence. Vous avez une nouvelle piste, et elle est directement liée à ce que Rosalind Barlow vous a envoyé. Qu'est-ce que vous cherchiez ici ? Et si vous me dites que ça ne me regarde pas, je vais immédiatement dans le bureau de l'inspecteur divisionnaire.

Kennedy n'y tenait vraiment pas. La vérité – ou des morceaux choisis – semblait préférable, étant donné que Combes pouvait aller vérifier le registre.

— Je voulais voir ce que nous avions trouvé dans les poches d'Opie, lui dit-elle.

— Ah oui, et pourquoi au juste ?

— Au cas où nous serions passés à côté de quelque chose. N'importe quoi qui aurait pu nous donner un indice sur ce qu'elle faisait dans l'équipe de Barlow.

— Vous vouliez juste vérifier ce qu'il y avait dans ses poches. À tout hasard. C'est vraiment un boulot de policier très zélé.

— J'aspire à être un jour aussi douée que vous.

— Je vous conseillerais de ne pas vous foutre de moi si vous ne voulez pas que j'aille voir l'inspecteur divisionnaire pour lui dire que vous prenez des libertés avec les règles de transmission de l'information. Et peut-être même avec les règles liées à la protection des preuves, vu que vous êtes là. Vous voulez me dire ce que vous avez trouvé ici ?

Kennedy décida plutôt de le lui montrer. Il le lui prit des mains et lut : trois lignes de mauvaise poésie.

Ah ! qui peut te faire souffrir, chevalier en armes
Errant pâle et solitaire ! Les joncs sont
desséchés au bord du lac,
Aucun oiseau n'y chante.

— Je ne comprends pas, dit Combes en le lui rendant. Qu'est-ce que c'est que ce charabia ?

— Quand on a dit à Opie qu'on l'emmenait par mesure de protection, elle a pris une feuille de papier sur son bureau. C'est la dernière chose qu'elle a faite avant de partir. Elle a dit que cela contenait un indice mnémotechnique pour se souvenir de son mot de passe – le mot de passe qui protégeait ses dossiers. Et c'est ce qu'elle a écrit.

Combes secoua la tête.

— Rien de ce qu'on a trouvé sur le réseau de l'université n'était verrouillé. On n'a eu besoin d'aucun mot de passe pour avoir accès à ses dossiers.

— Alors, elle devait forcément faire référence à autre chose, non ?

— On a vérifié tous ses…

Combes s'interrompit brusquement lorsque Kennedy leva la clé en l'air.

— Barlow a hérité d'une ferme de ses parents, dit-elle. Elle s'appelle « Le Colombier ». Et les mots prononcés par Opie en mourant n'étaient pas « Une colombe est », mais « Au Colombier ».

Combes scruta fixement la clé. Kennedy voyait qu'il réfléchissait à toute allure.

— Ok, dit-il. Alors vous pensez que Barlow utilisait parfois la ferme comme bureau ? Et que les dossiers concernant le projet Rotgut s'y trouvent peut-être ?

— Oui.

— Pourquoi ?

— Vous voulez dire, en dehors des dernières paroles d'Opie ? Parce qu'ils n'étaient nulle part ailleurs, Combes. Et parce que les tueurs ont effacé tout ce qui se trouvait sur l'ordinateur de Barlow, mais qu'ils étaient encore à l'affût, à la recherche de quelque chose, quand on est allés rendre visite à Opie. Il y a quelque chose qu'ils ne veulent pas que l'on voie et ils ne sont pas sûrs qu'on ne puisse pas le trouver. Alors peut-être qu'il existe encore quelque part, et que Barlow l'a planqué à la ferme du Colombier. À moins que ce ne soit Opie.

Combes lui lança un regard plein de mépris.

— Et vous avez pensé vous éclipser en douce et le trouver par vous-même ? En évinçant l'équipe pour vous attribuer toute la gloire ?

Kennedy perdit patience.

— Sarah Opie est morte pour nous avoir parlé, espèce d'abruti, hurla-t-elle. Je voulais m'assurer que la même chose n'arrive pas à Rosalind Barlow, en plus, vous m'avez mise sur la touche et vous ne m'avez pas laissé le choix. Écoutez, ajouta-t-elle, ce n'est qu'un rapide aller-retour dans le Surrey, et je ne vous demande pas de m'accompagner. Si j'ai tort, qu'est-ce qu'on a à perdre ?

— Je ne perds rien, dit Combes en tendant la main. Donnez-moi la clé.

— Quoi ?

Kennedy ne l'avait vraiment pas vu venir, mais connaissant Combes, elle aurait dû.

— Voici ce que nous allons faire, dit Combes. Je vais sur place pour vérifier, et vous allez remonter et noter dans le dossier que vous avez reçu un paquet de Rosalind Barlow. Vous n'aurez qu'à indiquer qu'elle n'a pensé à la ferme qu'après son retour hier soir, et qu'elle a envoyé la clé de façon spontanée à l'ensemble du service. Ne mentionnez pas qu'elle vous l'a adressée. Le fait est que cela semble être une piste sérieuse – seulement, c'est moi qui vais en profiter. Je suis en train de vous baiser la gueule comme vous l'avez fait avec John Gates et Hal Leakey. Et si ça ne vous plaît pas, allez vous plaindre à Summerhill. Sauf que si vous décidez de le faire, n'oubliez pas qu'il voudra probablement savoir ce que vous faisiez avec Barlow alors qu'il vous avait défendu d'aller la voir.

Comme elle ne lui donna pas la clé, il essaya de la lui prendre. Elle le repoussa fermement.

— Ce n'est pas négociable, Kennedy.

Elle croisa les bras.

— Vous avez raison, dit-elle. J'ai promis à Rosalind de faire profil bas. Je veux bien vous mettre sur le coup si c'est le prix à payer, mais on ne fait pas de vagues. Si on trouve quelque chose, très bien. On rentre ici, on informe l'équipe et on met au point une stratégie. Jusque-là, personne n'entend un mot de tout ça. Personne d'autre ne mourra sous ma responsabilité, Combes.

Il laissa échapper un soupir agacé.

— Très bien, dit-il. Mais voilà ce que nous allons faire : nous allons sur place ensemble, mais en prévenant Stanwick avant de partir. Il ne le note nulle part, mais il sait où nous sommes au cas où les choses tourneraient mal.

Kennedy médita sur ce qu'il venait de dire – surtout le « nous » et le « ensemble ». Cela lui resta en travers de la gorge, mais il semblait qu'il n'y avait aucun moyen de se débarrasser de Combes maintenant qu'il était au courant pour la ferme et la clé.

— Ok, finit-elle par dire. J'accepte. Mais Stanwick doit se taire. S'il se précipite chez Summerhill dès qu'on a franchi cette porte, il récolte un bon point, on est mis sur la touche et Rosalind Barlow écope d'une gorge tranchée ou d'une balle dans la tête. Êtes-vous sûr que vous pouvez lui faire tenir sa langue ?

— Stanwick n'oserait pas péter sans avoir ma bénédiction, l'assura Combes. C'est un lèche-cul. Ne me dites pas que vous ne l'avez pas remarqué.

Combes commença à remonter, et Kennedy fut tentée de lui demander pourquoi il employait envers Summerhill la même attitude qu'il méprisait chez Stanwick, mais elle ne voulait pas compromettre l'entente précaire à laquelle ils étaient parvenus.

Combes s'adressa à Stanwick :

— Écoute, Stanwick, Kennedy a eu une piste de la sœur de Barlow et elle a besoin de quelqu'un pour aller la vérifier avec elle.

Stanwick semblait ne rien comprendre. Il pensait visiblement que si Combes se rendait dans le Surrey pour suivre une piste importante, le privilège de l'accompagner lui revenait de droit. Ce n'est pas ce qu'il dit cependant, mais c'était implicite dans sa façon de demander à plusieurs reprises ce qu'il devait dire si on lui posait des questions, étant donné qu'il ne savait rien.

— Rien, répondit Kennedy, se décidant enfin à les interrompre. Vous ne dites rien. Ce n'est pas encore dans le dossier, Stanwick, Ok ? ça n'existe pas encore. Là est toute la question.

— Et s'il s'avère que ça ne mène nulle part, ajouta Combes sur un ton plus conciliant, alors ça n'a jamais existé. Il n'y a pas mort d'homme. Mais s'il y a quelque chose, alors on se partage tous la gloire. À égalité, vingt-cinq pour cent chacun.

— Trois fois vingt-cinq pour cent, ça ne fait que soixante-quinze pour cent, objecta Stanwick.

Combes haussa les épaules.

— L'inspecteur divisionnaire a droit à sa part, je suppose. Écoute, Stanwick, on a juste besoin d'un soutien en renfort ici, c'est tout. Si tout se passe bien, on sera rentré avant la fin de l'après-midi. Mais si on a des ennuis, si tu es sans nouvelles de nous, quelle qu'en soit la raison, tu sais où on est.

— Oui, mais comment je le sais ? Comment tout ça ne me retombe pas dessus ?

— Un mot laissé sur le bureau, dit Kennedy tout en écrivant sur une des feuilles de son carnet. Gardez-le dans votre poche. Et trouvez-le si jamais quelqu'un essaie de nous appeler et que nous ne répondons pas. Elle donna le mot à Stanwick, sur lequel il était écrit : *Ferme du Colombier, suite aux informations d'un informateur civil.* Ok ? Alors vous ne risquez rien, quoi qu'il arrive.

— Mais il n'arrivera rien, ajouta Combes. Et il est plus que probable qu'il n'y ait rien là-bas. On va juste éliminer une piste.

Stanwick finit par céder. Ils prirent la voiture de Combes, une Vectra V6 gris fumé, et il lui ouvrit la portière côté passager avec une froide courtoisie. Kennedy l'ignora et monta à l'arrière.

— Très bien, dit Combes.

— C'est juste pour les premiers kilomètres, lui dit Kennedy. Je me fiche d'avoir l'air stupide, dit-elle, mais j'essaie d'être invisible.

Elle s'allongea sur la banquette arrière et se couvrit de son imperméable, qu'elle avait pris à cet effet. Si qui que ce soit surveillait la rue, il ne pourrait pas la voir. Elle se releva une dizaine de minutes plus tard, et quand Combes s'arrêta à un feu rouge un peu plus long que les autres, elle passa devant.

Ils parlèrent peu tant qu'ils ne furent pas sortis de la ville. Combes était très concentré sur la circulation, et une fois sortis, il sembla perdu dans ses pensées. Cela ne dérangeait pas Kennedy, bien au contraire. Elle jetait des coups d'œil réguliers dans le rétroviseur pour s'assurer que personne ne les suivait.

Une fois sur la A3, Combes regarda la jauge d'essence sur laquelle il tapota avec son index.

— Ce crétin de Stanwick a laissé le réservoir aux trois quarts vide, dit-il. Je vais devoir faire le plein.

— Très bien, dit Kennedy. Je vais voir si je peux trouver une carte d'état-major. Rosalind m'a donné quelques indications, mais elles sont un peu vagues.

Ils roulèrent en silence pendant un moment, puis Combes s'arrêta à une station-service qui portait le nom de Paradis des Voyageurs, de bien grands mots pour désigner un bâtiment en parpaing et trois pompes à essence. Tandis que Combes faisait le plein, elle se rendit dans le petit kiosque et demanda s'ils vendaient des cartes. L'adolescent qui était de l'autre côté du comptoir fit aussitôt non de la tête, les yeux écarquillés, comme si elle lui avait demandé s'ils avaient des magazines de pornographie enfantine ou des drogues dures.

Elle acheta des chewing-gums et retourna à la voiture. Lorsqu'elle fut presque arrivée, Combes reposa la pompe et leva les mains en l'air.

— Vous pouvez régler ça, demanda-t-il. Je suis couvert d'essence. Cette fichue pompe fuit.

Kennedy retourna à l'intérieur et tendit sa carte de crédit.

— Numéro trois, dit-elle.

Elle était en train de taper son code quand elle entendit un bruit de moteur. Combes était en train de quitter le parking et roulait déjà à bonne allure.

— Fils de pute ! hurla-t-elle.

Elle commença à courir, mais s'arrêta presque aussitôt. Elle n'avait aucune chance de le rattraper. La voiture avait déjà presque disparu.

Combes avait eu le temps de bien réfléchir à la situation et il avait décidé qu'il n'avait pas besoin de la clé du Colombier – mais seulement de l'adresse qu'elle lui avait donnée. Et il n'avait pas non plus besoin d'elle. Il savait qu'elle ne pouvait pas se plaindre d'avoir été évincée : elle ne pouvait faire pression sur lui sans que cela ne lui retombe dessus. Et elle ne pouvait même pas appeler quelqu'un du service pour la tirer de là.

Cette prise de conscience en entraîna une autre.

Tillman.

Elle composa le nouveau numéro – celui qu'elle avait noté sur son poignet. Il ne répondit pas et il n'y avait pas de messagerie, mais tandis qu'elle faisait les cent pas en essayant de trouver une autre solution, il la rappela.

— Désolé, dit-il, j'étais occupé. Que se passe-t-il ? Vous êtes arrivée à la ferme ?

— Non, j'en suis loin !

Elle lui raconta la trahison de Combes et reconnut, non sans sarcasme, à quel point elle avait pu être stupide de lui avoir fait confiance.

Mais Tillman prit les choses calmement.

— Vous voulez le laisser continuer seul ? demanda-t-il.

— Vous plaisantez ?

— Eh bien, il est dans votre équipe, non ? S'il trouve quelque chose, il vous le transmettra. Peut-être est-il préférable de le laisser faire. On pourra toujours aller sur place plus tard, si on pense qu'il est peut-être passé à côté de quelque chose.

— Non.

Kennedy ressentit une certaine honte, étant donné qu'elle n'avait pas forcément eu l'intention de tenir Tillman informé du résultat de ses découvertes. Cependant, elle savait qu'elle était bien meilleure que Combes lorsqu'il s'agissait de tirer des déductions d'une scène de crime, même si celui-ci était dans le meilleur jour de sa vie. Et il lui était insupportable de l'imaginer découvrir le Colombier seul.

— On ne peut pas empêcher Combes d'arriver là-bas en premier, mais je veux vraiment me faire une idée de cet endroit maintenant, tant que tout est encore intact. Et vu où en sont les choses dans le service, je n'aurai sans doute pas l'autorisation de venir ici une fois qu'il y aura eu un rapport. C'est peut-être ma seule chance.

Cette fois encore, Tillman ne perdit pas de temps à discuter.

— Ok, je mets la main sur une voiture, et je viens vous chercher. À tout de suite, ajouta-t-il avant de raccrocher.

Elle eut tout le temps de se demander, en l'attendant, ce qu'il entendait par « mettre la main sur une voiture ». Quarante minutes plus tard, lorsqu'il arriva au volant d'un camion quatorze roues vert et jaune, elle eut la réponse.

Ils allaient se rendre à la ferme du Colombier dans un camion volé.

32

À peu près quarante minutes après le départ de Kennedy et Combes, le téléphone de Kennedy se mit à retentir dans la fosse aux ours.

Stanwick était toujours là, accompagné de McAliskey et de quelques inspecteurs vaquant à leurs occupations. Tous ignorèrent le téléphone, qui arrêta de sonner au bout d'un moment, tandis que l'appel était transféré sur la messagerie de Kennedy. Puis il sonna de nouveau. Le même processus se répéta cinq ou six fois.

Personne ne semblait disposé à prendre le message, mais Stanwick se dit que c'était peut-être Kennedy elle-même qui appelait. Peut-être avaient-ils besoin d'un troisième homme après tout, ou qu'il appelle les experts en médecine légale ou en informatique. Il était possible qu'ils veuillent vérifier l'adresse ou obtenir une autorisation quelconque de la part de l'inspecteur divisionnaire.

Il finit donc par décrocher.

— Allô ?

Une voix distinguée avec un léger accent étranger dit :

— J'ai besoin de parler au sergent Kennedy, s'il vous plaît.

— Et vous êtes ?

— Bourse de Whitehall. Le sergent Kennedy peut vérifier le numéro, et mon identifiant : alpha zebra 17.

Stanwick était impressionné. La bourse de Whitehall voulait dire MI5, à tous les coups, mais cela pouvait aussi être un officier de liaison du Parlement qui faisait une enquête pour le compte d'un comité gouvernemental ou d'un organisme d'État. Cela pouvait même être Downing Street. Dans tous les cas, c'était sérieux.

— Le sergent Kennedy n'est pas à son bureau, dit Stanwick. Je suis l'inspecteur Stanwick, je peux vous aider ?

— Je ne pense pas. Le sergent Kennedy est-elle en train de travailler sur une affaire en ce moment ?

— Oui.

— Le meurtre de Barlow.

— Heu… Je n'ai pas vraiment le droit de répondre à cette question, Monsieur.

— S'il s'agit du meurtre de Barlow, il n'y a rien dans le dossier qui indique où elle est allée, ni ce qu'elle fait.

Stanwick était encore plus impressionné à présent. Qui que soit celui à qui il parlait, le type était haut placé : l'accès en temps réel à tous les dossiers était un privilège qui n'était accordé qu'à de rares personnes en dehors du service. Il fallait plus ou moins être Dieu ou un de ses amis proches. Et Stanwick se trouvait dans une position pour le moins délicate – en plein dans la ligne de mire de Whitehall.

—C'est… une information de dernière minute, dit-il. L'inspecteur Combes et elle ont décidé de la vérifier sur-le-champ, et je… j'étais en train de mettre le dossier à jour.

— Je vous prie de bien vouloir le faire, dit sèchement l'homme à l'autre bout de la ligne. Il est possible que le sergent Kennedy et le sergent… Combes, disiez-vous ?, soient sur le point de compromettre une de nos opérations en cours. Ce serait très regrettable et nous voudrions faire de notre mieux pour l'éviter s'il est encore temps.

— J'entre les informations dans le dossier immédiatement, promit Stanwick. La mise à jour risque de prendre environ cinq minutes, mais…

— Je ne suis pas inquiet en ce qui concerne la mise à jour. Merci pour votre aide, Inspecteur Stanwick. Nous consulterons le dossier, et j'espère qu'il ne sera pas nécessaire de rappeler.

Stanwick l'espérait aussi. Ardemment. Il maudit Combes de l'avoir mis dans cette situation ridicule, et il se maudit lui-même d'avoir accepté de leur servir de couverture. Il mit le dossier à jour, indiquant qu'ils se trouvaient à la ferme du Colombier, près de Goldaming, dans le Surrey, suite à une suggestion de Rosalind Barlow par l'intermédiaire d'un paquet livré à onze heures vingt. Après un instant d'hésitation, il indiqua avoir entré l'information à treize heures quarante-trois, mais les salauds pouvaient déjà le coincer s'ils le voulaient. Cependant, il était loin de l'épicentre de l'orage qui s'annonçait, et s'il faisait profil bas, il ne serait peut-être même pas mouillé.

Kuutma raccrocha et réfléchit.

Heureusement que ses hommes avaient installé des caméras donnant sur les bureaux des inspecteurs de New Scotland Yard, qui filmaient également le bureau où la *rhaka*[6] – Kennedy – passait la plupart de son temps. Quand elle disparut du champ de vision et que ses hommes, qui surveillaient aussi la rue, ne la virent pas sortir de l'immeuble, il eut un mauvais pressentiment. Il attendit au moins trois quarts d'heure – elle pouvait se trouver n'importe où dans l'immeuble – mais finit par prendre la décision de passer l'appel. Et il était réellement heureux de l'avoir fait.

Il appela Mariam et lui donna la bonne nouvelle. Depuis son échec lors de la précédente tentative visant à tuer Tillman sur le ferry, elle était affligée et honteuse et son équipe démoralisée. Il était du devoir de Kuutma de choisir des instruments qui faisaient le poids et étaient bien acérés et de les aiguiser, dès qu'il le pouvait, contre les aspérités du monde.

Ce serait bon pour eux. Ils considéreraient cette mission comme une bénédiction, et à juste titre.

---

6 Mot d'origine araméenne. Expression de mépris employée par les juifs au temps du Christ. (NdT)

33

— C'est ici, dit Kennedy. La prochaine à gauche, c'est indiqué.

L'allée gravillonnée devant la maison était beaucoup trop étroite pour le camion. La Vauxhall Vectra de Combes était immédiatement visible, garée juste devant la maison, au mépris des protocoles en vigueur et du simple bon sens. L'allée étant bloquée, Tillman tourna à droite et avança dans les herbes hautes, près du bâtiment principal, où il se gara. Kennedy jeta un coup d'œil alentour à la recherche de Combes, mais il semblait être toujours à l'intérieur. Cela voulait dire qu'il avait trouvé quelque chose : il avait au moins une demi-heure d'avance sur eux et avait probablement fait le trajet plus rapidement. Il semblait donc peu probable que la ferme du Colombier soit une impasse.

Réfrénant son excitation, Kennedy descendit du camion. Elle scruta le sol. En dehors du lit de graviers, tout l'espace entre la ferme et son bâtiment adjacent était envahi d'herbes et de broussailles. Il était impossible de dire s'il y avait la moindre trace de pneu ou des empreintes de pas.

La ferme et les champs alentour envahis par la végétation étaient plongés dans un silence absolu. Et il n'y avait aucune autre maison ou bâtiment de ferme à l'horizon. Si Barlow avait fait de ce lieu la base secrète de son projet Rotgut, il avait bien choisi son terrain. Il n'avait également laissé aucune trace derrière lui : si on se fiait aux apparences, eux – et Combes, bien sûr – étaient peut-être les premiers à venir ici en dix ans ou plus. La ferme semblait à la fois délabrée et abandonnée.

Tillman descendit du camion et, comme Kennedy, resta immobile quelques instants. Alors qu'elle avait cherché des traces sur le sol, il scruta les dépendances, vraisemblablement à la recherche du moindre signe de vie. Il jeta un coup d'œil à Kennedy et haussa à peine les épaules, avant de se diriger vers la porte. Kennedy lui emboîta le pas.

Au premier regard, personne ne semblait avoir touché à la porte. Mais très vite, Tillman montra à Kennedy ce qu'elle venait juste de voir : le montant avait été défoncé sur quelques centimètres juste au-dessous du bloc serrure. Quelqu'un avait ouvert la porte à l'aide d'un levier ou d'un cric et l'avait refermée.

Kennedy donna un coup de pied dans la porte. Elle s'ouvrit de quelques centimètres en émettant un grincement.

Tillman, restant sur la réserve, grommela :

— Allez-vous me présenter ou vaut-il mieux que j'attende dans le camion ?

— Venez. On est si loin du manuel des opérations à ce stade que je ne pense pas que cela ait une grande importance. On partagera nos découvertes, que cela plaise à Combes ou non, et il a autant de raisons que moi de rester discret sur les détails.

Elle donna un second coup de pied dans la porte, l'ouvrant autant que possible. La maison était plongée dans l'obscurité, même par cette radieuse journée.

— Combes ! appela-t-elle.

Aucune réponse, et aucun écho : l'obscurité absorba totalement les sons.

Franchissant le seuil de la porte, Kennedy respira une forte odeur de moisi, aussi forte que de l'encens. L'odeur de l'humidité faisant son œuvre sur le papier et le tissu dans le noir. Étrangement, ses épaules frôlèrent une substance rigide à droite et à gauche – comme si l'espace dans lequel elle entrait était plus étroit que la porte elle-même. Elle avait la sensation d'être dans un tunnel plutôt que dans un couloir.

Elle appela Combes de nouveau, plus fort cette fois. Et de nouveau, le son sembla étrangement assourdi.

Kennedy tâtonna près de la porte, espérant trouver un interrupteur. Ses doigts touchèrent quelque chose de souple, frais aux bords légèrement tranchants. Quand elle entendit un froissement, elle reconnut que c'était du papier, et maintenant que ses yeux commençaient à s'habituer à l'obscurité, elle le voyait : c'était une pile de papiers entassés de façon sommaire à hauteur d'épaule, tout près de la porte d'entrée.

Elle trouva l'interrupteur juste au-dessus de la pile de papiers et l'actionna. La lumière d'une ampoule nue illumina la pièce et Kennedy et Tillman fixèrent la scène, médusés.

— C'est quoi ce bordel ? murmura Tillman.

Ce n'était pas une seule pile de papiers, c'était juste la seule qui n'allait pas du sol au plafond. Ils regardaient une entrée qui s'étendait encore sur trois mètres avec trois portes, une de chaque côté et une autre au fond. Le papier était aligné le long des murs, empilé à profusion, laissant à peine assez de place pour permettre à une personne passer. À certains endroits, il fallait de toute évidence faire un détour ou se pencher pour ne pas déranger les piles, qui semblaient précaires. Mais aucune n'était tombée.

Dans une des pièces qu'ils apercevaient au bout du couloir, il y avait encore du papier empilé, en blocs désordonnés, comme les strates d'une pyramide à degrés mal construite. On aurait dit que quelqu'un avait rempli la pièce de papier, en commençant de façon méthodique, et en finissant par le poser au plus près et au plus simple.

Kennedy prit la première feuille de la pile la plus proche – la seule qui était à hauteur d'homme. Elle était imprimée et presque entièrement recouverte de caractères alphanumériques incompréhensibles : des lettres majuscules et des chiffres. Il n'y avait presque aucune marge, aucun espace et aucun alinéa.

Kennedy montra la page à Tillman. Il la parcourut rapidement des yeux, puis regarda Kennedy.

— J'espérais trouver une disquette, dit-elle.

Tillman laissa échapper un rire, à la fois incrédule et amusé.

Kennedy entra la première, avançant précautionneusement pour ne pas toucher les envahissantes tours de papier. Il régnait une chaleur étouffante chargée d'une odeur âcre qui lui donna la désagréable impression d'entrer dans un espace organique – d'être avalée ou de naître à l'envers. L'idée de paraître nerveuse ou agitée face au calme impassible de Tillman lui était désagréable. Mais elle tenta de mettre de côté ses mauvais pressentiments.

— C'était bien vu de votre part, dit-il. Je suppose que c'est le projet de recherche de Stuart Barlow que nous avons sous les yeux.

— Je ne sais pas, murmura Kennedy. Je ne vois encore rien qui ressemble à un évangile.

Et rien non plus qui ressemble à ce connard de Combes !

Ils avancèrent lentement et avec prudence. Le plancher nu craquait sous leurs pieds, et l'odeur devenait plus forte à mesure qu'ils avançaient. La porte de gauche donnait accès à une autre pièce remplie de papier. La porte de droite aussi. La dernière porte conduisait à un genre de couloir et à un escalier en bois raide et étroit qui menait à l'étage. Deux autres portes donnaient directement sur cet espace étroit, derrière la cage d'escalier, mais il s'avéra qu'elles étaient fermées.

Tillman fit signe à Kennedy de se mettre sur le côté et ouvrit les portes d'un coup de pied sans grande difficulté. L'une d'elles donnait sur une autre réserve de papier et l'autre sur une cuisine. Elle entra et examina les lieux. Une bouilloire était posée près de l'évier, et en soulevant le couvercle, elle vit qu'il restait encore un fond d'eau à l'intérieur. La théière qui se trouvait à côté était remplie de moisissure.

Dans le même temps, Tillman avait trouvé le réfrigérateur. Il ouvrit la porte en grand et mit aussitôt la main sur son visage.

— Venez voir ça, dit-il à Kennedy.

Elle s'approcha et regarda par-dessus son épaule. Le réfrigérateur était rempli d'aliments en putréfaction : du lait vert, du fromage couvert de taches blanches, des pommes ayant perdu leur couleur d'origine qui étaient devenues marron.

— Combien de temps pour en arriver là ? lui demanda-t-il. Deux mois ?

— Peut-être moins, marmonna Kennedy. Il fait très chaud ici, Tillman. Et ça fait six semaines que Barlow est mort maintenant. Il a pu venir ici régulièrement jusqu'à ce qu'il soit tué.

Et dans ce cas, pensa-t-elle, cela veut dire qu'il était meilleur que moi pour semer d'éventuels suiveurs. C'est moi qui ai conduit la mort à Park Square. Et cet amateur a réussi à garder son grand secret malgré tout – et ses assassins ne l'ont toujours pas trouvé.

Cette pensée en entraîna une autre : si Combes est venu ici, alors pourquoi ces portes étaient-elles encore fermées à clé ? Quelque chose ne tournait pas rond. À moins qu'il ne soit encore là quelque part et ait trouvé quelque chose de si captivant qu'il était encore plongé dans ses recherches. Peut-être même ne les avait-il pas entendu arriver ?

— Il n'y a rien d'autre au rez-de-chaussée, dit Tillman. Allons jeter un coup d'œil en haut.

Elle hocha la tête et ils prirent l'escalier. Une fois à l'étage, Kennedy eut l'impression d'avoir trouvé un trésor. Bien sûr, il y avait encore des piles et des piles de papiers, mais lorsqu'ils approchèrent de la plus grande chambre – dépourvue de lit – au milieu des piles de papiers A4, il y avait une autre pile… en plastique gris qui portait un logo Hewlett-Packard.

— On dirait un système hi-fi, grommela Tillman.

— Des serveurs, dit Kennedy. On utilise ce genre d'équipement pour rendre un effet 3D dans les films. Il est clair que quelqu'un a eu besoin d'une énorme puissance de traitement.

Elle fit un geste en direction d'une table qui se trouvait près de la fenêtre, sur laquelle il y avait un écran et un clavier, raccordés aux serveurs par de multiples câbles et reliés à une rangée d'adaptateurs. Les câbles traversaient la pièce dans tous les sens, certains se terminaient sur des prises murales, tandis que d'autres se poursuivaient en dehors de la pièce. Au moins un d'eux partait à la verticale pour disparaître dans une trappe du plafond. Ils n'avaient visiblement pas eu assez de prises de courant dans cette pièce, en dépit des multiples adaptateurs, ils avaient dû utiliser les prises des autres pièces.

La pièce ne comportait qu'une seule fenêtre mais elle avait été recouverte d'un drap opaque pendu au moyen de petits clous au mur. Ce dispositif avait-il été prévu pour ne pas être vu de l'extérieur ?

Il y avait encore du papier sur le bureau, mais seulement une douzaine de feuilles, ainsi qu'un paquet de CD prêts à être gravés encore dans leur emballage plastique.

Kennedy s'approcha du bureau et mit l'ordinateur en marche. Pendant ce temps, elle fixa son attention sur les papiers qui se trouvaient sur le bureau. S'attendant à voir les mêmes suites alphanumériques incompréhensibles, elle poussa un petit cri. Tillman prit aussitôt la seconde feuille pour voir ce qu'elle voyait.

Le texte qui figurait sur le papier ressemblait toujours à une longue logorrhée ininterrompue, mais cette fois – et c'était ce qui avait fait pousser un cri à Kennedy – il s'agissait de véritables mots.

ETJESUSLEBENITDESESMAINSCEQU'ILNACCORDE
PASATOUSLESAUTRESMEMECEUXQUILESUIVENT
ETILLUIDITONMAPPELLELESAUVEURPOURTANT
CELUIQUIMESAUVERALESEIGNEURISCARIOTRE
PONDJELEFERAISILESTDEVOTREVOLONTEQUEJEVOUS
SERVEMALGRETOUTETJESUSDITAISCARIOTTUSERAS
LEPREMIERETLEDERNIERLALPHAETLOMEGA

La succession de lettres capitales et l'absence d'espace et de ponctuation faisaient ressembler la lecture à la litanie saccadée d'un ivrogne. Un ivrogne à qui le sens de ce qu'il disait échappait complètement.

Kennedy se tourna vers l'écran et vit une interface qu'elle n'avait encore jamais vue. Des icônes blanches se détachaient sur un fond noir et portaient des noms distincts : SYSTEME, BIOS, SECURITE, PROGRAMMES, PROJETS.

Elle s'assit devant l'écran, cliqua sur PROJETS et vit une autre liste apparaître. Elle ne contenait que deux dossiers : REPERTOIRE et ROTGUT.

Une fenêtre s'ouvrit, demandant un mot de passe. Kennedy ouvrit son sac et en sortit son carnet de notes. Elle ouvrit la dernière page, sur laquelle elle avait recopié les notes de Sarah Opie.

Ah ! qui peut te faire souffrir, chevalier en armes
Errant pâle et solitaire ! Les joncs sont
desséchés au bord du lac,
Aucun oiseau n'y chante.

Elle tapa les chiffres 15411541, puis pressa la touche Entrée, et rien ne se passa, sauf que la fenêtre clignota puis réapparut, vierge.

— Qu'est-ce que c'était ? demanda Tillman.

— J'ai recopié ces vers sur un bout de papier que Sarah Opie portait sur elle quand elle est morte, dit Kennedy. Elle m'a dit que c'était un moyen mnémotechnique pour retenir son mot de passe.

C'est tiré d'un poème de Keats, « La belle dame sans merci ». Il y a quatre vers, mais elle a coupé un des vers au mauvais endroit.

— Alors vous pensez à un code à huit chiffres, dit Tillman.

— Oui, j'ai essayé la première lettre de chaque vers, le tout répété deux fois, mais ce n'est pas ça.

— C'est forcément évident, fit remarquer Tillman. Un procédé mnémonique perd tout son intérêt si on doit y réfléchir trop longtemps.

Kennedy essaya autre chose. 15411451. La même séquence, répétée à l'envers.

L'ordinateur fit toutes sortes de bruits tandis qu'il semblait s'activer, l'écran devint totalement blanc, puis une liste s'afficha. C'étaient probablement des noms de fichier.

ROTGUT BRUT 1, 1-7
ROTGUT BRUT 2, 8-10
ROTGUT BRUT 3, 11-14a
ROTGUT BRUT 4, 14b-17
ROTGUT PARTIEL 1, 1-7
ROTGUT PARTIEL 2, 8-10
ROTGUT PARTIEL 3, 11-14a
ROTGUT PARTIEL 4, 14b-17
ROTGUT COMPLET 1, 1-7
ROTGUT COMPLET 2, 8-10
ROTGUT COMPLET 3, 11-14a
ROTGUT COMPLET 4, 14b-17

Kennedy cliqua sur le premier fichier : ROTGUT BRUT 1, 1-7. Le disque dur sembla s'activer de nouveau, puis une autre liste s'afficha.

Dalath 2 actuel
Waw 3 actuel 1 espacé
Semkath actuel 2 espacé
Semkath 2 actuel 2 espacé
Lui exact
Resh exact
Mim 1 actuel 1 espacé
Tau exact

Elle fit défiler les pages pour connaître la longueur de ce fatras. Il semblait y avoir au moins des centaines d'entrées. Elle referma le fichier et ouvrit un de ceux qui commençaient par PARTIEL. Il semblait beaucoup plus long.

Il	fait	du [cf. 7]	qui	peut [6,7,2]	avoir
	sait	au	que	veut	
	met				

Cela	sera	en [cf. 3]	sans	leur [lueur ?]	ou
	ira	tant	cent		
	aura				

— Avez-vous la moindre idée de ce que ça peut vouloir dire ? demanda-t-elle à Tillman.

Tillman était en train de lire par-dessus son épaule.

— Une traduction ? suggéra-t-il.

— Le nom du document indique PARTIEL, proposa à son tour Kennedy. Et toutes ces listes de mots semblent correspondre à des emplacements dont ils ne sont pas sûrs, où il y a une liste d'alternatives possibles. Ils déchiffraient sans doute un document, en le traduisant au fur et à mesure.

— Le Rotgut.

— Il y a de grandes chances. Non, attendez… Le Rotgut est déjà une traduction, non ?

Kennedy prit de nouveau la feuille remplie de lettres majuscules qui s'étalaient sur la page comme un gigantesque torrent verbal.

RECOMPENSEQUEJETEDEVRAISERAPLUSGRANDE
QUETOUTCEQUELEMONDEACONNUETPLUSGRANDE
QUETUNEPEUXLECONCEVOIRAVECDESMOTSPUIS
ILLENTRAINAVERSUNAUTRELIEUOUTOUTESLES
CHOSESAUCIELETSURLATERREETAIENTVISIBLESJAI
DONNELATERREAADAMETASADESCENDANCECEQUE
JEDEVRAISTEDONNERATOILEPLUSFIDELEETLEPLUSRE
SIGNEJEDEVRAIFAIREDETOILEHAIETLEHONNIMA

Au rez-de-chaussée, il y avait des dizaines de milliers de pages de caractères dans un ordre aléatoire. Au premier, il n'y avait que quelques pages comportant de véritables mots. Aucune mise en page, aucune ponctuation ni espace, mais malgré tout une sorte de narration au parfum biblique.

— C'était un code, dit Kennedy, d'un air songeur. Et ils l'ont déchiffré.

Elle se retourna vers Tillman, qui la regardait en silence, attendant la suite.

— Barlow a témoigné lors d'un procès, dit-elle. Il y a des années. C'était un réseau de faussaires qui vendaient des faux documents supposés faire partie d'une des grandes découvertes bibliques : le Nag Hammadi.

— Et alors ?

— Il était le témoin expert. Ils ont fait appel à lui pour examiner les faux documents et les vrais, pour prouver que quelqu'un essayait de mettre sur le marché des évangiles suspects. C'était vraiment un événement important pour lui, il avait même une coupure de journal affichée au mur dans son bureau.

Elle regarda de nouveau l'écran. Une liste de caractères qui étaient peut-être de l'araméen.

— Des centaines d'universitaires et d'historiens ont dû examiner ces trucs. Peut-être des milliers. Mais Barlow semblait avoir trouvé une nouvelle approche en découvrant ce qui ne cadrait pas…

Elle était à court d'idées. Elle ne savait pas ce que Barlow avait trouvé, mais elle était sûre que ce procès avait marqué un tournant.

— Il y avait quelque chose qui clochait avec les textes du Nag Hammadi. Quelque chose qu'on ne peut voir que si on cherche une fraude.

— Mais vous avez dit que c'était il y a des années, fit observer Tillman.

Kennedy fouilla dans sa mémoire.

— Quinze ans, dit-elle.

— Alors, s'il avait découvert quelque chose à cette époque-là, pourquoi attendre si longtemps ? Que s'est-il passé entre-temps ?

Elle n'en savait rien, mais elle devinait ce qui se cachait derrière ce qu'elle ne savait pas.

— Il a découvert quelque chose. Ou il soupçonnait quelque chose. Et il n'a cessé de tester de nouvelles idées, et d'y revenir chaque fois avec une nouvelle approche. Il se penche sur l'Ancien Testament – les manuscrits de la mer Morte – pendant cinq ans, puis il étudie les anciennes sectes gnostiques. Enfin, il finit par aller voir le Rotgut à Avranches. Et c'est à ce moment-là que cela a commencé à prendre tout son sens. C'est comme si… il avait eu la clé, mais qu'il ne savait pas où était la serrure.

— Je ne suis pas sûr de comprendre, dit Tillman.

— Leo, réfléchissez au problème. Le Rotgut est la traduction médiévale d'un document qui existait déjà ailleurs. Personne ne comprend pourquoi ce capitaine portugais l'a acheté en premier lieu, pourquoi il a pensé que cela pouvait avoir une valeur quelconque. Mais Barlow se rend sur place pour l'examiner et voit…

— Quoi ? demanda Tillman d'un air renfrogné.

— Quelque chose. Quelque chose que personne d'autre n'a vu. Je suis sûre que j'ai raison. Le Rotgut était un texte codé. Et Barlow en savait assez long à ce stade pour le voir pour ce qu'il était. (À cet instant, elle perçut une faille dans son raisonnement.) Mais le Rotgut n'est que l'Évangile de saint Jean. Où peut-on cacher un code dans un document existant ?

Tillman ne répondit pas. Toujours plongée dans ses pensées, Kennedy poursuivit :

— Peut-être que ce n'est pas lié aux mots. Ou peut-être est-ce lié aux changements de mots. Si on commençait avec la version de la Bible du roi Jacques, ou quelle que soit la version qu'ils avaient à ce moment-là, mais en la trafiquant et en déplaçant des passages ou des mots, on pouvait finir par avoir un code qui pourrait ensuite être déchiffré par quelqu'un d'autre. Nom de Dieu, Leo. J'ai raison. Je sais que j'ai raison. Barlow a découvert l'existence d'un message codé vieux de plusieurs siècles et il a réuni une équipe pour le déchiffrer.

— Incroyable, dit-il d'une voix monocorde.

— Oui, c'est réellement incroyable. Mais ils avaient besoin d'un expert en informatique pour y arriver. Trois historiens et une spécialiste en informatique. Ça paraît logique maintenant. Ils cherchaient des constantes dans le texte du Rotgut, ou ailleurs dans le document. Des constantes pour lesquelles il fallait un genre d'algorithme statistique pour parvenir à décrypter les données codées. C'est complètement dingue ! Mais maintenant, il nous reste une question à laquelle on va devoir répondre : si cette information est cachée depuis le Moyen Âge, alors pourquoi quelqu'un serait-il prêt à tuer pour en préserver le secret ?

C'est à cet instant qu'elle s'arrêta, voyant sur le visage de Tillman qu'il se fichait complètement de la question ou de la réponse.

— Qu'y a-t-il ? lui demanda-t-elle.

— Rien de tout cela n'a la moindre importance, dit-il fermement. Absolument rien, Kennedy.

— Que voulez-vous dire ?

— Ce n'est pas… (Il semblait avoir du mal à trouver un mot assez fort.) pertinent. C'est vraiment très éloigné de ce que je recherche. J'ai perdu ma famille. Je pensais que si Brand tuait ces gens, ou les faisait tuer, c'était parce qu'ils avaient vu clair dans son jeu. Parce qu'ils avaient déterré ses sales petits secrets.

— Je pense que c'est le cas, Leo. Ils ont trouvé quelque chose qu'il voulait garder…

— C'est de l'histoire ancienne, s'écria-t-il, les poings serrés et le visage rouge de colère.

Kennedy absorba la violence de sa déclaration et s'efforça de garder un ton neutre.

— Les victimes étaient tous des historiens. Et je crois que vous avez tort : c'est pertinent. C'est la clé de tout, et si on continue, je pense qu'on obtiendra les réponses qu'on cherchait.

Tillman s'apprêta à répondre, mais sembla décider de se taire. Au lieu de cela, il se mit à renifler.

Kennedy prit soudain conscience de l'odeur qu'elle avait sans doute remarquée depuis au moins une minute, mais qui était restée masquée par celle de l'humidité et de la poussière, loin derrière les barrières de son inconscient.

Quelque chose brûlait.

34

Même si elle était la seule femme, et qu'on lui avait enseigné tout au long de sa vie que les femmes devaient s'incliner devant les hommes, Mariam était la meneuse de l'équipe. Ce n'était même pas une chose qui avait été décidée, mais seulement le résultat d'une équation simple dont les données étaient trois personnalités : celles des deux autres Messagers qui étaient ses partenaires, Ezei et Cephas, et la sienne. Le résultat de l'équation semblait évident pour quiconque les connaissait.

Ainsi, quand Kuutma appela, et qu'Ezei répondit, il passa le téléphone à Mariam sans prononcer un mot.

— J'ai des raisons de penser que votre traque contre Tillman a abouti, dit Kuutma. Vous l'avez retrouvé ?

Mariam garda une expression neutre et calme parce qu'Ezei et Cephas la regardaient, mais elle se sentit envahie par une vague d'émotions contradictoires. Elle était fière de ce qu'elle avait réussi à accomplir mais horriblement malheureuse de la façon dont l'opération avait tourné.

— On a remonté les appels sur le téléphone de Tillman, dit-elle. Celui qu'on a récupéré sur le ferry. Il y avait un numéro sur le relevé d'appels qui correspondait à un nom qui ne nous était pas inconnu. Un homme qui combattait aux côtés de Tillman quand il était mercenaire. Bernard Vermeulens. J'ai contacté l'équipe de Dovid, à Omdurman, et je lui ai demandé de procéder à une écoute téléphonique provisoire sur tous les appels de Vermeulens. En suivant cette piste, on a établi qu'il n'avait appelé qu'un seul numéro en Angleterre au cours des dix derniers jours. Il a été facile de retrouver sa trace.

— Vous vous en êtes bien sortis, dit Kuutma. Mais vous n'avez pas encore mis la main sur lui ?

Mariam se figea.

— On a essayé, confessa-t-elle. Hier soir, à deux reprises. La première fois, il a repéré notre embuscade.

— Et la seconde fois ?

— Le signal téléphonique s'est déplacé très rapidement pendant deux heures, avant de s'arrêter. Quand on a réussi à le localiser, on est passés à l'offensive. Le téléphone se trouvait dans un égout, dans le quartier ouest de Londres, mais Tillman n'y était pas. Il s'en était débarrassé dans un collecteur d'eaux pluviales. Il a dû comprendre que c'était le moyen par lequel on avait réussi à le localiser.

Sa confession était terminée. Elle attendit le châtiment.

— Tillman est une cible difficile, dit au contraire Kuutma. Ton équipe est loin d'être la seule à avoir été retardée par lui. Laisse-le de côté pour l'instant. J'ai besoin de toi pour une autre mission, qui est plus urgente.

Mariam faillit laisser échapper un soupir de soulagement.

— Tu sais, lui dit Kuutma, que nous sommes à la recherche de traces écrites ou de fichiers informatiques concernant l'affaire Rotgut. Je crois, sur la base d'informations nouvelles, que les dossiers en question ont été conservés dans un lieu discret et isolé et non sur un réseau distant, sur Internet. Je vais te donner une adresse. Vous allez vous y rendre et détruire tout ce que vous trouverez sur place qui soit susceptible de contenir la moindre information.

Venant juste d'échapper à la révocation par Kuutma, Mariam était à présent impatiente d'obtenir son approbation.

— *Tannanu*, dit-elle en employant son surnom plus intime, cela implique de tout détruire.

— Exactement, ma fille. Je suis heureux que tu en viennes si rapidement aux faits.

Mariam ressentit le désir fervent de remercier Kuutma de leur donner, à elle et à son équipe, la chance de faire leurs preuves. De se voir donner l'opportunité – et si vite – de se racheter après avoir si lamentablement échoué sur le ferry, puis à Londres, était une chose merveilleuse. Mais elle savait également que *Tannanu* n'attendait ni ne souhaitait aucun merci. Ce qui se passait entre eux – la signification de ce don – était compris de façon tacite. Elle ne dit rien.

Kuutma lui donna l'adresse et elle en prit note. Ezei et Cephas lurent sans prononcer un mot, par-dessus son épaule, et échangèrent un regard. Il n'y avait aucun doute possible sur ce que cela signifiait.

— C'est noté, dit Mariam de façon laconique. Y a-t-il d'autres ordres ?

— Oui, dit-il, aussitôt, comme s'il s'était attendu à la question. Cette inspectrice, Kennedy, sera sur place, ainsi qu'un de ses collègues masculins. Tuez-les tous les deux, idéalement en faisant en sorte que cela entraîne un minimum d'investigations. Si leur mort pouvait paraître accidentelle, ce serait parfait. Nous sommes déjà trop exposés dans cette affaire, Mariam. Et avec Tillman encore en vie…

Elle serra les lèvres, de peur de laisser échapper un blasphème.

— Je comprends, *Tannanu*. On pourrait par exemple faire comme si l'homme avait violé la femme et s'était tué ensuite, rongé par la honte.

— C'est une possibilité, Mariam. Peut-être un peu trop élaboré. N'oublie pas, cependant, que les péchés qui te sont pardonnés sont définis de façon très précise. Fais ce qui te semblera le mieux, et tiens-moi au courant ensuite. J'entendrai ton rapport en personne.

— Entendu, *Tannanu*. Là où nous irons, il ne restera rien.

— Je crois en cette vérité. Au revoir.

Il raccrocha et Mariam rendit le téléphone à Ezei. Les deux hommes avaient les yeux fixés sur elle, l'excitation et l'impatience les faisaient se tenir aussi droits que des soldats. Mariam ressentit pour eux un élan d'amour et une joie si profonde qu'elle rit presque.

— C'est à nous de jouer, dit-elle simplement. Cousins, c'est encore à nous. Ce soir même.

— C'est merveilleux, dit Cephas.

— Oui !

Mariam alla jusqu'au mini-bar de la chambre d'hôtel réservée sous un nom qui n'était pas Brand (Kuutma ne se fixait cette convention qu'à lui-même, et non à ses équipes) et en sortit trois seringues hypodermiques, ainsi que trois ampoules. Elle les leur tendit, essayant de garder un visage solennel alors qu'elle avait l'impression de leur distribuer des cadeaux.

Le rituel en soi exigeait le silence, alors ils insérèrent les capsules à l'intérieur des seringues et se piquèrent sans échanger un mot. Seuls les regards fervents que les deux hommes lui lancèrent montrèrent qu'ils partageaient l'excitation de Mariam.

La drogue propagea une douce chaleur dans son corps avec sa lenteur habituelle : une bulle naissant au centre de son être, puis se diffusant à toute vitesse à l'ensemble de son corps pour terminer de façon saisissante sous sa peau.

— *Beracha u kelala*, murmura Cephas, frissonnant lorsque la substance atteignit de façon foudroyante son système nerveux.

Cela voulait dire : *la bénédiction, et la malédiction à la fois*. Le nom plus courant de la drogue, *kelalit*, ne concernait que la seconde partie de cette équation.

Mais lorsque Mariam et son équipe envahiraient la ferme du Colombier pour donner le coup de grâce au sergent Heather Kennedy, ce serait la bénédiction qui serait tapie derrière leurs yeux et leurs mains.

Le voyage fut rapide et sans incident. Une fois arrivés à proximité de la ferme, ils poursuivirent leur trajet pendant environ cinq cents mètres, puis ils s'engagèrent dans un petit chemin pour se garer à l'abri des regards.

— Que devrait-on emporter ? demanda Ezei à Mariam.

— *Sicas* et revolvers seulement, décida-t-elle. Légèreté et rapidité pour commencer. Si on a besoin d'autre chose, un d'entre vous reviendra le chercher.

Ils s'approchèrent avec précaution, mais à cent mètres de la ferme et en dépit de la faible lueur du crépuscule, il sembla évident à leurs yeux d'une sensibilité extrême que des planches avaient été clouées sur les fenêtres de la ferme. Si leurs proies étaient déjà dans le bâtiment, elles n'avaient aucun moyen de voir les Messagers approcher. Et si elles n'étaient pas encore là, ce n'en serait que mieux. Malgré tout, ils rivalisèrent de prudence, avançant en diagonale pour avoir un large champ de vision.

Ils repèrent la voiture d'assez loin. Kennedy et son coéquipier étaient donc là et déjà à l'intérieur. Employant le langage des signes qui était enseigné à tous les Messagers, Mariam dit à Ezei et Cephas de se séparer pour approcher de la ferme sous des angles divers. De façon silencieuse et efficace, ils inspectèrent d'abord les bâtiments adjacents, même s'il était plus probable que les policiers soient à l'intérieur de la ferme elle-même, mais il ne fallait rien laisser au hasard. Mariam vérifia la voiture qui était fermée et vide, puis fit signe à Cephas de rester à l'extérieur pour surveiller les abords de la ferme.

La ferme avait deux accès, mais ils trouvèrent la porte principale entrouverte. Le montant qui avait été forcé leur indiqua que les inspecteurs étaient entrés à l'aide d'un tournevis ou d'une pince. Mariam fit signe à Ezei de marcher derrière elle et de se séparer ensuite si les conditions l'exigeaient. Puis, elle poussa doucement la porte, juste assez pour pouvoir se faufiler à l'intérieur. Le plancher craqua faiblement, mais le bruit ne portait pas loin.

Le dédale de murs de papiers qui apparut sous leurs yeux fut une sorte de choc. Ils avaient grandi dans un environnement où il y avait peu de livres et d'images, ils ne savaient donc pas comment appréhender ces hautes piles de pages blanches remplies de signes énigmatiques. Mariam faillit couvrir les yeux d'Ezei de ses mains, même s'il était plus âgé qu'elle. Il lui avait toujours semblé avoir besoin de quelqu'un qui le protège du monde profane.

À l'exception du papier, l'aménagement intérieur de la ferme sembla très simple. Ils s'assurèrent rapidement qu'il n'y avait personne au rez-de-chaussée – et presque aussi vite, entendirent quelqu'un à l'étage supérieur, se déplaçant bruyamment et sans précaution.

Au pied de l'escalier, Mariam se dit que les marches en bois craqueraient forcément sous son poids, quoi qu'elle fasse. Elle délaça et ôta ses bottes en silence, puis fit un signe à Ezei.

Il comprit immédiatement. Prenant appui sur la première marche du bout des pieds, il se pencha en avant avec précaution. Il tendit les bras, s'appuyant d'un côté sur le mur et de l'autre se tenant à la rampe. Une fois en équilibre, il fit un signe de la tête à Mariam.

Elle lui grimpa sur le dos, plaçant un pied nu après l'autre sur ses épaules, et de là, sauta avec légèreté sur le palier du premier étage.

Indiquant d'un geste à Ezei de rester là où il était, elle entendit clairement que le bruit venait de la pièce qui était face à l'escalier. Quelqu'un allait et venait à l'intérieur, et déplaçait peut-être même des objets volumineux.

Elle se servit des sons pour couvrir le bruit de ses pas, avançant quand il y avait du mouvement à l'intérieur. En quelques pas, elle fut près de la porte et à ce stade, elle était arrivée à certaines conclusions. Un seul type de pas, lourd et distinctif, et aucune conversation : une personne à l'intérieur, probablement un homme, seul.

Où était la femme alors ? C'était un problème qu'il faudrait régler, mais il lui fallait faire un choix et immédiatement : descendre ce type puis chercher sa coéquipière, en courant le risque qu'elle soit alertée par des bruits de lutte, ou attendre et les attaquer ensemble.

« Vise la cible qui est devant toi » était un principe que *Tannanu* et ses autres professeurs lui avaient souvent rabâché. Elle avait confiance en sa capacité à tuer l'homme ou à le mettre hors de combat sans lui laisser le temps de donner l'alarme.

Une fois sa décision prise, elle entra dans la pièce. Elle bougeait encore aussi discrètement que possible, mais elle savait qu'à une aussi faible distance, même le mouvement de l'air pouvait la trahir, alors sa première priorité était la rapidité.

L'homme – trapu, large d'épaules et bien plus lourd qu'elle – se trouvait à l'autre bout de la pièce, agenouillé près d'une rallonge électrique dans laquelle il était en train d'insérer un certain nombre de prises.

Du coin de l'œil, il vit Mariam s'approcher de lui. Il commença à se lever et Mariam l'atteignit d'un coup de pied en pleine gorge. Elle n'avait pas remis ses bottes mais avait pris soin de le frapper avec le cou-de-pied, sur lequel elle avait concentré toute sa force.

L'homme retomba au sol, le souffle coupé. Le voyant ainsi à sa merci, Mariam se pencha pour murmurer à l'oreille de l'homme :

— Ça va aller. C'est presque fini.

Son anglais n'était pas très bon, mais elle prononça ces mots lentement et avec soin et elle était à peu près sûre qu'il l'avait comprise. C'était un petit geste, mais important malgré tout. Nous parons notre brutalité des atours du rituel pour tenir notre propre animalité à distance. Mariam n'était jamais aussi douce et attentionnée que lorsqu'elle tuait.

Mariam lui asséna le coup fatal, derrière la nuque. Il arrêta de bouger. S'agenouillant près de lui, elle palpa sa gorge à la recherche de son pouls. Il n'y en avait pas. Le visage de l'homme était devenu extrêmement rouge et il la fixait de son regard plein de reproches. Elle n'y prêta pas attention : l'esprit ne s'attardait pas assez longtemps pour éprouver la moindre rancune, et la chair n'était rien.

Elle fouilla rapidement le reste de l'étage et ne trouva aucune trace de la femme. Mais à ce stade, sa présence était peu probable, car si elle avait été à proximité, le bruit de l'homme tombant sur le sol l'aurait alertée et elle se serait précipitée dans la pièce.

Elle redescendit, moins préoccupée par les craquements du plancher cette fois, et trouva Ezei qui l'attendait au bas de l'escalier.

— Un homme, résuma-t-elle en enfilant ses bottes. Seul. Cherche encore.

À eux deux, ils passèrent au peigne fin chaque centimètre carré de la ferme, regardant partout où un corps humain pouvait se glisser. Mariam finit par être convaincue que la femme n'était pas sur les lieux. Si elle n'était jamais arrivée, tout allait bien. Si elle était venue sur place plus tôt et était repartie, cela ne leur laissait que très peu de temps pour détruire les preuves qu'elle avait peut-être emportées.

Mariam renvoya Ezei et Cephas à la voiture pour aller chercher une partie de leur équipement, y compris un kit de démarrage d'incendie. Il comportait des accélérants chimiques ne laissant aucune trace et un tube flexible qu'ils utiliseraient pour insuffler de la fumée dans les poumons du mort. La plupart des médecins légistes ne cherchaient pas plus loin avant de déclarer une mort par incendie.

Cependant, Mariam se demanda quels secrets avaient été découverts dans cette maison qu'elle et ses cousins étaient chargés d'effacer de la conscience du monde. Elle avança jusqu'au bureau et prit une des feuilles qui se trouvait parmi les pages posées là. En la lisant, elle fut envahie par une vague d'émotions contradictoires.

Les mots sur le papier étaient étonnamment familiers : si familiers qu'elle aurait pu les réciter par cœur. Mais les voir en ce lieu la désorienta, comme si elle avait ouvert une porte dans une maison étrangère et trouvé sa propre chambre derrière.

En cet instant où le temps semblait suspendu, un éclat de lumière brilla à travers la fenêtre. Un bruit de moteur et un crissement de pneus sur le gravier parvinrent jusqu'à elle au même instant. Des phares. Les phares d'une voiture.

C'était sans doute la femme. Ou peut-être quelqu'un d'autre. Cela n'avait pas d'importance : qui que ce soit, il devait mourir, et le devoir de destruction devait être accompli. Aussitôt les lumières passées, Mariam entreprit de faire ce qui était nécessaire. Rapidement, elle traîna le corps sur le sol, jusqu'à une pile de cartons qui avaient été recouverts d'une bâche. Elle cacha le corps derrière et le recouvrit de la bâche de sorte qu'il passe inaperçu à un simple regard.

Où étaient Ezei et Cephas ? Certainement de retour. Ils avaient sans doute vu les phares et compris que la situation avait changé. Avec un peu de chance, ils resteraient là où ils étaient et attendraient qu'elle les contacte.

Elle s'approcha de la fenêtre et écarta très légèrement le rideau de toile. En contrebas, à distance de la maison, un imposant camion était garé. Elle vit les portes s'ouvrir, puis un homme et une femme en descendre. Ce n'étaient encore que des silhouettes dans la semi-obscurité, difficiles à discerner, même si sa vision, tout comme sa force physique et sa rapidité, étaient démultipliées par le *kelalit*.

Les deux silhouettes se dirigeaient vers la porte. S'écartant de la fenêtre, Mariam réfléchit aux choix qui s'offraient à elle et se décida pour le plus direct et évident. Elle attendrait dans la pièce où elle se trouvait et les tuerait tous les deux quand ils entreraient. Elle serait peut-être forcée de casser quelques os, mais essaierait d'éviter. Si les corps portaient des lésions que le feu ne pourrait masquer, elle aurait peut-être recours au scénario de viol décrit à *Tannanu*. Elle pourrait également faire tomber les corps par les fenêtres pour donner l'impression que les lésions avaient été occasionnées tandis qu'ils essayaient d'échapper à l'incendie.

Elle s'approcha sans bruit de la porte. Elle les entendit en bas dans l'entrée, puis passant devant l'escalier. Ils étaient dans la cuisine à présent. Elle entendit l'homme appeler la femme Kennedy, ce qui bien sûr, ne la surprit pas. Mais la réponse de la femme la prit au dépourvu.

— Il fait très chaud ici, Tillman.

Tillman.

Mariam serra les poings malgré elle. La cible qu'ils avaient manquée tant de fois. Il était ici.

Le *kelalit* avait la particularité de rendre certaines émotions plus intenses et une partie de la formation des Messagers consistait à les reléguer dans un coin de la conscience jusqu'à ce qu'elles aient perdu le pouvoir de blesser. C'est ce que fit Mariam, elle ferma les yeux sur les émotions suscitées par le nom et la présence de Tillman. Elle glissa ces émotions sous un voile anesthésiant et les repoussa sous le seuil de la perception. Dans le même temps, elle procéda à une évaluation rationnelle de la situation. Tillman était un combattant entraîné et avait survécu à une attaque par ses deux cousins. Il y avait un risque non négligeable qu'en essayant de l'affronter ici et maintenant, même avec l'avantage de la surprise, elle échoue.

Elle entendit des pas dans l'escalier : Tillman et la femme montaient. Se déplaçant aussi lentement que possible, Mariam traversa le palier et entra dans la pièce opposée. Elle courait le risque que ses ennemis s'y rendent en premier, mais c'était peu probable. Les ordinateurs étaient visibles depuis le seuil de la porte et ils attireraient certainement leur attention.

Ils passèrent à moins d'un mètre d'elle. En dépit de l'agitation de son esprit, elle réussit à rester immobile.

L'homme et la femme entrèrent dans l'autre pièce, parlant de « serveurs ».

Ils étaient maintenant à trois ou quatre mètres de Mariam. Puis, ils s'éloignèrent enfin hors de son champ de vision, se dirigeant sans aucun doute vers le bureau. Mariam sortit de sa cachette et descendit par l'escalier. Leurs voix étaient assez fortes pour masquer le bruit de ses pas.

Une fois arrivée en bas seulement, elle admit le léger tremble-
ment de ses jambes et de ses mains et l'infime part de peur qu'elle
ressentait.

Elle sortit de la ferme et en fit le tour sans jamais s'éloigner du
mur, avant de s'enfoncer dans les broussailles dès qu'elle ne fut
plus visible d'aucune fenêtre. Ezei et Cephas vinrent à sa rencontre.

— Tillman est là, ainsi que Kennedy, dit-elle.

Ezei tressaillit.

— Que devons-nous faire ?

— Ce que nous avons décidé, dit Mariam. On incendie les lieux.
S'ils essaient de fuir, on les descend. S'ils restent à l'intérieur de la
ferme, on les brûle. Il n'y a des ouvertures que sur trois côtés du
bâtiment. Si on est assez rapides, ils se retrouveront pris au piège
au premier étage et les portes et fenêtres ne leur seront d'aucune
utilité. Dépêchons-nous.

Cephas et Ezei hochèrent la tête.

Ils avaient deux bidons d'accélérant, un composant chimique
pur qui ne contenait aucun dérivé chimique détectable et n'avait
pratiquement aucune odeur – à l'exception d'un désinfectant au
léger parfum floral – mais brûlait de façon aussi rapide et intense
que du kérosène. Ils commencèrent à l'arrière du bâtiment et firent
le tour jusqu'à la porte.

Ezei avait la torche destinée à déclencher l'incendie. Il la tendit
à Mariam, qui le remercia de son geste de respect par un bref signe
de tête.

Elle désigna à Ezei et Cephas les positions qui leur étaient
assignées et ils se fondirent dans l'obscurité. Il était inutile
d'attendre, trop de temps avait déjà été perdu.

Elle jeta la torche dans l'entrée. Une flamme intense s'éleva au
milieu du couloir étroit et une vague d'air brûlant caressa la joue de
Mariam tel un amant impétueux. Elle referma doucement la porte
et alla prendre position.

35

Quelqu'un avait brûlé des fleurs. La cage d'escalier était un chaudron d'air brûlant qui empestait les fleurs : un brasier infernal au milieu d'un pré paisible. Tillman n'était pas un homme imaginatif, mais des images de sacrifices et de massacres d'innocents fusèrent aussitôt dans son esprit.

Près de lui, Kennedy se mit à jurer. Pendant un instant, elle sembla figée sur place. Puis, elle tomba à genoux. Il pensa qu'elle priait, puis comprit qu'elle cherchait quelque chose. Elle trouva le paquet de disques qu'ils avaient fait tomber par terre un peu plus tôt.

— On n'a pas le temps, lui dit Tillman.

— Je vais me dépêcher, lança Kennedy d'une voix rageuse en déchirant le film plastique.

Tillman alla jusqu'à la porte et sortit dans l'horrible chaleur. Il eut la sensation de se heurter à une présence physique emplissant la cage d'escalier. Il réussit à avancer jusqu'au bas des marches, au-delà desquelles les flammes se tordaient comme si elles avaient été animées d'une vie propre. Il jeta un rapide coup d'œil alentour, et comprit aussitôt qu'il n'y avait pas d'issue. Le couloir du rez-de-chaussée s'était transformé en un véritable four.

La fenêtre, pensa-t-il aussitôt. Mais des planches étaient clouées sur toutes les fenêtres. À l'exception de celle qui se trouvait dans la salle informatique.

Il remonta les marches en courant et se précipita dans la pièce. Kennedy s'affairait sur l'ordinateur, martelant le clavier, tout en insérant un disque dans la machine.

— Kennedy ! hurla-t-il. Heather ! (Elle ne répondit pas.) Il faut y aller.

— Ce n'est que le rez-de-chaussée qui est en feu, cria Kennedy. On a encore deux minutes.

Tillman la saisit par le bras et la tira vers lui pour qu'elle le regarde.

— La fumée nous tuera avant, lui rappela-t-il. Allons-y.

Elle hésita un instant, puis elle hocha la tête, à contrecœur.

— Cassez la vitre. J'arrive tout de suite.

Il avança aussitôt vers la fenêtre, tout en cherchant autour de lui quelque chose pour briser la vitre. Kennedy éjecta le disque du lecteur, le prit en vitesse et le mit dans sa poche.

Tillman se dirigea vers les serveurs et souleva celui qui se trouvait sur les autres. Il arracha les câbles d'un geste.

— C'est une preuve matérielle ! hurla Kennedy avec angoisse.

— Ce sera du plastique en fusion dans moins de trois minutes, lui dit sèchement Tillman.

Il frappa la vitre une fois, deux, puis trois. Elle se brisa au premier impact, les deux autres servirent à ôter les tessons de verre restés autour de l'encadrement de la fenêtre pour qu'ils puissent sauter sans se taillader les veines. Il s'apprêtait à frapper une quatrième fois quand quelque chose fit un impact dans le bois depuis l'extérieur, le faisant exploser en de multiples fragments au visage de Tillman.

Il entendit le bruit d'un semi-automatique dans la seconde qui suivit. Tillman s'était déjà mis en retrait, agissant par pur réflexe. Le second tir passa tout près de son oreille, avant d'aller s'enfoncer dans le plafond en plâtre, provoquant une pluie de poussière au-dessus de leurs têtes.

Kennedy regarda le trou dans le plâtre et jura de nouveau. Elle jeta un coup d'œil autour d'elle, se dirigea aussitôt vers une toile qui couvrait une autre pile de bazar et la saisit. Elle faillit dérailler en découvrant que la couverture cachait un cadavre encore chaud allongé sur le sol.

— Pauvre type, l'entendit marmonner Tillman. Oh mon Dieu… Combes !

Sa voix s'éteignit brusquement, puis elle sortit de la pièce en courant, traînant la couverture derrière elle. Tillman la suivit, devinant ce qu'elle allait faire. Cela ne les sauverait pas, mais ça leur permettrait toujours de gagner un peu de temps.

Il la retrouva dans la salle de bains. Elle avait déjà commencé à faire couler l'eau dans le lavabo et la baignoire, et elle essayait de déchirer la couverture en longues bandes. Il prit le couteau qui était glissé dans sa ceinture et le lui tendit sans un mot.

Puis, ils nouèrent les bandes autour de leur visage comme des bandanas. Cela les protégerait de la fumée pendant quelques minutes et éviterait l'empoisonnement au monoxyde. Ils avaient ainsi gagné un peu de liberté. Mais la liberté de faire quoi ?

Le bruit du feu s'était intensifié à présent, rugissant comme un démon dans la cage d'escalier. Leurs masques rendaient toute parole presque impossible.

L'escalier était impraticable.

Quelqu'un dehors les attendait pour les tuer dès qu'ils apparaîtraient.

Quel choix leur restait-il ?

Kennedy lui tapota le bras pour attirer son attention. Il la suivit dans la pièce informatique et elle pointa du doigt vers le haut, désignant la trappe au plafond. Tillman hocha énergiquement la tête, en lui faisant un signe. *Ok, allons-y.*

Ils empilèrent des cartons de papier en guise d'échelle.

Le grenier était tellement envahi par la fumée qu'ils comprirent aussitôt qu'il ne leur restait qu'une solution : passer sur le toit.

À peine se furent-ils hissés à l'extérieur, que Tillman entendit le crépitement de petites armes à feu : il réussit même à identifier le revolver, avec une faible marge d'erreur. Vraisemblablement un Sig-226, léger mais robuste.

Tillman s'éloigna du bord du toit sur lequel il était allongé, essayant de rester à plat et aussi près des tuiles que possible. Près de lui, Kennedy l'imita.

Mais il n'y avait point de salut sur le faîte du toit. Ils seraient seulement sur le plus haut point lorsque le toit s'écroulerait, ce qui, à ce stade, se produirait sans doute moins de deux minutes plus tard. Et en partant du principe qu'ils ne prendraient pas une balle avant, ils traverseraient le toit puis plongeraient dans la fournaise, en ayant peut-être la chance de se casser le cou avant.

Mais ce n'était pas du tout ce que Kennedy envisageait. Elle regardait sur la gauche de Tillman, vers l'arrière du bâtiment, et comme il suivait son regard, il vit la grange la plus proche, peut-être à cinq mètres de la ferme. Elle était juste en face, et avait une ouverture carrée sur le devant, là où il y avait autrefois une fenêtre.

Dangereux mais pas impossible.

Kennedy commença à se hisser péniblement vers le faîte. Du coin de l'œil, Tillman surprit un mouvement, loin en contrebas. Il l'attira de nouveau vers le bas, juste à temps pour éviter les balles qui commencèrent à pleuvoir sur les tuiles autour d'eux. Il sortit son Unica et riposta pour leur donner un peu de répit.

— Merde ! hurla Kennedy de rage et de frustration. Ils sont armés jusqu'aux dents, nom de Dieu !

Tillman vida le chargeur de son Unica dans l'obscurité, en contrebas, puis roula sur le dos pour le recharger. En tirant dans le noir tout en étant éclairé par les flammes qui commençaient à danser et à s'insinuer entre les tuiles, il savait qu'il avait peu de chances de toucher quoi que ce soit. Peut-être pourrait-il tirer sur les assassins invisibles tandis que Kennedy se précipiterait vers l'extrémité du toit avant de tenter le grand saut.

Et ensuite, les tueurs auraient tout le temps de se rendre dans la grange et de la cueillir quand bon leur semblerait. Il devait trouver quelque chose de mieux. Quelque chose qui offrait au moins une chance de survie.

Son regard s'arrêta sur le camion. Faire exploser le réservoir d'essence ? Il devait être réellement désespéré pour envisager cette éventualité ne serait-ce qu'une seconde. Légende urbaine mise à part, il avait été prouvé de nombreuses fois qu'il était impossible d'enflammer un réservoir d'essence en tirant dessus. La balle ne générait pas assez de chaleur et l'essence n'était pas assez instable. Provoquer une étincelle sur le métal du réservoir pouvait marcher, mais il y avait moins d'une chance sur un million, et il était inutile de prendre ce risque quand les chances de réussite étaient si faibles.

Ce qui ne laissait qu'un tour de force spectaculairement stupide, le genre de choses pour lesquelles l'expression « une chance sur un million » avait été inventée.

Tillman fouilla dans ses poches et trouva ce qu'il cherchait : la boîte d'allumettes qu'il trimbalait depuis Folkestone. Rouvrant le barillet de l'Unica, il le tapota et fit glisser une balle dans sa main.

Kennedy le regardait, médusée.

— Avancez vers la grange, lui dit-il.

— Ils vont me voir, fit remarquer Kennedy.

— Ça n'a pas d'importance. Approchez-vous autant que vous pourrez, mais ne sautez pas avant... Enfin, sautez quand ils regarderont ailleurs.

— Quoi ? Que voulez-vous qu'ils regardent ?

— Les jolies lumières, marmonna Tillman.

Tillman avait pour habitude de fabriquer lui-même les balles de son Unica. Par conséquent, il savait qu'en ouvrant l'enveloppe avec les dents, la balle ne lui exploserait pas en pleine figure.

Kennedy s'éloignait doucement de lui le long du toit, et les balles se déplaçaient avec elle. Elle était allongée à plat contre les tuiles, offrant la plus petite cible possible, mais tôt ou tard, elle allait se faire descendre par une balle perdue.

À cet instant précis, elle se demandait sûrement si Tillman ne l'utilisait pas comme appât, dans l'intention de se mettre à courir dans la direction opposée et de sauter en espérant ne pas se casser une jambe ou la colonne vertébrale en atterrissant.

Ouvrant la boîte en carton, Tillman cassa une demi-douzaine de têtes d'allumettes avec les dents. Il les mâcha, les transformant en une pâte épaisse, puis laissa le mélange amer et infect couler de ses lèvres dans l'enveloppe de la balle : un mélange grossier de phosphore rouge et de salive. Il referma l'enveloppe de la balle en se servant de nouveau de ses dents. Malgré tout, il y avait encore plus de cinquante pour cent de risques pour que ce truc artisanal bizarre explose dans le canon. Mais merde, il n'avait plus le choix maintenant.

Kennedy était allée aussi loin qu'elle le pouvait : elle se serrait contre une large cheminée. Au moins, elle offrait une légère protection, mais cela l'empêchait aussi d'avancer vers l'extrémité du toit. Les tireurs l'avaient suivie et étaient plus ou moins libres maintenant de choisir l'angle qui leur convenait. Ils étaient toujours totalement invisibles dans l'obscurité, mais les flashs de leurs canons indiquaient leur position à chaque fois qu'ils tiraient. Tillman aurait pu viser ces flashs, bien sûr, mais il savait aussi que seul un imbécile resterait immobile tandis qu'il tirait.

S'en tenir au plan de départ, même quand il semblait absurde.

Il compta mentalement jusqu'à trois, puis se redressa et se mit en position assise. Il prit le temps de viser, même s'il savait à quel point il devait être visible contre la lueur intense du feu dans son dos. Une balle passa tout près de son épaule. Une seconde s'écrasa sur les tuiles, entre ses jambes.

Retenant son souffle, il fit abstraction du monde qui l'entourait et appuya sur la détente.

Instantanément, la nuit se transforma en jour. C'était le *dies irae,* quand Dieu perd patience et dit que les conneries ont assez duré.

36

C'était la fin de partie.

Tillman et la femme étaient pris au piège dans le bâtiment déjà presque entièrement détruit par le feu.

Mariam s'attendait à ce qu'ils fassent une tentative du côté des fenêtres et était prête à les en empêcher. En fait, elle était presque sûre qu'elle toucherait Tillman si elle le voyait apparaître à la fenêtre de la chambre, sur laquelle son arme était déjà pointée.

Mais Ezei entendit les bruits qui venaient du toit en premier. Il siffla – deux courtes notes, pour attirer l'attention de Mariam – et désigna d'un geste le haut du bâtiment. Elle vit des formes abstraites se déplacer, puis distingua le visage et les épaules de la femme. Elle tira, et Kennedy disparut de son champ de vision.

Deux fois, elle aperçut une masse bouger devant les flammes et tira. La seconde fois, Tillman riposta et elle dut se mettre en retrait.

Pendant un moment, elle envisagea d'attendre simplement le dénouement, les laissant brûler le moment venu, sans complication inutile. Mais le toit n'était pas totalement isolé et Tillman et Kennedy semblaient s'être déplacés vers l'arrière, d'où il était possible de sauter dans la grange la plus proche.

Mariam siffla pour indiquer à Ezei de se diriger vers l'arrière. Il ne restait sans doute qu'une minute avant que le toit ne s'effondre. Kennedy semblait presque à l'autre bout du toit, mais elle était cachée derrière une cheminée. Cephas visa – mais au dernier moment, changea soudain de cible – visant vraisemblablement Tillman. Il tira deux coups de feu.

Le troisième vint du toit et Mariam le vit au même moment qu'elle l'entendit : un éclair rouge dans le ciel, dessinant la ligne la plus courte entre deux points. Le premier point était Tillman. Le second, le camion dans lequel ils étaient arrivés.

L'explosion fut spectaculairement soudaine et d'un éclat fulgurant. L'air brûlant submergea Mariam et la plaqua violemment au sol. Une forte détonation résonna si longtemps après qu'elle sembla appartenir à une autre explosion.

Sonnée, elle leva la tête et cligna des yeux dans l'épaisse fumée. Ses oreilles bourdonnaient, elle était aveuglée et l'air chaud qu'elle respirait ressemblait à une soupe de pétrole carbonisée. Elle essaya d'appeler Cephas et fut prise d'une quinte de toux qui lui écorcha la gorge, comme si elle avait mâché du verre pilé.

C'est à cet instant qu'elle vit une chose étrange – comme une vision. Le monde était passé en noir et blanc, et un homme couvert de suie entreprit une danse burlesque avec des mouvements saccadés peu convaincants. Puis, il tomba brusquement, comme seul Charlie Chaplin savait le faire.

C'était Cephas. Et ce n'était pas une danse, ni un numéro comique. C'était son agonie.

Mariam hurla, et son cri était si douloureux que son esprit faillit basculer dans le néant. Elle dut faire un effort surhumain pour rester consciente.

Les yeux ruisselants de larmes, elle se releva en chancelant. Elle vit Ezei venir en courant de derrière la ferme, puis s'arrêter brusquement en voyant ce qu'elle avait vu : Cephas transformé en offrande à Dieu.

— Ezei ! fit-elle d'une voix rauque. Ezei, ne…

Ne t'approche pas de lui, c'était ce qu'elle avait voulu dire. *N'avance pas en pleine lumière, tu vas te transformer en cible.*

Mais elle entendit le revolver de Tillman retentir au milieu de sa phrase, et l'éclair spectaculaire lui permit de voir le destin d'Ezei avec beaucoup trop de clarté. La fumée près de sa tête prit une couleur rouge : une partie de cette fumée était le sang et le cerveau d'Ezei, jaillissant par le trou creusé par une large balle. Il vacilla avant de s'arrêter, déjà mort, et tomba lourdement au sol.

Mariam courait avant même d'en avoir pris conscience. Elle courait en direction de la grange, parce que c'était là qu'ils allaient apparaître maintenant. Ils allaient sauter et seraient vulnérables – pendant le saut et en atterrissant. Elle pouvait encore se venger et rentrer chez elle avec ce trophée. Elle pouvait encore terminer la mission.

Elle referma les portes de la grange et les verrouilla. Elle se cacha dans l'obscurité et se raidit en sortant un revolver d'une main, le *sica* de l'autre. Si elle voyait Tillman avant qu'il ne la voie, elle se servirait du couteau. Si cela tournait à la fusillade, elle ferait d'abord confiance à son revolver, puis prierait qu'il vive assez longtemps pour s'approcher de lui et lui trancher la gorge.

À l'extérieur, elle entendit un bruit sourd, puis un autre. Ils avaient sauté *au-dessus* de la grange, et non à l'intérieur.

Mariam hurla de nouveau. Elle sortit de la grange en courant, mais la fumée l'aveugla plus sûrement que si elle avait eu les yeux bandés. Elle entendit des pas qui s'éloignaient en courant dans l'obscurité, et courut après eux. Elle tira dans leur direction jusqu'à ce que son chargeur soit vide.

Puis, elle trébucha sur quelque chose et tomba à terre. La chute sur le sol aussi dur que du ciment lui arracha la peau des mains. Elle avait du mal à respirer. Elle avait l'impression qu'on lui avait ouvert la poitrine, et la peau de son visage brûlé tirait atrocement, comme si elle avait porté le masque de la mort. Elle roula sur elle-même dans les hautes herbes, à bout de forces. Mais la douleur, qui s'intensifiait à chaque inspiration, lui indiqua qu'elle était encore en vie.

Dans son martyre, elle commença à entrevoir les contours incertains d'une consolation. Dieu n'en avait pas encore fini avec elle. Et elle n'en avait pas fini avec les monstres qui avaient mis fin à la vie de ses cousins qu'elle aimait tant.

37

À un moment de leur course, Tillman se demanda à quoi ils tentaient d'échapper.

Les tueurs, manifestement. Mais il en avait déjà descendu deux, un avec l'explosion du réservoir d'essence et l'autre, de façon plus conventionnelle, avec une balle. Il avait essayé de compter, quand ils étaient encore sur le toit, et était presque sûr qu'il n'en restait plus qu'un ou deux.

Mais ils pouvaient avoir des renforts à disposition et des moyens pour les mobiliser très rapidement. Peut-être que le cri qu'ils avaient entendu après avoir sauté sur le toit de la grange était un cri de ralliement. Cela avait semblé être une voix de femme. Il se demanda si c'était la femme qui, sur le bateau, lui avait planté un couteau dans la cuisse à presque trente mètres de distance. Ce n'était pas le genre de femme qu'il fallait affronter dans l'obscurité avec un chargeur vide.

Mieux valait courir, et faire le point plus tard, plutôt que de provoquer l'affrontement et prendre le risque que ce soit son dernier combat. Kennedy avait le disque en poche, ils avaient au moins tiré quelque chose de tout ça… Et c'était une chose pour laquelle les pâles assassins s'étaient battus. Cela avait donc de la valeur. Forcément.

Kennedy parvenait à le suivre, dans un premier temps, puis tout à coup elle se mit à le devancer. La hanche, encore raide suite à sa blessure, le ralentissait. Il réussit à la rattraper en dépit de la douleur, juste avant d'arriver face à un fossé peu profond.

Une fois le fossé dépassé, ils ralentirent, d'un accord tacite, décidant qu'ils étaient assez loin. Kennedy reprit lentement son souffle, tandis que Tillman restait en éveil à l'affût d'éventuels poursuivants.

— Et maintenant, qu'est-ce qu'on fait ? demanda Kennedy. On est au milieu de nulle part... et vous avez fait exploser le camion !

— Ça m'a semblé être une bonne idée sur le moment, dit Tillman. Kennedy se mit à rire.

— Ça a marché, dit-elle sur un ton grave, avant d'ajouter : Comment ? Comment avez-vous réussi à faire ça ?

Par un incroyable coup de chance, était la réponse. *Le simple fait de n'avoir pas trouvé de briquet pour cautériser mes blessures à Folkestone, m'ayant forcé à me contenter d'allumettes, et un vague souvenir d'un cours de chimie vieux de plusieurs dizaines d'années.*

— J'ai transformé une balle ordinaire en bombe incendiaire, lui dit-il. L'ingrédient miracle était les têtes d'allumettes pulvérisées, ce qui les transforme en phosphore rouge cristallisé. Le point d'allumage spontané se fait à environ deux cents degrés, ce qui est à peu près similaire à celui de l'essence dans le réservoir – une fraction de seconde à cette température suffit, mais l'incendie que cela provoque est gigantesque parce que c'est un dérivé du phosphore blanc, qui est un pyrophore naturel.

Kennedy le regarda en silence pendant un long moment, semblant sur le point de parler, mais elle ne dit rien. Tillman attendit, sachant que ce n'était qu'une question de temps.

— Ça fait deux morts, dit-elle.

— Pardon ?

— Deux personnes sont mortes. Deux morts en dehors de ma juridiction. Vous les avez tués, Tillman.

Il haussa les épaules, ne sachant réellement pas quelle réponse elle attendait de lui.

— Et alors ?

— Alors je suis censée vous arrêter, nom de Dieu. On est dans une situation merdique... Je ne suis pas votre acolyte, ni la compagne d'un gangster... On ne peut pas continuer à se voir comme ça.

Il sembla réfléchir un moment.

— Non, acquiesça-t-il. On ne peut pas, en tout cas pas beaucoup plus longtemps. Mais notre accord tient toujours, Kennedy. Quoi que vous obteniez de ce disque…

— Ah, oui ? Quoi que j'obtienne ?

— Oui, j'ai tué pour ça, alors ça m'appartient aussi.

De nouveau, elle le regarda de façon silencieuse, et cette fois encore, il attendit. Mais elle n'ajouta rien. Quoi qu'elle ait voulu dire, elle n'avait pas trouvé les mots. Elle passa devant lui et prit le chemin qui menait à la route. Il respecta son humeur maussade, la laissant marcher devant pendant tout le trajet.

38

Ce qui s'était passé à la ferme du Colombier ne pouvait pas être tenu secret.

Kennedy appela son service depuis le bord de la route, rapportant les résultats de ses recherches, la mort de Combes et son affrontement avec les tueurs. Elle raconta toutes les péripéties sans rien omettre – excepté quelques détails : elle dit qu'elle s'était rendue seule à la ferme après avoir été séparée de Combes et qu'elle était également seule quand elle avait échappé à l'incendie. Elle garda le silence à propos de Tillman.

Les voitures de police, les ambulances et les camions de pompiers commencèrent à arriver dans la demi-heure qui suivit. Ils installèrent un périmètre de sécurité autour des lieux et éteignirent l'incendie. Puis, ils s'attelèrent à la tâche longue et complexe qui consistait à déterminer ce qui s'était passé sur la scène de crime. Kennedy leur souhaitait bien du plaisir.

Summerhill fut le dernier à arriver sur place. Il pouvait y avoir mille raisons à cela, mais l'une d'elles était certainement qu'il avait épluché le dossier avant de quitter le service pour chercher ce qui avait pu entraîner ce pandémonium et s'assurer qu'il n'avait à aucun moment donné sa bénédiction.

Ils échangèrent quelques mots brièvement. Kennedy exagéra son épuisement et sa douleur pour tenir Summerhill à distance. Elle lui donna le minimum d'explications possibles, en particulier quand elle lui apprit qu'un des corps non identifiés était celui du sergent Combes : encore un de ses hommes qui perdait la vie. Summerhill ne lui demanda même pas si elle avait réussi à récupérer la moindre preuve matérielle, elle n'eut donc pas à mentir.

On pansa provisoirement ses plaies et brûlures et elle fut rapidement transférée au service des urgences de l'hôpital le plus proche, le Royal Surrey. Avant de partir, elle demanda à Summerhill de lui envoyer une voiture de police. S'ils risquaient de lui administrer des calmants, elle voulait pouvoir faire son rapport avant – Dieu sait ce qu'elle pouvait oublier sous anesthésie. De mauvaise grâce, Summerhill accepta. Mais en dehors de cela, il lui ordonna de ne parler à personne avant lui.

— À personne, Kennedy. Pas même à un fichu prêtre.

— Je ne connais pas de prêtre, Jimmy, maugréa-t-elle. Je n'ai pas ce genre de fréquentations.

En fait, ses blessures étaient superficielles dans l'ensemble et personne ne suggéra de lui administrer des calmants. Uniquement un analgésique local, des antidouleurs et un gel anesthésiant. Ils voulurent la mettre sous perfusion, mais Kennedy refusa et signa une décharge.

Vingt-cinq minutes plus tard, elle franchissait les portes coulissantes des urgences et trouvait la voiture de police qui l'attendait sur le parking.

— J'ai besoin de retourner au bureau, dit-elle à l'agent de police légèrement surpris. Maintenant. New Scotland Yard. J'ai des preuves à déposer au dossier.

L'agent de police tendit la main vers sa radio. Kennedy mit une main sur son bras et il s'arrêta.

— C'est un DAA, dit-elle. Aucune discussion sur le canal ouvert. Désolée.

L'agent ne discuta pas et ne posa aucune question : c'étaient des conneries, bien sûr, mais la mention du Dispositif d'Action Antiterroriste était un atout très utile et totalement fallacieux lorsque quelqu'un dans le service avait besoin de surmonter un léger obstacle sans avoir d'explication à donner.

Mais étaient-ce vraiment des conneries ? Elle avait certainement affaire à une association de malfaiteurs qui disposaient de meilleures ressources qu'elle et des liens avec d'autres pays.

Une fois de retour à Dacre Street, elle laissa partir l'agent de police. Il ne tarderait sans doute pas à faire son rapport, mais uniquement à son supérieur hiérarchique direct. Elle n'avait donc pas à s'inquiéter, l'information ne remonterait pas jusqu'à Summerhill dans l'immédiat.

Dans la fosse aux ours, elle fit une copie du disque. Puis, elle mit l'original dans une enveloppe et la déposa dans le courrier interne à l'intention de Summerhill. Elle y ajouta un mot succinct expliquant que ses douleurs et le traumatisme lié à l'incendie lui avaient fait oublier qu'elle avait réussi à sauver un petit souvenir du brasier de l'enfer.

Elle ressentit l'absurdité de cette intrigue clandestine, mais elle savait aussi que les jours à venir s'annonçaient difficiles. Plus difficiles qu'avant encore. Ils avaient perdu un autre homme du service, et une fois encore, il serait indiqué dans le dossier qu'elle avait agi sans les renforts nécessaires. Cette fois, elle n'avait en outre pas tenu compte de sa hiérarchie et agi sans autorisation. Après les événements de Park Square, elle risquait de sauter – et elle voulait au moins être en mesure d'évaluer ce qu'elle avait trouvé et rester impliquée dans l'enquête, tant qu'elle le pourrait. Elle devait au moins ça à Harper, et à elle-même.

Elle copia le disque une nouvelle fois, pour Tillman. Tandis qu'elle attendait que la copie soit terminée, elle jeta un coup d'œil à ses e-mails, parmi lesquels elle trouva une réponse du Quai Charles-de-Gaulle, Lyon. Interpol.

Elle parcourut le message standard, puis cliqua aussitôt sur la pièce jointe. Elle resta médusée face à l'écran pendant au moins une minute.

Puis elle prit son téléphone et appela le portable de Tillman, le nouveau numéro.

— Tillman.

— Kennedy.

Compte tenu de ce qu'ils avaient traversé deux heures plus tôt, il semblait plutôt calme et posé. Elle se demanda où il se trouvait. Dans un café routier sur la A3 ? Un pub à Guilford ? Une chambre d'hôtel, en train de lire un magazine spécialisé en armurerie ?

— Leo… dit-elle, sans rien ajouter.

— Ça va ? Que s'est-il passé quand votre boss est arrivé ? Je regardais ce cirque à quelques centaines de mètres : je n'avais pas vraiment envie de m'approcher davantage.

— Ça... ça a été, dit-elle. Ça va pour l'instant. Ils ne peuvent pas convoquer le peloton d'exécution tant qu'ils n'ont pas vérifié leurs munitions.

— Dites-le-moi quand la situation deviendra critique. Je vous aiderai autant que je le pourrai.

— Leo, écoutez. J'ai reçu un message d'Interpol. Ils ont répondu à mon C52.

— À votre quoi ?

— Une demande d'informations de routine sur les affaires en cours. Je leur ai demandé des renseignements... sur Michael Brand.

— Et vous avez obtenu un résultat ? (Le ton de sa voix avait changé.) Quelque chose de nouveau ?

— Ils ont fait suivre tout un dossier depuis les États-unis. Des copies de documents d'une antenne de police locale en Arizona, et aussi du FBI, dit-elle, la gorge serrée. Leo, il y a d'autres pistes à explorer. Avec ce que nous avons trouvé à la ferme du Colombier...

Il l'interrompit, sentant la tension dans sa voix, voulant juste qu'elle le dise. Quoi que ce soit qu'elle avait à dire.

— Kennedy, dix mots maximum.

— Michael Brand...

— Oui ? Allez-y.

— Il s'est écrasé dans un accident d'avion, tout près d'une ville du nom de Peason, en Arizona. Il est mort, Leo. Il est mort il y a six semaines.

TROISIÈME PARTIE

124

39

Le Colorado avait perdu sa splendeur d'antan. Il était littéralement pillé par la Californie du Sud via ce qu'on appelait le All-American Canal et par les canaux d'irrigation construits pour étancher la soif des terres cultivées d'Arizona.

C'était ce que Kennedy avait appris du chauffeur de taxi, un véritable moulin à paroles du nom de John-Bird qui prétendait être aux trois quarts indien mojave. Il était venu chercher Kennedy, comme convenu, à l'extérieur du terminal principal de Laughlin Bullhead, qui était supposé être un aéroport international, mais n'était accessible depuis Londres qu'en faisant une escale à Washington. Après quinze heures de vol, Kennedy était épuisée avant même de monter dans le taxi. La chaleur n'aidait pas – il était onze heures cinquante heure locale et le soleil était au zénith – même si John-Bird l'informa avec enthousiasme que la chaleur sèche n'était pas aussi débilitante que la chaleur plus humide qui existait dans des parties du monde moins civilisées. Il monta l'air conditionné d'un cran, ce qui ne changea rien à la température mais augmenta considérablement le bruit.

Ils prirent la route 68 et sortirent immédiatement de la ville, longeant le Colorado jusqu'à ce qu'ils se dirigent vers l'est, en direction de Kingman. Le fleuve impressionna Kennedy. Deux fois plus large que la Tamise, il sinuait entre les remparts constitués par les montagnes orange. Il n'y avait aucun nuage dans le ciel à perte de vue.

Peason était à quarante-cinq minutes et John-Bird était déjà bien parti sur sa lancée. Il lui racontait maintenant que le nom du fleuve venait du fait que l'eau, par le passé, était de couleur rouge vif à cause du sédiment – mais à présent, tout était filtré par le Glen Canyon Dam, il était donc devenu de la même couleur que tous les autres fleuves. *Passionnant !*

Pour essayer de le détourner de son sujet favori, elle lui posa des questions sur l'accident d'avion. Il s'avéra qu'il était bien sur la route ce jour-là, il avait pris une course au carrefour de Grasshoper, et il a vu l'avion s'écraser.

— C'est dingue à quel point ça a été soudain. Comme si l'avion était arrivé de nulle part. J'ai jamais rien vu de tel. Mais c'était assez loin pour que ça ne fasse aucun bruit – pas que je pouvais entendre en tout cas. C'était vraiment silencieux. C'est ce que je n'ai pas réussi à oublier après coup – il est tombé du ciel tout d'un coup et j'imagine qu'il a dû y avoir une énorme explosion, mais pour moi, c'était aussi calme que… vous savez, quand la télé est allumée et que le volume est baissé. Tous ces gens sont morts, sans un bruit.

Il médita là-dessus pendant quelques instants, ce qui laissa à Kennedy un peu de répit pour jeter un œil aux instructions que le bureau du shérif lui avait envoyées. Mais sa méditation fut de courte durée, car elle ne tarda pas à être abreuvée de nouveaux faits sur les différentes voies navigables de la région.

Quand elle arriva enfin à Peason, elle demanda à John-Bird d'attendre tandis qu'elle déposait ses affaires à l'hôtel – un lieu bon marché dans un faux style hacienda – pour qu'il puisse la conduire directement au bureau du shérif. Elle savait qu'elle n'était pas au mieux de sa forme, mais elle voulait prendre contact et commencer à faire avancer les choses. Elle ne savait pas pendant combien de temps encore elle pourrait travailler sur cette affaire, alors elle devait employer au mieux le temps qui lui restait.

Le bureau du shérif était un bâtiment de plain-pied qui donnait sur la rue principale de Peason. John-Bird lui tendit sa carte de façon solennelle, mais elle se promit en son for intérieur de n'y avoir recours que si elle n'avait vraiment pas d'autre choix.

Elle traversa la rue et entra dans le bureau. À l'intérieur, flottait une odeur de pot-pourri – miel, glycine, et peut-être pétales de rose – et l'air conditionné était à parfaite température. La femme de l'accueil était impressionnante : une vilaine peau, une imposante tignasse et un visage aussi écrasé et pugnace que celui d'un bulldog.

— Oui, madame, fit-elle à l'intention de Kennedy. En quoi puis-je vous aider ?

Kennedy s'approcha du bureau et lui tendit les garanties de sa bonne foi : une lettre de présentation sur le papier à en-tête de la police de Londres et l'impression d'un e-mail envoyé par un certain Webster Gayle l'invitant à lui rendre visite quand elle le souhaiterait et indiquant qu'il serait ravi de lui apporter son aide.

— Je viens de Londres, expliqua-t-elle. Je dois rencontrer le shérif Gayle. Je n'ai pas vraiment de rendez-vous, mais j'ai pensé qu'il était utile de le prévenir de mon arrivée.

Le bulldog lut attentivement les deux feuilles avec une imperturbable concentration.

— Ah oui, finit-elle par dire. Web a dit que vous deviez passer. Il pensait que c'était demain, mais je suppose que c'est aujourd'hui en fin de compte. Ok, vous pouvez vous asseoir, je vais prévenir le shérif de votre arrivée.

Kennedy alla s'asseoir tandis que le bulldog tapait sur les touches de son clavier en murmurant quelque chose dans l'interphone, trop bas pour qu'elle puisse entendre ce qu'elle disait. La voix du shérif, par contraste, lui fit presque mal aux oreilles.

— Merci, Connie. Dites-lui d'attendre une minute, s'il vous plaît. Je dois me peigner et rentrer ma chemise dans mon pantalon pour la lady de Londres. Elle est jolie, au moins ? Ou elle ressemble à la reine d'Angleterre ?

Le bulldog coupa l'interphone et posa sur Kennedy un regard insondable.

Kennedy resta assise à attendre, luttant contre le sommeil. Elle se servit deux verres d'eau fraîche à la fontaine. Avant d'avoir terminé le second, un homme bâti comme une armoire à glace avança vers elle d'un pas lourd et lui tendit la main.

— Webster Gayle, annonça-t-il. Shérif du comté. C'est toujours un plaisir de rencontrer une collègue, Sergent, surtout quand elle vient d'un service qui a une telle réputation.

— Merci Shérif, dit Kennedy. Écoutez, je viens juste d'arriver et je suis morte de fatigue. Mais si vous avez un peu de temps demain, j'aimerais savoir ce que vous pensez de toute cette affaire.

— Demain ? Si vous voulez, mais j'ai un créneau maintenant, et je suis bien conscient que vous ne disposez que de cinq jours. Maintenant, si vous êtes vraiment fatiguée, je comprends, reposez-vous et voyons-nous demain matin. Mais je pense que si vous pouvez tenir debout pendant une heure, peut-être pouvons-nous au moins voir l'essentiel et ce qu'on peut faire pour vous aider.

— Bien sûr, dit Kennedy en souriant.

Elle était entièrement dépendante de la bonne volonté de cet homme et elle savait qu'il n'était pas judicieux de le couper dans son élan tandis qu'il offrait de l'aider. De plus, Gayle avait raison en disant qu'elle disposait de peu de temps : sans doute encore moins qu'elle ne le pensait.

— Absolument, allons-y.

Kennedy savait que cet entretien devait avoir lieu, et elle avait déjà préparé son discours. Elle espérait pouvoir s'exprimer avec assez de conviction en dépit du jet lag. Elle expliqua, avec pas mal de documents à l'appui, sur quels crimes elle enquêtait, et comment ses recherches l'avaient conduite dans la juridiction de Gayle et quel type d'aide elle attendait de la part du bureau du shérif du comté.

Mais il s'avéra que Webster Gayle, comme John-Bird, avait un sujet de prédilection, sur lequel il était ravi de s'étendre, et par bonheur ce n'était pas le fleuve Colorado, mais le sombre destin du vol 124 de la Coastal Airlines. Dans son minuscule bureau, il commença avant même qu'elle se soit assise.

— Une erreur humaine, dit-il à Kennedy. C'est ce qu'ils ont fini par dire. Une erreur humaine, répéta-t-il sur un ton presque sarcastique. Je suppose que c'est le genre de trucs qu'ils disent quand ils ne savent pas quoi dire d'autre.

— Je pensais que c'était la porte, dit Kennedy. La porte s'est ouverte en plein vol, provoquant une violente dépressurisation dans la cabine.

— C'est vrai, convint Gayle. Mais le mécanisme de la porte était en parfait état de fonctionnement. Ils n'ont donc pas de véritable explication sur ce qui a provoqué l'ouverture. L'erreur humaine, c'est ce qu'ils disent en dernier recours. En tout cas, c'est comme ça que je vois les choses. Si rien d'autre n'est allé de travers, alors c'est forcément de la faute des gens. C'est plus facile que de dire « On n'en sait rien ».

Kennedy hocha poliment la tête.

— Mais tout cela relève de la théorie à présent, non ? Ils ont bouclé l'enquête quand ils ont retrouvé la boîte noire.

— Non, M'dame, fit le shérif avec énergie. Ils n'ont jamais retrouvé cette fichue boîte noire. Ils ont juste arrêté de la chercher quand elle n'a plus émis aucun signal, et c'est d'ailleurs un truc qui n'est jamais censé se produire. Je me suis renseigné là-dessus. La batterie est supposée durer trois mois, et il est presque impossible de la détruire, même avec une bombe. Ça se tient, non ? Un avion qui tombe du ciel, c'est un peu comme une bombe, alors ça doit pouvoir résister à…

Il s'interrompit brusquement et il eut un air absent. Il semblait se rappeler quelque chose de très précis et encore vif dans son esprit, qu'il essayait de balayer.

— Avez-vous vu l'accident, Shérif Gayle ?

L'homme grand et costaud se ressaisit.

— Non, M'dame. Je ne l'ai pas vu. Mais j'ai vu comment c'était après. L'épave et tout ça. C'est pas un truc que je suis près d'oublier. Et, dit-il un moment après, pour l'enregistreur, ça n'arrête pas d'émettre à moins de tomber dans un volcan ou quelque chose comme ça. Et on n'en a pas franchement beaucoup dans le comté de Coconino. Il y a donc deux mystères. Comment la porte s'est-elle ouverte et qu'est-il arrivé à la boîte ? Et je vais en ajouter un troisième à la liste. Combien y a-t-il eu de survivants ?

Kennedy resta interdite, se demandant comment la conversation avait basculé si rapidement dans l'univers d'*X-Files*.

— Aucun, d'après ce que j'ai entendu, dit-elle.

— Aucun, c'est ce qu'ils ont déclaré, dit Gayle qui semblait jubiler. Mais tous ces autres trucs ont commencé à se produire.

Il se lança dans le résumé détaillé de tous les passagers qui auraient été vus post-mortem – tous les morts-vivants du vol 124 – tandis que Kennedy, profondément sceptique et incapable de feindre le moindre intérêt, fit de son mieux pour ne pas répondre. Quand Gayle eut terminé, elle opta pour un commentaire évasif.

— Eh bien, je suppose que c'est un mystère de nature bien différente, dit-elle. Je veux dire que pour ce qui s'est passé pendant le vol et ce qui est arrivé à la boîte ensuite, on peut trouver une réponse à ces questions. Mais pour ce qui est des fantômes… il n'y aura jamais d'explication. Les gens croient qu'ils ont vu ce qu'ils ont vu, mais ne seront jamais en mesure de le prouver. Il n'y aura jamais de réponse.

Elle essayait de ne pas le froisser. Il ne se formalisa pas, mais écarta ses objections d'un sourire.

— Vous voyez, M'dame, je trouve que dans la vie, il vaut mieux garder un esprit ouvert. Parfois, si quelque chose semble impossible, c'est juste parce qu'on ne le regarde pas sous le bon angle.

Fichu jet lag ! Kennedy ne se sentait pas en état d'écouter des histoires à dormir debout.

— Eh bien, comme je vous l'ai dit, je dois me concentrer essentiellement sur…

— Les faits qui se rapportent à votre enquête. Je sais cela. Mais là encore, ce qui est pertinent n'est pas toujours ce qui semble orienté dans la bonne direction. D'ailleurs, je n'ai pas besoin de vous le dire, vous êtes inspectrice.

Il semblait très confiant, et Kennedy comprit pourquoi il avait si vite accepté de la recevoir et de l'aider dans son enquête : il avait attendu de pouvoir confier tous ces trucs à quelqu'un. Elle se demanda, avec fatalisme, à quel point elle allait devoir se plier à ses obsessions pour pouvoir obtenir des réponses à ses propres questions.

— D'accord, dit-elle avec prudence.

— Attention, je ne suis pas en train de dire que vous devriez écouter toutes les théories loufoques qu'on voudra bien vous raconter. Je tiens juste à garder un esprit ouvert, c'est tout. Et je ne pense pas que vous devriez écarter quelque chose d'emblée, juste parce que cela semble stupide. De grandes choses sont inventées grâce à des questions stupides. Que se passe-t-il si vous injectez de la mort aux rats dans les veines de quelqu'un plutôt qu'un médicament ? C'est le principe de la warfarine. Au cas où vous ne le sauriez pas, ça empêche plein de gens de mourir d'une crise cardiaque. Et que se passe-t-il si vous fermez les yeux et que vous essayez de voir quelque chose avec les oreilles ? C'est ainsi que fonctionne le radar. Alors je me suis dit qu'il pouvait y avoir quelque chose d'intéressant dans toutes ces histoires, mais sans vraiment savoir ce que ça pouvait être. J'en ai donc discuté avec une très bonne amie, mademoiselle Eileen Moggs, qui écrit pour notre journal local et qui est la personne la plus intelligente que je connaisse. Et elle a dit qu'ils font toujours ça, après une catastrophe. C'est ce qu'elle appelle le cycle des nouvelles : quand les journalistes doivent pondre un article sur une affaire, mais qu'il ne s'est rien passé depuis leur dernier article, ils inventent quelque chose. Les gens ont envie de connaître la suite des événements, et cette envie doit être comblée. Vous voyez ce que je veux dire ?

— Oui, dit Kennedy. Je pense que votre amie a raison.

Gayle sembla satisfait de sa réponse, mais il reprit de plus belle :

— Ah, mais ensuite, j'ai montré à mon amie tout ce que j'avais récolté sur la question : tout ce que j'ai trouvé sur Internet, et elle a commencé à y réfléchir. Et elle a dit que cette fois, c'était différent.

— En quoi est-ce différent, précisément ?

— Eh bien, peut-être qu'Eileen Moggs vous donnera elle-même la réponse, Sergent Kennedy. J'aimerais vraiment vous la présenter, si l'opportunité se présente.

Il était bien trop tard, pensa Kennedy, pour imposer son propre emploi du temps.

— Oui, avec plaisir, dit-elle. Je serais ravie de rencontrer mademoiselle… Moggs ? Mais, comme vous le savez, j'ai une affaire à boucler, et je dois d'abord chercher des informations se rapportant à mon enquête criminelle.

— Stuart Barlow et tous les autres. Oui, j'ai lu le dossier que vous m'avez fait parvenir. C'est un peu un casse-tête.

— C'est le moins qu'on puisse dire, Shérif Gayle.

— Et vous pensez que notre enquête sur cet accident d'avion peut vous aider ?

— C'est ce que j'espère, oui. Un des passagers du vol 124 était un homme voyageant sous le nom de Michael Brand.

— « Sous le nom », cela veut-il dire que ce n'était pas son véritable nom ?

— On ne sait pas exactement. On essayait en vain de retrouver sa trace en Europe quand on a appris qu'il était mort ici. On ne sait que très peu de choses sur lui, en dehors du fait qu'il poursuit une carrière, depuis plusieurs années, impliquant d'autres délits en dehors des meurtres.

— Tels que ?

— Peut-être des kidnappings, un trafic d'armes et peut-être est-il aussi impliqué dans un trafic de drogue.

— Et vous n'êtes sûrs de rien ?

— Non, et ma source est un informateur que je ne peux même pas citer ! Mais les raisons de ma présence sont uniquement liées à l'affaire Barlow. Nous pensons avoir assez d'éléments dans notre dossier qui justifient de vous demander de coopérer avec nous.

— Je suppose que je ne peux pas vous refuser ça. Et de multiples homicides sont une raison suffisante pour frapper à toutes les portes. On a pas mal de boulot ici, mais je pense pouvoir vous accorder au moins deux jours.

— Deux jours ? Shérif, c'est bien plus que je n'osais espérer. Êtes-vous sûr de pouvoir… ?

— Nous sommes ravis de pouvoir vous aider, Sergent. Alors, dites-moi ce que nous pouvons faire pour vous.

Il fallut quelques instants à Kennedy pour rassembler ses esprits. Elle s'était attendue à rencontrer l'indifférence, sinon une franche hostilité. Au lieu de cela, elle était tombée sur un sympathique obsessionnel qui voulait participer à son enquête parce qu'il n'avait pas été autorisé à mener sa propre enquête.

— Eh bien, je vais vous expliquer ce que j'espérais faire, dit-elle à Gayle. Tout d'abord, voir si des éléments de l'enquête menée ici peuvent me permettre de trouver les origines de Brand et de ses complices potentiels. Par exemple, si une partie de ses vêtements ou de ses effets personnels ont été retrouvés, j'aimerais pouvoir les examiner. J'aimerais aussi savoir, par exemple, s'il y a eu une expertise médicolégale sur le corps ou s'il a indiqué une adresse quand il a acheté son billet d'avion. Ce genre de choses.

Gayle hochait la tête à mesure qu'elle lui énumérait sa liste.

— Je pense que ça ne posera pas de problème. Je peux déjà vous dire qu'il n'y a pas grand-chose, mais ils ont fait une autopsie et il y a certainement des photos dans le dossier. Les vêtements et effets personnels ont sans doute été enregistrés comme preuves matérielles, aussi bien ceux que nous avons pu relier à un corps précis et ceux pour lesquels on a dû renoncer. La plupart des preuves sont gardées pas loin d'ici, vers le nord, dans un entrepôt que nous louons à Santa Claus[7].

— À Santa Claus ? fit Kennedy.

— La municipalité de Santa Claus, précisa Gayle. Désolé Sergent, ça ne prête même plus à sourire dans le coin. Santa Claus est une ville qui est à peu près à quinze kilomètres de Peason, juste à l'intérieur des limites du comté. C'est devenu une ville fantôme. Ils ont beaucoup d'espace à louer pour presque rien, alors on en profite. Bon, quoi d'autre ?

— En fonction de ce que je vais trouver – si je trouve quoi que ce soit – peut-être pourrez-vous prévoir une liaison. Vous savez, appeler d'autres agences ou organismes américains, et leur envoyer des demandes d'informations. Je sais que c'est beaucoup vous demander, et si vous préférez, je peux m'adresser à Interpol. C'est juste que je ne suis pas dans ma juridiction, et ce serait super si on pouvait suivre une piste jusqu'au bout, si jamais on a la chance d'en trouver une.

— Nous devrons sans doute voir ça au cas par cas, mais nous pouvons probablement vous attribuer l'aide d'un adjoint, ainsi qu'un bureau si nécessaire.

— C'est vraiment aimable à vous, Shérif Gayle. Merci.

— Je vous en prie. Bien, et si je vous raccompagnais à votre hôtel maintenant ? Je pense que vous devez être épuisée à force

---

7 *Santa Claus* est le nom du père Noël en anglais. (NdT)

de parler et vous avez probablement besoin de vous reposer après votre voyage.

Kennedy résista pour la forme, avant de capituler. Le shérif Gayle se leva, s'apprêtant à partir. Tandis qu'elle le suivait jusqu'à l'accueil, il comptait sur ses doigts les différents éléments qu'il devait rassembler.

— Dossiers d'autopsie, effets personnels des victimes, traces écrites… Est-ce que cela suffit pour l'instant ?

— Ce sera parfait pour l'instant, Shérif.

— Nous ferons ça demain matin. Connie, je vais raccompagner le sergent Kennedy jusqu'à son hôtel. Je serai de retour dans une demi-heure.

Le bulldog les regarda tour à tour, lui et Kennedy.

— Entendu, dit-elle après une pause légèrement trop longue. Que dois-je dire à Eileen Moggs si elle appelle ?

Kennedy sentit une intonation légèrement narquoise dans sa question, comme si elle était destinée à le prendre au dépourvu. Si c'était le cas, ce fut un échec. Gayle se contenta de hausser les épaules.

— Dites-lui que je la rappellerai. Je la verrai plus tard de toute façon. Allons-y, Sergent.

Kennedy protesta encore pour la forme.

— Je peux prendre un taxi…

— Non, non. Nous voulons que vous rentriez chez vous avec un bon souvenir de l'Arizona.

Kennedy sourit et hocha la tête, tandis qu'il l'entraînait vers la sortie. Cependant, en son for intérieur, elle se dit que c'était peut-être beaucoup en demander.

Une fois à l'hôtel, Kennedy prit une bouteille de bière Dos Equis dans le mini-bar de la chambre pour l'aider à s'endormir et elle la dégusta dans un bon bain chaud. Paradoxalement, elle se sentit plus revigorée que fatiguée après cela.

Le soleil était loin de se coucher, et elle ne connaissait personne dans cette ville, et n'avait nulle part où aller. Même le magazine *Que faire à Peason ?* qui trônait sur sa table de nuit sembla pouvoir n'apporter qu'une seule réponse à cette question : rien. Elle avait manqué de peu l'exposition florale et le prochain grand rendez-vous culturel était les Journées d'Hardyville, qui avait lieu à Bullhead au mois d'octobre. Il semblait consister pour l'essentiel en un spectacle de travestis. Elle espérait être partie depuis longtemps à ce stade.

Que pouvait-elle donc faire dans sa chambre d'hôtel pour se divertir un peu ?

Elle prit son ordinateur portable, enfin, celui de sa sœur Chrissie, se connecta à Internet et consulta sa messagerie. Elle avait reçu quatre e-mails et les trois premiers venaient de Summerhill, dont le ton allait du détachement professionnel à la rage. Elle les mit aussitôt à la corbeille, après tout, elle payait la connexion à l'heure.

Elle avait également reçu un message d'Izzy, qui avait accepté de s'occuper de son père jusqu'à ce que Chrissie vienne le chercher pour le week-end, si toutefois Kennedy n'était pas de retour avant.

Tu es partie de façon si soudaine. Tu vas me manquer. Et... j'espère que tout va bien.

Elle commença à répondre, puis effaça ce qu'elle avait écrit, recommença et fit de même.

Beaucoup de choses allant de travers, finit-elle par écrire. *Mais je travaille toujours sur l'enquête. Peut-être que je te raconterai tout ça un de ces jours autour d'un verre ?*

Ensuite, et sans véritable espoir d'obtenir une réponse, elle envoya un e-mail à Tillman – le dernier d'une longue série – lui disant où elle était et ce qu'elle faisait. Le message était plutôt succinct, mais il résumait l'essentiel.

Leo, comme je vous l'avais indiqué dans mon précédent message, je suis en Arizona, poursuivant la piste Michael Brand. Rien de neuf pour l'instant, mais j'ai pris contact avec les responsables de la police locale et ils sont très coopératifs. J'espère avoir beaucoup de choses à vous apprendre demain. En attendant, je vous joins À NOUVEAU les documents envoyés par le docteur Gassan. Il s'agit de son analyse des fichiers de la ferme du Colombier. Peut-être avez-vous déjà eu le temps de les lire, mais dans le cas contraire, vous devriez vraiment le faire. Le sens de tout ça pourrait être révélé à tout moment, il suffit juste que nous trouvions le bon levier – et tout

suggère que Michael Brand joue un rôle majeur. Le marché tient
toujours. Faites-moi savoir si vous avez quelque chose à partager.
  Kennedy

Elle joignit les fichiers et cliqua sur ENVOYER. Elle ne pouvait rien
faire de plus avec Tillman pour l'instant, seulement continuer à le
tenir informé et espérer entendre un léger écho de sa part.

Et maintenant, vu que les fichiers étaient là, elle les ouvrit de
nouveau. Elle avait l'impression d'en connaître le contenu par
cœur, mais les relire lui permettait de les garder à l'esprit – et lui
rappelait, chaque fois, sa première et dernière entrevue en face-à-
face avec Emil Gassan, en lieu sûr, dans la maison lugubre où ils
le gardaient tant qu'ils n'avaient pas la certitude que sa vie n'était
plus en danger.

Le jour où Emil Gassan lui avait parlé de la tribu de Judas.

40

— C'est donc bien un évangile ? demanda Kennedy, médusée.

— Oui.

— Enfin, je veux dire : la version traduite est toujours un évangile ? Barlow a réuni une équipe de spécialistes, il a dédié des années de son temps et a fini par sacrifier sa propre vie pour traduire un évangile en un autre évangile ?

Emil Gassan haussa les épaules, avec une légère impatience. Ils étaient assis dans une pièce austère : quatre tables, huit chaises, les murs peints dans une teinte de vert que l'on ne trouve que dans les bâtiments victoriens transformés en hôpitaux, antennes de police ou hôpitaux psychiatriques.

C'était dix jours après l'épisode de la ferme du Colombier : dix jours après l'incendie et la mort de Combes.

— Oui, Sergent, dit Gassan avec une pointe de mauvaise humeur dans la voix. Mais apparemment, je me suis mal fait comprendre. Ce qu'a fait Stuart est… remarquable. Presque incroyable à vrai dire. Et si ce n'était pour le fait que je serais mort au lieu d'être simplement détenu ici, je pourrais regretter de tout mon cœur de ne pas avoir dit oui quand il m'a fait sa proposition. Et, si je ne craignais d'être victime à mon tour, j'appellerais tous les journaux qui se trouvent dans mon carnet d'adresses pour leur dire de réserver la première page dans un avenir proche. Mais de toute façon, je n'ai pas accès à mon carnet d'adresses dans ce lieu perdu, et encore moins à un téléphone.

Comme si le fait de se plaindre des mesures de sécurité très strictes lui avait fait prendre conscience de leur absence temporaire,

Gassan se leva, alla jusqu'à la porte et l'ouvrit. Un agent trapu assis juste derrière la porte adressa un signe de tête poli au professeur, qui referma la porte sans un mot.

— Peut-être vaudrait-il mieux être mort, murmura Gassan, comme s'il se parlait à lui-même. Mort et célèbre, et utile. Est-ce préférable à une vie éternellement entre parenthèses ? Je n'en sais rien.

— Professeur, dit Kennedy. Je sais que ça a été dur pour vous. Mais comme vous le savez, nous poursuivons notre enquête. Et plus vous m'en direz, plus vous aurez de chances de voir tout cela se terminer et de retrouver une vie normale.

Gassan lui lança un regard plein de mépris.

— Ce serait une immense consolation, dit-il sur un ton caustique, si ce n'était pas complètement absurde. Ces gens vont et viennent comme il leur chante, et tuent qui leur chante. La seule chose qui me maintient en vie, c'est d'avoir dit non à Barlow quand cela importait, et maintenant je figure sur leurs tablettes comme quelqu'un qu'on peut ignorer en toute quiétude. Et si jamais ils changent d'avis là-dessus, il me reste plus qu'à faire ma prière.

— Ils ne sont pas omnipotents, dit Kennedy.

Le fatalisme du professeur la mit en colère, la dégoûta même un peu, mais elle essaya de garder un visage et un ton neutres.

— Qu'ils le soient ou non ne change rien. Y a-t-il une seule personne dont ils souhaitaient la mort qui soit encore en vie ?

— Moi. Je pense qu'ils voulaient ma mort.

Et Tillman, bien sûr, mais elle n'allait pas aborder la question de Tillman dans cette conversation.

— Avec tout le respect que je vous dois, ils tuent des savants. Des gens qui savent et comprennent. Ils ne se soucient des gens comme vous que lorsque vous vous mettez accidentellement en travers de leur chemin.

— Ce que je m'apprête à faire de nouveau, répondit Kennedy d'un ton grave. Et, je le répète, plus vous m'en direz, plus vous aurez de chances que je les trouve et que je leur demande de rendre des comptes. (Elle avait eu l'intention de s'arrêter là, mais elle continua par pure cruauté. Elle était agacée, malgré elle, par la distinction faite par Gassan entre les gens qui comprenaient et les médiocres policiers.) La seule alternative, Professeur, c'est que vous passiez le reste de votre vie dans des lieux tels que celui-ci, à vous cacher en attendant un châtiment qui ne viendra peut-être jamais. Comme Salman Rushdie ou Roberto Salviano, à la différence qu'ils se cachaient parce qu'ils avaient écrit quelque chose qui avait eu un impact sur le monde. Vous n'auriez même pas cette consolation.

Elle se tut enfin. Gassan la regardait fixement, mi-horrifié, mi-abasourdi. Elle pensa qu'il allait partir en claquant la porte et se retirer dans sa tour d'ivoire, comme Tillman l'avait déjà fait (avec de bien meilleures raisons), et la laisser essayer de démêler tout ça par elle-même.

Au lieu de cela, le professeur hocha la tête. Puis, avec un calme impressionnant – et même une certaine humilité – il vint s'asseoir face à elle.

— Vous avez raison, dit-il. Si je suis inutile, c'est entièrement de ma faute. Je ne devrais pas me plaindre. Et quoi qu'il advienne, je suis maintenant impliqué dans cette affaire, n'est-ce pas ? Le moins que je puisse faire, c'est d'être le copiste de Stuart Barlow, vu que j'ai refusé tous les rôles plus prestigieux qu'on me proposait.

Allez-y, Sergent Kennedy. Recueillez mon témoignage. Interrogez-moi. Ne prenez pas de gants. Oui, Barlow a traduit un évangile en un nouvel évangile, il a réussi là où cinq cents ans d'érudition avaient échoué avant lui.

Kennedy laissa échapper un profond soupir.

— Mais ce nouvel évangile – celui qu'il a trouvé en décodant le Rotgut – personne ne l'avait découvert avant lui ?

— Exactement. C'est unique. Un évangile que personne encore n'avait découvert datant probablement du Ier siècle après le Christ.

— En êtes-vous sûr ? Le Rotgut n'était-il pas médiéval ?

— Le Rotgut n'était qu'une traduction, comme vous le savez déjà. Quand Stuart a recherché le document source, l'original à partir duquel il a été traduit, il s'est directement plongé dans les premiers codex et les manuscrits qui les ont immédiatement précédés – le Nag Hammadi et le papyrus Rylands. Et il a appliqué un code qu'il avait déjà observé, sur de minuscules fragments énigmatiques, dans les manuscrits de la mer Morte. Il avait largement assez d'éléments pour continuer. En fait, son problème était qu'il n'avait que l'embarras du choix. Regardez, avez-vous déjà vu ça auparavant ?

Il ouvrit son carnet de notes, feuilleta quelques pages, puis le tourna vers elle. Kennedy lut une liste courte et détaillée.

P52

P75

NH II-1, III-1, IV-1

Eg2

B66, 75

C45

— Oui, dit-elle. C'était noté au dos d'une photographie que Stuart Barlow avait cachée sous une des dalles de son bureau. Qu'est-ce que cela veut dire ?

Gassan referma le carnet, comme s'il lui était pénible que quelqu'un d'autre puisse le lire, même s'il lui avait promis de tout lui révéler.

— Ces chiffres et lettres sont des abréviations, dit-il, qui font référence à des manuscrits et à des codex spécifiques, situés dans des lieux précis. Le préfixe P indique le papyrus Rylands, B représente celui de Bodmer et C correspond aux papyrus Chester. NH, bien sûr, est le Nag Hammadi. J'imagine que vous devinez ce que ces documents précis ont en commun. Ou est-ce que je me trompe ?

Kennedy pensa au Rotgut.

— Ils figurent tous parmi les premiers exemplaires de l'Évangile de saint Jean ? hasarda-t-elle.

— Exactement. L'Évangile de saint Jean, ou dans certains cas l'Apocryphon de Jean – un texte connexe. Certains sont entiers, certains partiels et d'autres très fragmentaires. Mais tous correspondent à l'Évangile de saint Jean. Nous ne savons pas quel manuscrit observé par Barlow s'est avéré être la source du Rotgut, mais nous pouvons conclure que c'est un exemplaire de l'Évangile de saint Jean, complet ou presque, datant de la fin du Ier siècle ou du début du IIe siècle de notre ère.

— Et c'est là où je suis perdue, admit Kennedy. Comment passe-t-on de l'Évangile de saint Jean à cet autre texte ?

— Au moyen d'un code, bien sûr. (La réponse fut brève, comme si cela avait été une évidence.) C'était l'aspect essentiel du travail de Barlow, et le point central de sa découverte.

Kennedy essayait de trouver une autre façon de formuler la même question. Elle savait qu'il s'agissait d'un code, mais elle avait besoin d'en comprendre les mécanismes. Gassan perçut son hésitation et poussa un soupir.

— Très bien, dit-il. *Ab initio*. Sergent Kennedy, je crois que je vous ai expliqué, quand nous nous sommes parlé pour la première fois, qu'un codex est un texte divisé en plusieurs parties.

— Vous avez dit que deux ou trois livres ou documents pouvaient être rassemblés dans un seul codex, dit-elle.

— Tout à fait. La conception du message unique et distinct était étrangère au monde antique. Les papyrus étaient rares et coûteux à produire, alors on utilisait ce que l'on avait. Si cela impliquait de former de curieux tandems, comme de placer un dialogue platonicien après un pamphlet biblique, on le faisait sans aucun scrupule. On ne commençait certainement jamais en haut de la page : on passait directement d'un document à l'autre, en les écrivant l'un après l'autre, ou l'un sous l'autre.

Donc, lorsque les érudits ont examiné le Rotgut, c'est ce qu'ils ont vu. Le Rotgut contient la totalité de l'Évangile de saint Jean, puis sept versets d'un autre évangile. Il semblait naturel de supposer que quelqu'un avait commencé à traduire un codex en araméen, en commençant par le début et en continuant jusqu'à ce que, pour une raison ou une autre, il ait été interrompu.

— D'accord.

— Mais supposez que les deux textes, ou qu'un premier texte et un très court fragment du second, aient été réunis pour une raison différente... Si vous étiez en train de résoudre une anagramme, vous mettriez peut-être par écrit la version originale jusqu'à ce que vous ayez trouvé la solution. Et, de la même façon, quelqu'un qui se trouverait confronté à un message codé pourrait noter la version codée en premier, et la version décryptée ensuite.

— L'Évangile de saint Jean était donc le message codé ?

— Un exemplaire précis de l'Évangile de saint Jean était le message codé. Comme je vous l'ai dit, je n'ai pas réussi à déterminer lequel. Mais celui qui a écrit le Rotgut a trouvé cette version, cet exemplaire de l'Évangile de saint Jean, et soit on lui avait dit comment le code fonctionnait, soit il a réussi à le comprendre par lui-même. Il – il est presque certain que c'était un homme – a recopié le sens apparent du texte, puis il a commencé à décoder le message, à écrire le message sous-jacent au-dessous. Mais il a trouvé la tâche ardue, même en sachant ce qu'il savait, il n'a réussi à traduire que sept versets avant de renoncer. Ou, c'est tout aussi probable, il a changé de feuille de papier. Et comme il a négligé de noter la clé du code, le reste du message a été perdu.

— Je comprends, dit Kennedy.

— Vous m'en voyez ravi. Et pendant les siècles qui ont suivi, cette sorte de statu quo s'est maintenu. Jusqu'à ce que Stuart Barlow, alerté par un indice, une entorse à la logique ou une intuition, commence à étudier de près les textes du Nag Hammadi et les premiers textes écrits. Il a trouvé la version adéquate de l'Évangile de saint Jean. Et il a découvert, sur le papyrus même, une sorte de code de substitution qui reposait sur des variations subtiles, presque invisibles, portant sur la forme des lettres standard. Il a décelé le second message : un évangile caché sous l'évangile explicite.

Gassan se leva et alla jusqu'à la fenêtre. Il regarda dehors anxieusement, même s'il n'y avait rien à voir : la fenêtre donnait sur un puits de lumière situé au centre de l'immeuble aux murs de briques. Kennedy attendit une minute ou deux avant de le rejoindre. Elle savait à quel point Gassan était frustré par cet isolement forcé, et aussi à quel point il était terrifié – en reprenant le projet Rotgut – à l'idée qu'il risquait d'en subir la malédiction. Kennedy aurait aimé le rassurer, mais le seul réconfort qu'elle pouvait lui offrir était plutôt désespérant – après tous les drames qui venaient de se succéder, ils n'étaient peut-être en sécurité que parce qu'ils ne représentaient plus une menace suffisante.

À l'instar de Gassan, elle regardait dans le vide.

— Alors chaque lettre, chaque symbole écrit sur le papyrus, représentait deux lettres ? lui demanda-t-elle.

— Pour l'essentiel, oui. Chaque lettre avait un référent standard et un référent codé.

— Mais pourquoi quelqu'un ferait-il cela ? demanda Kennedy. Un évangile n'est-il pas supposé prêcher la bonne parole à propos de la religion qui est la nôtre ? Si on doit la cacher, alors cela perd presque tout son intérêt, non ?

— Il y a de nombreux textes stéganographiques – de messages codés – qui datent de cette période, Sergent. Les sectes des premiers chrétiens étaient en guerre les unes contre les autres, et souvent aussi contre leur gouvernement local. Ils avaient toutes les raisons de cacher leurs messages.

— Mais cacher un message chrétien sous un autre…

— … cela semble suggérer que les chrétiens, ou plutôt un groupe précis de chrétiens, étaient votre cible, n'est-ce pas ? Avec un code comme celui-ci, vous pouviez diffuser un évangile tout en le dissimulant. Et vos lecteurs pouvaient l'emporter d'un lieu à un autre sans avoir à surveiller leurs arrières. Quiconque, en examinant le texte, n'y voyait que l'Évangile de saint Jean, canonique et auquel on ne pouvait rien reprocher.

— Alors que le message caché était une hérésie ?

— Je crois qu'on peut dire avec certitude, Sergent, que le message caché est une hérésie d'une ampleur phénoménale.

— Mais qu'est-ce que c'est, bon sang ?

— Vous ne l'avez pas lu ?

Gassan se détourna enfin de la fenêtre pour lancer à Kennedy un regard d'indignation horrifiée.

— J'ai lu une partie des passages qui ont déjà été transcrits en texte normal. Ils ne m'ont pas semblé avoir de signification particulière – seulement Jésus parlant à ses disciples, la plupart du temps. Je n'ai pas réussi à m'y retrouver dans tous les fichiers, il y en avait trop et ils semblaient tous faire des centaines de pages.

Gassan hésita : sa désapprobation de se voir demander de faire un résumé était en lutte contre son désir de monter sur une tribune improvisée pour discourir. Le choix fut vite fait.

— Vous allez vous attaquer à ces gens ? demanda-t-il. Ceux qui ont tué Barlow, Catherine Hurt, et les autres ?

— Oui.

— Alors je suppose que vous devez savoir à quoi vous allez vous exposer. Vous allez perdre, quoi qu'il en soit. Je pense qu'il vaut mieux que je sois clair sur ce point dès le départ.

— Merci Professeur. Pour cette marque de confiance, je veux dire.

— Croyez-moi Sergent, je préférerais qu'il en soit autrement. Si vous pouviez les battre, je pourrais de nouveau vivre une vie digne de ce nom. Mais bien sûr, si vous pouviez les battre…

Il regagna le centre de la pièce, toucha la couverture du carnet noir, puis la table, comme pour s'assurer que les mots et le monde étaient encore là où il les avait laissés.

— Si je pouvais les battre ?

Il leva les yeux sur elle, semblant sincèrement désolé.

— Eh bien, ils ne seraient plus là depuis longtemps, je suppose. Pas après tant de siècles. S'ils étaient vulnérables à quelque niveau que ce soit, quelqu'un les aurait déjà battus.

41

Le shérif Gayle passa prendre Kennedy devant son hôtel à neuf heures le lendemain matin. La veille, il l'avait reconduite avec une voiture de police. Mais ce matin-là, il était au volant d'une voiture à peine plus petite qu'un terrain de football de deux couleurs différentes – rouille et bleu ciel – avec des trous dans la carrosserie à certains endroits.

Voyant l'air dubitatif de Kennedy, Gayle lui assura que la voiture les conduirait sans problème là où ils voudraient aller.

— Elle ne m'a jamais fait faux bond, Sergent. S'il y avait assez de place au cimetière, je pense que j'aimerais être enterré dans cette voiture.

Les paysages de la région étaient plus plats et moins spectaculaires que les rives du Colorado, mais Kennedy eut la même sensation d'immensité sur l'autoroute 93, en quittant Peason. À leur droite, les montagnes se superposaient au loin, et à leur gauche, l'horizon formait une courbe parfaite. Pendant presque tout le trajet, ils ne croisèrent aucune autre voiture.

La ville de Santa Claus, par contraste, les fit retomber dans un univers plus trivial. Une fois qu'ils furent arrivés à sa hauteur, Gayle lui dit que l'endroit, qui avait jadis une population de dix mille personnes, retournait peu à peu à l'état de désert. Ce n'était plus qu'un ensemble de petites maisons tout droit sorties d'un dessin animé de Disney. Elles avaient été peintes pour ressembler à des maisons en pain d'épice : des murs rayés en rouge et blanc, des panneaux rose bonbon, des volets verts que personne ne fermait jamais. Tout tombait en ruine.

Le shérif Gayle lui montra du doigt une petite rangée de hangars avec une structure en aluminium. Il avait sorti un lourd trousseau de clés et finit par trouver une grosse clé en cuivre qu'il glissa dans une serrure parfaitement circulaire. Il ne la tourna pas, se contenta d'appuyer dessus, avant de la retirer. La porte fit un bruit métallique. Gayle ouvrit la porte et entra dans l'espace sombre où il faisait aussi chaud que dans une fournaise.

Il appuya sur plusieurs interrupteurs et les lumières vacillantes éclairèrent la pièce. Kennedy entra dans ce qui n'était qu'une simple réserve, avec de longues rangées d'étagères en métal divisant l'espace en différentes allées. Près d'elle, elle aperçut un bureau, sur lequel il y avait deux dossiers, l'un bleu et l'autre rouge.

Les étagères étaient remplies de cartons numérotés, et Gayle ouvrit le dossier qui se trouvait sur le dessus, le bleu, pour lui montrer la liste principale. Il tourna rapidement une page ou deux et trouva la lettre B.

— Michael Brand... marmonna-t-il. Ah, le voilà ! Carton numéro 161.

Les cartons avaient été rangés par numéro et étaient classés dans l'ordre chronologique, trouver le numéro 161 fut donc d'une simplicité enfantine. Gayle le rapporta jusqu'au bureau et le posa dessus.

— Allez-y, Sergent. Je vous en prie.

Elle souleva le couvercle et regarda à l'intérieur.

Chacun des objets se trouvant dans le carton avait été emballé séparément. Pour la plupart, il s'agissait de vêtements : chemise, pantalon, veste, slip et chaussettes. Gainés de plastique, ils paraissaient – au premier coup d'œil – tout droit sortis de chez le teinturier. Mais ce dernier avait fait du très mauvais boulot, laissant des taches de sang noirâtres un peu partout.

Au fond du carton, sous les vêtements abîmés, elle trouva des objets épars. Un ticket de caisse, qui portait également une tache de sang dans un coin, pour un journal et un paquet de chewing-gums, pour lesquels il avait payé en espèces dans un kiosque à journaux de l'aéroport de Los Angeles. Un peigne en plastique noir. Un portefeuille qui avait déjà été vidé. Un sac séparé contenant les billets et les pièces trouvés dans le portefeuille, pour un montant total de quatre-vingt-neuf dollars soixante-sept. Un paquet entamé de mouchoirs en papier. Un paquet de chewing-gums à la cannelle à moitié vide – probablement celui indiqué sur le ticket de caisse. Et c'était tout : l'ensemble des biens matériels de Michael Brand.

— Pas de passeport, fit remarquer Kennedy.

Elle n'avait pas nourri de grands espoirs, mais elle se sentit malgré tout un peu découragée.

— Tout ce qui était dans l'avion a été dispersé sur une grande partie de terrain, Sergent, et nous sommes dans le désert. Il est très probablement encore là-bas, quelque part. À moins que quelqu'un ne l'ait ramassé et déposé au poste de police local, mais il a aussi bien pu le garder en souvenir ou le vendre. Cela dit, son passeport a été scanné lorsqu'il est monté à bord de l'avion. Et cette information est enregistrée.

— Je sais, dit Kennedy. Ce n'est pas tellement au passeport en tant que tel que je pensais.

— Le ticket d'enregistrement de ses bagages ?

— Oui.

— On a déjà vérifié tout ça avec les listings envoyés par la Coastal Airlines. Mais il n'a rien enregistré dans la soute et n'avait pas non plus de bagage à main.

Avec la permission de Gayle, Kennedy enfila des gants et examina son maigre butin. Elle regarda au dos du ticket de caisse pour s'assurer qu'il était vierge : aucun message caché, ni aucune liste énigmatique. Elle fouilla le portefeuille, cherchant des bouts de papier que personne n'aurait vus, vérifia que rien n'était caché dans les doublures, et chercha d'éventuelles inscriptions ou marques sur le cuir même. Il n'y avait rien.

Quelqu'un avait noté une marque sur un des billets de banque cependant : trois lignes parallèles inscrites au marqueur rouge. Kennedy se creusa la tête un moment à propos de cette marque, puis renonça.

— Et pour les objets non attribués ? demanda-t-elle à Gayle.

— Il y en a une énorme quantité. Des cartons et des cartons. Il y a au moins six ou sept mille objets en tout. Je ne pense pas qu'il y ait assez d'heures dans une journée pour tout vérifier.

— Avez-vous une liste ?

— Absolument. C'est le second dossier. Le rouge.

Kennedy parcourut la liste, cherchant quoi que ce soit qui se distinguerait du reste. Un certain nombre de choses attirèrent son attention un instant : une partie d'une licorne en verre, un médaillon arborant un crâne et une feuille de marijuana, un gode ayant comme motifs des étoiles et des rayures. Mais comment pouvait-elle savoir ce que Michael Brand avait pu transporter, et ce que cela signifiait pour lui ? De façon plus significative, elle nota qu'il y avait environ trois douzaines de téléphones portables dont les propriétaires n'avaient pas été identifiés. Mais arrivée à cette page, elle leva les yeux vers le shérif Gayle, qui secoua la tête avant même qu'elle ait eu le temps de formuler sa question.

— Je ne peux pas vous laisser allumer ces téléphones, Sergent. Pas sans mandat. Et jamais je n'obtiendrai de mandat sans motif valable, et aucun début de piste. Et même votre Michael Brand ne constitue pas un début de piste.

— Non, reconnut Kennedy à contrecœur. Tout ça repose davantage sur l'instinct que sur des éléments tangibles.

— Et l'instinct est important, je n'ai absolument rien contre, mais cela limite mon champ d'action, si vous voyez ce que je veux dire. Il y a des choses que je peux faire, et des choses que je ne peux pas faire.

Kennedy faillit se mettre à rire. Elle avait l'impression de s'entendre parler, avant de rencontrer Tillman en tout cas.

— Je comprends parfaitement, Shérif, se contenta-t-elle de dire, tenant encore le sac qui contenait l'argent liquide de Michael Brand.

Elle le montra à Gayle.

— Pourrais-je avoir une photocopie de ce billet d'un dollar ? Celui qui porte des lignes rouges.

— Bien sûr. Laissez-moi l'indiquer sur un formulaire et nous pourrons l'emporter en ville avec nous. Connie pourra vous en faire une copie pendant que nous irons à la morgue. Pourquoi ? Ces lignes ont-elles un sens pour vous ?

— Il peut s'agir d'un code. Les gens à qui nous avons affaire semblent aimer les codes. Ce n'est peut-être rien du tout. C'est plus probable. Mais j'aimerais y réfléchir.

Gayle remplit un formulaire d'un air solennel et le mit dans le dossier des preuves matérielles. Puis, juste au moment où le système d'air conditionné commençait à fonctionner, ils sortirent du hangar pour retourner dans le désert.

42

— Alors, d'après vous, qui sont donc les traîtres dans la Bible ? demanda le professeur Gassan.

Il se tenait debout devant la table, comme s'il avait été devant un pupitre, alors qu'il n'y avait qu'eux deux dans la pièce. Les vieilles habitudes ont la vie dure. À moins que cela n'ait été qu'une simple façon de définir leurs statuts respectifs.

Kennedy était encore moins d'humeur à écouter un cours magistral que lors de leur première conversation. Mais elle présuma que c'était sans doute le seul moyen d'apprendre de Gassan ce qu'elle voulait savoir – et la seule façon pour lui de continuer, en dépit de ses peurs et de ses conflits intérieurs.

— Caïn, hasarda-t-elle. Judas, Ponce Pilate ?

— Caïn et Judas étaient les deux que j'étais certain que vous citeriez. La plupart des gens auraient cité ces deux noms, je pense. La plupart des gens, en dehors de ceux qui appartiennent à la tradition gnostique. Vous avez entendu parler des gnostiques, je présume ?

Il lui lança un regard sévère, signalant qu'en dépit de son impatience, il en viendrait au fait à sa manière.

— La secte des premiers chrétiens, dit Kennedy. Ce sur quoi devait porter le livre de Stuart Barlow, celui qui a été à l'origine de ses recherches sur le codex Rotgut.

— Exactement. Mais parlons plutôt des sectes au pluriel. Elles étaient nombreuses, et avaient certaines croyances en commun. Les gnostiques étaient des anticonformistes. Des extrémistes religieux. Et ils l'étaient bien avant l'arrivée du Christ : il leur a juste donné une nouvelle orientation et une nouvelle dynamique. Ils ont embrassé les enseignements de Jésus parce que Jésus était prêt à tout remettre en question. Ils ont dû avoir l'impression d'avoir trouvé un leader spirituel à leur propre image. Les gnostiques sont partis de l'idée selon laquelle presque l'ensemble de la Bible était un ramassis d'idioties. Les griffonnages de gens qui n'avaient pas vraiment compris les miracles dont ils attestaient. Le mot « gnostique » vient du grec *gnôsis*, qui voulait dire « connaissance ». Ces sectes croyaient qu'il y avait une vérité derrière toutes choses : derrière le monde et derrière les mots. Quand Dieu a parlé à l'homme, comme il l'a fait lorsqu'il s'est adressé à Adam, et à Moïse, et ensuite dans le Nouveau Testament aux prophètes tels que saint Jean-Baptiste, jamais il n'a transmis une vérité simple et univoque, parce que l'univers n'est pas un lieu simple et la vérité est une chose complexe, qui doit être cachée aux yeux et aux oreilles de l'homme ordinaire.

— Quand vous parlez de « vérité cachée », demanda Kennedy, s'agit-il de codes ? C'est ce que vous voulez dire ?

Gassan prit un air austère, outré d'avoir été interrompu par son auditoire. Il prit un ton impérieux.

— Ce que je veux dire, Sergent Kennedy, c'est que vos ennemis – les gens qui ont assassiné votre coéquipier et l'équipe de Stuart Barlow – ne partagent pas votre vision du monde. J'essaie de vous permettre de les voir tels qu'ils sont, sans les erreurs de parallaxe que vous imposez par vos propres valeurs. Non, je ne veux pas dire qu'il s'agit de codes en tant que tels. Ce n'est qu'une petite partie de ce que je veux dire. Les gnostiques employaient des cryptogrammes, et, à l'évidence, le cryptogramme découvert par Barlow doit être interprété à la lueur de ce contexte. Mais ces gens considéraient l'ensemble du monde créé comme un colossal message caché : la volonté et la parole de Dieu s'exprimant à travers les choses. Et ils estimaient que la plupart des textes saints n'étaient que... des approximations maladroites d'un message inaccessible à la plupart des gens, nés sans avoir la capacité de le comprendre. Je vous raconte tout cela car ce que je vais dire ensuite vous semblerait étrange sans préambule. Dans la tradition gnostique, les héros et les traîtres de la Bible ne sont pas ceux qui sont communément admis.

— Ils pensent que Jésus est passé du côté obscur de la force ?

— Non, la tradition gnostique est très respectueuse de Jésus. C'est avec Dieu que ces gens ont un problème.

Kennedy sourit avec un léger haussement d'épaules, attendant visiblement la suite.

— Les sectes gnostiques pensaient que le créateur et le souverain de notre monde, communément vénéré comme le Dieu suprême et la source de toute bonté, était en fait un être bien inférieur, une entité imparfaite parfois connue sous le nom de Laldabaôth. Le véritable Dieu étant ailleurs, bien loin des perceptions de notre niveau d'existence.

— Attendez, demanda Kennedy. Si ces gnostiques étaient des chrétiens renégats, ou des juifs renégats, ou je ne sais quoi, alors ils croyaient forcément que Dieu a créé le monde. C'est ce qui est écrit dans la Bible, même si on ne parvient pas à aller plus loin que le premier chapitre.

— Certainement, un Dieu a créé le monde. Mais lequel ? N'oubliez pas que ces gens s'enorgueillissent de lire entre les lignes, de trouver les significations qui échappent à l'ignorant. Dans leurs enseignements, le Dieu suprême est un être d'une bonté et d'une pureté transcendantes, qui ne vit pas dans l'univers des choses créées. Dans cet univers – notre univers – il y a des êtres très puissants : des êtres qui seraient des fourmis comparés au Dieu suprême, mais nous apparaîtraient malgré tout comme des dieux. Un de ces êtres, quel que soit le nom que vous lui donniez, a créé la Terre. Et il n'est pas mécontent de revendiquer notre vénération, même si, selon l'opinion des gnostiques, il ne la mérite pas.

— Pourquoi pas ?

— Pourquoi pas, Sergent ? S'il vous plaît, formulez vos questions par des phrases complètes.

Kennedy rongea son frein, n'appréciant pas du tout d'être traitée ainsi. Une enquête sur le meurtre d'hommes et de femmes ne devrait pas conduire dans une salle de classe, et encore moins une de celles où il fallait lever la main avant de parler.

— Pourquoi le Dieu qui a créé le monde ne mérite-t-il pas notre vénération ? demanda-t-elle froidement.

— Parce qu'il a vraiment fait du mauvais boulot. Parce qu'il a créé le mal, la maladie, la pauvreté et la faim ; l'imparfait équilibre des saisons, qui nous fait mourir de trop de chaleur ou de trop de froid ; les inondations, les incendies, la peste et tout le reste. Franchement, les gnostiques estimaient que le monde était mal fait et ils n'avaient aucune envie de féliciter son créateur, ni de lui dire qu'il était merveilleux. Ils voyaient plus loin que ce monde, vers la sphère de perfection qui était au-delà, que certains d'eux appelaient, parfois, « le royaume de Barbelo ». Vue sous cet angle, où Yahvé est considéré comme le Dieu limité du monde déchu, la Bible devient une histoire très différente. Ces figures bibliques, qui sont des parangons d'obédience, deviennent des imbéciles qui n'engendrent que la folie et doivent être fuis plutôt que révérés. Adam est un lâche qui subit volontairement le joug. Ève est la bonne âme qui joue en dehors des règles.

— Et qui est punie pour ses péchés.

— Oh, ils sont punis tous les deux, Sergent. Tout comme leurs innocents enfants, et ainsi de suite. Dieu – le Dieu inférieur, Laldabaôth – est un sadique et un psychopathe : obéir ne suffit même pas à se prémunir contre son capricieux sens de la justice. Les héros de la Genèse désobéissent : Ève, le serpent qui lui a appris à le faire, et Caïn, son fils rebelle. Et lorsque nous arrivons à Jésus, la perspective change de façon encore plus radicale.

— Vous avez dit que Jésus restait le héros malgré tout.

— Oh, oui.

— Le fils de Dieu.

— Le fils de… ?

Kennedy laissa échapper un profond soupir.

— Le fils du Dieu grand et pur, pas du Dieu malfaisant, répliqua-t-elle.

— Exactement, Sergent. Jésus est le fils de Barbelo, et il a apporté sa précieuse sagesse au monde déchu. Et même s'il en est mort, cela aussi faisait partie de ce qui était prévu. Tout cela ressemble au Nouveau Testament que vous connaissez déjà, je suppose.

— C'est familier en effet, accorda-t-elle.

— Eh bien, ne vous installez pas trop dans vos certitudes. En 1983, à Genève, un intermédiaire dont c'était la profession, pas un receleur au sens strict, mais quelqu'un qui connaissait des receleurs et faisait un boulot assez similaire, proposa de vendre un document aux gens et aux institutions intéressés. Un codex. Un objet antique inestimable. C'était un évangile qui avait été égaré.

— Vous m'avez dit qu'il y en avait des centaines, Professeur.

— Pas comme celui-là. C'était l'Évangile de Judas.

— Le véritable Judas ? Iscariote ? L'homme qui a trahi le Messie ?

— Ou, dit Gassan avec une certaine emphase, l'homme qui est devenu le Messie.

Il marqua une pause pour mesurer l'effet produit, sans doute plus longue que nécessaire. Kennedy patienta, lassée du rôle de choriste qu'il lui avait assigné. Finalement, après avoir fait une moue austère, comme un homme jetant les perles aux pourceaux, le professeur reprit.

— L'Évangile de Judas – ou plutôt le codex Tchacos, pour lui donner son nom officiel – est un document terriblement endommagé. Et l'essentiel des dommages ont eu lieu quand l'imbécile qui l'a déniché, ainsi que ses amis, ont parcouru le monde dans le but de le vendre et de faire fortune. Ils ont fait tout ce qu'on n'est pas supposé faire à un papyrus fragile. L'Évangile de Judas s'est donc retrouvé dans une forme très fragmentaire. Seules treize pages sur les trente et une que comprenait l'original ont survécu, mais sous une forme partielle, et dans un état de décomposition avancé. Cependant, le peu qu'il restait était suffisant pour comprendre que l'ouvrage en tant que tel devait être un document stupéfiant.

— En quoi était-il stupéfiant ? demanda Kennedy.

— Il porte sur la relation entre Judas et le Christ, et il la dépeint comme unique et intense. En fait, les onze autres disciples font surtout figure d'intervalles comiques. Ils ne comprennent rien à la véritable mission de Jésus sur Terre, et leurs erreurs d'interprétation provoquent les sarcasmes de Jésus à plusieurs reprises. Judas, au contraire, comprend – il comprend le message sans qu'on le lui explique. Il fait partie des gnostiques, ou du moins d'un de leurs nombreux courants. Il appartient à un culte déjà ancien qui sait lire entre les lignes de la Bible. Il sait que les grandes vérités doivent être cachées et comprend pourquoi. Par conséquent, c'est à Judas que Jésus confie la partie la plus délicate de son projet.

— Vous voulez dire que Jésus, en réalité, voulait…

— Oui, Sergent. Jésus a demandé à Judas de le trahir. C'était essentiel à sa mission. Il devait souffrir, et mourir, pour que son message ne soit jamais perdu. Il fallait qu'il soit attaqué et vaincu par quelqu'un qui était proche de lui et en qui il avait confiance. Et la puissance de ce récit fut le moyen par lequel ses enseignements ont pu se propager à travers le monde. Judas fut un collaborateur actif qui a joué un rôle important dans le projet lentement échafaudé par Jésus.

— Très bien, dit Kennedy. Je reconnais que c'est original. Et même saisissant. Mais ce n'est pas vraiment une raison pour tuer quelqu'un, si ?

— Ça l'a été. Saint Irénée a rédigé une mise en garde explicite contre Judas dans son texte *Contre les hérésies*, dont nous avons déjà parlé. Athanase d'Alexandrie a quant à lui employé des termes plus drastiques quand il a parlé de « laver l'Église de la profanation » à travers des textes tels que celui-ci. Des gens sont morts pour lire et propager l'Évangile de Judas. Ils sont nombreux à être morts et les églises gnostiques – celles qui ont professé la foi envers le serpent, Ève, Caïn et Judas – ont fini par disparaître de l'Histoire. Dans le monde moderne, cependant... l'Évangile de Judas, sous la forme tronquée du codex Tchacos, est dans le domaine public depuis plusieurs années maintenant. La traduction dont nous disposons – une traduction partielle, avec d'immenses lacunes – date de 2006. Rodolphe Kasser et son équipe en sont les auteurs, et le National Geographic a participé à son financement. Aucune personne ayant fait partie de cette équipe, que je sache, ne s'est fait tirer dessus, n'a reçu un coup de poignard dans le cœur, et personne n'a été jeté du haut d'un escalier.

Gassan marqua une nouvelle pause et s'assit d'un air résigné, renonçant à cette comédie. Peut-être la référence à la mort de Stuart Barlow lui avait-elle gâché le plaisir d'étaler son érudition.

— Mais alors, qu'est-ce qui a changé ? demanda Kennedy.

— Le Rotgut, dit le professeur sur un ton totalement différent. C'est la version intacte de l'Évangile de Judas. De plus, il comporte des instructions, destinées à quiconque l'aurait en sa possession, indiquant ce qu'il doit faire, ou ne pas faire, avec le message.

— Je vous écoute, dit Kennedy, parce qu'elle eut l'impression, à cet instant, que Gassan risquait de renoncer à lui livrer la clé de l'énigme.

— Eh bien, vous voyez, Sergent, si le projet de Jésus était de mourir à l'agonie sur la croix, le disciple qui a suffisamment compris ses besoins pour l'aider à mettre ce projet à exécution était le plus grand de tous, et il a apporté à Dieu une aide infiniment précieuse. Si le Christ nous a rachetés, c'est grâce au sacrifice de Judas qu'il a pu le faire.

— Le sacrifice de Judas ? répéta Kennedy, momentanément désarçonnée. Mais qu'est-ce que Judas a sacrifié ?

Gassan haussa les épaules, comme si la réponse était une évidence.

— Le respect de ses pairs. La bienveillance du monde entier. Le verdict de l'Histoire. Et sa vie, bien sûr, mais on imagine que c'était une faible part de l'équation. Malgré tout, la mort de Judas est comparable à celle du Christ. Et dans l'évangile complet – dans la version du Rotgut, je veux dire, telle qu'elle a été transcrite par Barlow – Judas se voit offrir une récompense, en échange de ses loyaux services.

— Trente pièces d'argent ?

Gassan sourit faiblement.

— Non, c'est un autre évangile. Celui de Matthieu, pour être plus précis. Mais le chiffre trente intervient, il est donc probable que Matthieu faisait référence à quelque chose de précis lorsqu'il a choisi ce chiffre. Voulez-vous que je vous lise le texte ?

Kennedy haussa les épaules.

— Allez-y.

Gassan reprit son carnet de notes.

— Il y a une version digitale, dit-il. Un texte mis au propre que je vous enverrai. J'imagine que vous voudrez le lire dans sa totalité avant de vous lancer de nouveau dans la bataille. J'ai également envoyé une copie, avec mes notes et celles de Barlow, à mon avocat, ainsi qu'une lettre lui disant de le publier après ma mort. Je n'aurai plus rien à perdre alors, n'est-ce pas ? Et j'aurai gagné le droit de voir mon nom ajouté à la liste des découvreurs de l'évangile, si je suis déjà mort à cause de cela.

Il se mit à lire à voix haute, une voix qui avait perdu son timbre.

— *Puis, Judas lui dit, tout sera fait comme tu l'as décidé, Seigneur. Et Jésus dit, oui, tout sera fait ainsi. Et tu seras honni par ceux qui ne te connaissent pas, pourtant, par la suite, tu seras élevé plus haut que ceux qui te détestent.*

— *Et quand serai-je élevé, Seigneur ?*

Jésus dit :

— *Depuis l'instant où je te parle jusqu'à la fin de la descendance d'Adam, ils exécreront ton nom. Mais mon père n'a accordé la domination de la descendance d'Adam que pour un certain temps. Et ensuite, le monde te sera donné, à toi et aux tiens.*

Et Jésus donna à Judas trente pièces d'argent et lui dit :

— *Combien de prutahs de bronze t'ai-je donnés ? C'est le nombre d'années pendant lesquelles Adam pourra jouir du monde : le nombre d'années que durera son règne. Mais ensuite, ils seront déchus, et le monde t'appartiendra, à toi et aux tiens, pour toujours.*

Le professeur leva les yeux vers Kennedy, s'attendant sans doute à une question. La seule à laquelle Kennedy pensa était assez banale.

— Quelle est la réponse ? demanda-t-elle. Combien de pièces de bronze ?

— Trois mille. Il y avait cent prutahs dans un shekel. Trois mille ans, et ce sera au tour des fils de Judas de monter sur le grand Trône.

— Au moins, ça nous laisse un peu le temps.

Gassan grimaça.

— Qu'est-ce qui vous fait dire cela, Sergent ?

— Même si l'évangile avait été écrit juste après la mort du Christ, dit Kennedy avec un petit haussement d'épaules, ça ne fait que deux mille ans.

— C'est vrai. Malheureusement, personne à cette époque ne comptait à partir de la mort du Christ. En Judée et en Samarie, là où ce texte a vraisemblablement été écrit, il était courant de compter à partir de l'unification des tribus, en 1012 avant J.-C. Je suis désolé de jouer les rabat-joie, mais votre temps est compté.

Kennedy se frotta les yeux. Elle n'avait pas encore de migraine, mais elle la sentait monter lentement sous son crâne.

— Ok, dit-elle. Nous avons donc une partie de la Bible gnostique, qui représentait un grand secret, il y a très longtemps. Jusque-là, je vous suis, Professeur. Mais il manque encore une pièce au puzzle. Personne ne tue pour des mots. Ou, en tout cas, pas des mots aussi anciens.

L'abattement de Gassan se transforma soudain pour laisser place à l'irritation et la colère.

— Oh, nom de Dieu, Sergent ! Tout le monde tue pour des mots ! Pour quoi d'autre tuerait-on ? L'argent ? L'argent, ce sont les mots d'un gouvernement qui vous dit qu'il va vous donner de l'or. Les lois sont des mots prononcés par des juges qui disent qui peut vivre libre et qui ne peut pas. Les Bibles… Les Bibles sont les mots de Dieu qui disent : faites toutes les choses vraiment horribles que vous voulez faire, et vous serez pardonné de toute façon. On en revient toujours aux mots. Et dans tous les cas, les gens qui tuent pour ces mots pensent qu'ils leur appartiennent.

Il sembla prendre conscience, soudain, qu'il parlait beaucoup trop fort dans la pièce vide qui résonnait. Il se détourna d'elle, embarrassé, et encore exaspéré. D'un geste vague de la main, il désigna le carnet de notes.

— Lisez-le, suggéra-t-il. Lisez-le entièrement. Pas seulement l'évangile, mais aussi le message qui l'accompagne. Vous devez comprendre par vous-même.

43

La morgue était assez loin, dans la ville de Bullhead. Il semblait que Peason ne conservait rien à l'intérieur de ses murs : c'était une sorte de ville externalisée.

Le corps de Brand ne se trouve plus dans nos locaux, leur dit l'assistant, inutilement. Il avait quitté les lieux pour être inhumé trois semaines avant, alors qu'en fait les autorités avaient décidé de l'incinérer, ainsi que deux autres corps qui n'avaient pas été réclamés après l'accident d'avion. Le bureau du shérif devait certainement déjà être au courant ?

— Nous ne sommes pas ici pour voir le corps, mon garçon, l'interrompit Gayle. Juste le dossier.

— Le dossier est en accès public. Il peut être consulté sur…

— Oui, mais ce n'est qu'un résumé. Je veux parler du dossier complet. Cela dépend de mon autorité, et le comté a déjà donné son accord, mais tu vas devoir aller vérifier ça auprès de ton superviseur avant de nous laisser le consulter. Et on se fera un plaisir d'attendre, tant que ça ne prend pas plus de deux minutes de ma journée déjà extrêmement chargée.

Kennedy fut impressionnée, et le style de Gayle, celui d'un type chaleureux avec des nerfs d'acier, opéra comme un charme.

L'assistant revint moins de deux minutes plus tard. Il les fit entrer dans un petit bureau sans fenêtre et ouvrit le fichier sur l'ordinateur, en leur demandant de se limiter au dossier pour lequel ils avaient une autorisation officielle.

— Vous avez besoin que je reste ? demanda Gayle.

— Non, dit Kennedy. Merci, Shérif, je peux me débrouiller.

— Ok, j'ai un coup de fil à passer, et je suppose que j'en profiterai pour prendre un café. Voulez-vous que je vous en ramène un ?

Kennedy demanda du lait, pas de sucre et Gayle partit. Elle se plongea dans le dossier.

Le corps de Brand, comme la plupart de ceux qui étaient dans l'avion, présentait de nombreuses éraflures et écorchures, des marques de frottement et des traumatismes liés à la dépressurisation. La liste s'étendait sur une page et demie, mais pouvait se résumer à quelques mots : Brand était dans un sale état. Avec un corps abîmé de façon aussi spectaculaire, il était presque dénué de sens de déclarer quelle était la cause de la mort, mais les conclusions habituelles n'avaient pourtant pas été négligées. La paroi des poumons avait été déchirée à cause de la dépressurisation, qui avait rapidement entraîné la mort. Il était presque impossible que Brand ait été encore en vie lorsque l'avion s'est écrasé au sol.

Voilà pour l'essentiel. Les détails de moindre importance étaient ensuite indiqués sous la forme d'observations et de spéculations. Des écorchures sur les phalanges de Brand pouvaient être le signe d'une altercation physique avec un autre passager, probablement au moment de la panique causée par la descente forcée. Les ongles cassés et les lésions des tissus sur les doigts des deux mains étaient plus difficiles à expliquer : avait-il essayé d'agripper le cadre d'un hublot ou d'une porte en essayant de sortir de l'avion ? Il semblait probable, quoi qu'il en soit, que Brand ait été debout au moment de la dépressurisation, parce que les corps qui n'étaient pas sécurisés portaient davantage de blessures, réparties de façon plus disparate que ceux qui étaient restés dans la même position. On pouvait déclarer avec certitude que Brand ne portait pas sa ceinture de sécurité : les passagers assis et attachés avaient tous, sans exception, des bleus caractéristiques au niveau des hanches à cause des brusques changements de vitesse, poussant le corps avec violence contre la ceinture. Le corps de Brand ne portait pas ce type d'ecchymose.

Il portait de nombreuses cicatrices cependant. Celui qui avait pratiqué l'autopsie en avait fait un compte rendu méticuleux. Des blessures par balle, des coups de couteau, des blessures consécutives à des chocs, toutes datant des précédentes fois où il avait frôlé la mort ; elles étaient assez anciennes pour avoir presque entièrement cicatrisé. À un endroit, un coup de couteau plus récent avait croisé la cicatrice d'une blessure plus ancienne. Cela mérita un point d'exclamation de la part du légiste, qui s'était visiblement demandé quel genre de vie menait monsieur Brand. *Compte tenu de son âge, son passé médical fait état d'un nombre étonnant de blessures antérieures. Je peux dire en toute honnêteté que je n'ai jamais vu quelqu'un – pas même un soldat en fin de carrière – arborant une collection de blessures aussi fascinante et variée.*

Compte tenu de son âge ? Kennedy se reporta au début du document et le compara avec les données figurant sur le passeport présenté par Brand, dont la copie était jointe au dossier. Puis elle consulta les photographies.

Il y avait plusieurs photos de face, identiques pour autant que Kennedy puisse en juger. Elles montraient toutes un visage bouffi dont la peau était marbrée par les vaisseaux qui avaient éclaté. Cela aurait pu être n'importe quel homme mort, de n'importe quel âge. Mais sous les lésions, quel âge avait-il ? Combien de temps Michael Brand avait-il vécu avant de tomber du ciel, tel Icare, implosant à l'instant de sa mort ?

Pas assez longtemps, était la réponse. Ou trop longtemps, selon la façon dont on voyait les choses.

La porte s'ouvrit d'un coup de pied, claquant violemment contre le mur. Kennedy se leva brusquement en se retournant, levant les mains pour se protéger.

C'était Gayle. Il avait ouvert la porte avec le pied parce qu'il avait un gobelet de café dans chaque main.

— Désolé, Sergent, dit-il en la regardant d'un air légèrement inquiet. Je ne voulais pas vous effrayer, je ne connais pas ma force.

Le cœur battant, elle baissa les mains. En prenant le café, elle savait que ses doigts tremblaient, mais il garda un ton désinvolte en lui demandant si elle avait trouvé ce qu'elle cherchait.

— J'ai trouvé… quelque chose, admit-elle.

— Vous m'en voyez ravi. Quelque chose d'intéressant ?

— Je pense que j'ai surpris Michael Brand en train de mentir. Un gros mensonge. Est-ce que je peux avoir quelques minutes de plus ?

— On n'est pas pressés, dit Gayle. Allez-y. Je vais aller regarder les voitures passer.

Kennedy finit de prendre ses notes. Elle faisait cela pour le dossier à présent, et aussi pour laisser sa respiration et son cœur revenir à la normale. C'est alors qu'elle vit un passage relatif à l'état du cerveau de Brand. *Dommages considérables subis par les neurones sérotoninergiques ne pouvant être expliqués et n'étant pas liés aux autres blessures. Associée à une diminution de 5-HT au niveau de l'hippocampe, la lésion nerveuse suggère une exposition prolongée et répétée à une drogue sympathomimétique, telle que la méthamphétamine, à très hautes doses.*

Qu'est-ce qui fait que les gens pleurent du sang ? Le stress ou des drogues, avait dit Ralph Prentice. Elle était sûre, maintenant, que les drogues faisaient partie de cette équation. Michael Brand – et probablement les assassins au visage pâle qu'elle avait rencontrés deux fois maintenant – prenaient une substance de la famille des méthamphétamines, peut-être pour augmenter leur rapidité, leur force et leur vigilance. Mais cela avait un prix, leur corps en subissait les conséquences. En tant que flic, même si elle n'avait eu qu'une courte formation sur les narcotiques, elle avait une idée des dégâts que cela provoquait. C'était un autre fait à ajouter au dossier, abstrait et inutile pour l'instant, mais qui aurait peut-être son importance par la suite.

Elle referma le dossier de Brand et leva la tête. En dépit de sa plaisanterie sur le fait qu'il allait regarder les voitures passer, Gayle était toujours là, les yeux fixés sur elle avec un air pensif, et sans doute une certaine impatience.

Il s'était montré d'une discrétion exemplaire, mais il avait le droit de s'attendre à ce qu'elle lui fasse part de ses découvertes. Mais comment pouvait-elle expliquer la théorie qui commençait à prendre forme dans son esprit ? Et, plus précisément : comment pouvait-elle l'expliquer à un homme carré, simple et amical qui semblait incarner une sorte de courtoisie naturelle qu'elle croyait disparue de la surface de la Terre ?

— Je pense à des trucs un peu dingues, dit-elle enfin sur un ton d'excuse.

Gayle eut un léger haussement de sourcils, acceptant les conditions imposées, et l'invitant à en dire davantage.

— Je pense que Brand est peut-être la réponse à une de vos questions, dit Kennedy. Je crois que c'est sans doute lui qui a provoqué l'accident d'avion.

Gayle la regarda, un peu déconcerté.

— Qu'est-ce qui vous fait penser ça ?

Kennedy lui montra ce qu'elle avait trouvé dans les dossiers : la preuve que Brand s'était battu, et les lésions qu'il avait au bout des doigts – qui avaient pu être provoquées en essayant d'ouvrir la porte. Ce n'était pas grand-chose, quand on y réfléchissait, mais Gayle hocha la tête d'un air pensif.

— Brand est monté à bord à la dernière minute, lui dit-il. C'est l'appel que je viens de passer – à la FAA[8]. Il a acheté son billet alors que les passagers avaient déjà commencé à monter à bord, il est arrivé à la porte moins d'une minute avant la fin de l'enregistrement. Il était pressé d'aller à New York, pour sûr.

— Peut-être pas, dit Kennedy. Peut-être était-il juste pressé de monter à bord de cet avion bien précis.

— Pour pouvoir le saboter ?

Kennedy fit un geste évasif.

— C'est possible, oui. C'est ce que je crois, en tout cas.

— Pourquoi ?

— Il venait du Mexique, c'est ça ?

— De la ville de Mexico.

— Comment est-il arrivé jusqu'ici ? Quel était le plan de vol ?

— Je n'en ai aucune idée, Sergent. La plupart du temps, les compagnies aériennes aiment passer au-dessus de l'eau s'il y en a à proximité, alors je suppose qu'il a survolé le golfe, avant de passer par le Sud-Ouest de l'État.

— Qu'y a-t-il par là-bas, Shérif ?

— Le désert. Ensuite, il y a Tucson. Et encore le désert.

Kennedy réfléchit un instant.

---

8 Direction générale de l'aviation civile. (NdT)

— Pourrait-on savoir, hasarda-t-elle enfin, si le vol 124 a modifié son plan de vol à un moment donné ?

— Je suppose que oui. La FAA garde tous ces trucs dans ses archives pendant vingt ans, si je me souviens bien. Pourquoi ? À quoi pensez-vous ?

Ce à quoi elle pensait paraissait ridicule, même à ses propres yeux. Elle secoua la tête, l'air de dire *Je ne sais pas* ou *Je ne peux encore rien dire*.

Quoi qu'il en soit, Gayle sembla accepter que c'était la seule réponse qu'il obtiendrait d'elle pour l'instant.

— Je les appellerai depuis la voiture, dit-il jetant son gobelet de café à la poubelle. Allons-y.

Une fois qu'ils eurent regagné la voiture, Gayle appela Connie pour lui demander d'appeler la FAA et de lui transmettre l'appel. Visiblement curieuse, Connie proposa de les appeler de sa part, mais Gayle la remercia gentiment et lui dit qu'il s'en occupait lui-même. La réceptionniste garda le silence maussade en faisant ce qu'on lui disait de faire.

Mais l'appel fut une perte de temps. Il n'y avait rien eu d'anormal concernant le plan de vol du CA124 le jour de l'accident.

Pourquoi faire s'écraser un avion ? Pourquoi, après avoir tué des personnes une à une, passer subitement à l'échelle supérieure et provoquer une hécatombe ?

Et, en partant du principe qu'elle ne se trompait pas, en quoi le vol 124 représentait-il une menace suffisante pour que quelqu'un ait une bonne raison de tuer ?

44

Kennedy tourna rapidement les pages – ce que Gassan appelait les transcriptions complètes – avec une impression croissante d'irréalité.

— Il y a… dit-elle, mais la phrase qu'elle essayait de formuler n'avait pas de sens, elle dut donc reprendre : L'évangile… il n'y est plus question de Judas ici, et cela devient…

— C'est une sorte de métacommentaire, dit Gassan.

Il se tenait de nouveau devant la fenêtre à présent, comme avide du peu de lumière qui entrait dans ce lieu ultra-sécurisé.

— Il y a des passages tels que celui-ci dans l'Ancien Testament. Tout comme dans le Coran, je crois – des instructions sur la façon d'appréhender le texte sacré. Pour être complet, le message doit comporter des instructions destinées à assurer sa propre survie.

— Mais… (Kennedy était aux prises avec des concepts qui lui étaient peu familiers, et qu'elle n'avait même pas envie de comprendre.) Le prix à payer qui est indiqué ici… Vous ne suggérez quand même pas que…

Gassan se mit à rire – un bruit creux et dérangeant.

— Je ne suggère rien. Réfléchissez, cependant, à ce qui est arrivé quand ce prédicateur américain, Jones ou quel que soit son nom, a menacé de brûler un exemplaire du Coran sur les lieux des attaques du 11 septembre. Des islamistes ont bombardé des églises en Irak : des douzaines de personnes sont mortes. Certains ont avancé que l'interprétation inflexible de la parole de Dieu était l'essence même du fondamentalisme. La parole divine, aux yeux du fanatique, est réifiée – c'est une chose physique, et comme c'est également la pierre angulaire de l'existence, elle doit être révérée. Il ne semble y avoir aucune limite rationnelle à ce que les gens qui sont dans cet état d'esprit sont prêts à faire. Qui sait jusqu'où ils peuvent aller pour se venger de ceux qu'ils considèrent comme les ennemis du monde ?

Le professeur posa les yeux sur la liasse de papiers que Kennedy tenait à la main.

— Je présume, dit-il, que vous avez lu le passage qui se trouve page quarante et un, et qui commence par : *Ce testament ne doit être ni lu, ni connu.*

Kennedy hocha la tête, et lut la page à haute voix.

— *Ce testament ne doit être ni lu, ni connu de quiconque en dehors de ceux qui nous sont apparentés, ni leur être transmis par quelque moyen que ce soit. Mais s'ils venaient à savoir, ils devraient être abattus...*

Gassan poursuivit le récit :

— *... et leurs lèvres seront scellées, et leurs jours comptés. Car ce n'est pas avec eux qu'IL a conclu un marché, mais avec nous, qui devons la vie à Judas, à Caïn, et au serpent, leur père.* (Gassan se tut, les lèvres tremblantes, comme s'il était sur le point de pleurer.) Ce fut leur condamnation à mort, murmura-t-il. Barlow a trouvé la réponse de l'énigme et ils l'ont tué à cause de cela.

Kennedy prenait conscience de la colère qui montait en elle, assez forte maintenant pour affecter le rythme de sa respiration. Cela faisait un moment qu'elle luttait contre, mais sans grand effet parce qu'elle ne savait pas vraiment d'où elle venait. Maintenant, elle le comprenait, mais cela ne l'aidait en rien à réfréner ses sentiments. C'était la même colère qu'avait dû ressentir Tillman. Elle avait obtenu la mauvaise réponse : cette explication aride et les cauchemars qu'elle avait traversés semblaient horriblement et grotesquement discordants et étrangers.

— Des gnostiques, dit-elle, comme si le mot était une vaste fumisterie. Vous espérez me faire croire que des gnostiques sont là, quelque part, et qu'ils ont tué des gens parce que leur sécurité était compromise ? Et tout ça à cause d'un *texte* vieux de deux mille ans !

Le ton de sa voix était extrêmement sarcastique, mais Gassan se contenta de hocher la tête.

— Je doute qu'ils se fassent encore appeler gnostiques, Sergent, fit-il observer avec douceur. Si toutefois ils l'ont jamais fait. Dites-vous plutôt qu'il s'agit du peuple de Judas. Même si, manifestement, ils prétendent appartenir à la descendance qui, à travers Judas, remonte à l'aube de l'humanité. Et nous devons supposer qu'ils avaient déjà introduit des messages cachés dans les manuscrits de la mer Morte, qui ont poussé Stuart Barlow à partir dans mille directions. Je me suis d'ailleurs posé pas mal de questions à ce sujet.

— Non, sans blague ! lança Kennedy sur un ton persifleur. Vous êtes-vous demandé si vous étiez réveillé ?

— Je me suis demandé, poursuivit Gassan, si, quand ils parlaient de Caïn et de Judas, ils pensaient à un lignage physique qui les relierait à eux, ou à quelque chose de plus spirituel. En un sens, quiconque se rebellerait contre Laldabaôth, le Dieu usurpateur qui réprime et tyrannise, serait le successeur spirituel de Caïn, et de Judas : mais « qui nous devons la vie » suggère une lecture plus littérale. On peut donc considérer qu'il s'agit d'une tribu de Judas.

— Je me répète : un document vieux de deux mille ans…

— Vos meurtres, Sergent, l'interrompit-il, sont totalement ancrés dans l'ici et maintenant.

— C'est bien là où je voulais en venir, dit-elle. C'est pourquoi je ne pense pas qu'ils aient été commis par les gnostiques.

Gassan pencha légèrement la tête de côté – un signe à la fois condescendant et exaspérant, qui suggérait qu'il écoutait ses arguments avec un soin minutieux.

— Savez-vous, lui demanda-t-il, ce que veut dire le nom de Judas ?

— Judas ? C'est une autre forme de Judah, avec un h, non ? Ça veut dire « Le Lion » ? hasarda-t-elle.

— Judah ne voulait pas dire « lion », cela voulait dire « louange ». Le lion n'en était que le symbole. Mais je parlais de l'autre nom de Judas. Iscariote.

— Je n'en ai aucune idée, admit-elle.

— Il y a deux théories. L'une étant que cela fait référence à un lieu, à une ville plus précisément. Judas de Kérioth. L'autre, que cela dénote son appartenance à un groupe spécifique. Et les membres de ce groupe, à leur tour, ont pris leur nom de leur arme favorite…

Plus tard, sur le chemin du retour en direction de Londres, Kennedy retourna dans sa tête les dernières paroles de Gassan, encore et encore. Quelque part au milieu de ces nombreuses tergiversations, l'idée du peuple de Judas s'était cristallisée à ses yeux, ou – quel était cet autre mot employé par le professeur – réifiée : c'était devenu une chose réelle à laquelle elle devait maintenant faire face.

— … leur arme favorite, qui était cette sorte de couteau – un *sica*. « Judas Iscariote » avait peut-être eu le sens de « Judas Sicarius », « Judas l'homme couteau ». Et vous savez de quel couteau je parle, Sergent Kennedy, parce qu'ils s'en sont servi sur vous, et sur ce pauvre homme qui travaillait avec vous. Ils ont un sens de la tradition, vous voyez. À moins qu'ils ne considèrent tous leurs combats comme différentes phases d'un même combat, siècle après siècle.

Une tribu perdue, donc. Enfin, non, pas perdue mais cachée : une race entière qui s'était retirée du monde et avait effacé toute trace derrière elle pour que personne ne sache qu'elle existait. Mais ils sont sortis de leur cachette chaque fois que nécessaire. Pas tous, mais certains d'entre eux. Gassan avait été clair sur ce point, tandis qu'elle était sur le point de partir.

— Page cinquante-trois, Sergent. Le peuple de Judas a envoyé deux types d'émissaires dans le monde, pour entrer en contact avec l'humanité ordinaire : les Elohim et les Kelim, les Messagers et les Missionnaires. Je ne sais pas ce que faisaient les Missionnaires, mais ce que faisaient les Messagers est formulé de façon on ne peut plus claire : *Envoyez vos Elohim là où cela est nécessaire, pour que personne ne puisse inquiéter ou persécuter notre peuple. Ceux qui voudraient porter atteinte à notre peuple, empêchez-les, scellez leurs yeux et refermez la porte de leur tombe sur eux. Ceux qui agiront ainsi sont saints et justes au regard de Dieu.* Les Messagers étaient des tueurs sanctifiés, Sergent. Et je pense que c'est toujours le cas. C'est à ce genre d'individus que vous avez eu affaire.

— Fils de pute ! marmonna Kennedy.

Gassan hocha tristement la tête, en signe d'accord tacite.

— Rappelez-vous qu'ils font remonter leur lignée depuis leur grand-père Judas, jusqu'à leur arrière-arrière-arrière-arrière-grand-père Caïn. Peut-être est-ce pour cela qu'ils sont si à l'aise avec le meurtre. Ils ont ça dans le sang.

45

Gayle déposa Kennedy à son hôtel. Le devoir l'appelait, lui dit-il, il devait donc la laisser seule un moment ; mais il reprendrait contact plus tard dans la journée, et pourrait lui servir de chauffeur si nécessaire.

De retour dans sa chambre, Kennedy alluma son portable et envoya un autre e-mail à Tillman. Puis, par mesure de précaution, elle l'appela, sachant qu'il ne répondrait pas, et laissa un message sur son répondeur.

— Leo, j'ai quelque chose à vous dire. Quelque chose de très important. Cela change tout et cela veut dire que la piste que vous suiviez n'est pas dans une impasse, en fin de compte. Appelez-moi. Ou envoyez-moi un e-mail. Faites-moi juste savoir que vous m'écoutez, et je vous dirai ce que je sais. Mais je ne vais pas parler dans le vide, et vous savez très bien pourquoi. Appelez-moi. S'il vous plaît.

Elle avait prévu de faire des recherches approfondies après cet appel, mais elle fit les cent pas dans la chambre pendant au moins une demi-heure, incapable de tenir en place.

Finalement, elle rappela le numéro de Tillman.

— C'est encore moi, dit-elle. Leo, le Michael Brand qui est mort dans l'accident d'avion avait moins de trente ans, ce qui veut dire que ce n'était encore qu'un gamin quand Rebecca a disparu. Il ne peut donc pas correspondre à la description qu'on vous a faite de lui à l'époque. Michael Brand n'a probablement jamais existé. C'est juste un nom qu'ils utilisent quand ils font ce genre de boulot. Peut-être leurs Messagers portent-ils tous le nom de Michael Brand.

Nom de Dieu, est-ce que vous voulez bien m'appeler ? Et si vous ne m'appelez pas, alors lisez au moins mes e-mails. J'ai besoin de vous !

Au moins, elle se sentit un peu soulagée. Elle s'assit devant son ordinateur et se mit au travail. Elle commença par consulter quelques cartes de l'État d'Arizona. Elle trouva des sites entiers consacrés au sujet, offrant toutes sortes de cartes et de graphiques – topographiques, économiques, géographiques et politiques. Elle découvrit également un site qui lui permettait de passer d'une carte schématique simplifiée à des images diffusées par caméra satellite, ce qui lui prit deux heures entières. Elle suivit le parcours qu'avait probablement emprunté le vol 124, le long des deux bras du golfe de Californie, puis à travers le désert du Mexique et le désert d'Arizona, en remontant vers le nord jusqu'au lac Havasu.

Elle n'osait pas vraiment s'avouer ce qu'elle cherchait, mais elle ne trouva rien, rien qui sortait de l'ordinaire en tout cas. Rien de mystérieux ni de controversé. Rien – elle pouvait l'énoncer maintenant – qui aurait pu être l'enclave secrète d'assassins forcenés se cachant de tout et de tous au milieu du désert. Peut-être n'était-ce pas le bon désert ? Pourquoi un groupe de refuzniks religieux de l'ancienne Judée vivraient-ils en Arizona ?

Peut-être qu'ils aimaient la chaleur sèche !

Ou peut-être étaient-ils allés là où se trouvait le pouvoir. Peut-être avaient-ils vécu au Moyen-Orient tant que cette région semblait être un centre stratégique. Ensuite ils étaient allés en Europe quand il s'y passait encore quelque chose, puis ils avaient décampé pour se rendre dans le Nouveau Monde au moment de l'effondrement du colonialisme.

Comment savoir ? Kennedy avait imaginé un scénario. Le vol 124 décolle de Mexico. Quelqu'un voit quelque chose par le hublot qu'il n'est pas censé voir – quelque chose qui pourrait indiquer l'existence d'une tribu de Judas. Une sonnette d'alarme se déclenche quelque part, et Michael Brand – un des Michael Brand – est dépêché sur place. Il ne peut atteindre l'avion tandis qu'il est dans les airs, manifestement, il décide donc de se rendre à Los Angeles et de monter à bord pendant l'escale, ce qu'il réussit à faire juste à temps. Puis il trouve le moyen de provoquer l'accident d'avion, ce qui, avec ses aptitudes au combat et sa folie furieuse est d'une facilité enfantine.

Mais plus Kennedy y réfléchissait, moins son hypothèse lui plaisait. Tout reposait sur le fait qu'il y ait eu quelque chose à voir : quelque chose d'assez gros pour être vu depuis l'avion en altitude. Et il devait aussi s'agir de quelque chose d'identifiable, et sans doute temporaire, qui ne pouvait être vu qu'en cette occasion. Autrement, les avions survolant l'Arizona du Sud et le Mexique tomberaient aussi souvent que les pluies d'été.

Elle avait beau se creuser la tête, elle tournait en rond. Et ce n'était pas en restant dans sa chambre d'hôtel qu'elle allait trouver la solution au problème.

Quand Gayle l'appela vers trois heures de l'après-midi, elle lui fit part de ses projets.

— Je veux aller jeter un coup d'œil à la région survolée par l'avion.

— C'est une très grande surface, fit-il remarquer. La distance qui sépare Mexico de Los Angeles est de presque deux mille cinq cents kilomètres, et seulement dix pour cent se trouvent dans les limites de l'État d'Arizona. Je ne sais pas quelle proportion de terrain vous aurez le temps de voir.

Kennedy fit le calcul dans sa tête : deux mille cinq cents kilomètres à des milliers de mètres d'altitude, ça faisait un paquet de kilomètres carrés… au moins huit mille mètres carrés à parcourir. Et, même en se lançant dans ce projet pour le moins fou, que verrait-elle depuis la route ?

— C'est juste que je ne veux pas rester assise ici à attendre, dit-elle d'une voix morose. Et je ne vois pas ce que je peux faire d'autre.

Il y eut un court silence, pendant lequel Gayle réfléchit à la situation.

— Prenez l'avion, dit-il.

46

Kuutma écoutait de la musique quand il reçut l'appel de Mariam. C'était inhabituel parce que Kuutma détestait la musique.

Non, ce n'était pas vrai. Mais il y était réfractaire en quelque sorte. Il n'en comprenait ni les structures, ni l'attrait. Quand il était plus jeune, il avait écouté certains morceaux avec plaisir. Il se rappelait même avoir dansé une fois. Tout cela avait eu lieu avant qu'il ne devienne un Messager et quitte Ginat'Dania. Après cela, le cours de sa vie avait été fixé de façon irrévocable et, lentement, la musique avait cessé d'avoir un sens pour lui.

Peut-être était-ce un effet de la drogue. Le *kelalit* altérait la perception, ou plus précisément, il altérait la relation entre l'usager et le monde. La réalité devenait un spectacle muet de couleur sépia qui s'écoulait avec la lenteur d'un sirop. L'esprit était plus rapide, les mouvements plus sûrs : tous les sens étaient aiguisés et, paradoxalement, les choses dont on avait conscience étaient vidées d'une grande partie de leur vitalité et de leur substance. Les images, les sons, les textures et les goûts : tout était aplati et réduit à une seule dimension, comme si chaque chose n'était plus que l'esquisse d'elle-même.

La sonnerie du téléphone fut comme un soulagement, une distraction de l'énigme déprimante que représentait la musique.

— Elle a réservé un billet d'avion, *Tannanu*.

La voix de Mariam lui sembla extrêmement posée.

— Où va-t-elle ? demanda Kuutma.

— Mexico. Mais je ne pense pas que la destination soit ce qui importe. Elle prend le vol 124.

— Ah, oui.

Kuutma réfléchit. C'était positif, et à plusieurs niveaux. Cela montrait le peu d'éléments que la détective, même à ce stade, avait réussi à rassembler. Et cela offrait une opportunité de terminer le travail qui était resté inachevé en Angleterre. Et pourtant, il fallait rester prudent. Cette affaire avait été très mal gérée depuis le début. Agir à nouveau en laissant encore davantage de questions non réglées en suspens ne serait pas acceptable.

C'était la raison pour laquelle il n'avait pas ordonné à Mariam de s'attaquer de nouveau à Tillman. C'était la seule raison, se dit-il une fois de plus. Il n'y en avait pas d'autre. En tout cas, après le retour de Tillman dans la chambre qu'il louait dans le quartier ouest de Londres, qui avait déjà été identifiée par l'équipe de Mariam, il n'avait pas été nécessaire d'agir. Il s'était remis entre les mains de Kuutma, et celui-ci pouvait ordonner sa mort à tout instant.

Kuutma se rappela que cela enlevait tout caractère d'urgence à la situation : en fait, cela rendait la surveillance plus précieuse et utile que l'action immédiate. En tuant Tillman maintenant, ils prenaient le risque de déclencher une action à effet retard : des informations communiquées à des tiers après sa mort, et le début d'un nouveau danger.

Mais Kuutma n'y croyait pas vraiment.

Il s'était rendu à Londres. Il avait pris le métro, puis le bus pour se rendre dans le trou misérable où Tillman logeait à présent. Il avait loué la chambre attenante, et avec un soin infinitésimal, il avait percé un minuscule trou dans le mur, tout près du sol. Il avait utilisé une vrille extrêmement fine et y avait passé plusieurs heures. À travers le trou, il avait inséré une caméra de surveillance de la taille d'une tête d'épingle au bout d'un fil en microfibre.

Ce qu'il avait vu lui avait apporté une immense satisfaction.

— Il ne renoncera jamais. Il te regardera dans les yeux, un jour, Kuutma, et l'un de vous tremblera.

— Rebecca, je ne pense pas que ce sera moi.

— Mais tu ne le connais pas, moi si.

— J'aurais préféré, chère cousine, que tu n'aies jamais dû le connaître. Et je me réjouis que tu n'aies plus à le faire.

— Mais je n'ai plus rien à connaître, Kuutma. C'est pour ça qu'ils t'ont envoyé.

Peut-être aurait-il dû tuer Tillman à ce moment-là. Peut-être aurait-il dû le laisser à son sort et ne plus intervenir. Il n'avait pas tué Tillman et il ne l'avait pas laissé : pas immédiatement. Il avait fait encore une chose qui pouvait – qui aurait – des conséquences fâcheuses.

— Que dois-je faire, *Tannanu* ?

La question de Mariam tira Kuutma de sa rêverie, à laquelle il n'aurait jamais dû s'abandonner.

Effaçant de son esprit ses souvenirs, aussi bien anciens que récents, il réfléchit quelques instants.

— Pour l'instant, dit-il, ne fais rien. Laisse la femme aller là-bas et revenir. Si elle sort du terminal de l'aéroport de Mexico, suis-la. En fonction de là où elle va, et de qui elle voit, il peut être nécessaire d'agir rapidement, et contre un plus grand nombre de cibles. Pour l'instant, laisse-les se rassembler. C'est bon qu'ils se rassemblent. Cela nous facilite la tâche. Tu sais, Mariam, quelle est la grande règle que nous suivons.

— Ne rien faire qui ne soit justifié, récita Mariam. Faire tout ce qui est nécessaire.

— Et pensons toujours aux conséquences de nos actes.

— Je comprends, *Tannanu*.

— Mais tu as de la peine, Mariam, pour tes cousins. La douleur que tu ressens… comme je te connais bien, je dirais qu'elle est plus réelle et plus importante pour toi, que tout ce qui existe en ce monde.

— Elle n'est ni plus grande, ni plus réelle que Dieu, *Tannanu*.

— C'est pourquoi j'ai précisé en ce monde, répondit Kuutma avec douceur. Tu les aimais. Tu as combattu avec eux et partagé avec eux tout ce qu'il était pieux de partager. Ce que tu as perdu… Je sais, crois-moi, combien c'est important. (Comme elle ne répondit pas, il poursuivit.) Si tu voulais rentrer chez nous maintenant, il n'y aurait aucune honte. Quelqu'un d'autre pourrait terminer tout ça et tu pourrais guérir ton chagrin en compagnie d'autres êtres aimés.

— *Tannanu*, pardonne-moi, dit-elle d'une voix plus dure à présent. Si je me dérobais à cause d'une souffrance émotionnelle, d'une blessure imaginaire de mon cœur, comment pourrais-je ne pas avoir honte ? Quand Ezei et Cephas ont tout donné, comment pourrais-je peser ce que je donne et dire c'est assez, ou c'est trop ? Tu m'as envoyée dans le monde. Je t'en supplie, ne me renvoie pas chez nous avant que ma mission ne soit achevée.

Il inclina la tête, un signe de respect envers elle qu'elle ne pouvait voir et dont elle ne saurait jamais rien.

— *Barthi*, je ne le ferai pas.

Il y eut un silence.

— Qu'est-ce que cette musique ? demanda Mariam sur un ton plus faible, comme si sa victoire sur lui l'avait épuisée.

— Les Rolling Stones, lui dit-il. Une chanson qui s'intitule *Paint it black*.

— Est-ce que cela te plaît, *Tannanu* ?

Kuutma se sentit gêné.

— Non, bien sûr que non. C'est une monstrueuse cacophonie. Je ne l'écoute que pour mettre mes pensées au rythme de celles de ma proie. Il s'agit de Tillman. C'est sa musique. Il l'a écouté de nombreuses fois depuis l'incendie, et je voulais comprendre quelles émotions cela pouvait révéler.

— As-tu trouvé une réponse, *Tannanu* ?

Kuutma était plus sûr de lui à présent.

— Le désespoir, *barthi*. C'est du désespoir qu'il ressent.

47

Kennedy avait eu peur qu'il soit troublant et angoissant de se trouver à bord du vol 124, mais après les premières cinq ou dix minutes, ce ne fut qu'un vol comme un autre. Elle prit le siège près du hublot réservé sciemment, refusa les bretzels et la boisson offerts et s'installa pour regarder la Terre défiler au-dessous d'elle.

Ville, banlieue, désert, désert, désert. Une carrière de pierres, une petite ville, un barrage, et encore le désert. À mesure que l'avion prenait de l'altitude, elle avait de plus en plus de mal à distinguer les caractéristiques individuelles du terrain. Après un moment, elle ne discernait les espaces construits qu'en raison de leur couleur : des étendues grises qui jouxtaient de plus grandes étendues marron et gris-vert.

À plus de huit mille mètres d'altitude, les révélations étaient plutôt rares.

Elle distinguait la côte, manifestement, et les fleuves se détachaient assez nettement. Les routes étaient plus difficiles à cerner, mais on arrivait plus ou moins à les deviner. Y avait-il une route là où il ne devrait pas y en avoir ? Une route qui ne desservait aucune destination connue ?

C'était impossible. Quelque chose d'aussi permanent aurait été vu par tous les passagers de tous les vols ayant emprunté cet itinéraire. Ce qu'elle cherchait, c'était quelque chose de transitoire : quelque chose qui n'a dû se produire qu'une fois. Le vol pouvait donc lui donner une idée de l'ampleur de ce qu'il y avait à voir, mais rien de plus. Elle était là, à jouer au jeu des devinettes, mais n'avait pas le début d'une réponse.

Elle pensa alors aux lumières. À mesure que la nuit tombait, le paysage se transformait en une sorte de treillage, certains secteurs s'éclairaient, tandis que d'autres étaient plongés dans une profonde obscurité. Peut-être la clé de l'énigme était-elle une lumière là où il n'aurait pas dû y en avoir ? Mais qui pouvait savoir où une lumière devait ou non se trouver ? Le pilote, sans doute. Et le copilote. Ils disposaient sans doute d'instruments de mesure, en plus de la vue. Brand aurait-il descendu un avion entier pour tuer l'équipage ?

Elle regarda une des lumières en contrebas clignoter à intervalles réguliers. Elle se trouvait près de la côte, alors elle supposa qu'il s'agissait sans doute d'un phare. Quelqu'un aurait-il pu voir un autre genre de signal lumineux, destiné seulement au peuple de Judas ? Ils aimaient les codes après tout : peut-être communiquaient-ils à travers l'obscurité en se faisant des signaux avec des torches.

À l'ère du téléphone portable, cela serait un peu idiot, non ?

L'avion commença sa descente vers Mexico, et Kennedy renonça à observer les lumières, devenues trop nombreuses à présent.

Elle avait presque trois heures à tuer avant le vol retour. Elle erra dans le hall comme un sinistre fantôme, mais la plupart des boutiques et des cafés étaient fermés pour la nuit. Quand elle trouva enfin un bar, elle s'assit et commanda une grande Margarita.

Une femme, à l'autre bout du bar, la regardait de temps à autre à la dérobée. Elle paraissait jeune, sans doute jolie, mais trop maquillée. Elle n'était pas vraiment le genre de Kennedy, qui préférait les courbes. Malgré tout, elle n'était pas dépourvue d'intérêt, elle avait un corps manifestement souple et élancé. Elle portait des vêtements décontractés plutôt ternes : un chemisier et un pantalon d'une couleur terre un peu indéterminée. Cela aurait pu lui aller si elle avait été bronzée au lieu d'avoir la peau blanche.

Kennedy n'était pas du tout excitée, mais elle était extrêmement tendue, et elle envisagea pour la première fois depuis longtemps un bref dévergondage dans le seul but de se relaxer un peu. En guise de manœuvre d'approche, Kennedy regarda fixement la femme, pour croiser son regard dès que celle-ci l'observerait.

Kennedy n'obtint pas l'effet escompté. Restant immobile, la femme se referma sur elle-même, non comme une personne timide, mais plutôt comme quelqu'un se crispant avant une confrontation.

Merde. Kennedy avait visiblement mal interprété la situation. Peut-être que la femme avait compris qu'elle était flic. Sans doute avait-elle quelque chose contre les flics.

Kennedy s'apprêtait à terminer son verre avant de partir, mais la femme fut plus rapide qu'elle. Elle reposa son verre avec un peu plus de force que nécessaire, fit un signe au barman et lui parla quelques secondes avant de lui tendre une liasse de billets. Le barman haussa les épaules, compta, puis hocha la tête. La femme partit et Kennedy jeta un coup d'œil à son postérieur avec un léger regret.

Elle prit le temps de finir sa Margarita, puis fit signe au barman de lui apporter l'addition, mais il fit non de la tête.

— C'est bon, Madame, dit-il.

— Pardon ?

— C'est bon. L'autre dame a réglé pour vous. Et elle a dit de vous donner ceci.

Il posa quelque chose sur le bar devant Kennedy. Cela ressemblait à une pièce de vingt-cinq cents, mais ce n'est qu'en la prenant qu'elle remarqua son poids, puis sa forme irrégulière, et enfin ses inscriptions à demi effacées. Elle avait la même pièce dans son portefeuille, celle que Tillman lui avait donnée au pub Crown and Anchor, dans Surrey Street.

Elle laissa tomber la pièce et sortit du bar en courant. Elle parcourut le hall à la hâte, espérant, contre toute attente, tomber de nouveau sur la femme. Il y avait assez peu de gens aux alentours pour qu'elle puisse la repérer au premier coup d'œil, mais bien sûr, la femme n'aurait pas laissé la pièce si elle avait eu l'intention de rester dans les parages.

À quoi tout cela rimait-il ? C'était simplement… une provocation. Une promesse. La femme qui était au bar faisait partie des gens qu'elle recherchait : la tribu de Judas. Et peu lui importait qu'on l'ait vue, c'était une façon de dire à Kennedy qu'ils pouvaient lui faciliter la tâche tant qu'ils voulaient, elle ne parviendrait jamais à reconstituer le puzzle.

Ou peut-être cela n'avait-il pas d'importance si elle y parvenait.

La colère s'était emparée de Kennedy, mais elle était retombée à présent, et elle se trouvait étrangement calme. Qui que soit cette femme, se révéler ainsi avait été très imprudent : à la lumière de siècles ou de millénaires d'obsession du secret, c'était une erreur inexplicable. Elle avait peut-être considéré cela comme une preuve de force, mais elle s'était trompée. Elle avait été submergée par une émotion qu'elle n'avait pas réussi à contrôler, qui avait faussé son jugement. Kennedy se rappela soudain qu'elle et Tillman avaient entendu une voix de femme, criant, la nuit de l'incendie du Colombier. Pouvait-il s'agir de la même femme ? Pouvait-elle avoir suivi Kennedy de l'autre côté de l'Atlantique ? C'était très improbable : s'ils étaient prêts à la tuer cette nuit-là, pourquoi ne pas le faire à présent ?

C'était donc quelqu'un d'autre. Mais quelqu'un qui voulait qu'elle sache qu'elle était reconnue : qu'elle était poursuivie, alors même qu'elle continuait sa propre poursuite.

La véritable confrontation ne tarderait donc pas. Et maintenant, Kennedy était prévenue. Et si elle n'était pas sur ses gardes, elle ne pourrait s'en prendre qu'à elle-même.

Il était deux heures du matin quand l'avion atterrit à Bullhead, et plus de trois heures quand elle regagna sa chambre d'hôtel à Peason. John-Bird était de nouveau son chauffeur, mais elle devança ses anecdotes sur le Colorado en s'endormant instantanément sur la banquette arrière du taxi. Ça ne l'empêcha pas de parler malgré tout. Émergeant de son léger somme de temps à autre, Kennedy trouva le flot des mots bizarrement réconfortant : il était agréable de ne pas être seule à ce moment-là. Pour l'en remercier, elle marmonna un « vraiment ? » en réponse à quelque anecdote fluviale dont il l'abreuvait, puis se rendormit rapidement.

Regagnant sa chambre d'un pas chancelant, elle avait l'intention de s'écrouler sur son lit, sans même prendre la peine de se déshabiller. Mais la lumière rouge du téléphone clignotait. Elle décrocha et composa le 3 pour écouter la messagerie, le combiné coincé sous le menton tandis qu'elle se débattait pour ôter ses chaussures de ses pieds légèrement enflés.

— Salut, Sergent, fit la voix joviale et tonitruante de Webster Gayle. J'espère que vous avez trouvé quelque chose pendant votre voyage, en dehors de tequila bon marché. Je suis impatient de savoir comment ça s'est passé. Écoutez, on ne peut plus remettre ça à plus tard. Il faut que vous parliez à Moggs. Elle est plutôt matinale, alors j'ai pensé qu'on pouvait prendre le petit-déjeuner ensemble. Je vous attendrai dans le hall de votre hôtel à sept heures et demie. Bonne nuit.

Une Margarita, pensa Kennedy avec lassitude en se couchant. C'était à peu près tout ce qu'elle avait glané. Une Margarita, et rien d'autre à espérer qu'un petit-déjeuner avec des fantômes.

48

En moins d'une minute, il fut évident aux yeux de Kennedy que la relation entre Eileen Moggs et Webster Gayle dépassait le cadre purement professionnel. Et une autre minute plus tard, elle savait aussi que l'homme et la femme n'envisageaient pas leur relation de la même façon.

Le shérif Gayle présenta Moggs de façon neutre et détachée, comme « une très bonne amie ». Mais le sourire de Moggs quand il prononça ces mots sembla, l'espace d'un instant, chargé de fierté et de douleur à la fois. Il témoignait que le shérif n'avait pas de meilleure amie, tout en admettant qu'il n'y avait pas de meilleure définition de ce qu'ils étaient l'un pour l'autre.

Les deux femmes se serrèrent la main, et se jaugèrent mutuellement.

— Pas de doute, vous êtes bien un flic, dit Moggs avec un petit rire.

— J'ai le look, c'est ça ? demanda Kennedy d'un air dépité.

— C'est flagrant, ma chère. Et vous pouvez prendre ça comme un compliment. Mon papa était flic, tout comme mes deux frères. J'ai une sympathie naturelle pour tous ceux qui font partie de cette grande famille.

Ce qui explique pourquoi vous sortez avec le shérif, pensa Kennedy. Moggs la fit entrer dans la cuisine, où l'attendaient des gaufres, des œufs et du bacon. Tout était incroyablement bon, en particulier le jus d'orange fraîchement pressé. Kennedy se sentait physiquement et émotionnellement épuisée, mais le petit-déjeuner la requinqua et elle finit peu à peu par répondre aux questions amicales de Moggs par des monosyllabes.

Depuis combien de temps Kennedy était-elle inspectrice à New Scotland Yard ? Environ six ans.

Avait-elle toujours voulu être flic ? Oui, plus ou moins. C'était une tradition familiale. (C'était souvent le cas, convint Moggs.)

Était-ce sa première visite aux États-Unis ? Non, la seconde. Kennedy avait déjà passé une semaine à New York avec une amie.

— Je suis allée une fois à Londres, confia Moggs. J'ai vraiment passé un sale moment. C'était en plein été et il n'a pas arrêté de pleuvoir. Et en plus, j'étais obligée de montrer du doigt ce que je voulais sur les menus, parce que j'ai découvert que je ne parlais pas la langue du pays, même si on est censés parler la même langue !

Elle rit aux éclats de sa propre blague, et Kennedy rit avec elle.

— Alors, dit Moggs redevenant soudain sérieuse, cette enquête criminelle dont vous vous occupez… Web ne m'en parle pas parce qu'il ne veut pas abuser de sa position, vu que je suis journaliste et lui dans la police, mais il m'a dit que vous voudriez peut-être aborder la question avec moi, et que si vous le faisiez, il ne pourrait m'en empêcher. Et je me suis dit qu'on pouvait peut-être échanger nos informations, qu'en dites-vous ?

Kennedy décida d'être tout à fait franche.

— Je ne peux pas répondre à cette question tant que je ne sais pas de quelles informations vous disposez.

Et s'il s'avérait qu'il s'agissait d'histoires de fantômes, elle pouvait toujours s'asseoir dessus.

— C'est vrai, concéda Moggs. Écoutez, cela dit : Web est un homme bon, n'est-ce pas ? Je sais que vous venez à peine de le rencontrer, mais je parie que vous l'avez déjà remarqué. Il est tellement bon, qu'il pense que tout le monde l'est aussi. C'est plutôt un point faible pour un flic. Mais je suis une journaleuse, Sergent, alors je sais que la plupart des gens sont mauvais. Je suppose que vous êtes d'accord avec moi, n'est-ce pas ?

— Je dirais cinquante-cinquante, accorda Kennedy avec lassitude.

— Eh bien, pas moi, dit Moggs. Je sais que c'est bien plus que ça. Alors, voilà comment cela se passe. Web reçoit un message d'une collègue étrangère qui lui demande son aide. Et la première pensée de Web dans une situation comme celle-là, est de se dire : *Comment puis-je aider cette personne ?* Tandis que ma première pensée est : *Où est l'arnaque ? Qu'y a-t-il à perdre ? Et en fouillant un peu, qu'est-ce que je vais vraiment trouver ?* Vous me suivez ?

Kennedy voyait la question derrière la question, et savait sans l'ombre d'un doute qu'elle venait de perdre la partie.

— Oui, dit-elle. Je vous suis.

— Alors, tandis que Web déroule le tapis rouge pour vous et me raconte toutes ces choses extraordinaires – combien vous êtes intelligente, polie, quel accent incroyable vous avez – je ne peux pas m'empêcher de me dire : *Qui est ce sergent Kennedy, et qu'a-t-elle à gagner dans tout ça ?* Parce que personne ne fait rien sans arrière-pensée, n'est-ce pas ?

— Oui, je suppose que vous avez raison, dit Kennedy.

— Et ce que vous avez à y gagner, c'est que vous n'êtes plus flic. Vous vous êtes fait virer ou vous avez démissionné, selon la personne à qui on le demande. Mais vous avez oublié de préciser ce détail quand vous avez demandé à Web de vous assister dans votre enquête.

Kennedy se surprit à rougir. Elle savait que ce n'était qu'une question de temps avant que quelqu'un ne vérifie ses références et découvre qu'elles ne valaient rien. Mais elle ne s'était pas attendue à ce que ce moment soit aussi douloureux.

Elle se tourna vers Gayle.

— Je suis vraiment désolée, Shérif, dit-elle avec sincérité. Vous devez penser que je me suis servie de vous de façon assez cynique, et peut-être que vous n'aurez pas tort. Mais vous n'avez pas idée de ce que j'ai déjà fait pour faire avancer cette affaire. Ni ce que j'ai perdu. Et je ne pouvais pas simplement abandonner. Même si cette affaire a cessé d'être la mienne, quand j'ai cessé de faire partie de la police, je n'ai pas pu renoncer.

Elle se leva, prête à partir, soit seule, soit escortée par Gayle, mais ce dernier se mit à rire en voyant son visage tendu et solennel.

—Asseyez-vous, Sergent, lui dit-il. Je ne considère pas que ce que vous avez dit était réellement un mensonge. Je crois que certaines personnes sont flics avant d'en avoir le badge, et continuent à l'être après l'avoir rendu. Parfois, elles ne l'ont même jamais, comme Moggs, mais ont l'instinct pour ça.

— C'est dans le sang, dit Moggs sans aucune modestie. Sérieusement, Madame Kennedy – je suppose que je ne devrais pas vous appeler « Sergent » – je n'essayais pas de vous confronter. Je vous disais juste que nous sommes au courant. Mais de toute façon, vous n'êtes pas dans votre juridiction, et je sais que vous avez travaillé sur cette affaire jusqu'à votre dernier jour dans la police. Tout ce qu'on peut vous reprocher, c'est de ne pas avoir arrêté. Et d'un autre côté, Web n'a enfreint aucun règlement en vous aidant. Tout cela est dans le domaine public. Le shérif du comté peut parler d'une affaire en cours à qui il veut, si on lui pose des questions.

— Même si, en général, il ne le fait pas, interrompit-il. Je ne voudrais pas que vous pensiez que je suis indiscret avec toutes les personnes qui se présentent, Sergent.

— Nom de Dieu ! fit Moggs, la vérité, c'est que vous enquêtez sur notre sujet de prédilection, et c'est pour ça qu'on voulait manger un bout avec vous, et que je veux partager mes informations avec les vôtres. Alors, qu'est-ce que vous en dites ?

Moggs lui tendit la main. Encore rouge de honte, Kennedy la prit.

— Venez dans le salon, dit Moggs, je vais vous montrer ce que j'ai.

Elle la suivit dans un couloir étroit, qui menait à une pièce accueillante remplie de sièges moelleux et de couleur chaude.

— À vrai dire, lança Moggs, je pense qu'on va avoir besoin d'un nouveau café pour prendre des forces. Je vais en faire un.

Gayle la suivit dans la cuisine, et réapparut quelques minutes plus tard, un plateau à la main. Moggs le suivait avec une assiette de cookies et, de façon un peu incongrue, avec une bouteille de Jim Beam. Gayle posa le plateau et elle déboucha la bouteille de bourbon.

— J'en mets souvent une goutte dans mon café, dit-elle à Kennedy. À peine un peu. C'est symbolique, vraiment, mais ça permet de mieux avaler les choses inquiétantes.

Elle arrosa son café d'alcool, puis regarda Kennedy, prête à la servir.

— Va-t-on parler de choses inquiétantes ?

Moggs lui décocha un large sourire.

— Ne l'a-t-on pas déjà fait ?

— Allez-y, dit Kennedy, tendant sa tasse vers Moggs.

— Je passe mon tour, dit Gayle. Je dois retourner travailler ensuite.

— Moi aussi, je travaille, grommela Moggs.

— Mais tout le monde s'attend à ce qu'un reporter soit saoul !

Ils se taquinaient avec tendresse, et n'avaient plus besoin de rire de leurs blagues réciproques. Moggs se dirigea vers un très grand bureau qui se trouvait dans un coin de la pièce et revint avec un épais dossier vert olive, qu'elle posa sur la table.

— Ok, dit-elle avec l'air de quelqu'un qui passe aux choses sérieuses. Cela est notre dossier des morts-vivants.

Kennedy n'avait pas été bouillonnante d'excitation jusque-là, mais elle se sentit malgré tout en proie à une amère déception.

— Les fantômes du vol 124 ? demanda-t-elle.

— Tout à fait, confirma Moggs. Jetez un coup d'œil, je vous promets des révélations, des signes et des miracles.

— Je... Je ne crois pas beaucoup à tous ces trucs, protesta faiblement Kennedy.

— Oh, moi non plus, Sergent. Mais lisez-le quand même. On en parlera ensuite.

Une demi-heure plus tard, Kennedy lisait encore, sous le regard de ses hôtes indulgents, mais les signes et les miracles n'avaient toujours pas fait leur apparition. En fait, le contenu du dossier était exactement ce à quoi elle s'était attendue : une soupe réchauffée d'histoires à dormir debout et de théories à l'emporte-pièce.

Et les suspects habituels étaient tous là : l'homme qui a envoyé des e-mails truffés de charabia indéchiffrable depuis l'ordinateur de son bureau tandis que son corps reposait dans une morgue d'Arizona. La femme qui a senti la main de son mari sur son épaule et son baiser sur sa joue à l'instant même où l'avion s'est écrasé. Une voiture abandonnée sur le bord de l'autoroute en pleine nuit avec le moteur en marche. L'image d'une mère et son enfant se dessinant, sous l'effet de la condensation, sur la vitre d'une garderie. Et ainsi de suite, avec des variations mineures et dépourvues d'intérêt. Les histoires que les gens se racontent pour se convaincre, contre toute attente, que la mort n'est pas la fin.

Kennedy referma le dossier qu'elle avait à moitié lu pour signifier qu'elle en avait assez vu. Elle était à présent convaincue que Gayle et Moggs étaient les évangélistes d'une des églises les plus loufoques des États-Unis, et elle était sur le point de leur dire que leur dossier était inexistant.

— Comme je vous le disais, répéta-t-elle sur un ton aussi neutre que possible, je n'adhère pas vraiment à toutes ces théories de la vie après la mort. C'est intéressant, mais ce n'est pas vraiment mon genre de...

— Intéressant ? fit Moggs, incrédule. Qu'est-ce qui vous fait dire ça, Madame Kennedy ? Ce sont les mêmes conneries qu'ils nous ressortent à chaque fois. C'est tellement inintéressant que je ne peux lire plus de six pages sans avoir envie de me jeter par la fenêtre !

— Eh bien, dans ce cas... fit Kennedy, qui avait l'impression de s'embourber, pourquoi me le montrer ?

— Voilà la bonne question, dit Moggs. Et je vais y répondre par une autre question. Qu'avez-vous remarqué dans toutes ces absurdités ? Quel est le point commun ?

Il y avait quelque chose d'un peu narquois ou arrogant dans sa question, c'était le ton d'un professeur qui connaît déjà la bonne réponse, mais qui attend qu'on lui donne la mauvaise.

Kennedy rouvrit le dossier, jeta un coup d'œil aux premières pages, sans plus d'enthousiasme que la première fois.

— Il n'y a aucun véritable témoin, dit-elle. Pas grand-chose de vérifiable. Rien qui n'aurait pu être truqué ou inventé. C'est le genre d'informations dont raffole la presse tabloïd : des faits et des noms réduits au minimum, de sorte qu'il est difficile de vérifier quoi que ce soit, et qu'on peut broder à loisir.

— Exactement, dit Moggs. Je connais tout ça par cœur, et apparemment vous aussi, Madame Kennedy. Je peux vous appeler Heather ? Merci. Mais il faut chercher l'exception qui confirme la règle, et cette fois, l'exception est flagrante.

Kennedy haussa les épaules, et leva les mains en geste d'impuissance.

— Je ne vois pas.

— À dire vrai, admit Moggs, il m'a fallu pas mal de temps à moi aussi. Web me rendait dingue avec toutes ces histoires. Même quand il n'en parlait pas, je voyais bien qu'il y pensait. Alors, je me suis plongée dans cet album rempli de coupures de journaux, pour comprendre et lui montrer que tout ça, c'étaient des sornettes. Et, tout d'un coup, ça m'a frappée, sans doute parce que tout était rassemblé, et que Web avait essayé de tout classer par date et par heure. C'était en quelque sorte la clé de tout. Reprenez depuis le début, Heather, et gardez à l'esprit que le dossier est classé par ordre chronologique.

Le premier article concernait Peter Bonville, l'employé qui était si consciencieux que même la mort n'avait pu l'empêcher de se rendre à son bureau, de se servir une tasse de café, d'allumer son ordinateur et de consulter sa messagerie. Quelque chose attira l'attention de Kennedy. Elle vérifia la date : le 5 février. Trois jours après l'accident du CA124.

— Ce n'est pas le premier, dit-elle. Il y a eu un article le 4.

— Sylvia Gallos, confirma Moggs d'un ton approbateur. C'est juste. Ça m'a déconcertée, moi aussi, dans un premier temps. Vous voyez, Gallos a appelé une station de radio locale lors d'une émission qui a eu lieu tard le soir, le même jour. Il n'y a donc aucun décalage. Cela se passe le 4, et c'est joint au dossier le 4. L'histoire de Bonville sort le lendemain, mais elle a eu lieu deux jours plus tôt. Ça n'est paru dans les journaux que quand quelqu'un a pensé à le signaler.

Il était évident qu'elles étaient entrées dans le vif du sujet à présent. Moggs se pencha vers Kennedy, comme si ce qu'elle avait à dire nécessitait les attributs théâtraux de la conspiration :

— Il y a eu de nombreuses versions différentes de l'histoire de Peter Bonville, avec une foule de détails sur ce qu'il est censé avoir fait en arrivant à son bureau ce jour-là. Comme par exemple le fait qu'il ait utilisé sa propre carte magnétique pour entrer. Faux. Personne n'a trouvé la moindre preuve qu'il soit entré ou sorti. Bonville s'est servi une tasse de café et l'a laissée à moitié vide sur son bureau. Faux. D'après ce que je sais, seuls les bureaux paysagers ont reçu de la visite ce jour-là : personne n'est entré dans l'espace où se trouvait la cuisine. Bonville a parlé à un de ses collègues, qui n'a su qu'il avait parlé à un fantôme que bien plus tard. Faux. Personne ne l'a vu. La seule preuve de sa présence sur place venait de son ordinateur, qui avait été allumé et utilisé.

— Utilisé pour quoi faire ? demanda Kennedy.

Elle eut un frisson dans le dos. Y avait-il un semblant de vérité derrière toutes ces histoires à dormir debout ?

— Là encore, il existe différentes versions, dit Moggs. Pour certaines, Bonville a surfé sur des sites pornos. La plupart disent qu'il a envoyé des e-mails : il s'agit soit de charabia illisible, soit de plaintes qui donnent la chair de poule, indiquant qu'il serait perdu quelque part dans le désert, où le soleil ne se lève jamais. Là encore, j'ai vérifié auprès de l'employeur de Bonville, le département des Travaux publics de New York. Ils n'étaient pas obligés de me parler, bien sûr, mais ils avaient envie de parler. Ils en avaient assez de toutes ces histoires complètement dingues qui circulaient, et ils voulaient rétablir la vérité. Ils ont dit que la messagerie de Bonville n'avait pas été ouverte, ni son navigateur Internet. Tout ce qu'il a fait, lui ou quelqu'un d'autre, c'est d'accéder à quelques dossiers avant de les détruire. Ils ont donc supposé qu'il s'agissait d'une banale histoire de piratage informatique, plutôt que de la visite d'un fantôme.

Kennedy sentait la tension la gagner.

— Quels fichiers ? Savons-nous ce qu'ils contenaient ?

— Non, on ne le sait pas. Et eux non plus, parce que leur serveur principal a été victime d'une infection virale un peu plus tard ce jour-là et toutes les sauvegardes ont été effacées avant qu'ils puissent faire quoi que ce soit. Tout ce qu'ils ont récupéré, ce sont des noms de fichiers : data1, data2, data3, ce genre de trucs.

La première pensée de Kennedy alla vers le Rotgut. Mais c'était hautement improbable. Si quelqu'un de l'équipe de Barlow avait parlé à un employé d'une agence publique de New York, elle l'aurait su bien plus tôt. Ce n'était donc pas le Rotgut, mais il y avait un lien assez étroit pour qu'ils décident d'envoyer Michael Brand sur place.

Moggs parlait encore :

— Je n'avais donc pas beaucoup d'éléments à me mettre sous la dent. Mais voici ce qui m'a permis de continuer à avancer, Sergent. Je vous ai dit que c'était la toute première histoire de fantômes. Mais ce que je ne vous ai pas dit, c'est qu'elle s'est produite vraiment très tôt. Le tableau d'enregistrement indique la date à laquelle tous les fichiers ont été modifiés, c'est-à-dire quand ils ont été supprimés.

Il y a eu moins de cinq minutes d'intervalle entre la suppression du premier et du dernier fichier. Elles ont commencé à onze heures treize, le 2 juillet, autrement dit, les fichiers ont été détruits tandis que le vol CA124 était encore en vol : au moins dix minutes avant que Peter Bonville ne se transforme en fantôme.

Le tableau d'enregistrement : c'est quoi ? L'historique ?

Kennedy vérifia mentalement les horaires, puis observa une minute de silence pour le travail de détective de Moggs – ou du moins cinq secondes.

— Vous avez raison, dit-elle, pleine d'admiration. Vous avez vraiment mis le doigt dessus… C'était… une façon préventive de hanter les lieux.

Moggs se mit à rire, aimant autant l'expression que l'éloge.

— Oui, ensuite rien pendant deux jours, puis toutes ces autres histoires ont commencé à arriver. Donc, le patron de Bonville se rend compte qu'il manque des fichiers, l'indique au siège social, et les journaux titrent : *Un nouveau fantôme du vol 124*.

Kennedy hocha lentement la tête tandis qu'elle réfléchissait à la logique des événements.

— C'est en fait très intelligent, murmura-t-elle. Ils couvrent leurs traces autant que possible, mais quand ils se rendent compte que ça ne suffit pas, ils lancent un tas de fausses pistes pour donner l'impression que ça ne mène nulle part.

Kennedy se tourna vers Gayle :

— Vous pensez donc que quelqu'un a profité de l'absence de ce type pour entrer dans son ordinateur et effacer certains dossiers ? Et ensuite, quand il est mort au lieu de revenir à son bureau, ils ont imaginé une histoire surnaturelle pour se couvrir ?

— C'est exactement ce que je pense, convint Gayle.

— Je pense que vous vous trompez, shérif.

Gayle fut secoué un instant, heurté par la dureté de ses propos. Une minute plus tôt, ils essayaient tous d'élucider une conspiration, et maintenant il semblait que Kennedy ne voulait plus faire partie du jeu.

— Comment ça ?

Kennedy se tourna vers Moggs.

— Avez-vous la liste des passagers du vol 124 ?

Moggs hocha la tête.

— J'ai tout ce que j'ai pu obtenir légalement sur cette affaire, et un peu plus.

— Pouvez-vous aller la chercher, s'il vous plaît ?

Moggs alla jusqu'à son bureau et alluma son ordinateur. Le shérif Gayle la suivit et se tenait derrière elle tandis qu'elle tapait son mot de passe. Il mit les mains sur ses épaules, un geste à la fois protecteur et solidaire. Ils étaient sur le point de montrer leur bébé à Kennedy : allait-elle le jeter avec l'eau du bain ?

Moggs ouvrit un dossier.

— Ok, dit-elle. Je l'ai.

— Trouvez Peter Bonville.

— Ça y est. C'est au début, manifestement.

— Bien. Je vais vous dire quel est le numéro de son siège.

Moggs lui jeta un coup d'œil perplexe.

— Comment ça ? De mémoire ?

— Je n'avais jamais entendu son nom jusqu'à aujourd'hui, dit Kennedy.

— Alors comment pouvez-vous connaître le numéro de son siège ?

— Peut-être que je ne le connais pas. Pour un grand nombre de raisons, j'espère vraiment me tromper. Est-ce 29 E ?

En même temps, ils jetèrent un coup d'œil sur l'écran, puis se retournèrent pour regarder Kennedy d'un air ébahi.

— Comment le saviez-vous ? demanda Gayle.

Kennedy glissa la main dans sa poche intérieure et en sortit la copie du billet d'un dollar qui était dans les affaires de Brand et portait une marque. Elle leur tendit la feuille. Gayle la prit et la scruta un instant, mais Moggs comprit la première.

— Les trois lignes sur le billet, dit-elle. Ils vont jusqu'au numéro de série, en bas.

— Bon sang ! s'écria Gayle avec étonnement, comprenant une seconde plus tard. Les trois lignes barrent un E, un 2 et un 9.

— La première chose à laquelle j'ai pensé en voyant ce billet, c'est qu'il devait s'agir d'une sorte de message codé, dit Kennedy. Les gens que je poursuis... adorent les codes et les messages cachés. Ils se croient plus intelligents que tout le monde, je suppose, et ils pensent pouvoir agir au grand jour tant qu'ils masquent leurs actes derrière un écran de fumée.

— Mais en quoi cela veut-il dire que j'ai tort ? demanda Gayle.

— Parce que vous présumez que le piratage de l'ordinateur de Bonville était opportuniste, mais ce n'était pas le cas. Celui qui a donné ce billet à Brand lui a dit qui était la cible. Ce qui veut dire que Brand est monté à bord dans le seul but de tuer Bonville. Et pour des raisons que nous ne connaîtrons jamais…

— Oh, mon Dieu, murmura Moggs.

— Il les a tous tués. Tous ceux qui étaient à bord. Il a terminé sa mission en provoquant l'accident du CA124.

49

D'une certaine façon, après cela, tout était devenu plus facile.

Bonville n'était pas monté à bord à Los Angeles. Il était dans le vol 124 depuis son point d'origine : l'aéroport international Benito-Juárez de Mexico. Kennedy demanda au shérif Gayle d'appeler l'ancien supérieur de Bonville, une femme nommée Lucy Miller-Molloy, du département des Travaux publics de New York. Pourquoi Bonville s'était-il rendu à Mexico ? Et, pendant qu'ils abordaient le sujet, quelle était la fonction de Bonville ? Quel était son domaine d'expertise ?

L'acheminement de l'énergie était la réponse courte. La réponse un peu plus longue : Bonville était un spécialiste respecté dans le domaine en pleine expansion de la répartition des flux de consommation d'énergie. Miller-Molloy en savait elle-même bien trop sur le sujet pour pouvoir l'expliquer clairement à un non-initié, mais elle en dit assez à Gayle pour qu'il soit capable d'en faire un résumé simplifié à Kennedy et Moggs sans se contredire.

— Admettons que vous soyez à la tête d'une ville et que vous ayez un générateur qui fournit l'électricité de la ville, dit-il. Parfois, vous aurez besoin de beaucoup de puissance, et parfois de beaucoup moins. Vous mettez donc à profit les moments creux pour charger des générateurs auxiliaires. Ensuite, vous pouvez utiliser l'énergie ainsi économisée pendant les périodes de pointe, et faire un paquet d'économies.

Le département des Travaux publics de New York avait eu recours aux services de Bonville en tant que consultant pendant un moment, puis ils l'avaient engagé de façon permanente, ce qui leur permettait de générer des bénéfices supplémentaires en louant ses services à d'autres municipalités. Et Mexico était la dernière en date.

— Il était donc là-bas pour leur dire comment économiser de l'électricité, résuma Gayle. L'idée, c'est qu'il examinait leur consommation d'énergie, et ensuite il leur disait où il y avait de la capacité de production disponible et comment ils pouvaient l'employer.

À ce stade, c'était déjà le début d'après-midi, ils en étaient à leur quatrième cafetière, et Gayle était moins ferme sur ses restrictions sur le bourbon. Il s'en servit une rasade dans un petit verre.

— Je ne vois pas comment tout ça cadre avec votre théorie, dit Moggs à Kennedy en regardant ses notes sur Bonville, sur son ordinateur. Votre peuple de Judas tue tous ceux qui découvrent leur bible secrète, n'est-ce pas ? Doit-on supposer que Bonville est tombé sur cet évangile Rotgut quelque part à Mexico ?

Kennedy s'était posé exactement la même question, et elle avait trouvé une réponse, en quelque sorte.

— Je pense qu'ils ratissent plus large que ça, dit-elle à Moggs. Je ne pense pas que le fait que personne ne doive lire l'Évangile de Judas soit un article de foi qu'ils suivent aveuglément. Autrement, ils auraient tué tous ceux qui ont lu la version tronquée qui a refait surface il y a quelques années – le codex Tchacos. Je pense que ce qui importe, c'est que personne ne sache qu'ils existent, ou qu'ils ont jamais existé. La version complète de l'évangile, celle que Barlow a découverte dans le Rotgut, évoque les règles internes et l'organisation de leur société. Elle montre clairement que le culte de Judas est ce qui a défini leur communauté. Et le fait qu'il s'agit d'une tribu. Cela semble être ce qu'ils veulent garder secret.

— Une ancienne tribu de Judas ? Mais il n'y a aucune logique à tout ça.

— Eh bien, dit Kennedy, il y en a peut-être une. Nous savons que Bonville voyageait à travers le monde, donnant des conseils aux gens – aux gouvernements locaux, aux agences publiques – sur leur consommation d'énergie. Il avait donc accès à un grand nombre d'informations sur les flux d'énergie, les habitudes de consommation, à différents moments, en différents endroits. Supposez qu'il ait trouvé un élément qui ne colle pas avec ces informations ?

Moggs se raidit, et leva les yeux de ses notes pour regarder Kennedy.

— Une consommation d'énergie là où il ne devrait pas y en avoir, dit Moggs.

— Exactement. Ou juste plus importante qu'elle n'aurait dû être comparativement à un lieu et à une densité de population donnés. Il a peut-être trouvé le lieu où se trouve la base des opérations du peuple de Judas, uniquement sur la base de ces statistiques. Il n'avait pas forcément compris ce qu'il avait trouvé. Mais il a peut-être commencé à poser les mauvaises questions, ou à regarder au mauvais endroit. Et ils l'ont tué avant qu'il ait eu le temps de faire le rapprochement.

Gayle jeta un regard anxieux à l'ordinateur de Moggs. Kennedy lut dans ses pensées.

— Nous devons vraiment faire très attention à qui nous parlons de cela, dit-elle. En fait, je pense qu'on devrait garder ça entre nous trois pour l'instant. Eileen, avez-vous un ordinateur portable ?

Elle hocha la tête.

— Conservez vos notes sur une clé USB, et ne vous connectez pas sur Internet. S'ils ont pu accéder à l'ordinateur de Bonville, ils peuvent faire la même chose avec le vôtre.

— Peut-être devrais-je carrément le débrancher, suggéra Moggs. Je peux me servir de l'ordinateur du journal pour faire mes recherches sur Internet.

Kennedy fit non de la tête.

— Non, laissez votre ordinateur branché. S'ils se renseignent sur vous, on ne veut pas qu'ils trouvent quoi que ce soit qui sorte de l'ordinaire. S'ils ont le moindre doute, ce sont eux qui vont venir nous chercher. Et croyez-moi, vous ne voulez pas que cela arrive.

— Quelle est la prochaine étape ? demanda Moggs.

— Santa Claus, répondit Gayle, avant que Kennedy n'ait le temps de répondre. On retourne à l'entrepôt où on garde les preuves matérielles, et on voit s'il y a quoi que ce soit appartenant à Bonville, soit dans son casier, soit parmi les trucs anonymes. N'importe quoi qui puisse nous dire ce qu'il avait découvert.

— C'est aussi ce que je pense, dit Kennedy. Et on n'a pas une minute à perdre. Si on trouve notre bonheur sur place, on rappelle le bureau de New York et on leur demande une liste de tous les lieux où Bonville s'est rendu… disons, au cours de l'année écoulée. Ça nous donnera au moins une liste sur laquelle on pourra travailler.

— Ça nous donnera peut-être bien plus que ça, dit Moggs. Si on croise cette liste avec celle du serveur du bureau de New York, on remarquera peut-être qu'il y a un fichier qui manque à l'appel, un lieu pour lequel aucune information n'a été sauvegardée.

Ils finirent par se mettre d'accord pour suivre les deux pistes en même temps. Moggs resterait à l'appartement et appellerait le bureau de New York. Et Gayle et Kennedy iraient en voiture jusqu'aux entrepôts de Santa Claus pour essayer de trouver des munitions afin de pouvoir poursuivre l'enquête. Peut-être même de la dynamite ! C'était l'expression employée par Gayle.

— Faites-moi plaisir, lui dit-elle, peut-on juste dire qu'on part à la recherche de preuves ?

50

L'autoroute 93 était dégagée dans les deux sens, jusqu'à l'horizon. Malgré tout, Kennedy ne pouvait s'empêcher de regarder dans le rétroviseur, toutes les minutes ou presque. Elle ne pensait pas que la route resterait déserte très longtemps.

— Il va y avoir des explications à donner, rumina Gayle. Et dès qu'on commencera à s'expliquer, on aura les fédéraux sur le dos. Je ne sais pas si c'est une bonne ou une mauvaise chose, ces gens ont les ressources nécessaires après tout. Et je suppose qu'une fois que le risque sera aussi largement réparti, ça n'en sera plus un. Personne n'aura plus de raison de s'en prendre à nous, si tout finit par être révélé au grand jour. Mais les fédéraux ont leurs propres règles, et il n'est vraiment pas facile de négocier avec eux. Vos vacances en Arizona risquent de durer un peu plus longtemps que prévu, Sergent. S'ils pensent qu'ils risquent d'avoir besoin de vos lumières, ils voudront vous avoir sous la main. Et je sais que votre service ne sera pas là pour intervenir en votre faveur. Mais s'ils veulent que vous restiez hors du coup, ça risque d'être vraiment difficile à ce stade.

— Vous n'êtes pas obligé de mentir à cause de moi, Shérif, lui dit Kennedy. Vous jouez la partie exactement comme bon vous semble, et si des règlements ont été enfreints, n'hésitez pas à me les mettre sur le dos.

— Non, je ne ferai pas ça.

— D'accord, mais je suis venue jusqu'ici sur la foi d'un mensonge et ce mensonge est officiel. Mais personne en dehors de nous n'a besoin de savoir que vous ne vous êtes pas laissé duper. Vous aidiez une de vos collègues, c'est tout.

— Entendu, dit Gayle. J'aime bien cette version.

Ils sortirent de l'autoroute, et une fois garés, ils se dirigèrent vers le hangar. C'était le milieu d'après-midi et il y faisait encore plus chaud que lors de leur première visite. Gayle alluma l'air conditionné, et ils se réfugièrent dans la Biscayne, le temps que la température ait un peu baissé.

— Vous êtes ensemble depuis longtemps, Moggs et vous ? demanda Kennedy.

Gayle rougit légèrement.

— Oh, dit-il, vous savez, les choses ne sont pas toujours…

Il s'interrompit, manifestement incapable de terminer sa phrase, puis reprit par une question :

— Et vous ? Y a-t-il un monsieur Sergent Kennedy ? Un homme en particulier dans votre vie ?

Il s'était montré tellement évasif qu'elle ne vit pas l'utilité de se montrer équivoque à son tour.

— Je suis homo, dit-elle. Mais il n'y a personne en ce moment. Et ça fait un bout de temps que je n'ai pas fait de folies !

Gayle rougit encore davantage.

— Très bien, dit-il. Eh bien, chacun fait…

Ce fut une autre phrase qui n'était pas destinée à être terminée.

— Je suppose qu'on peut sans doute commencer, dit-il, avant de sortir de la voiture.

Il faisait un peu plus frais à l'intérieur. Ils allèrent immédiatement au bout de l'allée de droite, et prirent le dossier rouge sur leur passage.

Tel un général, Gayle exposa leur plan de campagne. Il avait emporté deux paires de gants stériles, et il lui en tendit une paire, ainsi qu'une bouteille de spray désinfectant.

— C'est toute cette rangée, dit-il en la désignant. Nous avons essayé de regrouper les objets plus ou moins similaires, mais pour être honnête, cela dépend un peu de celui qui les a inscrits sur le registre. Anstruther a déterminé ses propres catégories, qui n'ont pas beaucoup de sens pour moi, et Scuff est plutôt du genre feignant, alors je ne pense pas qu'on puisse faire l'impasse sur grand-chose.

De trente-huit à quatre-vingt-dix-sept, ce sont des vêtements, et on a déjà vidé les poches, alors on pourra y jeter un coup d'œil en dernier recours. Donc, pour les cartons restants, je suppose qu'on peut commencer chacun d'un côté et nous retrouver à mi-chemin.

Kennedy hocha la tête et se dirigea de son côté en enfilant ses gants. Gayle l'appela.

— Sergent ?

— Oui ? fit-elle en se retournant.

— Je me fiche de savoir avec qui vous couchez. J'ai juste été élevé dans l'habitude de ne pas parler de ces choses-là. Je ne voulais pas vous offenser.

Il semblait ridiculement sincère.

— Il n'y a pas de mal, dit-elle.

— Ok, alors bonne chasse.

— Vous aussi, Shérif.

Les objets étaient banals en soi, mais c'étaient leurs particularités qui les rendaient atroces : un portefeuille avec les photos de deux enfants souriants, un garçon et une fille (la fille louchait légèrement) ; un stylo plume gravé *MG – pour tes quarante ans*. Des fragments de vie encore vivants, tandis que les corps avaient depuis longtemps poussé leur dernier cri.

Elle s'arma de courage pour faire barrage aux émotions qui commençaient à la gagner : elles ne feraient que la ralentir et l'empêcheraient de penser correctement. Elle cherchait quelque chose qui aurait pu, en théorie, appartenir à Peter Bonville, et pouvait d'une façon ou d'une autre comporter un message : un CD, une clé USB, un dictaphone, un lecteur MP3, un agenda. Peut-être même s'intéresseraient-ils aux téléphones, et Gayle n'aurait plus qu'à s'arranger avec le quatrième amendement et sa conscience.

Mais ce fut Gayle qui tomba sur le gros lot, au final, et ce ne fut sans doute pas aussi long qu'il leur sembla.

— Sergent.

Elle se retourna pour le regarder. Il avait un carnet de notes à la main.

— Vous avez du solide ? demanda Kennedy.

Gayle tourna les pages avec précaution.

— Eh bien, au début, on a une liste d'adresses, précédée de la mention « Stations de remplacement ». Puis il y a une seconde liste, concernant des « Centres ». Il y a beaucoup de chiffres dans les colonnes, et ensuite il y a ceci. « Visite samedi : Siemens – Service de production énergétique, Poniente 116 590, Industrial Vallejo, Metro Azcapotzalco, Mexico, Distrito Federal : Problèmes survenus. » Je dirais que ça m'a l'air plutôt solide.

Kennedy était du même avis. Elle s'approcha et lut par-dessus l'épaule de Gayle tandis qu'il tournait les pages. La plupart des notes étaient incompréhensibles, mais il était évident qu'il était question d'électricité. Il y avait des mesures en ampères et en volts, des références à des capacités de production, des moyennes en période de pointe et en période creuse, des résistances maximales, des fluctuations par heure et par quartier, qui portaient des noms tels que Azcapotzalco, Alvaro Obregon ou Magdalena.

À trois pages de la fin, ils trouvèrent un autre tableau, portant le titre : ANOMALIES À XOCHIMILCO, et une liste de chiffres, avec de multiples points d'interrogation, comme si ces chiffres défiaient la logique ou la raison.

— Qu'en dites-vous ? demanda Gayle.

— Je pense qu'on vient de trouver le jackpot, dit Kennedy.

Ils devaient décider s'ils devaient continuer ou non. Ils auraient pu trouver davantage de preuves : des données numérisées qui auraient corroboré ces notes écrites à la main. Mais ce qu'ils avaient suffisait déjà à provoquer un raz-de-marée et à mettre les fédéraux sur le coup. À présent qu'ils avaient trouvé toutes les preuves manquantes, Michael Brand permettait de remonter jusqu'à Stuart Barlow, ainsi qu'au sabotage du vol 124. Le vol 124 amenait à Peter Bonville et Bonville menait à… ceci. Un lieu nommé Xochimilco. Un endroit qui se trouvait à Mexico, très probablement, et qui était important, d'une manière ou d'une autre, pour la tribu de Judas, et permettrait de prouver son existence.

Kennedy mit cela en balance avec la perspective peu réjouissante de fouiller dans de nouveaux cartons remplis des vestiges de l'hécatombe. Le calcul fut vite fait.

Son regard croisa celui de Gayle, et il hocha la tête, semblant d'accord avec tout ce qu'elle avait pensé et n'avait pas dit.

— Ça suffit, dit-elle. On a largement assez de preuves. Il est temps de laisser les fédéraux se débrouiller avec ça.

Tout comme il l'avait fait avec le billet d'un dollar appartenant à Michael Brand, Gayle insista pour suivre les protocoles, inscrivant sur le registre le carnet de notes en sa possession, avant de signer. Kennedy l'attendait près de la porte, et se sentit peu à peu gagnée par un léger apaisement, sans doute dû à la sensation de tenir enfin quelque chose pour se battre contre les salauds qui avaient descendu Chris Harper.

— Ok, fit Gayle en refermant le registre. Je suppose qu'on a terminé.

Elle attendit qu'il ait refermé les portes du hangar, et se dirigea vers la voiture, alors qu'il la précédant de quelques pas.

— Voulez-vous qu'on appelle Eileen ? lui demanda Kennedy. J'aimerais bien savoir comment s'est passée sa conversation avec les gens de New York.

— Je l'appellerai de la voiture, dit Gayle. Je serai bien plus rassuré quand nous serons…

Il fut brusquement interrompu par un bruit sec, comme un coup de fouet qui claque. La balle l'atteignit à l'épaule, près du cou. Elle avait dû le traverser parce que Kennedy vit une tache rouge se former au dos de la chemise blanche de Gayle. Le shérif poussa un cri d'étonnement et de douleur, et vacilla sur le côté, avant de s'effondrer sur le sol.

Kennedy était trop choquée et abasourdie pour se mettre à l'abri, et de toute façon, il n'y avait aucun abri à proximité. La Biscayne était ce qu'il y avait de plus proche, mais elle était à dix mètres de distance, dans la même direction que là où était venu le coup de feu. Détachant les yeux du corps de Gayle, elle regarda derrière la voiture, vers le père Noël décoratif qui se tenait sur le porche du chalet le plus proche.

Le père Noël n'était pas le tireur. Le tireur, qui était juste derrière, sortit, un revolver à la main. C'était la femme du bar de l'aéroport Benito-Juárez. Celle qui avait laissé la pièce d'argent à l'intention de Kennedy. Elle ne portait aucun maquillage cette fois, de sorte que la peau brûlée par le soleil ternissait la beauté de son visage.

— Juste toi et moi, dit la femme avec un accent indéfinissable, mais néanmoins bien distinct. C'est ce qui aurait dû se passer la dernière fois, espèce de pute meurtrière. Mais qui sait ce que Dieu attend de nous ? Il m'a fait attendre. Et maintenant, enfin, il va faire couler ton sang.

51

D'aussi près, en pleine lumière, l'origine de la femme ne faisait aucun doute. Sous sa peau brûlée, elle avait la même pâleur que les autres assassins – ceux de Luton, et ceux tués par Tillman au Colombier.

Désarmée et à découvert, Kennedy savait qu'elle n'avait aucune chance. Elle fit un pas de côté, prétendant se mettre en retrait, mais se rapprochant en réalité de la voiture.

La femme rit, visiblement amusée. Elle leva la main, et Kennedy vit quelque chose briller – c'étaient les clés de la Biscayne, que Gayle avait laissées sur le contact. En effet, qui aurait bien pu les voler en plein désert ?

— Il n'y a nulle part où aller, dit la femme. Je ne suis pas si stupide. Mais, regarde, maintenant je vais faire quelque chose de réellement stupide.

Elle jeta son revolver par-dessus son épaule, puis regarda Kennedy et fit un geste théâtral, l'invitant à l'affronter.

La réaction de Kennedy fut immédiate et instinctive – et mauvaise, elle le savait. Elle se mit à courir de toutes ses forces vers la femme au visage pâle, qui resta immobile à la regarder, les bras le long du corps. En poussant un petit cri, Kennedy envoya un coup de poing vers le visage froid et méprisant de la femme, et l'aurait réduit en pièces si jamais elle l'avait touché.

La femme saisit le poignet de Kennedy, le retourna et la projeta à terre – un geste qui semblait presque improvisé, mais qui fut exécuté à la vitesse d'un serpent qui crache son venin.

Kennedy commença à se relever avec difficulté mais un poids s'abattit sur elle et la cloua à nouveau au sol. La femme était à présent à califourchon sur elle, et Kennedy était immobilisée. Sa nuque était prise en étau entre la main droite et l'avant-bras gauche de la femme. La douleur était insoutenable.

— Tu vas énormément souffrir, bien plus que tu ne l'imagines, murmura la femme à son oreille. Et cela durera très longtemps, assez pour que ton ami ait le temps de saigner à mort. Ton autre amie, la journaliste, est déjà morte. Et on retrouvera le revolver qui les a tués tous les deux dans ta main, et le couteau qui te tuera dans celle du shérif. Défends-toi. Bats-toi contre moi, et laisse-moi te briser encore plus. J'offre ta douleur à Dieu, il adore ça.

Elle écrasa violemment le visage de Kennedy contre le plancher du porche. Sonnée, Kennedy essaya de rouler sur le côté et, de façon surprenante, y parvint parce que la femme était déjà partie. Elle s'était relevée et avait reculé de quelques pas.

Kennedy se releva en vacillant, et la femme en profita pour lui donner un coup de pied dans le ventre avec une force dévastatrice qui l'envoya voler à travers la porte du chalet. La femme entra à toute vitesse, évitant de justesse les montants en bois de la porte qui s'effondraient. Kennedy fut effrayée par la rapidité de la femme qui fonçait droit sur elle. Cette fois, elle réussit à bloquer le bras de Kennedy en pesant dessus de tout son poids. Elle sentit une pression intolérable sur son bras, avant d'entendre un craquement lorsqu'il céda sous son poids. Elle ouvrit la bouche pour crier, mais prit un coup de poing dans la mâchoire.

— Sois patiente, dit la femme. Ménage-toi…

Puis, une pluie de coups s'abattit sur Kennedy, l'entraînant près d'un des murs, sur lequel elle tomba de tout son long. Le mur, peu solide, se mit à vaciller.

Il y avait deux points positifs, pensa Kennedy. Le premier, ce n'était pas son cou qui avait cédé. Le second, c'était que le toit était sur le point de s'effondrer sur elles.

Il tomba sur la femme en premier, parce qu'elle se tenait debout, pas assez fort pour la mettre hors jeu, mais suffisamment pour la blesser et détourner son attention. Kennedy eut une seconde pour réagir et roula sur elle-même, à l'agonie quand le poids de son propre corps pesa sur son bras cassé. Elle parvint malgré tout à se relever et à sortir en courant.

Elle allait réussir.

Le couteau l'atteignit dans le bas du dos et s'enfonça profondément. Elle faillit être immobilisée par la douleur, mais continua malgré tout à avancer, uniquement grâce à l'élan déjà pris. Elle entendit la voix de la femme dans son dos :

— Aucun poison, dit-elle d'une voix cruelle, entre deux accès de toux causés par la poussière qu'elle avait inhalée. Aucun poison sur la lame. Rien qui pourra lier ta mort aux autres morts. Et comme ça, tu mourras plus lentement. On va s'asseoir toutes les deux, et je chanterai pendant que tu seras en train de mourir.

Kennedy rassembla tout son courage, et continua d'avancer jusqu'à l'endroit où Gayle était étendu. Le visage de la femme indiqua qu'elle venait de comprendre vers quoi Kennedy se dirigeait, et elle se mit aussitôt à courir.

Kennedy sortit le pistolet FN Five-SeveN de son étui, sans même avoir le temps de voir si Gayle était toujours en vie. Elle ôta le cran d'arrêt tout en roulant sur le dos.

Elle tendit le bras devant elle et tira. Elle tira encore, et encore, et encore à un rythme régulier et mécanique, jusqu'à ce qu'il n'y ait plus aucune cartouche dans le pistolet. Vingt en tout. Elle le laissa tomber au sol.

Dès qu'elle fut capable de bouger, Kennedy alla vérifier l'état de la femme. Seules deux balles l'avaient touchée. L'une d'elles avait causé une blessure superficielle au mollet.

L'autre balle avait traversé sa poitrine du côté gauche, et au bruit qu'elle faisait, il était évident qu'elle avait un poumon perforé.

Kennedy ne pouvait pas faire grand-chose pour elle. De toute façon, Gayle passait en premier. Essayer d'étancher le sang qui s'écoulait de l'épaule du shérif avec sa seule main droite fut difficile et douloureux pour elle, également blessée. Cela prit un certain temps, et lorsqu'elle eut terminé, le sang de sa propre blessure s'écoulait plus lentement, commençant à coaguler. Elle n'osa pas ôter le couteau, de peur que le sang ne se remette à couler de plus belle, et le laissa donc là où il était.

La respiration de Gayle était si faible que sa poitrine semblait presque immobile, mais elle sentait encore son souffle.

Elle signala l'incident en utilisant la radio dans la Biscayne. Elle entendit Connie – le bulldog de l'accueil – crier : « Est-ce que Web va bien ? Est-ce que Web va bien ? » encore et encore. Puis, elle entendit : « Anstruther arrive. » Ensuite, plus rien. Le silence.

Et au milieu de ce silence, elle entendit la voix de la femme, qui n'était plus que le refrain atroce d'une voix étranglée et suffocante. Kennedy alla jusqu'à elle d'un pas vacillant et vit son visage livide peint en rouge, comme celui d'une indienne, par les brûlures et les traces de son propre sang.

La femme essayait encore de parler : dans une langue étrangère d'abord, et ensuite en anglais.

Avant de mourir, son regard noir se fixa sur le visage de Kennedy avec une intensité sauvage, et elle lui murmura un secret.

Elle sembla être réconfortée que Kennedy l'ait entendu, et de la voir pleurer.

QUATRIÈME PARTIE

GINAT'DANIA

52

Ce qu'on peut dire du désespoir, c'est qu'il est immuable. Il était resté là où il était, tel un train abandonné sur une voie de garage.

Tillman avait évité le désespoir pendant treize ans, simplement parce qu'il s'était fixé un but. Certaines choses devaient être faites, et il les fit, allant de A à B, à C avec une détermination inflexible et une patience inépuisable. Cela pouvait même sembler impressionnant vu de l'extérieur – une sorte d'exploit, un grand acte de courage – mais en fait, ce n'était que son refuge, sa planche de salut.

À présent, il n'avait plus rien à faire. Michael Brand était mort et la piste s'était éteinte. Peut-être Kennedy pouvait-elle poursuivre son enquête sur le Rotgut en essayant de tirer quelque chose du disque et des papiers trouvés au Colombier, mais il lui semblait désormais impossible que la piste ait la moindre chance de le conduire jusqu'à Rebecca et ses enfants.

Ce n'étaient même plus des enfants. Grace, la plus jeune, devait être au lycée à présent, découvrant le maquillage, la musique et les garçons. En fait, elle les avait même certainement déjà découverts. De génération en génération, les choses allaient de plus en plus vite, de sorte que les garçons et les filles devenaient des hommes et des femmes de plus en plus tôt.

Rebecca était plus âgée. Ou morte. Les enfants étaient adultes. Ou morts. Les liens étaient coupés. L'affaire était close. Il était arrivé au terminus.

Et au terminus, là où il avait toujours été, il y avait ce train sans fenêtre. Il n'avait jamais bougé, pendant toutes ces années. Il avait simplement attendu sur cette voie de garage, que Tillman monte à bord.

Dans une chambre d'hôte rongée par l'humidité de la banlieue ouest crasseuse de Londres, Tillman était assis sur le lit, le revolver posé sur les genoux. C'était un revolver à six coups. Il pensait ne tirer qu'une seule balle.

Il lui avait fallu un moment avant d'en arriver là. Kennedy avait souvent appelé sur son portable pendant les premiers jours, et à ce moment-là, qui semblait déjà loin, il avait répondu, et lui avait parlé. Elle l'avait informé de sa suspension puis, presque immédiatement, de sa démission. D'après la façon dont elle avait décrit les choses, cela avait été le coup monté parfait. Si elle était restée dans la police, l'enquête sur la mort de Combes aurait révélé des irrégularités et elle aurait été exposée à des poursuites pour négligence criminelle et peut-être même homicide involontaire. Si elle consentait à présenter sa démission et à signer un accord de confidentialité, lui avait dit son inspecteur divisionnaire, ils ne l'attaqueraient pas en justice. Ils voulaient avant tout se débarrasser d'elle, plutôt que lui causer du tort.

Cela faisait plusieurs semaines que Kennedy lui avait appris tout cela. Tillman ne se souvenait pas, à présent, de ce qu'il avait fait depuis. Il ne se rappelait ni le temps qu'il avait fait, ni ce qu'il avait mangé, aucun lieu, ni aucune chose un tant soit peu importante qu'il avait faite. Il était à bout de souffle, il ne vivait plus que grâce au peu d'énergie emmagasinée qu'il lui restait et lui avait permis de tenir jusque-là.

Au bout de deux semaines, il avait arrêté de répondre au téléphone. Kennedy avait continué à appeler, et à laisser des messages. Il avait mis le téléphone en mode silencieux et l'avait balancé dans un coin, peut-être dans un tiroir. Il avait entendu quelqu'un derrière la porte de sa chambre, et un peu plus tard dans la chambre d'à côté. Il avait entendu un léger grattement à la base du mur, presque imperceptible. Cela ne pouvait pas être Kennedy, qui s'assurait qu'il allait bien, parce qu'il ne lui avait jamais donné son adresse – ni à qui que ce soit d'autre d'ailleurs. Mais comme elle était inspectrice, et plutôt douée, peut-être avait-elle trouvé le moyen de le débusquer. Cela voulait dire qu'il devait bouger, et vite : si Kennedy avait réussi à le trouver, ses ennemis pouvaient aussi le faire.

Il resta là où il était, et attendit. Il ne voulait pas admettre ce qu'il attendait, jusqu'à ce qu'il devienne manifeste qu'il ne se passerait rien.

Il attendait la mort. Il attendait que les tueurs au visage pâle enfoncent la porte et lui coupent la gorge, ou le descendent ou fassent ce que bon leur semblait pour le rayer de la carte. Cela aurait été net et sans bavure, logique, et lui aurait épargné l'effort nécessaire à la pensée et à l'action. La pensée et l'action semblaient presque hors de sa portée à présent. Maintenant, tout ce qu'il voulait faire, c'était fermer les yeux pour toujours, tout en étant incapable de faire ce qu'il fallait pour ça.

Le temps continua de s'écouler, n'apportant rien. Le néant s'accumulait de plus en plus, autour de lui et en lui, comme si cette chambre avait été le reflet de son âme.

Il y avait six balles dans le revolver. Le chargeur vide était dans sa main gauche. Il tendit le bras pour poser le chargeur sur la table de nuit, mais évalua mal la distance. Il tomba par terre, à ses pieds, roula sous le lit et cogna contre quelque chose qui se trouvait là.

Lentement, lourdement, comme s'il devait se rappeler comment se mouvoir, il se leva du lit et s'agenouilla pour l'attraper. Sa main se referma, non sur le chargeur, mais sur le téléphone. C'était donc là qu'il avait atterri. Il le regarda, ce qui lui rappela sa vie passée, dans laquelle il avait eu une fonction.

Étonnamment, la batterie n'était pas à plat. Sur le petit écran lumineux, un petit personnage dansait – le dessin d'une licorne – tenant un message à la main : « Vous avez de nouveaux messages. »

Tout à coup, le personnage se brouilla. Tillman était aveuglé par les larmes, assailli par une immense vague de chagrin, dévastant tout sur son passage. Monsieur Snow s'était noyé. Tout comme la petite fille qui s'était jadis cramponnée à Monsieur Snow en s'endormant, pour se protéger du monde et de ses frayeurs. Il l'avait abandonnée. Ils l'avaient tous abandonnée. Il le sut, à cet instant, il en eut l'horrible certitude : elle était morte. Ils étaient tous morts. Rebecca. Jud. Seth. Grace. S'ils étaient où que ce soit dans le monde, il les aurait trouvés. Cela faisait treize ans qu'il fuyait, refusant d'admettre cette simple vérité. Maintenant, elle tourbillonnait en lui comme de l'encre se dissolvant dans l'eau. Il se releva, et ce seul mouvement remua la noirceur, l'étendit à tous les recoins de son être.

Il pressa son revolver contre sa tempe.

Mais à présent que ses yeux s'étaient habitués à la pénombre, il vit la pièce différemment. Il vit, à cet instant crucial, l'anomalie, la chose nouvelle : c'était un mot, glissé sous la porte. Il s'en approcha pour le ramasser.

Ce n'était pas un mot. C'était une photographie. Rebecca. Rebecca à vingt ans environ. Il la reconnut aussitôt, même s'il ne l'avait pas connue à cet âge. Rebecca assise à la terrasse d'un café. La lumière était étrange, un peu grise, comme annonçant l'orage, le coup de tonnerre.

Le coup. Le synchronisme lui donna le vertige.

C'était comme s'il avait entendu le coup de tonnerre, comme si le temps avait été suspendu.

Il n'entendrait pas le coup de feu. L'éternité l'attendait, et elle commençait à perdre patience.

Il retourna la photo. Au dos, d'une petite écriture fine, quelques mots étaient inscrits.

Elle a dit que tu ne renoncerais jamais.

Il y eut un temps mort. En quoi il consista, Tillman ne le savait pas. Il frappa quelque chose : le mur, une porte ou un meuble. Il frappa de façon répétée, jusqu'à ce que des cris de protestation s'élèvent, du dessus, du dessous, et de l'autre côté du couloir.

Ça ne suffisait pas à le faire revenir parmi les vivants. La douleur, au niveau de ses mains, commençait à se frayer un passage à travers le brouillard, l'encre et le vide, mais lui, était encore loin. Il devait reprendre contact avec le monde, avant que le monde ne disparaisse.

Naturellement, il baissa les yeux sur la photo, puis, sur le téléphone. *Vous avez de nouveaux messages,* dit Monsieur Snow. *Vous avez de nouveaux messages de votre femme morte.*

Il prit le téléphone et appuya sur la touche de la messagerie.

Il entendit la voix de Kennedy.

— Leo, j'ai quelque chose à vous dire...

Après avoir écouté tous les messages, Tillman resta assis en silence sur le lit. Kennedy lui avait dit que Michael Brand était le symbole changeant de quelque chose de plus permanent. Non pas un homme mais un masque, qui pouvait être porté par n'importe quel homme, puis, rejeté.

À travers les quelques mots, au dos de la photo, Michael Brand avait dit : *Viens me trouver*.

Tillman se leva, les jambes légèrement tremblantes, et commença, avec lenteur et méthode, à faire les choses qui devaient être faites.

Il trouva le chargeur et le remit dans le sac marin dans lequel il mettait les armes et les munitions qu'il n'avait pas sur lui à tout moment.

Il vérifia qu'il y avait au moins six balles dans son Unica. Il avait été si loin, pendant si longtemps, qu'il n'était plus sûr de rien, et devait tout vérifier. Il pensait qu'il vivrait peut-être, après tout, il était donc à nouveau important que son revolver soit en état de marche.

Il prit une douche – il puait la mort – et se rasa la barbe, vieille d'un mois au moins.

Il quitta cette chambre pour la première fois depuis très longtemps, trouva un restaurant bon marché et mangea jusqu'à ce qu'il n'ait plus faim. Ce ne fut pas long. Son appétit vorace fut comblé en quelques bouchées seulement. Sa main trembla un peu tandis qu'il mangeait. Il allait devoir reprendre des forces, mais ce n'était qu'un problème pratique, et il savait comment y remédier.

De retour dans la chambre, il lut les fichiers de Gassan envoyés par Kennedy et il se familiarisa avec ce qu'elle avait appris sur la tribu de Judas.

Pour finir, il prit le téléphone et passa un appel.

— Leo !

— *Hoe gaat he met jou*, Benny ?

— Ça pourrait aller mieux, ça pourrait être pire. Ça ne te ressemble pas de garder le même numéro pendant si longtemps. Tu es toujours en Angleterre ? Comment ça s'est passé là-bas ? As-tu réussi à voir monsieur Brand ?

— Non, pas encore, Benny. Mais peut-être bientôt. Peut-être très bientôt.

— Bon, ça pourrait être de bonnes nouvelles, dit Vermeulens avec prudence.

— En attendant, j'espérais que tu pourrais me rendre un service.

— Ça, je l'avais déjà deviné, Leo.

Tillman eut honte.

— Quand tout cela sera terminé, dit-il, si jamais je suis toujours en vie, je te revaudrai ça, Benny. Je suis proche de… quelque chose. Quelque chose d'important. Mais je dois encore voyager, et Suzie – Assurance – ne me vend plus rien. Je me disais que si tu lui proposais d'acheter pour mon compte, elle ferait peut-être une exception.

— Que veux-tu ?

— Le pack de base. Un passeport, une carte de crédit au même nom avec deux mille dollars pouvant être retirés tout de suite.

— Ce n'est pas un petit service, Leo.

— J'ai de quoi payer. Je peux payer d'avance par virement depuis un compte basé en République dominicaine.

— Je ne pensais pas à l'argent, mais à mon boulot.

— Personne n'en saura rien.

— Venant de toi, personne ne sait jamais rien. Mais tu ne peux pas assurer les mêmes garanties pour tout le monde.

Le silence s'installa entre eux. Tillman n'insista pas : il savait que rien de ce qu'il pouvait dire ne pourrait influencer la décision de Vermeulens, et il ne voulait pas lui forcer la main.

— Quelque chose d'important, dit enfin Vermeulens. Assez important pour que toute cette histoire touche enfin à sa fin ? Ou seulement une étape vers quelque chose de plus important ?

Tillman pensa au revolver, et à la première balle dans le revolver.

— Ce sera terminé, dit-il. D'une façon ou d'une autre, cela marquera la fin.

— Alors, je ferai ce que je pourrai. Reste près du téléphone, Leo.

— Merci, Benny.

— Et n'oublie pas, tu ne me dois rien. Mais… c'est sans doute le dernier rien.

53

À Ginat'Dania, il n'y avait pas de saisons. Chaque jour était comme le suivant, épargné par la tempête, aussi constant que le visage de Dieu : un fragment d'éternité, échoué dans le monde déchu, mais toujours parfait, et toujours miraculeux.

Cela faisait cinq ans que Kuutma n'était pas revenu chez les siens. On le remarquait maintenant, comme un étranger, et tandis qu'il remontait la grande allée de Em Hadderek, tous les yeux se tournaient vers lui pour le dévisager. Ils observaient sa peau si brune que cela semblait aberrant. Ils regardaient sa démarche, ses mouvements, les expressions de son visage.

Mais à mesure qu'ils remarquaient son étrangeté, il perçut la leur : il sentit une tension dans l'air, une sorte d'expectative, mi-craintive, mi-enchantée. Kuutma n'aimait pas ça. Cela présageait un changement, en ce lieu à l'abri du changement. Cela l'inquiéta.

Depuis le Em Hadderek, il tourna sur la gauche, passa devant les hangars à bestiaux, les magasins de Talitha, puis le lieu de rassemblement. Un peu plus loin, il y avait le Sima, là où les anciens se réunissaient. Kuutma avança directement jusqu'à la porte d'entrée, où se tenaient quatre hommes corpulents et musclés. Il les salua avec les paroles rituelles :

— *Ashna reb nim t'khupand am at pent ahwar.* (Je suis revenu à la maison d'où je suis parti.)

Ils lui firent la réponse qui convenait, parlant à l'unisson, d'une voix solennelle :

— *Besiyata Dishmaya.* (Avec l'aide de Dieu.)

— Je dois leur parler, dit Kuutma en anglais, rappelant ainsi aux gardiens d'où il venait et ce qu'il avait fait.

Dans ces conditions, il leur était difficile de dire non. Cependant, il ne pouvait déranger les anciens sans être annoncé avant. Il attendit donc que l'un d'eux entre dans le Sima, tandis que les autres gardaient un œil sur lui, dans un silence pesant. Leur camarade revint, lui indiquant qu'il pouvait entrer.

Kuutma avança, escorté de deux gardes. Le vaste espace était vide, à l'exception des trois anciens assis sur une estrade, au centre. Les trois hommes sévères, deux anciens et un encore jeune, le regardèrent entrer. Ils ne lui adressèrent pas un sourire, mais acceptèrent son hommage d'un hochement de tête. Par tradition, on les appelait le Ruakh, le Sheh et le Yedimah : dans le langage qui précédait la véritable langue, cela voulait dire « le Chêne », « le Frêne » et « la Semence ». Seul le rôle de ce dernier, le Yedimah, pouvait être tenu par un homme de moins de soixante ans.

Le Ruakh parla en premier, comme le voulait la tradition.

— Kuutma, dit-il d'une voix légèrement grincheuse due à son grand âge, tu as dû faire face à de grandes difficultés. D'immenses difficultés.

Cela semblait être tout ce qu'il voulait dire. Il jeta un coup d'œil en direction de ses compagnons, les invitant à poursuivre.

— Des difficultés sans précédent, confirma le Sheh sur un ton sec et caustique. Jamais dans toute notre histoire nous n'avons subi de menaces d'une telle ampleur et aussi rapprochées. C'est peut-être pour cette raison, Kuutma, que tu n'as pas réussi à t'acquitter de ta tâche de façon aussi méthodique et minutieuse que d'habitude. La situation a été mal gérée. Certaines choses ont été faites trop tard, d'autres pas du tout et doivent encore être réglées.

Kuutma n'avait pas d'autre alternative que de s'incliner devant les trois hommes et d'accepter la censure. Il s'agenouilla.

— Révérés anciens, dit-il, les yeux baissés, j'ai accompli mon devoir du mieux que j'ai pu. Si cela n'a pas suffi, votre serviteur vous demande humblement pardon.

— En Angleterre, admit le Sheh, la question des érudits a été réglée promptement. Malgré tout, certains détails ont été négligés. Tillman, par exemple, est devenu extrêmement gênant. Et l'Américain a été tué d'une façon qui allait nécessairement entraîner une enquête approfondie. Un avion entier s'est écrasé et il y a eu des centaines de morts ! Mais, le plus difficile à pardonner, c'est cette inspectrice de Londres, qu'on a laissée faire toutes sortes de rapprochements. Quand elle s'est rendue aux États-Unis, il aurait dû te sembler évident que sa mort passait avant tout. Tu aurais dû la tuer toi-même, au lieu de confier cette mission aux plus jeunes et aux moins expérimentés de tes Elohim.

Toujours agenouillé, Kuutma se permit de lever les yeux vers son accusateur.

— J'ai recommandé, il y a treize ans, de tuer Tillman, fit-il remarquer. Mon avis a été rejeté parce que vos prédécesseurs ne le considéraient pas comme une menace. Sa survie est à l'origine des événements récents. L'inspectrice, par exemple, serait morte si elle n'avait pas eu Tillman à ses côtés. Et ce sont les informations communiquées par Tillman qui lui ont permis de faire le lien avec l'opération menée en Amérique. Et pour l'accident d'avion, je n'ai jamais rien ordonné de tel. L'agent que j'ai envoyé pour s'occuper de l'Américain avait pour ordre de le tuer avant qu'il ne monte à bord. Au lieu de cela, il a choisi de détruire l'avion, ainsi que lui-même. C'était de la folie pure.

Le Yedimah parla pour la première fois.

— Peut-être ton agent avait-il reçu des instructions inadéquates, dit-il d'une voix d'une douceur trompeuse.

— Nehor, dit Kuutma. Nehor Bar-Talmai. Vous vous rappelez sans doute, révérés anciens, que je vous avais demandé de le rappeler à Ginat'Dania il y a cinq mois. Je vous avais dit qu'il avait du mal à s'adapter à la vie dans le monde, et que je pensais que son aptitude à exercer le rôle de Messager devait être réexaminée.

— Nous nous en souvenons, dit Yedimah. Nous avons décidé qu'avec des conseils appropriés, il pouvait remplir ce rôle que nous lui avions assigné. Manifestement, sur la fin, ces conseils lui ont fait défaut. Si tu lui avais donné des directives plus précises sur la façon de s'occuper de l'employé américain, il n'aurait pas improvisé de façon aussi désastreuse. En fin de compte, nous te tenons pour responsable.

Kuutma savait qu'il ne pouvait pas sortir gagnant de cette joute verbale.

— Votre serviteur implore votre pardon, dit-il de nouveau.

— Nous te l'accordons, dit le Sheh de façon peu convaincante. Relève-toi, Kuutma, nous ne te demandons aucune pénitence. Cependant, ajouta-t-il, nous avons décidé que ce serait la dernière fois que tu irais sur le terrain en tant que Kuutma. À partir de maintenant, tu exerceras tes compétences près de chez nous.

Kuutma ne laissa aucune émotion paraître sur son visage.

— Ici, à Ginat'Dania ? demanda-t-il pour s'assurer qu'il avait bien compris.

— À Ginat'Dania, dit le Sheh. Mais pas ici. Nous nous préparons à partir pour *mapkanah*.

C'était donc vrai. Kuutma l'avait su dès qu'il avait franchi le portail et ressenti la tension dans l'air : le peuple se préparait à quitter ce lieu, leur foyer, pour trouver un nouveau foyer, dans un lieu très éloigné. Cela ne s'était pas produit depuis deux siècles. Par-delà la douleur et la honte, Kuutma ressentit le frisson d'une joie étrange : la joie des choses qui commencent à prendre la tournure qu'elles étaient censées prendre.

— Ce n'est pas à moi de décider, murmura-t-il, les yeux à nouveau baissés.

Le Yedimah sembla indigné.

— Non, confirma-t-il. Ce n'est pas à toi de décider Kuutma. Ces gens encore en vie savent peut-être qui nous sommes et où nous sommes. Ils seront exécutés en temps voulu, mais pour l'instant, leur mort n'est pas une priorité. Nous n'en sommes plus là. Tout d'abord, et avant tout le reste, nous devons protéger notre peuple.

Kuutma sentit la rage l'envahir, mais n'en montra rien, gardant la tête baissée.

— Ils ont toujours été ma principale préoccupation, Yedimah.

— Nous le savons, et nous savons que tu dois considérer ceci comme un reproche. Mais cela doit être fait. Nous attendons ton soutien pour cela, et pour tout le reste.

Kuutma se releva. Il aurait dû attendre l'autorisation de se lever, mais à certains moments, les protocoles devaient s'effacer pour laisser place aux mots et aux actes. Il regarda le Yedimah un long moment en silence, et le Yedimah attendit qu'il parle.

— Avec *mapkanah*, vient *maasat*, le moment venu de payer ce qui est dû, dit Kuutma, énonçant une évidence.

Le Ruakh hocha brièvement la tête.

— Quand ? demanda Kuutma.

— Dans deux jours, dit le Ruakh.

— Si vite ?

— Si tard, dit le Yedimah d'une voix grave.

— Pour effacer mon échec, dit Kuutma, laissez-moi être celui qui tiendra la balance entre ses mains et qui s'assurera que toutes les dettes seront bien payées. Accordez-moi cela, vénérés anciens, et j'abandonnerai ma place en tant que Kuutma le cœur léger.

Il soutenait le regard du Yedimah, conscient de toutes les choses cachées sous cette seule phrase.

— Le système est automatique, dit le Yedimah. Il ne nécessite la présence de personne.

— Une machine peut-elle traiter un homme de façon juste ? psalmodia Kuutma avec une sauvagerie austère. Un bouton ou un levier peut-il répondre devant Dieu et dire : « L'équilibre est rétabli, et tout est fait avec justesse. » Vénérés anciens, accordez-moi cette faveur. Laissez-moi rester.

Il attendit qu'ils prennent leur décision.

Un par un, ils s'inclinèrent, et le Yedimah fut le dernier à le faire.

— Tu tiendras la balance, Kuutma. Tu paieras ce qui est dû.

Il les remercia, le visage grave. Ils acceptèrent ses remerciements de bonne grâce.

Puis, il quitta ce lieu, avec une terrible douleur et un terrible espoir pesant sur lui. Il était encore Kuutma : jusqu'à ce que le Ginat'Dania périsse, et renaisse, son nom était encore entre ses mains.

Son nom et encore une chose.

54

Il fallut un peu plus de temps à Tillman pour se rendre en Arizona qu'il n'en aurait fallu à n'importe qui d'autre. Un certain nombre de choses devaient être faites avant qu'il ne se lance dans ce voyage, et aucune ne pouvait être éludée ou écourtée.

Tout d'abord, il devait aller chercher les documents que Benny Vermeulens avait achetés en son nom. Assurance avait demandé un tarif exorbitant – vingt fois plus élevé que ce qu'elle aurait demandé pour ce service en temps normal – et elle avait voulu être payée d'avance. Cela n'avait pas d'importance : Tillman avait vidé ses différents comptes et envoyé l'argent. Mais les arrangements pour la remise des documents étaient plus problématiques.

Benny comprenait que Tillman n'était pas prêt à lui fournir une adresse ou un numéro de boîte postale pour réceptionner les documents. Il savait aussi que Tillman se demanderait s'il pouvait avoir confiance en ces documents, étant donné qu'Assurance ne semblait plus être bien disposée à son égard.

Benny régla le problème en se rendant lui-même à Londres et en voyageant avec le faux passeport. Tillman et lui étaient de carrure similaire, donc tout ce qui était nécessaire pour obtenir une ressemblance raisonnable était une teinte de cheveux et des lentilles de contact de couleur. Il convint de retrouver Tillman à Heathrow, au Café Rouge situé dans la zone départ du terminal 5. Tillman arriva en premier et commanda deux expressos. Il resta assis, les mains sur les genoux, réfléchissant à des choses impensables. Quand la chaise face à lui se mit à grincer, il leva les yeux.

Benny fit glisser une épaisse enveloppe sur la table. Il était vêtu d'un costume de prix. Étrangement, cela lui donnait un air moins respectable et plus dangereux qu'il n'avait jamais semblé avoir quand il portait un treillis militaire. À moins que ce ne soit le fait qu'il prenne l'identité de Tillman qui soit troublant.

— Voilà, Leo. Joyeux Noël.

Leo jeta un coup d'œil sur l'enveloppe sans examiner son contenu. Vermeulens avait déjà gagné sa confiance à tellement de reprises.

— On est au mois de juillet, lui fit remarquer Leo.

Benny secoua la tête d'un air solennel.

— Décembre, dit-il. Fin décembre. Le moment de l'année où personne n'est sûr que le soleil reviendra.

Tillman eut un sourire gêné.

— Je savais pas que t'étais un poète, Benny.

— Il n'y a pas moins poétique que moi, Leo. Je te dis ce que tu sais déjà. Tu pars te battre contre les forces du Mal et tu penses que tu ne reviendras pas. C'est pour cette raison que tu te saignes à blanc.

— L'argent ? Je peux toujours en trouver.

— Je parlais du ton de ta voix quand tu m'as appelé. De ton regard, là maintenant. Leo, j'ai été dans l'armée pendant plus longtemps que toi. J'ai vu beaucoup d'hommes se tuer pendant le combat parce qu'ils pensaient que le moment de mourir était venu pour eux.

— Moi aussi, je l'ai vu, admit Tillman. Mais pas moi, Benny. Je vais y aller, je ferai mon boulot, et je reviendrai. Comme toujours.

Benny se mit à rire, mais le cœur n'y était pas.

— Et quel est ce boulot ?

Tillman ne répondit pas.

— Pas le même que les autres fois, dit Benny. Inutile de me mentir, Leo. C'est une mission où on brûle tout sur son passage, et la dernière chose que tu brûleras, ce sera toi-même. J'espère que ça en vaut la peine.

— Je crois, finit-il par dire. Je crois que ça en vaudra la peine.

Ensuite, il y eut l'approvisionnement – non pas à Londres mais à Los Angeles. Il ne faisait pas confiance à Assurance pour cela. Il avait ses propres contacts aux États-Unis, et même si cela faisait des années qu'il ne s'était pas adressé à eux, ils étaient toujours là. Et ils pouvaient toujours lui procurer des armes à feu, des explosifs, et du matériel de surveillance électronique.

Après cela, vint le voyage. Normalement, il évitait les avions parce qu'ils étaient – par définition – des espaces clos sans porte de sortie. En volant, on pouvait se retrouver livré aux mains de gens qui nous voulaient peut-être du mal. Mais cette fois, il ne pensa pas à ce genre de considérations. Elles appartenaient à une vie dans laquelle on pouvait faire une distinction entre ce qui était « sûr » et ce qui était « périlleux ».

Et cette fois, au lieu de passer son temps à préparer minutieusement son plan d'action, il n'avait qu'une idée en tête : la revanche.

En plus des armes et des munitions, il avait également payé pour une sorte de reconnaissance du terrain. Il savait donc, à ce stade, que la police de l'État d'Arizona retenait Heather Kennedy – ex-sergent – sous surveillance à l'hôpital Kingman-Butler de Kingman, en Arizona. Elle était inculpée de meurtre avec préméditation, d'usurpation de l'identité d'un officier de police et d'un tas de délits mineurs. Il s'était informé sur ses conditions de détention, ainsi que sur ses blessures et ses chances d'être consciente à tout moment du jour ou de la nuit.

Tillman fit le trajet depuis Los Angeles dans une voiture louée sous le nom provisoire acheté à Assurance. Cela prit presque une journée entière, avec quelques arrêts, mais cela avait le mérite de rendre sa destination difficile à déterminer, même si Assurance avait vendu le nom et les coordonnées de la carte bleue à des tiers.

Depuis la ville de Bullhead, il appela l'hôpital et demanda à parler à Heather Kennedy. C'était un risque calculé. L'infirmière le mit en attente – pour les vérifications nécessaires auprès du policier de garde – puis elle revint et lui demanda de quoi il s'agissait.

— Un décès dans la famille, dit Tillman. Sa mère. Grands dieux, vous ne pouvez pas l'empêcher d'apprendre la nouvelle, Madame. Elle a besoin de savoir, et c'est aussi son droit.

Nouvelle attente. Puis, un policier bourru vint au téléphone et posa de nouvelles questions. Tillman inventa une longue maladie pour la mère de Kennedy, qui avait eu juste le temps de prononcer un dernier message à l'intention de sa fille unique.

— Sa fille unique ? grommela le flic. D'après nos informations, elle a une sœur. Qu'est-ce que c'est que cette histoire ?

— Une demi-sœur. Même père, différentes mères.

— Et vous êtes ?

— Son demi-frère. Même mère, différents pères. Écoutez, est-ce que votre loi vous autorise à priver Heather de tout contact avec l'extérieur ? Parce que si ce n'est pas le cas, vous devriez arrêter de poser toutes ces questions stupides, et me la passer. J'enregistre cette conversation, Officier… Comment vous appelez-vous, déjà ?

Il s'avéra que son nom était « Attendez une minute ». Tillman attendit, puis la voix de Kennedy résonna à l'autre bout de la ligne. Elle semblait groggy et très fatiguée, mais encore à peu près consciente.

— Qui est-ce ? demanda-t-elle.

Il y avait un écho : peut-être juste une mauvaise ligne, ou une mise sur écoute faite à la va-vite.

— C'est Leo.

Un long silence.

— Tillman. Dieu merci.

— Alors, que se passe-t-il ? Meurtre ? Conspiration de meurtre ? Je ne vous reconnais plus, jeune fille.

— La femme qui a poussé un cri au Colombier, c'est elle qui est responsable de tout. Le shérif local peut témoigner en ma faveur, mais on lui a administré une forte dose de calmants pour l'instant. Une blessure par balle dans le haut du torse. Il risque de ne pas s'en sortir. Si c'est pas le cas, adieu mon alibi. Et il y a une femme qui aurait pu parler en ma faveur, mais elle est morte.

— Ça ne semble pas très prometteur.

— C'est le moins qu'on puisse dire.

— Tu nous manques, Heather. Tu nous manques à tous.

— Tous ? fit-elle d'une voix méfiante.

Il se demanda si elle savait que la ligne était sur écoute. Il devait supposer que oui. Il n'avait pas le temps de faire dans la dentelle.

— Moi, Freddie, Jake, Wendy. On pense très fort à toi.

— Je... Vous me manquez aussi.

— Tu dis ça par pure gentillesse, dit Tillman. Mais ce n'est un secret pour personne que toi et moi n'avons pas été très proches ces derniers temps. Je veux que tu saches que ça va changer.

— Oh, tu dis toujours ça.

— Je le pense vraiment, Heather. On va se voir très bientôt, je te le promets.

— Ok, comme tu voudras.

— Penses-tu être prête à me revoir ?

— Quand tu voudras, Tillman. Tu n'as qu'à m'indiquer un jour, une heure, ou me surprendre.

— Je suppose que je te ferai la surprise. Tu... as beaucoup de visiteurs là-bas, Heather ?

— Non, pas tellement. Je n'ai que deux flics baraqués derrière ma porte pour me tenir compagnie, et deux autres dans le couloir principal, près des ascenseurs.

— Ils ne veulent pas que tu ailles te promener et que tu te perdes.

— Apparemment... Mais si jamais je me perdais, j'aurais toujours le bracelet électronique autour de ma cheville.

— Je vois. Au moins, tu es entre collègues. Vous pouvez toujours parler boutique.

— Ma boutique est une petite épicerie dans Queen's Park. La leur serait plutôt un centre commercial dans Monument Valley. Tu serais étonné de voir la taille...

Il entendit sa voix s'éloigner, puis de nouveau, ce fut celle du flic :

— Je vous limite à cinq minutes, dit-il à Tillman. Vous pouvez rappeler demain, si vous voulez.

— Je ne lui ai même pas encore parlé de maman, dit Tillman. J'essayais d'aborder la question. Laissez-moi au moins...

— Demain.

Il raccrocha. Tillman reposa le téléphone, et poursuivit sa route, ses idées commençant à se mettre en place. Il était soulagé de pouvoir réfléchir à des choses pratiques. Et ce serait un plus grand soulagement encore d'avoir quelqu'un sur qui se défouler.

55

La fille qui portait le nom de Tabe vivait seule, même si elle était trop jeune, à proprement parler, pour y être autorisée. Avant, elle avait vécu dans un orphelinat, avec des assistants. Elle avait toujours été une enfant gentille et obéissante, mais comme l'avaient dit les assistants, *beiena ke ha einanu*, son âme se mouvait en silence. Elle semblait vivre seule dans un monde réduit, limité par sa propre volonté, à peine consciente des gens qui vivaient autour d'elle.

Ce n'était pas qu'elle était égoïste. Tabe était une fille chaleureuse et attentionnée, lorsqu'elle émergeait de ses pensées pendant assez longtemps pour pouvoir communiquer avec les autres. Mais c'était une artiste : les couleurs, les tons et les textures constituaient les dimensions de son monde. Pour l'essentiel, elle peignait des natures mortes. Par le passé, elle avait peint aussi des gens, mais elle avait scandalisé les assistants en leur demandant si elle pouvait dessiner un garçon, Aram, sans ses vêtements. Cela avait marqué la fin de sa carrière de peintre de personnages vivants.

À présent, elle vivait seule au quatrième étage de Dar Kuomet. Elle semblait heureuse de vivre seule. Le garçon, Aram, était promis en mariage, et Tabe avait peint des enfants dansant heureux sur les murs de leur future demeure. Elle ne semblait pas en vouloir au jeune homme, cependant, son intérêt pour lui semblait avoir été avant tout esthétique.

Kuutma la trouva dans son logement de Dar Kuomet. Elle dessinait avec un crayon de pastel noir sur un drap cloué au mur (sur les autres murs, elle avait peint directement sur le plâtre – des fraises et des groseilles dans des coupes en terre). Il lui fallut un bon moment avant de prendre conscience qu'elle n'était pas seule. Quand elle remarqua enfin la présence de Kuutma, elle inclina la tête devant lui et murmura :

— *Ha ana mashadr*, rougissant davantage encore que les fruits qui étaient peints sur ses murs.

Kuutma fit signe à Tabe de s'asseoir.

— Tu as deviné que je faisais partie des Elohim, est-ce à cause de la couleur de mon teint ?

Tabe frotta nerveusement le bout de ses doigts, noirs et gras à cause du pastel. Mais elle regarda Kuutma droit dans les yeux.

— Pas seulement, dit-elle. Je me souviens de votre visage. Vous êtes venu nous rendre visite une fois à l'orphelinat, et j'ai demandé à une des assistantes qui vous étiez. Elle a dit que vous étiez Kuutma. Le Brand.

Kuutma hocha la tête.

— Oui, je le suis encore. Jusqu'à *mapkanah*, du moins.

Lorsqu'elle entendit ce mot, les yeux de Tabe s'éclairèrent, ce qui le surprit un peu. Mais à son âge, tout ce qui était nouveau était excitant. Et en plus c'était une artiste : où que Ginat'Dania aille, la lumière serait différente, et il y aurait de nouveaux paysages à peindre. Pour Tabe, *mapkanah* pouvait sembler comme une renaissance.

— Quand je suis venu à l'orphelinat, dit Kuutma, c'était pour te voir, toi et tes deux frères. Je voulais vérifier que vous étiez heureux là-bas. Je connaissais ta mère.

Le visage de la jeune fille s'assombrit un instant.

— Ma mère… dit-elle, hésitante, avant de laisser sa phrase en suspens.

Kuutma sentit une certaine amertume dans le son de sa voix.

— Tu sais, elle a été envoyée, comme moi, dit-il.

Le regard de Tabe était dur, ne semblant prêt à céder sur rien.

— Pas comme toi.

— Le travail des Kelim est tout aussi important que celui des Elohim, dit Kuutma. Et même plus encore. Nous travaillons tous pour la survie de notre peuple : mais notre travail est glorieux, le leur est pénible et dégradant.

Tabe haussa les épaules, mais ne répondit rien.

— Tu dois penser beaucoup de bien d'elle, dit Kuutma avec fermeté. Pense à ce que son sacrifice a signifié pour toi, et pour nous.

Tabe baissa les yeux sur ses doigts noircis. Il voyait qu'elle avait envie qu'il s'en aille, pour pouvoir se remettre au travail.

— Je connais aussi ton père, dit-il.

Elle regarda de nouveau Kuutma. Les yeux de la jeune fille ressemblaient à deux blessures noires au milieu de la régularité de son visage couleur d'opale. Mais pour les Elohim, toutes choses ressemblaient à des blessures. Kuutma n'avait fait l'amour que de très rares fois dans sa vie, tourmenté chaque fois par la pensée que le sexe de la femme était comme le lieu d'une ancienne blessure, partiellement cicatrisée.

Il attendit, laissant à la jeune fille le temps de parler. Elle se contenta de le regarder.

— Tu ne me demandes pas comment est ton père ? finit-il par dire.

— Non, répondit Tabe sur un ton catégorique. En quoi cela m'aiderait-il de le savoir ?

— C'est... un homme courageux. Un soldat, comme moi. Mais c'est un soldat qui se bat contre nous, il est notre ennemi.

Tabe réfléchit à ce qu'il venait de dire.

— Vous serez donc forcé de le tuer ? demanda-t-elle.

Kuutma eut un petit sourire forcé.

— C'est pour cela que je suis venu te voir aujourd'hui, admit-il, même s'il n'avait eu aucune intention de lui parler de tout cela. Je pense que tuer ton père sera peut-être la dernière chose que je ferai, en tant que Kuutma. Je... (Il hésita, prenant soin de bien choisir ses mots.) Je pense que nos chemins ne tarderont pas à se croiser, et quand cela arrivera, je devrai certainement le tuer. Aurais-je ta bénédiction, si je le faisais ?

Le regard sombre de Tabe semblait résolu.

— Oh, oui, dit-elle. Bien sûr. *Ha ana mashadr*, Kuutma. Tout ce que tu fais, tu le fais en notre nom. Bien sûr, tu as ma bénédiction. Il n'est que le père de ma chair, pas de mon esprit. Mais s'il est aussi courageux que tu le dis, j'espère qu'il ne te fera pas de mal.

J'espère qu'il mourra rapidement, sans avoir le temps de te porter le moindre coup.

Kuutma vit l'innocence radieuse et la sincérité sur son visage. Sa simplicité lui donna une leçon d'humilité – lui qui, parti dans le vaste monde, était devenu aussi complexe et insidieux qu'un serpent. Mais les serpents étaient sacrés aussi, bien sûr, les plus sacrés de tous.

Il s'agenouilla devant elle.

— *Touveyhoun*, ma fille, murmura-t-il d'une voix chargée d'émotion.

— *Touveyhoun*, *Tannanu*, dit-elle, gênée de le voir agenouillé devant elle.

Il prit conscience d'avoir perturbé sa tranquillité, et probablement gâché le tableau qu'elle était en train de faire. Il marmonna quelques excuses, et la quitta.

Tabe fit les cent pas un moment après son départ, laissant les traces noires de ses doigts salis sur ses propres avant-bras. Mais elle avait pris l'habitude de transfigurer les fortes émotions qui l'assaillaient. Peu de temps après, elle reprit le crayon pastel et termina de reproduire le nuage d'orage sur le point d'éclater.

56

Tillman prit son temps. Il avait élaboré un plan qui était jouable, mais impliquait de nombreuses parties susceptibles de changer, et il devait partir du principe qu'il était en territoire ennemi. Faire sortir Kennedy de l'hôpital ne serait pas difficile en soi, mais la police d'Arizona se mobiliserait dès que sa disparition serait signalée. À ce moment-là, il faudrait qu'il la fasse disparaître rapidement et de façon convaincante. Autrement, toute l'opération serait plus ou moins condamnée.

Il se gara dans la rue qui menait à l'hôpital et s'y rendit en marchant d'un bon pas, pour éviter qu'on ne lui demande des explications. Il disposait d'un plan, mais cela n'avait pas grande utilité si on ne pouvait le relier à la réalité des lieux. Il commença ce processus en visualisant l'immeuble comme un espace tridimensionnel, avec les entrées et les sorties physiques qui étaient indiquées sur les schémas qu'il avait en tête.

La bonne nouvelle, c'était le toit terrasse, trois étages sous la fenêtre de Kennedy, ou du moins sous l'espace qui correspondait à l'unité 20 sur les plans. La mauvaise nouvelle… était multiple. Il avait minuté la distance depuis le poste de police le plus proche : pied au plancher, pas plus de trois minutes. Le toit terrasse était à l'opposé du parking, et il n'avait pas trouvé de lieu d'approche moins éloigné. De plus, les villes de Bullhead et de Seligman étaient toutes deux équipées d'héliports, et il n'y avait que deux routes principales pour sortir de la ville – l'autoroute 40, qui traversait l'État, et l'autoroute 38, qui rejoignait les autres États. Barrer ces deux routes ne prendrait qu'une minute une fois que l'alarme serait donnée.

Il réfléchit à la façon d'adapter son plan aux spécificités du terrain. Il était impossible de trouver une solution simple et élégante, ni même infaillible. Mais l'une d'entre elles surpassait les autres par son aspect intensément déroutant et chaotique. Quand on n'avait pas les bonnes cartes, il fallait jouer le joker.

Tillman regagna la voiture à pied, roula jusqu'au parking de l'hôpital, puis se gara, ni trop près de la voiture de police qu'il avait repérée, ni trop loin de la rue. Un équilibre délicat, dont la suite dépendrait en grande partie.

Il avait déjà choisi et préparé son équipement dans un sac en plastique portant le logo d'un fleuriste local, d'où dépassaient les feuilles d'une plante en pot. Il entra par la porte principale, passa devant la réception sans s'arrêter, comme un homme qui connaît déjà sa destination.

Dans les toilettes pour hommes du premier étage du bâtiment principal, Tillman revêtit une blouse avec un badge d'aide-soignant. Le badge était faux, et de mauvaise qualité de surcroît, mais il pourrait duper quelqu'un qui ne passait pas ses journées à regarder les originaux, comme un flic de garde par exemple.

Dans le large couloir près des ascenseurs, il réussit à se procurer, comme il l'avait espéré, un lit à roulettes vide. Tillman prit l'ascenseur jusqu'au quatrième étage et sortit, poussant le lit devant lui. Les deux flics dont lui avait parlé Kennedy – les deux premiers – attendaient près des ascenseurs. Ils paraissaient coriaces, dépourvus d'humour et vigilants. Tillman avança jusqu'à eux et leur fit un signe de la tête indiquant qu'il avait l'intention de passer.

— Transfert de l'unité 22, dit-il.

Le flic le plus proche vérifia le badge de Tillman, que ce dernier lui tendit obligeamment de la main gauche. Sa main droite était posée sur son revolver qu'il cachait sous le lit, mais il espérait ne pas avoir à s'en servir : l'improvisation, à ce stade précoce, serait de mauvaise augure pour le reste de cette fichue entreprise.

Le flic lui fit signe de passer. Tillman poussa le lit dans le couloir qui menait là où se trouvait l'unité de Kennedy, parmi quelques autres.

Arrivé à l'unité 22, il abandonna le lit et la blouse, qui risquait de l'encombrer. À partir de maintenant, il allait devoir agir vite. Sous le lit, il récupéra son sac en plastique et se débarrassa de la plante.

L'unité de Kennedy, numéro 20, se trouvait à l'angle d'un couloir, dix mètres plus loin. Tillman s'engagea dans le couloir aussi vite qu'il put et se dirigea droit sur deux flics qui semblaient tout aussi costauds et sérieux que les deux autres.

Il laissa tomber le sac et leva les mains en position de tir. Dans chaque main, il tenait une bombe lacrymogène. Ce n'était pas réellement une bombe lacrymogène, mais un produit venant de Russie, un dérivé d'acide pélargonique, le truc le plus dangereux de cette catégorie que Tillman ait jamais vu. Les deux hommes tombèrent à l'agonie, portant les mains à leur visage. Tillman enfila un masque chirurgical et, lentement, prit soin de les endormir avec un mouchoir imbibé d'éther. Il passa ensuite sur leur visage un mélange de lait et de détergent qui atténuerait le pire des effets du spray. Il n'avait aucune intention de tuer des officiers de police au milieu de ce cirque, même de façon involontaire.

Il laissa les hommes là où ils étaient étendus et entra dans l'unité. Elle était divisée en différentes salles, mais il eut de la chance : le lit de Kennedy était dans la deuxième salle. Tillman la vit juste au moment où une infirmière, qui sortait d'une autre salle, remarqua sa présence. Elle remarqua aussitôt l'Unica qu'il tenait à la main ; il n'était pas directement pointé vers elle, mais il lui était impossible de l'ignorer.

— Retournez à l'intérieur, lui dit Tillman. Ne dites rien, ne faites rien. Attendez.

Poussant un petit cri de panique presque muet, l'infirmière recula hors de sa vue. Tillman se tourna vers Kennedy.

— Tillman... Je suis contente... de vous voir, dit-elle d'une voix enrouée.

Elle avait l'air mal en point, le bras gauche dans le plâtre, recouvert de larges bandages. Cependant, elle était consciente, et mieux encore, elle pouvait marcher. Elle se leva du lit avec un grognement de douleur et vint à sa rencontre. Tillman était déjà en train de sortir le coupe-boulons du sac.

— Bracelet électronique, dit-il de façon laconique. Quelle jambe ?

Kennedy le lui montra et il s'agenouilla pour couper l'attache. C'était assez serré, mais il réussit.

— Ouvrez la fenêtre, dit-il à Kennedy. Il jeta le coupe-boulons et fouilla dans le sac pour en sortir la corde de rappel, qu'il déroula d'un geste.

Le visage de Kennedy prit aussitôt un air inquiet quand elle vit la corde.

— Tillman, dit-elle d'une voix tendue, aucune chance que je sorte par cette putain de fenêtre en me balançant au bout d'une corde. Regardez-moi, nom de Dieu. Je n'ai qu'un bras de valide !

— Vous n'aurez pas à porter votre propre poids, dit-il. Je vous porterai.

Il déplia le grappin, glissa la corde par l'œillet, vérifiant que tout était en ordre.

Kennedy ne perdit pas davantage de temps à discuter. Elle ouvrit la fenêtre. Un verrou de sécurité l'empêchait de s'ouvrir de plus de quelques centimètres. Kennedy tendit la main pour que Tillman lui donne son arme, et il la lui donna avec une certaine réticence. Elle défonça le verrou d'un coup de crosse et lui rendit son revolver. À ce stade, Tillman avait fermement attaché la corde au cadre en acier du lit, et il poussa le lit devant la fenêtre pour qu'il ne glisse pas dans cette direction quand ils seraient au bout de la corde, sous l'effet de leur poids.

— Prête ? lui demanda-t-il.

Elle hocha la tête.

Tillman l'aida à se hisser sur le rebord de la fenêtre, puis grimpa après elle. Il mit son bras gauche autour d'elle, et s'agrippa à la corde avec sa main droite. Il lui fallut quelques secondes pour trouver le moyen de l'agripper assez fermement sans appuyer sur son bras cassé. Il se pencha en arrière pour tester l'équilibre, et Kennedy jura, ne semblant pas beaucoup aimer se balancer ainsi au-dessus du vide.

Ils entendirent une alarme retentir à l'intérieur : soit l'infirmière avait donné l'alerte, soit quelqu'un avait trouvé les deux flics à terre. À partir de maintenant, tout devait être minuté à la seconde près.

Il donna un coup de pied sur le rebord de la fenêtre et ils commencèrent leur descente en une série de bonds maladroits mais précautionneux.

Quand ils atterrirent sur le toit terrasse, des têtes commencèrent à apparaître aux fenêtres au-dessus d'eux. L'un des observateurs était armé.

— Restez où vous êtes ! hurla une voix. À genoux, les mains sur la tête !

Tillman visa avec précision et tira une fois. La tête du flic disparut rapidement à l'intérieur, et il ne riposta pas. Pas immédiatement en tout cas.

Tillman prit brusquement Kennedy dans ses bras, puis se mit à courir jusqu'à l'extrémité du toit, avant de se jeter dans le vide. Kennedy, qui avait réussi à ne proférer aucun son pendant la descente depuis le quatrième étage, lâcha un hurlement involontaire, mais les pieds de Tillman atterrirent avec un bruit métallique sur le couvercle d'une benne à ordures qu'il avait poussée contre le mur en ce point précis. Ils furent sur le sol en trois étapes : de la benne à une poubelle classique, puis sur l'asphalte.

— Pouvez-vous courir ? demanda Tillman.

— Oui.

— Alors, c'est le moment.

57

Ils entendirent le premier coup de feu tandis qu'ils longeaient un des côtés du bâtiment en courant, traversant une file d'ambulances en direction du parking principal. Tillman les conduisit dans la troisième allée, où une Noble M15 rouge vif les attendait. Kennedy jeta un regard horrifié sur la voiture ultra-voyante.

— Nom de Dieu, Tillman ! Ils nous auront attrapés avant qu'on ait fait un seul kilomètre !

— Montez, lui dit-il brusquement.

Elle jeta un coup d'œil vers la porte d'entrée principale de l'hôpital. Encore aucun poursuivant à l'horizon. S'ils sortaient du parking de l'hôpital avant l'arrivée des flics, ils auraient peut-être une chance.

Elle ouvrit la portière côté passager, grimpa à l'intérieur et eut des difficultés à attacher sa ceinture d'une main. Elle jeta un coup d'œil côté conducteur, bouillant d'impatience.

Il se passa au moins vingt secondes avant que l'autre portière ne s'ouvre et que Tillman s'installe, sans précipitation excessive.

— Allez ! hurla Kennedy. Magnez-vous !

Tillman tourna la clé dans le contact, fit tourner le moteur, mais resta où il était.

— Tillman ! vociféra Kennedy. Nom de Dieu !

— Attendez, murmura-t-il, le regard fixé sur les portes de l'hôpital, d'où deux hommes en uniforme sortirent en courant. Tillman les laissa arriver à mi-chemin de leur véhicule avant de faire demi-tour et de foncer droit sur eux, les forçant à se jeter sur le côté. Ils tirèrent quelques coups de feu dans leur direction, mais à la distance à laquelle ils se trouvaient, ils n'avaient sans doute aucune chance de les atteindre.

— Ils nous ont vus, gémit Kennedy. Vous les avez laissés nous voir !

— Ils ne nous ont pas touchés cela dit, dit Tillman. Cela nous met en bonne position. Ouvrez la boîte à gants.

Elle s'exécuta. À l'intérieur, elle trouva un boîtier électronique dont sortaient des fils, indiquant qu'il était raccordé à la batterie de la voiture. Kennedy avait déjà vu un scanner radio, même si ce modèle lui était inconnu, et elle savait à quoi cela servait. Elle chercha le tuner et vit qu'il était déjà positionné sur la bande VHF, sur cent cinquante-cinq mégahertz. Un léger ajustement leur permit de tomber sur la fréquence de la police locale – où, sans surprise, il était question d'eux.

— … à leur poursuite, on a un visuel, disait une voix masculine. Ils sont sur Oak, au nord de la 93, et se dirigent vers l'est.

— Bien reçu, 4-7, fit une voix féminine. On a des voitures qui arrivent sur Maple et sur Tokeda, et une autre unité qui descend Andy Devine. Ils se dirigent certainement vers l'intersection de la 93. On va mettre un barrage en place à Powderhouse Canyon, terminé.

— Bien reçu.

C'était de nouveau la voix masculine – sans doute le conducteur de la voiture de police qu'il voyait dans son rétro, à bonne distance.

Tillman tourna à droite à toute vitesse, et prit une route plus étroite, ce qui rendit la voiture très instable. C'était une pente très raide et Kennedy pensa un instant que la voiture de police risquait de se planter, ou du moins de se faire distancer, mais elle tourna aussi adroitement que celle de Tillman.

— Ils ont pris à droite, dit la voix de l'homme. On est sur la 4e.

— Bien reçu, dit la femme. Ok, je vois exactement où vous êtes. Ils vont probablement tourner à gauche sur…

Ils s'élancèrent à toute vitesse et se dirigèrent vers le sud.

— Ok, oubliez ça, grommela la femme. Voiture 5-0, vous les avez dépassés. Ils ont juste… traversé Topeka et ils se dirigent vers le sud. Ils ne cherchent pas du tout à quitter la ville, ils reviennent sur leurs pas.

Un autre homme, d'une voix étrangement lente et laconique, enchaîna :

— Il faudrait peut-être envisager un autre barrage sur la 40, et un sur la 66. Ils ne peuvent aller nulle part ailleurs, à moins qu'ils n'aient l'intention d'aller dîner chez *Mr D'z* avant de se barrer.

— Bien reçu, dit la femme. On a un hélico qui vient de Bullhead. Arrivée dans six minutes.

Kennedy jura abondamment et de façon obscène. La voiture de police les suivait toujours, à bonne distance, et la femme qui était derrière le micro arrivait toujours, d'une façon ou d'une autre, à suivre leur trace. Et maintenant, il ne manquait plus qu'un hélico !

— On devrait laisser tomber, marmonna-t-elle. Si on tombe sur un de ces barrages, ils nous tireront dessus, on n'y coupera pas. Des gens vont mourir, Tillman, et nous les premiers !

— Personne ne va mourir, dit Tillman avec une telle assurance que Kennedy le regarda abasourdie, et se tut un moment.

Le silence fut rompu par la radio :

— 5-0, où êtes-vous maintenant ?

— Vers le sud, on tourne dans Hoover. Où sont-ils ?

— Ils sont toujours au nord par rapport à vous. C'est super. Vous pouvez prendre la 4ᵉ pour passer devant eux, et leur couper la route.

Tillman appuya d'un coup sec sur l'accélérateur. Ils traversèrent l'intersection suivante à une vitesse proche de la vitesse du son. Une deuxième voiture de police qui se dirigeait vers eux par l'ouest dut piler pour ne pas être emportée au passage.

— Ils nous ont dépassés ! hurla le conducteur.

— Mince ! Désolée, 5-0. Je suppose que j'ai mal évalué la distance. 4-7, vous êtes toujours derrière eux ?

— De justesse. Ils sont loin devant moi maintenant.

— 5-0, faites demi-tour et surveillez Old Trails Road. Ils s'engagent dans un cul-de-sac, et c'est la seule sortie. 4-7, ne les perdez pas de vue, mais ne tirez pas tant que les renforts ne sont pas arrivés. L'homme est armé.

— Je sais qu'il est armé, Caroline. Ce salaud m'a tiré dessus à l'hôpital.

— Surveillez votre langage, Leroy.

— Je les perds, ils sont trop rapides. Dans combien de temps l'hélico arrive-t-il ?

— Dans deux minutes. Ils sont sur la 68 maintenant.

Tillman jeta un coup d'œil dans le rétroviseur, la voiture de police était maintenant trop loin pour le voir. Il ralentit un peu, puis tourna brusquement sur la gauche, puis sur la droite, sur une route parallèle à celle d'où ils venaient. Deux rues plus loin, Kennedy vit un pont, où cette route croisait une autre route, plus étroite. Tillman jeta un autre coup d'œil dans le rétroviseur, puis quitta la route et se dirigea directement vers la berge. Pendant un moment, ils dérapèrent sur la terre sableuse. Kennedy pensa que la voiture risquait de faire un tonneau, mais Tillman resta maître du véhicule. Au bout du quai, il tourna sous le pont et s'arrêta. Juste face à eux, il y avait une voiture garée : une Lincoln bleu foncé.

— Votre voiture est avancée, dit Tillman. Vous n'aviez pas de bagage, n'est-ce pas ?

Il sortit sans attendre sa réponse, arriva jusqu'à l'autre voiture en quelques pas, et fut installé au volant avant que Kennedy ait le temps de réagir. Il ouvrit la portière côté passager et lui fit signe de venir d'un geste péremptoire.

Quand Kennedy entra, elle le trouva en train de bricoler les boutons d'une autre radio dans la boîte à gants de la Lincoln.

— Je les ai perdus ! lança le conducteur de la 4-7, totalement paniqué.

— Négatif, 4-7, ils sont toujours devant vous.

— Comment ça ? Où ?

— Vers le sud, dans la 5e. Continuez dans la même direction.

Le pont était une construction en acier, avec un revêtement en béton et asphalte : ils entendirent les voitures de police passer au-dessus d'eux, tel un coup de tonnerre assourdi.

Tillman attendit un peu, puis sortit et se dirigea vers l'est. Un moment après, ils entendirent un hélico venant de l'ouest. Ils tournèrent sur la gauche, suivant des routes entourées de hauts immeubles, les empêchant d'être vus par l'hélico.

— Je les ai perdus, Caroline, et je ne sais plus quelles routes suivre, je les ai toutes vérifiées.

— Vous êtes sur eux 4-7. Ils sont peut-être déjà sortis de la voiture. Cherchez une femme à pied.

— Cherchez une femme ? Pourquoi dire ça, et pas une femme et un homme ? Kennedy comprit alors ce que Tillman avait fait, et quelle trajectoire suivait la femme de la radio.

— Fils de pute, dit-elle mi-scandalisée, mi-admirative. Ils courent après mon bracelet électronique, n'est-ce pas ? Où l'avez-vous mis ?

— Je l'ai mis sous leur voiture, dit Tillman, quand on était sur le parking de l'hôpital. C'est pour ça que je voulais qu'ils nous suivent... d'assez près pour qu'ils interprètent mal ce qu'ils voyaient sur leur écran. Les bracelets électroniques ont une précision qui varie d'une dizaine de mètres environ.

Kennedy poussa un long soupir pour se remettre de la poussée d'adrénaline qui venait de la secouer.

— Vous vous êtes bien foutu de moi ! lui dit-elle.

Tillman esquissa un petit sourire, puis il mit des lunettes noires, une fausse moustache et une casquette de base-ball.

— Il faut encore qu'on sorte de cet embouteillage, murmura-t-il. Mais le fait qu'ils cherchent dans la mauvaise direction est une aide précieuse.

Deux voitures de police passèrent de chaque côté de la Lincoln sur une rue transversale en direction du sud, tandis qu'ils continuaient à se diriger vers le nord.

— Où va-t-on, au fait ? finit par demander Tillman.

— À Mexico. Quartier de Xochimilco.

Tillman poussa un long soupir.

— Qu'y a-t-il ? demanda Kennedy.

— Il faut franchir la frontière. Ça complique un peu les choses.

Kennedy rit malgré elle.

— Ah, parce que me faire évader de l'hôpital et faire la nique à la police d'Arizona, ça ne rentre pas dans la catégorie des trucs compliqués ?

58

Observé avec le détachement qui convenait, le processus de *mapkanah* n'était pas sans rappeler le processus par lequel l'eau s'écoulait en tourbillonnant dans une canalisation.

Kuutma se sentait comme un bouchon flottant à la surface de cette eau en mouvement, trop léger pour être emporté. Il regarda les gens ranger, non pas leurs propres affaires – déjà emballées et expédiées depuis longtemps – mais l'infrastructure de leur monde.

La ville pliait bagage et s'envolait à bord d'un avion, puis d'un autre, avant de finir par disparaître.

Mais avant cela, Kuutma devait être préparé à ses nouvelles responsabilités. Il se rendit à la station de pompage et se présenta à la maîtresse de l'eau, une femme nommée Selaa qui avait une dizaine d'années de moins que Kuutma. Elle était *suoma'ka* – rousse – ce qui était un trait très rare parmi les gens de leur peuple, ce qui lui donnait une certaine aura. Mais pas aux yeux de Kuutma, qui ne lui accorda guère plus qu'un simple regard.

— Je suis Kuutma, dit-il, sachant qu'elle avait déjà été informée de sa venue.

C'était une femme professionnelle, visiblement très occupée à démonter les différents éléments de l'usine de traitement de l'eau dont on n'aurait plus besoin ici : les épurateurs, les compteurs et les jauges, et les deux pompes principales. Néanmoins, elle s'inclina respectueusement devant Kuutma.

— *Ha ana mashadr*, dit-elle. Connaissez-vous déjà l'équipement, Kuutma ? Je sais que beaucoup de gens passent une saison à la station de pompage quand ils sont jeunes, pour apprendre les rudiments.

— Cette pratique est venue après mon époque, dit Kuutma. Mais je maîtrise bien les machines en général, et votre activité ne m'est pas étrangère, en théorie en tout cas.

— Bien sûr, dit-elle. Et j'imagine que les seules machines que vous aurez besoin de faire fonctionner demain sont les écluses.

Elle lui montra où elles se trouvaient et ce qu'elles faisaient. Il y en avait quatre, deux puisant dans les réservoirs de Cutzamala, et deux directement dans l'aquifère situé sous la ville et qui était tout ce qu'il restait du lac Texcoco. Selaa était très fière du système, et avait toutes les raisons de l'être.

— Au cours des dernières dizaines d'années, dit-elle avec fierté, la ville qui se trouve à l'extérieur a subi de continuelles crises de pénurie d'eau. Elle réduit le lit du lac de Texcoco de sept centimètres par an, Kuutma. Vous le saviez ? C'est à cette vitesse que la ville de Mexico épuise ses propres ressources en eau potable. Mais notre débit d'eau n'a jamais été interrompu. Il n'a même jamais souffert de la moindre baisse de pression. Les gens de notre peuple prennent ce dont ils ont besoin, comme Dieu le permet.

Kuutma la ramena à des considérations plus pratiques.

— Une de ces écluses a été modifiée, je suppose. De laquelle s'agit-il et comment fonctionne-t-elle ?

— Ce n'est pas une écluse, dit-elle. C'est juste une citerne – une des citernes d'épuration – qui viendra alimenter le flux par l'écluse quand celui-ci atteindra la troisième station. L'eau arrive dans la première station, traverse l'aqueduc qui se trouve sous Em Hadderek, et sort par ces canaux de dérivation. Mais tous ces canaux seront fermés après notre départ. L'eau coulera directement et retournera à Cutzamala, et rejoindra ainsi la réserve d'eau principale de Mexico. Tout ce que vous avez à faire, c'est d'ouvrir la vanne de l'écluse avec cette manette, et ensuite, quand vous serez prêt, vous viderez le concentré qui est dans la citerne dans l'eau.

Elle sembla soudain gagnée par une vague de tristesse.

— Je suis désolée, dit Selaa. Je me sens triste pour la mort de tant d'animaux.

— Mais vous ne demandez pas à Dieu de bénir leur carcasse.

— Non, je suppose que non.

— Merci, Selaa. Je pense que ce sera assez simple. Cependant, y a-t-il un contrôle du nom de *tsa'ot khep* ?

Selaa sembla perplexe.

— *La voix du déluge* ? C'est un mécanisme de défense, Kuutma. Et il n'y aura plus rien à défendre.

— Je sais, mais je suis curieux. Montrez-le-moi, s'il vous plaît.

— Une fois que les pompes principales seront enlevées, ça ne fonctionnera pas de toute façon. C'est cette manette de contrôle, ici.

— Cette manette fonctionnera-t-elle encore demain ?

Selaa hocha la tête.

— Merci de m'avoir consacré votre temps, Selaa. Vous devez être très occupée. Je suppose que vous avez un jeu de clés à me donner ?

Elle lui donna ses propres clés, qui étaient attachées à sa ceinture.

— Il y a un double dans mon bureau, dit-elle, mais j'aimerais que ce soient ces clés qui ferment les portes pour la dernière fois : elles m'ont été données par Chanina, qui était maîtresse de l'eau quand je suis venue ici pour la première fois. S'il vous plaît, gardez-les quand vous aurez terminé, Kuutma. Je serais heureuse que vous les conserviez. À moins que vous ne pensiez qu'un tel souvenir ne vous sera d'aucune utilité.

— Je les garderai jusqu'à ma mort, lui promit-il.

Il s'inclina et se retira.

Je me sens triste pour la mort de tant d'animaux. Cette pensée était d'ordre sentimental, et le sentimentalisme était une chose qu'il avait rarement eu l'occasion de voir à Ginat'Dania. C'était ressenti comme de la faiblesse – une faiblesse à laquelle les gens de ce peuple, à cause de leur petit nombre, ne pouvaient se permettre de céder. Mais qu'en était-il de sa propre faiblesse ? Et des trous dans sa propre armure, faits par des émotions tout aussi indéfendables ?

Il allait tuer vingt millions de personnes. Et malgré tout, il ne se souciait que d'une seule.

59

Traverser la frontière s'avéra plus facile que Tillman ne l'avait imaginé. Mais réfléchissant rétrospectivement à la question tandis qu'il roulait sur les routes secondaires de Chihuahua, il comprenait pourquoi les choses s'étaient passées ainsi.

Toutes les ressources de l'État d'Arizona étaient mobilisées pour empêcher les Mexicains d'entrer par la frontière nord. Et toutes les patrouilles qu'ils avaient croisées n'avaient surveillé la circulation que dans une seule direction. Personne n'était enclin à trouver suspect de voir un homme blanc se diriger vers le sud.

Un homme blanc, parce que Kennedy était allongée à l'arrière de la Lincoln, sous une couverture, complètement cachée à la vue et endormie la plupart du temps. Elle souffrait encore beaucoup de ses blessures. Tillman n'avait pas grand-chose à lui donner pour calmer la douleur, mais il lui restait un peu d'éther. Quand la douleur devenait trop insoutenable, il lui en faisait respirer un peu sur un mouchoir en papier, après quoi elle tombait dans un profond sommeil.

Au moment de traverser la frontière, il la déplaça, en s'excusant, dans l'emplacement de la roue de secours, dans le coffre. Kennedy avait peur de rouvrir ses blessures en se pliant dans un endroit aussi restreint, mais Tillman insista. Ils ne pouvaient courir le risque qu'on la trouve lors d'une fouille de routine. Les événements lui donnèrent raison quand les gardes du poste situé au nord de Nogales ouvrirent le coffre et fouillèrent ses bagages – la partie neutre en tout cas, étant donné que les armes et les explosifs se trouvaient à l'intérieur des sièges arrière – avant de lui faire signe qu'il pouvait passer.

Il s'arrêta dès qu'il osa, environ trois kilomètres plus loin, et aida Kennedy à sortir de là où elle était recluse. Ses bandages ensanglantés indiquèrent que ses craintes étaient justifiées. Tillman la fit mettre torse nu et changea ses bandages de façon rapide et experte. Pendant les soins, il admira ses seins, parce qu'ils étaient impressionnants et juste sous son nez, mais il fit de son mieux après coup pour les effacer de son esprit, ou du moins pour se concentrer sur autre chose. Il lui était arrivé de soigner des soldats, et pour lui ils n'étaient ni des hommes ni des femmes, juste des blessés : un certain degré de détachement était nécessaire.

Le moment semblait bien choisi pour donner à Kennedy les vêtements qu'il avait achetés pour elle : un jean, un tee-shirt noir, une veste ample et des tennis. Kennedy les enfila avec peine. Rien n'était parfaitement à sa taille, mais cela lui allait plus ou moins et elle était beaucoup moins susceptible de se faire remarquer à présent. Elle ressemblait à une touriste venue du nord essayant de sembler élégante et décontractée à la fois et ayant échoué dans les deux cas.

— Je ne pense pas que je vais tenir le choc pendant tout le trajet, gémit Kennedy. Il y a encore plus de mille kilomètres. Une journée entière de voiture – un jour et une nuit probablement – et chaque fois qu'on passe sur une bosse, c'est comme si quelqu'un m'enfonçait une aiguille à tricoter dans les reins.

— Vous devriez respirer encore un peu d'éther, suggéra Tillman. Vous pouvez dormir pendant tout le trajet. Et une fois sur place, il vous faudra deux heures environ pour reprendre vos esprits.

Kennedy secoua la tête avec détermination.

— J'ai besoin d'être réveillée pour ce qui nous attend.

— Un jour et une nuit, lui rappela-t-il. Vous ne resterez pas éveillée tout le temps, Heather. Et si la douleur devient trop forte, vous risquez de tomber en état de choc. Je serais alors obligé de vous emmener à l'hôpital, où la police a certainement envoyé votre signalement. Et si on tombe sur quelqu'un d'un tant soit peu réveillé, on est foutus.

Kennedy réfléchit quelques instants.

— Oui, finit-elle par dire à contrecœur. C'est d'accord.

Elle s'étendit sur le siège arrière de la Lincoln et Tillman la drogua. Une dose plus importante cette fois, mais assez faible pour ne pas être dangereuse.

Tillman la regarda, inanimée, et il eut un rare sursaut de conscience. Avait-il entraîné Kennedy dans sa propre folie, ou s'étaient-ils rencontrés au moment où elle était devenue assez dingue pour qu'ils soient sur la même longueur d'onde ? Il l'enveloppa dans une couverture et attacha les ceintures de sécurité autour d'elle. Il était soulagé de ne pas lui avoir dit que son lit était presque exclusivement composé d'explosifs.

Il resta sur les routes secondaires, même si elles étaient plus cahoteuses et dangereuses. La nuit tombée, il alluma les phares et roula à une allure raisonnable, assez vite pour s'éloigner avant que l'avis de recherche ne dépasse les frontières, et pas trop pour éviter de rouler sur les nombreux trous croisés sur la route.

Dans la nuit désertique, Tillman se laissa aller à la rêverie : Rebecca et les enfants lui parlèrent. Ce n'étaient pas de véritables mots, et ils n'appelaient aucune réponse de sa part. Mais le message pouvait se résumer à ceci : *bientôt*.

En sortant de Zacatecas, à encore cinq cents kilomètres de leur destination, il chercha un panneau d'affichage au bord de la route. Quand il en trouva un, il quitta la route et se gara derrière, pour rester invisible.

Il ne s'allongea même pas. Il baissa juste un peu son siège, ferma les yeux et s'endormit derrière le volant.

Il eut des rêves décousus et terrifiants, mais le visage de Rebecca flottait au-dessus d'eux, et elle l'appelait.

60

Kennedy se réveilla vers sept heures du matin, au lever du soleil. Elle grommela et se tourna, mais elle avait toujours le soleil dans les yeux, et la gorge horriblement sèche. Ils roulaient encore, sur une route visiblement cahoteuse.

— Où sommes-nous, nom de Dieu ? marmonna Kennedy.

— Lopez Mateos, dit Tillman. Tout a été construit, sur les quarante derniers kilomètres qu'on vient de traverser, mais on n'est pas encore dans la ville en tant que telle – et Xochimilco se trouve au sud. On en a pour encore une heure environ.

Sans quitter la route des yeux, il prit une bouteille d'eau sous le siège et la tendit à Kennedy. Elle s'assit, un peu groggy, pour la boire. Elle but doucement d'abord, puis de plus en plus vite, et finit par vider la bouteille entière. Cela n'atténua pas son mal de crâne, mais elle se sentait davantage en état de penser malgré la douleur.

Elle regarda les banlieues anonymes et les quartiers latino-américains défiler. Quand Tillman s'arrêta au milieu d'une interminable rangée d'immeubles d'un étage en parpaing, elle ne comprit pas tout de suite pourquoi. Puis, elle sentit les odeurs de cuisine : des œufs, du pain et quelque chose d'épicé. Kennedy sentit son estomac se nouer, mais en dépit de la nausée, elle découvrit qu'elle avait faim.

Dans le coin le plus sombre de la cantine simple et animée, ils mangèrent des *huevos rancheros* et de petits pains sortant juste du four. Kennedy avait gardé sa veste sur ses épaules pour cacher son plâtre, et mangea d'une main. Contre toute attente, la nourriture était délicieuse, et Tillman la laissa dévorer son plat en silence. Quand elle eut terminé, il passa directement aux choses sérieuses.

— J'ai besoin de savoir où on va, lui dit-il. Vous avez dit Xochimilco, et nous y sommes presque. Mais avez-vous une adresse ? Dois-je me diriger vers un endroit précis ?

— Il n'y a pas d'adresse, dit Kennedy avant d'avaler deux aspirines. Mais je sais qu'il s'agit d'une zone desservie par une centrale électrique bien précise, et je pense que ce sera certainement quelque chose d'imposant. Comme un immeuble de bureaux, ou même un ensemble d'immeubles de bureaux.

Elle parla à Tillman de Peter Bonville et de la consommation d'électricité inexpliquée qui l'avait mis sur la piste de la tribu de Judas. Tillman absorba lentement les informations, et attendit qu'elle ait terminé avant de poser des questions.

— Tout cela est récent ?

— Ça remonte à deux mois. Bonville revenait de Mexico quand le vol 124 s'est écrasé tandis qu'il était à bord. Et l'accident s'est produit le jour où Stuart Barlow a été assassiné.

— Mais vous ne pensez pas qu'il y ait un lien ?

Kennedy haussa les épaules.

— Cela semble peu probable. D'après ce que nous savons, Barlow et Bonville ne se sont jamais rencontrés et n'ont jamais eu le moindre contact. Ils n'évoluaient pas exactement dans les mêmes milieux. Le seul lien, c'est qu'ils représentaient tous les deux une menace pour Michael Brand et ses... son peuple. Ceux qui l'ont envoyé dans le monde.

Elle se tut, repensant à l'Évangile de Judas : les Elohim et les Kelim étaient les deux types d'émissaires de ce groupe d'anciens ninjas sectaires envoyés dans le monde. Tout à coup, un lien se fit dans son esprit encore embrumé.

— Votre femme, dit-elle à Tillman. Rebecca. Quel était son nom de jeune fille ?

— Kelly, pourquoi ?

— Une autre Kelly a disparu. Tamara ? Talulah ? Quelque chose comme ça. C'est une des affaires que Chris a reliée à Brand avant de mourir. Vous êtes venu jusqu'ici depuis Londres en avion ?

— Oui.

— Mais pas sous votre propre nom ?

Tillman reposa sa fourchette.

— Je voyage en général avec des documents qui me sont fournis par une femme spécialisée en fausses identités. C'est une ancienne de la CIA, elle a des amis dans la communauté des mercenaires et travaille surtout pour des gens qui évoluent dans ce genre d'activités. Disons dans l'espionnage, mais celui qui se situe un niveau au-dessus de l'espionnage des gouvernements. Heather, où voulez-vous en venir ?

— Brand emploie toujours le même nom, dit-elle. Cela rend son boulot plus difficile. Cela permet plus facilement à quelqu'un de suivre sa trace, mais il ne prend jamais de nom d'emprunt. Pourquoi ?

— À vous de me le dire.

— C'est peut-être parce qu'il ne veut pas mentir... Et si c'est le cas, alors...

Elle fut à nouveau prise d'un vertige, et son repas menaçait de remonter. Tillman vit à son visage qu'elle traversait une sorte de crise et tendit le bras vers elle.

— Vous voulez partir ?

— Ça va, mentit-elle. Tillman, Emil Gassan a dit que le mot *Elohim*, en araméen, désignait des sortes de messagers. Dans la Bible traditionnelle, on appelle parfois les anges ainsi. Je me demande si les tueurs de Brand – son équipe d'assassins – ne se voient pas comme les anges gardiens de leur peuple.

— Ok, continuez.

— Eh bien, si j'ai raison, les Kelim seraient chargés d'autre chose.

Elle espéra qu'il complète la suite logique de son raisonnement, mais il ne le fit pas. Ce qu'elle voulait réellement dire, étant : et si les Kelim, comme Brand, évoluaient parmi les gens normaux sans avoir le scrupule de mentir sur ce qu'ils sont ? Et s'ils choisissaient un nom qui affiche leur origine, leur but, ou leur nature ?

Rebecca Kelly.

Tamara Kelly.

Et peut-être un tas d'autres Kelly. Pourquoi n'avait-elle pas lancé une recherche sur les femmes disparues portant ce nom ?

Et s'il s'agissait des Kelim ? Peut-être que, comme Brand, elles allaient dans le monde pour accomplir une mission, et qu'elles disparaissaient une fois la mission accomplie. Si entre-temps, elles avaient eu une vie, et élevé une famille, alors elles ramenaient leurs enfants avec elles.

— Ce ne sont peut-être que des grades ou des rôles bien déterminés dans l'organisation, dit Tillman. Ils travaillent probablement tous pour Brand. Mais je pense que vous avez raison quand vous dites qu'il ne veut pas mentir. C'est aussi pour cela qu'il laisse des pièces. S'il y a un lien avec Judas – et vous dites que cet évangile mentionne des pièces d'argent qui seraient une sorte de marché que ces gens ont passé avec Dieu – alors ces pièces pourraient y faire référence. Elles annoncent qu'un des leurs était là. Mais c'est une sorte de handicap, pour un tueur, de ne pas pouvoir mentir. Je ne vois pas pourquoi ils se lieraient les mains ainsi.

Kennedy pensait avoir trouvé la réponse.

— Pourquoi les catholiques abandonnent-ils le confort et le luxe pendant le carême ? demanda-t-elle. C'est peut-être la même chose. Ils offrent leur souffrance à Dieu, et le peuple de Judas offre… la vérité. (À peine eut-elle prononcé ces mots, qu'une meilleure explication lui vint à l'esprit.) Ou peut-être obtiennent-ils l'absolution à l'avance pour certains péchés, un peu comme les évêques bénissaient les soldats qui partaient à la guerre. Mais ils ne sont absous que pour le meurtre, et non pour tous les péchés qu'ils pourraient avoir envie de commettre. Ils doivent donc être moraux sous d'autres aspects, et cela implique le fait de ne pas mentir.

— C'est dément, fit remarquer Tillman.

— Pensiez-vous vraiment qu'on avait affaire à des gens sains d'esprit, Leo ? Après tout ce qui s'est passé ?

Il ne répondit pas. Au lieu de cela, il fit signe au serveur de leur apporter l'addition.

— Ils vivent dans une société secrète depuis au moins deux mille ans, murmura Kennedy. En fait, ce n'est pas une très bonne comparaison. Parce qu'ils sont une race. Une race secrète. Ils considèrent n'avoir rien de commun avec nous – peut-être même pensent-ils être moins proches de nous que nous ne le sommes des singes. Ils se prennent pour une race à part, qui doit avoir son propre pays, mais ce qu'ils ont, c'est…

— Un immeuble de bureaux à Mexico.

— Ou quelque chose de ce genre. Alors, ne vous attendez pas à des gens sains d'esprit, Leo. Quoi que nous trouvions au bout de cette route, je peux vous garantir que ça n'aura rien de sain.

Ils roulèrent vers le sud, traversant une ville qui semblait les assaillir par vagues. Des étendues infinies de bidonvilles en béton cédaient du terrain à des quartiers d'affaires où des forteresses de verre et d'acier s'élançaient dans le ciel – la nouvelle ville et l'ancienne en totale discorde. Puis, la même chose se passait dans l'autre sens, les tours miroitantes s'effaçaient pour laisser place à de nouvelles avenues de poussière, de murs en parpaing et de désespoir.

Finalement, la carte de poche de Tillman – achetée dans une station-service pendant que Kennedy dormait – leur indiqua qu'ils étaient arrivés à Xochimilco.

Ce n'était pas ce à quoi Kennedy s'était attendue. Sachant ce qu'elle savait sur Michael Brand – il avait assez de ressources pour lancer des équipes de tueurs sur tous les continents et faire s'écraser les avions – elle avait pensé qu'ils approchaient d'une sorte de grand centre où tous les pouvoirs étaient réunis. Une immense tour aurait semblé appropriée, ou un complexe d'immeubles ultra-sécurisé, comme une forteresse isolée de la ville qui l'entourait.

Il n'y avait rien de semblable à Xochimilco. C'était une zone industrielle tombant en ruine. L'herbe poussait à profusion à travers l'asphalte des larges rues, et les rares voitures garées au bord du trottoir étaient des épaves calcinées. C'était comme si elles avaient traversé une ville qui organisait une sorte d'apocalypse privée. Les immeubles qui s'élevaient de chaque côté de la rue étaient immenses, mais à l'abandon.

— Ça va prendre pas mal de temps pour trouver cet endroit sans adresse, grommela Tillman. Et on ne sait même pas ce qu'on cherche.

— Centrale électrique 73 sud, dit Kennedy. C'est l'endroit où Bonville a trouvé une consommation d'électricité anormale. C'est là qu'on doit aller.

Tillman hocha la tête, mais sans conviction. Il s'arrêta au bord de la route, prit son téléphone et commença à composer un numéro.

— Un ami, dit-il. Mais il ne vous connaît pas et il est très strict sur les gens à qui il parle de ses affaires. Ça ne vous dérange pas ?

— Allez-y, dit-elle. Ça me fera du bien de me dégourdir les jambes.

Elle sortit de la voiture, surprise qu'il fasse aussi frais et vit le ciel s'obscurcir. Elle marcha jusqu'au bout de la rue. Elle n'entendait rien. Le silence était presque total, dans cette ville où vivaient plus de vingt millions d'âmes. Et parmi ces vingt millions de personnes, aucune ne semblait vivre à Xochimilco.

Kennedy arriva au coin de la rue et s'arrêta. Face à elle, de l'autre côté de la chaussée, il y avait un ensemble d'entrepôts. Une seule structure massive construite d'un seul bloc de béton peint en gris comportait un grand nombre de dépendances. Il n'y avait que quelques rares fenêtres minuscules tout en haut des murs, si étroites qu'elles ne pouvaient guère laisser passer la lumière ; et une barrière solide était protégée par un très gros cadenas. Au-dessus, des caméras de surveillance couvraient l'ensemble de la rue.

Kennedy éclata de rire, totalement incrédule.

Elle entendit Tillman derrière elle et se retourna.

— Tout ça ! dit-il en faisant un grand geste circulaire. La station 73 dessert toute cette zone dans un rayon de trois kilomètres. Il va falloir qu'on trouve autre chose, Kennedy. Peut-être Bonville a-t-il parlé à quelqu'un de ce qu'il a découvert, ou…

Il s'interrompit, voyant que Kennedy lui montrait quelque chose du doigt : de l'autre côté de la rue, elle désignait un entrepôt gris.

— Nous y sommes, Leo. C'est ça.

C'était le bâtiment de la photo qui se trouvait sous les dalles du bureau de Stuart Barlow – la photo au dos de laquelle il avait noté la liste des manuscrits et des codex qui contenaient l'Évangile de Judas.

La fin de leur périple avait été inscrite dans son commencement.

61

Il fallut dix minutes à Tillman pour s'assurer que les caméras de surveillance étaient hors service. À l'aide d'un multimètre qu'il avait emporté avec lui, il testa les fils et découvrit qu'ils n'étaient pas raccordés à l'électricité.

N'ayant donc pas besoin de se montrer discret, il traversa la rue.

— Rien, dit-il. Il n'y a pas d'électricité. Soit c'est une coupure définitive, soit c'est une coupure temporaire dans tout le secteur.

Kennedy lui montra du doigt les lampadaires allumés, à quelques rues de là. Les lampadaires les plus proches avaient été fracassés, mais s'il s'agissait d'une coupure d'électricité, elle était très localisée.

Tillman réfléchit.

— Je pense que c'est là que nos chemins se séparent, dit-il à Kennedy.

— Quoi ? fit Kennedy sous le choc. Que voulez-vous dire, bon sang ? On est ensemble sur ce coup-là. Je sais que je ne suis pas en état de me battre, mais je n'ai pas parcouru plus de mille kilomètres pour vous regarder gentiment entrer là-dedans tout seul. Je viens avec vous, vous pouvez compter là-dessus.

Il ne semblait pas l'avoir entendue, et se dirigea vers la Lincoln, la plantant là, tandis qu'elle parlait toujours. Kennedy courut pour le rattraper.

— Je suis sérieuse, dit-elle. Vous ne pouvez m'empêcher d'y aller avec vous. On est ensemble dans cette histoire, Leo. Jusqu'au bout.

Tillman ouvrit la portière arrière de la voiture, puis se tourna vers elle.

— Vous êtes flic, Heather. Vous faites respecter la loi.

— J'ai arrêté d'être flic quand ils m'ont forcée à démissionner, vous vous en souvenez ?

— Mais c'est encore pour cela que vous êtes ici : parce que des gens ont été tués, et que c'est votre boulot de vous assurer que les tueurs paient.

— Vous ne m'écoutez pas, Leo. Ce n'est plus mon boulot. Tout ce que je fais ici est illégal à tellement de niveaux... Je suis en dehors de ma juridiction, je ne fais plus partie de la police et je suis une fugitive recherchée. Cela fait bien longtemps que tout cela n'a plus rien à voir avec la loi. C'est une question de justice à présent.

Tillman avait les yeux fixés sur elle.

— Quel genre de justice ?

Elle le regarda, visiblement perplexe.

— Combien de justices y a-t-il ?

— Un très grand nombre. Et celle qui m'intéresse est la pire de toutes. La plus répugnante. Œil pour œil. Ils ont tué ma femme et mes enfants. Ils m'ont tout pris, absolument tout. Mais ils n'ont pas eu la décence de me tuer. Treize ans. Treize ans dans ce monde laissé inhabité. Tout ce qu'il me reste, c'est de leur rendre ce qui leur revient de droit.

Il se pencha à l'intérieur de la voiture, et enleva d'un geste les housses des sièges, révélant deux carabines, quatre pistolets, des tas de munitions et un certain nombre d'explosifs.

Kennedy resta bouche bée, incapable de parler. Quand elle réussit à le faire, elle savait que les mots qu'elle allait prononcer n'y changeraient rien.

— Leo... Vous vous trompez.

Tillman ne sembla pas s'offenser. Il se contenta se sourire tristement.

— Quoi, vous pensez qu'il y a encore une chance que ma famille soit en vie, Heather ? Après treize ans ?

Et, comme un saint assassin, Kennedy fut saisie d'horreur devant l'impossibilité du mensonge.

— Non, dit-elle… Je ne pense pas qu'ils soient encore en vie. Mais si on ne se trompe pas sur toute la ligne, ce bâtiment va être rempli de gens qui n'ont rien à voir avec ce qu'on a fait à votre famille. Ce sont les familles d'autres gens, Leo. Voulez-vous vous venger de Michael Brand au point de devenir comme lui ? Parce que si c'est le cas, sortez votre revolver et pointez-le sur ma tempe, parce que je vous jure que vous devrez commencer par moi.

Tillman la regarda fixement pendant un bon moment.

— Je ne suis pas venu ici pour tuer des gamins, dit-il.

— Bien.

— Et pour les explosifs… Je n'avais aucune idée de ce qu'on trouverait en arrivant ici, ni de comment on allait entrer. Je voulais juste être prêt pour toutes les éventualités.

Kennedy hocha la tête.

— Mais nous sommes ici pour Michael Brand, n'est-ce pas ? Tous les Michael Brand.

— Non.

— Non ?

Tillman secoua lentement la tête.

— Quelqu'un les a envoyés. Quelqu'un les a choisis, entraînés, et équipés. Quelqu'un leur a dit ce qu'ils devaient me faire, à moi et aux miens. Et à votre jeune coéquipier, Harper. Et Dieu sait à qui d'autre encore. On est là pour mettre un terme à tout ça, Heather. Pas seulement Brand, mais aussi ceux qui sont derrière lui. Je veux qu'il ne reste pas un de ces salauds.

— Passez-moi un de ces revolvers.

Tillman s'exécuta. Kennedy eut une désagréable sensation de déjà vu. C'était un G22, identique à celui avec lequel elle avait tué Marcus Dell. Mais c'était dans un autre pays, et cette Heather Kennedy était maintenant officiellement morte.

Il lui passa des munitions, et elle le remercia d'un hochement de tête.

Il semblait un peu effrayé par le cours qu'avaient pris les événements. Mais la pente sur laquelle ils s'engageaient était devenue si raide qu'aucun des deux n'avait envie de regarder en bas. Et à ce stade, Kennedy savait ce qu'il y avait en bas – mieux que Tillman, parce qu'elle avait entendu les derniers mots de la tueuse de Santa Claus. Et elle ferait tout ce qui était en son pouvoir pour qu'il n'en sache jamais rien.

Le moyen le plus facile pour entrer était par un des côtés du bâtiment. Un des immeubles adjacents était assez bas et permettait, en grimpant sur son toit, de sauter par-dessus l'enceinte de sécurité. Kennedy sauta et il la rattrapa, l'empêchant de tomber. Elle prit alors conscience de sa faiblesse. Son bras lui faisait plus mal que jamais et elle n'avait pas encore recouvré tous ses esprits car l'éther était encore présent dans son organisme. Tillman avait emporté pas mal de torches, il portait un gros sac sur son dos, et au lieu de son habituel Unica, il avait à la main un fusil d'assaut, le « clairon » de l'armée française. Kennedy fut terrifiée.

Ils virent de nouvelles caméras le long de l'enceinte de sécurité, mais qui ne fonctionnaient pas non plus, d'après Tillman. Ils étaient à présent face à l'entrepôt, devant lequel il y avait une sorte de cour en asphalte. Tillman était réticent à l'idée d'avancer à découvert, même s'ils n'avaient rien à craindre des caméras. Il y avait trop de postes d'observation possibles. Ils décidèrent donc de passer par l'arrière. Toutes les portes semblaient fermées et hors d'usage. Pourtant, Kennedy aperçut des traces de pneus récentes sur le sol, qui menaient à ce qui semblait être la porte d'un garage ou d'un hangar. Elle était fermée à l'aide d'un cadenas. Tillman sortit une pince-monseigneur de son sac et cassa le cadenas d'un geste. Ils ouvrirent la porte et regardèrent à l'intérieur du bâtiment.

Kennedy mit un moment à comprendre ce qu'elle voyait. Ils étaient en haut d'une rampe d'accès qui descendait au milieu de l'obscurité la plus totale. Elle semblait couvrir toute la largeur du bâtiment, environ quinze mètres. Ils n'entendaient aucun bruit et ne voyaient rien.

— Vous avez une torche là-dedans ? murmura Kennedy, en faisant un signe de tête vers son sac.

Sa voix résonna au milieu du sinistre silence ambiant. Tillman en sortit deux. Kennedy appuya sur le bouton et dirigea le puissant faisceau dans l'obscurité en contrebas. Tillman en fit autant, et tout ce qu'ils virent, c'était que la rampe s'étendait bien plus loin qu'ils ne le pensaient. Le faisceau n'allait même pas jusqu'au bout. Tillman jeta un coup d'œil en direction de Kennedy, qui hocha la tête. Il fallait qu'ils descendent, aucune autre option ne s'offrait à eux.

Kennedy sentait le malaise la gagner à mesure qu'ils descendaient. Qui pouvait bien vivre là-dedans ? Ils avaient apparemment trouvé un genre de dépôt d'approvisionnement, et non le fief de l'ennemi, comme elle l'avait espéré.

La rampe descendait sur près de cent mètres. Au bout de la rampe, une porte en tôle ondulée leur barrait le passage. Mais Tillman éclaira le bas de la porte : il y avait un large espace au-dessous duquel ils pouvaient se faufiler. Ils se mirent à genoux et passèrent de l'autre côté.

L'obscurité était totale.

Kennedy eut la sensation qu'ils étaient dans un lieu très vaste. Mais le faisceau de leur torche n'éclairait rien d'autre que le noir complet. En avançant un peu, Tillman finit par tomber sur un plateau électrique comportant des boutons de commande. Une lumière rouge indiquait qu'ici au moins, il y avait de l'électricité.

Elle s'approcha de lui et ensemble, ils examinèrent le plateau. Il y avait trois interrupteurs principaux, et quatre rangées de dix interrupteurs plus petits.

— Si on y touche, murmura Kennedy, on attirera aussitôt l'attention sur nous.

— Écoutez, murmura Tillman à son tour.

Elle écouta. Aucun bruit. Tillman avait raison. Le bruit qu'ils avaient déjà fait en venant jusqu'ici aurait déjà dû donner l'alerte dans un lieu aussi silencieux. S'il y avait qui que ce soit à l'intérieur, on était déjà au courant de leur arrivée. Mais, si c'était le cas, pourquoi ne les avait-on pas encore attaqués ?

Tillman n'attendit pas d'avoir l'approbation de Kennedy cette fois. Il actionna simplement l'ensemble des interrupteurs, un à un. Et l'espace s'éclaira, aussi haut qu'une cathédrale, mais bien plus long. Ils étaient dans une rue souterraine, ou plutôt une avenue, qui s'étendait dans plusieurs directions. De petites baraques en bois, ressemblant aux étals qui sont sur les marchés, longeaient la rue de chaque côté ; derrière ces baraques se trouvaient des structures plus permanentes, avec des portes et des fenêtres : une rue souterraine dans une métropole souterraine.

Kennedy leva la tête : le plafond, très haut, était courbé comme une immense arche, sur laquelle étaient peints en trompe-l'œil des nuages dans le bleu du firmament.

— C'est le truc le plus dingue que j'aie jamais vu, dit Kennedy.

Tillman ne dit rien, mais il avança dans la rue et fit signe à Kennedy de le suivre. Tout était désert. Au-dessus de certaines portes, il y avait des signes écrits dans une langue qui, selon Kennedy, ressemblait à de l'hébreu. Mais l'énigme restait entière. Partant du principe que le peuple de Judas venait de Judée, pourquoi serait-il venu ici, au fin fond de la ville de Mexico ? Vingt millions de gens vivant sur une étendue de près de mille mètres carrés – cela en faisait un désert parfait pour y cacher un grain de sable. Peut-être était-ce un peuple nomade, allant dans les lieux qui pouvaient leur offrir le meilleur camouflage.

Et une autre pensée suivit la première : peut-être qu'ils arrivaient trop tard.

Arrivés au bout de cette rue, ils virent une grande allée, le long de laquelle descendaient des escaliers. Au bout de l'allée, de nouveaux escaliers partaient dans différentes directions. D'autres rues partaient de l'avenue, et dans chacune, il y avait de nouveaux escaliers qui s'enfonçaient plus profondément dans le sol.

Tillman prit un escalier au hasard et se retrouva dans une autre rue. Ici, il n'y avait pas de magasins, mais ce qui ressemblait à des maisons. De nombreuses fenêtres, des terrasses sur lesquelles on avait installé des tables et des chaises, des sculptures ornementales.

— Les gens ne peuvent pas vivre comme ça ! dit Tillman d'une voix teintée de colère.

Il devait avoir peur, lui aussi, qu'ils soient arrivés trop tard, et que la résolution de l'énigme ne signifie rien en définitive.

— J'ai bien peur que si, dit Kennedy. Je suppose que ces lampadaires doivent être équipés d'UV, pour qu'ils ne souffrent pas trop de l'enfermement. Ils ont vécu sous terre pendant si longtemps que la mélanine a peu à peu disparu de leur peau. Ce qui explique pourquoi ils sont aussi bronzés que des ours blancs.

Tillman ne semblait pas l'écouter, alors elle se tut. Il s'approcha d'un genre de décoration, suspendue à un balcon. C'était une feuille blanche, sur laquelle quelqu'un avait peint une image d'une beauté saisissante. Elle représentait l'instant où le soleil perçait derrière les nuages noirs, annonçant que l'orage est passé, ou qu'il ne viendra pas.

Tillman déchira la feuille avec colère.

— Merde ! hurla-t-il.

L'écho résonna longtemps.

— Leo, commença Kennedy, avant qu'il ne la fasse taire d'un seul regard.

Il ne voulait ni sympathie, ni condoléances, et elle n'avait pas grand-chose à lui offrir. Elle se sentait vidée. Il était trop cruel d'être venus de si loin, pour ne trouver que ce mausolée.

N'ayant rien à dire, elle le laissa seul et remonta l'escalier, mais dut s'arrêter en route, à cause de la fatigue et de la douleur. Elle le vit en contrebas, entrant à l'intérieur de quelques maisons, pour voir si personne ne se planquait à l'intérieur.

Elle entendit le tonnerre gronder, et regagna le haut de l'escalier, puis jeta un coup d'œil sur l'endroit d'où ils venaient.

Le couloir sembla être en train de fondre, comme de la cire sous la flamme. Puis, elle vit que ce qui bougeait était indépendant des murs, du sol et du ciel peint au plafond. C'était une immense colonne d'eau, qui emplissait l'espace de haut en bas.

Elle frappa Kennedy comme un coup porté par Dieu, avant de l'emporter.

62

Kuutma laissa les vannes ouvertes pendant sept minutes. Les trente premières secondes suffirent à incorporer le concentré. Ensuite, il employa le reste de l'eau comme une arme.

Même s'il avait coupé les caméras externes, il avait conservé le système de sécurité qui se trouvait à l'intérieur de Ginat'Dania en état de marche, ce qui lui permit de voir la femme et Tillman succomber au déluge. La femme était hors d'état de nuire, bien sûr, avec un bras dans le plâtre, mais les choses auraient été différentes si elle avait été parfaitement mobile. L'eau était descendue le long de la grande allée en direction de Em Hadderek à une vitesse extraordinaire sous l'effet de la pression. Le meilleur des nageurs aurait eu de grandes difficultés à s'en sortir.

La femme avait été engloutie sous l'eau, et était tombée au bas des escaliers de Em Hadderek. L'inondation avait rempli l'espace situé au-dessous en moins d'une minute, et la *rhaka* n'aurait aucune issue – à moins de parcourir toute la distance jusqu'à Em Hadderek à la nage et de retrouver le chemin qui menait au niveau supérieur. Et y parvenir avec un seul bras relevait de l'exploit.

Paradoxalement, alors qu'il se trouvait au niveau inférieur, Tillman avait une bien meilleure chance de survie. Il avait vu la colonne d'eau arriver, et avait eu le temps de s'agripper à la rambarde en fer d'un balcon. Il avait tenu bon pendant une minute, puis, quand la pression de l'eau avait diminué, il avait commencé à remonter. Il avait perdu son fusil, mais avait toujours le sac contenant son équipement sur le dos. Il regarda autour de lui, certainement à la recherche de la femme, mais toutes les lumières s'étaient éteintes, à cause du court-circuit provoqué par l'eau. Ce qui voulait dire que

Kuutma ne pouvait plus suivre les mouvements de Tillman. Mais cela voulait également dire que les chances que Tillman retrouve la femme étaient extrêmement minces.

Kuutma interrompit le flux de l'eau, puis commença à rassembler ses propres armes et à s'équiper pour ce qui l'attendait. Six *sicas*, trois de chaque côté de sa ceinture. Le Sig-Sauer dans son holster d'épaule. Ses mouvements étaient calmes et méthodiques. Il savait que c'était inévitable. C'était pour cela que Tillman avait survécu pendant si longtemps. Et pourquoi il était intervenu, dans sa sombre miséricorde, pour empêcher son suicide.

Tillman n'avait pas le droit de mettre fin à ses jours ainsi, et de plus, il y avait quelque chose qu'il devait entendre avant de mourir, non seulement entendre, mais aussi comprendre. Un équilibre devait être rétabli, et Kuutma avait été béni : la balance était entre ses mains.

Il referma les portes de la station de pompage et descendit au niveau inférieur. Il devrait remonter une dernière fois, bien sûr, pour activer l'évacuation de l'eau dans le réservoir de Cutzamala. Ce serait la dernière chose qu'il ferait avant de quitter ce lieu pour toujours.

Il alla jusqu'à la grande allée. Le flux impérieux s'était écoulé vers les niveaux inférieurs, mais il restait de larges flaques. Kuutma le savait au bruit de ses pas : il ne pouvait les voir car l'allée principale était dans l'obscurité la plus totale. Mais il existait un système que l'on pouvait activer en cas de coupure de courant, grâce auquel on pouvait ouvrir légèrement le toit pour profiter de la lumière extérieure. Il alla jusqu'à la station la plus proche et actionna les boutons de commande. Dehors, le temps était couvert, et une faible lumière grise filtra, mais cela était suffisant.

À l'autre bout de la grande allée, un clapotement lui annonça que Tillman avait mis la tête hors de l'eau. Regardant dans cette direction, Kuutma ne parvint pas à le voir. Mais l'instant d'après, une silhouette apparut en haut de l'escalier de Em Hadderek, avant de se hisser en quelques mouvements désordonnés sur le sol de la grande allée.

Kuutma avança vers son adversaire, tenant dans chaque main le poids idéal et familier du *sica*.

63

Quand l'immense vague s'abattit sur Kennedy, elle fit tout ce qu'il ne fallait pas faire.

D'abord, elle oublia de respirer. Emportée en arrière dans le chaos écumeux, elle ferma la bouche au lieu de remplir ses poumons d'oxygène.

Ensuite, elle résista au courant qui l'emportait, épuisant ses forces dans une lutte dérisoire pour essayer de rester à la surface. Son corps serait remonté naturellement de toute façon, et elle avait besoin de garder ses forces et son agilité pour éviter d'être propulsée contre les murs et les surfaces solides. Tout cela lui donnait l'impression d'être un jouet entre les mains d'un enfant qui courait.

Elle heurta violemment un mur et faillit ouvrir la bouche sous l'effet du choc et de la douleur. Cela aurait signifié la fin pour elle, elle le savait. Elle se ressaisit, se fia à son instinct, et se laissa porter dans le sens du courant, se servant de ses pieds pour se diriger et éviter de justesse deux nouvelles collisions.

Kennedy avait un peu l'impression de voler, pensa-t-elle l'esprit un peu dans le vague. Elle voyait le sol du niveau inférieur, les rues souterraines, les maisons qui défilaient autour d'elle et au-dessous d'elle, mais tout semblait déformé par l'étrange réfraction de la lumière à travers l'eau.

Puis, les lumières s'éteignirent et elle sut qu'elle était encore plus en danger.

Ses poumons commençaient déjà à souffrir de l'absence d'oxygène. Il lui restait peut-être trente secondes, au mieux, pour trouver un endroit où il y avait de l'air, mais elle n'avait aucune idée de là où un tel endroit pouvait se trouver.

Des points de lumière dansèrent devant ses yeux dans l'obscurité en mouvement. Kennedy fut éblouie, tout en reconnaissant, de façon objective, que ces lumières n'existaient pas. Elle commençait à perdre la tête. Les effets du manque d'oxygène se faisaient peu à peu ressentir au niveau de son cerveau.

Elle essaya de réfléchir. Devait-elle aller à contre-courant ou se laisser porter ? Monter, descendre, ou aller sur un des côtés ?

Cela ne ferait probablement pas grande différence, mais il lui sembla important de décider. Son père lui avait toujours dit de rester maîtresse de la situation. Et se laisser aller à la dérive était presque toujours une erreur.

64

Tillman se releva avec difficulté. Les battements de son propre cœur résonnaient fort dans ses oreilles, mais il n'y avait aucun autre bruit, ni aucune lumière. Il avait la tête qui tournait, et elle semblait également se dilater et se contracter selon son rythme cardiaque, comme si son cœur avait orchestré les battements du cœur de l'univers tout entier.

Il rit, incrédule. *Le monde était petit, après tout*, pensa-t-il. *Et je suis justement au centre de la Terre.*

Mais il eut un haut-le-cœur et fut pris d'une soudaine nausée. L'excitation mégalomaniaque subsista, et la nausée le mit sur les genoux. Il vomit dans le reflux de la marée.

Il faisait froid et sombre. Aussi froid et sombre que dans une tombe. Tillman frissonna. Mais une lumière venue de plus haut descendit soudainement sur lui, aussi douce et légère qu'une plume. Tillman essaya de contrôler son cœur qui s'emballait, les élancements dans sa tête, ses mains tremblantes. Il n'aurait pas dû se sentir aussi mal. Il y avait quelque chose d'anormal.

Il pensa soudain à Kennedy. Il devait la trouver, et s'assurer qu'elle allait bien.

Il serra les dents, ferma les yeux et compta jusqu'à dix. Ou du moins il essaya. Mais les chiffres ne venaient pas.

— Et à présent, fit une voix douce et raffinée au-dessus de lui, nous y voilà.

Un coup porté à la mâchoire de Tillman le fit rouler par terre et le renvoya dans l'eau souillée. Il eut le souffle coupé, et essaya de se relever. Un second coup, dans les côtes, le fit se recroqueviller sur lui-même, en proie à une violente douleur.

— Je vous en prie, prenez le temps de vous remettre. J'espère que vous n'avez pas avalé trop d'eau. Il serait regrettable que vous mouriez avant que nous ayons eu le temps de parler.

Tillman resta à terre. Tant qu'il n'y avait pas de nouvelle attaque, cela lui laissait le temps de réfléchir, même si ses pensées étaient de plus en plus déformées et laborieuses. Y avait-il quelque chose dans l'eau ? Cela ne semblait que trop probable. Il ne se souvenait pas en avoir avalé, mais il n'avait pu l'empêcher de pénétrer dans son organisme. Et peut-être que ce quelque chose – quoi que ce soit – n'avait pas besoin d'être avalé. Il pouvait probablement être absorbé par le seul contact avec la peau, ou par simple inhalation, grâce à l'évaporation de l'eau.

— Lève-toi, dit la voix.

Tillman s'étira et se redressa lentement.

L'homme qui lui faisait face semblait à peu près du même âge que lui. Musclé, mais mince, il avait le physique d'un danseur ou d'un coureur. Il avait le crâne rasé, la peau mate, et un nez aquilin qui traversait son visage fin. Il avait la solennité d'une statue ou d'un prêtre officiant lors d'une cérémonie.

— Michael Brand…, dit Tillman.

— Oui, dit l'étranger avec une sorte de satisfaction mêlée de fierté. C'est bien moi. Michael est un nom hébreu. Cela veut dire « celui qui est semblable à Dieu ». Et Brand – dans notre propre langue, *kuutma* – est la marque que Laldabaôth, le Dieu du monde déchu, a laissée sur le front de notre père, Caïn. J'essaie d'être honnête, Monsieur Tillman. J'essaie de ne jamais mentir. Un mensonge diminue l'homme qui le prononce, même si son intention est noble. Je suis Kuutma. Je suis le Brand.

Au prix d'un immense effort, Tillman se releva. Il avança vers l'homme qui était face à lui, les poings levés.

Les mains de l'homme furent extrêmement rapides. Tillman ressentit comme une lame glacée lui transpercer le ventre, mais quand il y porta la main, il sentit une chaleur palpitante. Il regarda sa main et vit qu'elle était couverte de sang.

— Et à présent, dit Michael Brand, nous devons parler vite. Il ne vous reste plus beaucoup de temps, et certaines choses doivent être dites.

65

La symétrie, pensa Kennedy. Ce n'était pas quelque chose de très tangible à quoi se raccrocher, mais c'était toujours ça.

Tout ce qu'elle avait vu, tout ce qu'ils avaient traversé, avait été construit selon un schéma simple et élégant. La grande rue principale, située sous le toit de l'entrepôt, les escaliers qui descendaient et conduisaient de la place à l'endroit où les rues finissaient... Tout était symétrique, présentant aux habitants de ce monde troglodyte déjanté une perspective agréable et ordonnée.

Alors peut-être qu'au bout du niveau inférieur, il y aurait une série d'escaliers, menant à une autre place.

Kennedy nagea dans le sens du courant, se servant de ses jambes plus que de son bras valide, qui la faisait basculer sur le côté. Elle gardait les yeux fermés. Il n'y avait pas de lumière, elle ne manquait donc probablement rien.

La pression dans ses poumons et l'obscurité qui s'emparait de son esprit s'intensifiaient peu à peu. Le plafond du vaste couloir lui effleura la tête, et elle donna un coup de pied pour repousser son corps vers le bas, terrifiée à l'idée de se cogner la tête sur une corniche. Si cela arrivait, ce serait la fin.

Tout était terminé de toute façon. Elle était à court d'oxygène et à court de temps. Qu'elle aille vers le haut ou vers le bas, elle était damnée. Elle abandonna et se laissa remonter à la surface, s'attendant à sentir le plafond contre son dos, la retenant prisonnière sous l'eau. Quand cela se produirait, Kennedy ouvrirait la bouche, sans doute en proférant un dernier blasphème, et elle se noierait.

Elle fit surface dans un éclaboussement qui déchira l'obscurité. C'était comme si elle était passée à travers la voûte du ciel, et une lumière grise filtra, lui montrant le lac intérieur dans lequel elle flottait.

Kennedy ne se rappela pas, pendant un instant, où elle était. Elle savait qu'elle était en Arizona. Non, c'était avant. Ils avaient roulé vers le sud, jusqu'à Mexico. Elle était dans la ville de Mexico.

Mexico était un lac au milieu des ténèbres, dans lequel personne ne pêchait et personne ne nageait. Sauf elle.

Kennedy tourna lentement sur elle-même dans l'eau. Face à elle, il y avait plusieurs escaliers, semblables à ceux qui partaient de l'autre place, au niveau inférieur. Kennedy n'avait aucune idée de là où ils menaient. Les distances se brouillaient dans son esprit. Son cerveau était comme saturé et fonctionnait au ralenti.

Mais au loin, elle entendit des voix.

66

— Elle est morte, dit Kuutma à Tillman. Elle est morte depuis longtemps.

Le niveau de l'eau avait encore baissé, et Kuutma s'était assis en haut de l'escalier principal. Tillman était agenouillé un peu plus loin, les mains fermement agrippées à sa blessure. Contrairement à ce que lui avait dit Kuutma, la blessure avait été faite à un endroit choisi précisément pour qu'il ne meure pas avant un bon moment. La lame n'avait été enduite d'aucun produit. L'écoulement du sang ralentirait lentement, et pouvait peut-être même s'arrêter si Tillman ne bougeait pas. À cet instant précis, Tillman paraissait incapable de bouger.

— Rebecca, grommela Tillman d'une voix faible, épuisée.

La voix d'un homme brisé.

— Exactement, dit Kuutma. Ta Rebecca. Je l'ai tuée. Avec un couteau exactement comme celui-ci, dit-il en montrant le *sica* à Tillman. Mais je n'ai pas joué avec elle, ni tourmentée comme je te tourmente. J'ai enfoncé la lame dans sa poitrine, entre la quatrième et la cinquième vertèbre, et j'ai coupé son cœur en deux. Elle est morte très rapidement.

Kuutma ne regardait même pas Tillman tandis qu'il parlait, mais le vit bouger du coin de l'œil. Il le vit se lever et avancer vers lui en titubant, comme il s'y était attendu.

Il se leva à l'instant où Tillman essaya de l'atteindre, mais il fut plus rapide que lui et intercepta son coup maladroit, avant de le repousser vers le haut des marches avec une force qui aurait facilement pu lui briser la colonne vertébrale. Ce n'est qu'à ce

moment qu'il se pencha vers lui et lui ouvrit la joue avec la lame :
un seul coup porté du sourcil au menton.

— C'est bien, dit-il d'un ton approbateur. Déteste-moi autant
que je te déteste. Hais-moi à chacun de tes souffles jusqu'à ce que
ta haine devienne si grande que tu t'étouffes avec. C'est ce que
j'attendais de toi.

Kuutma s'éloigna de l'autre côté des marches et se rassit. La
violence lui avait apporté un certain soulagement, mais son cœur
battait plus vite. Il regarda le corps qui gisait effondré jusqu'à ce
qu'il soit pris d'un mouvement convulsif, ce qui était le signe que
Tillman était vivant et conscient. Alors seulement, il reprit son récit.

— La mort était le droit de Rebecca, dit-il. C'est le droit de tous
les Kelim. Mais jamais je n'aurais pensé qu'elle ferait ce choix. Je
lui ai dit, quand elle est venue me voir, que ce n'était pas nécessaire.
Pour d'autres, cela pouvait l'être, mais pas pour elle. Jamais je
n'aurais cru…

Il s'interrompit. Ce n'était pas ainsi qu'il avait eu l'intention
de commencer : il devait rester concentré sur son but et avancer
lentement, avec logique, vers la révélation qui détruirait Tillman.

Anéantir l'âme de son ennemi et ensuite seulement, abattre son
corps.

Kuutma reprit de nouveau, mais il ne parvenait pas à retrouver
son calme.

— Nous vivons à l'écart du monde, dit-il. C'est un de nos
commandements. Nous faisons en sorte que notre lignée reste
pure. Pas seulement depuis Judas, mais depuis l'Éden, nous vivons
à l'écart. Mais la pureté a un prix. Nous sommes moins de cent
mille, et dans une si petite communauté, certaines maladies peuvent
se propager rapidement. Nous en connaissons la raison génétique
à présent, comme tu la connais certainement aussi, Tillman. La
reproduction pose problème à l'intérieur d'une petite communauté.
Les gènes doublement récessifs s'accouplent à une fréquence
désastreuse, et les malformations congénitales, la faiblesse du
cœur, du corps et de l'esprit deviennent endémiques. Sans un afflux
périodique de nouveau matériel génétique, la communauté ne peut
survivre dans de bonnes conditions. Les Anciens se sont concertés,
il y a de nombreux siècles, et ont fini par prendre une décision.

Une sage décision. Nous ne pouvons donner notre sang précieux à la masse avilie de demi-animaux que vous appelez l'humanité. Mais nous pouvons prendre de la force et de la vigueur grâce à eux. Nous pouvons enrichir notre lignée avec les meilleurs éléments de la vôtre. Les femmes qui étaient envoyées ont été appelées les Kelim – les missionnaires. Tandis que certains Messagers apportent la mort, les Kelim vont dans le monde et en ramènent la vie. C'est leur sacrement, et leur gloire.

Tillman s'était partiellement relevé, et s'appuyait sur un de ses coudes. Il regardait fixement Kuutma avec une intensité sauvage. Kuutma rangea son *sica* et sortit son revolver de son holster. La prochaine fois que Tillman essaierait de s'en prendre à lui, il lui tirerait dans un genou, probablement le genou droit.

— L'eau, murmura Tillman, articulant avec difficulté.

— L'eau ? fit Kuutma, visiblement gêné par le manque de pertinence de son commentaire. L'eau est empoisonnée. Avec du *kelalit*. Le même poison que nous prenons, nous les Messagers, ce qui nous donne notre force et notre rapidité. À une concentration de cinq parties par million, cela paralyse et tue. Tu n'en as pris qu'une très faible dose, parce qu'au moment où l'eau t'a emporté, l'écluse venait à peine de commencer à distiller le poison dans l'eau. Mais elle a continué à le faire pendant tout le temps que nous parlions, et la concentration a nettement augmenté. À présent, une seule gorgée tuerait en moins d'une minute ou deux. La ville de Mexico va devenir un gigantesque cimetière. Quand notre peuple quitte un lieu, il ne laisse rien derrière lui, Tillman. Nous répandons le sel dans la terre et les cendres dans le ciel. Mais nous parlions de Rebecca.

Tillman se crispa et rassembla ses esprits. Il tenterait bientôt quelque chose, Kuutma en était sûr. Mais l'esprit brouillé par le *kelalit* et affaibli par ses blessures, il ne représentait aucune menace.

— Les Kelim sont choisies par une loterie, dit Kuutma. Elles vont dans le monde sous une fausse identité, procurée par les Elohim, et elles se marient. Nous avons accès au dossier médical des maris potentiels et nous vérifions qu'ils ne sont pas porteurs du gène de certaines maladies. S'il n'y a aucun risque, l'union est approuvée, uniquement pour la reproduction. Ce n'est pas, bien sûr, un mariage au sens religieux. Les Kelim portent trois enfants, puis elles reviennent. Le mari rentre dans une maison vide, et la femme dans son véritable foyer et parmi son peuple. Son exil prend fin. Et, comme tu peux l'imaginer, leur devoir, même s'il est sacré, est difficile à supporter. C'est un terrible supplice, de prétendre aimer quelqu'un pendant trois, quatre ou cinq ans, de vivre pendant si longtemps dans le mensonge.

— Non ! cria Tillman, haletant.

Il se releva et fit un pas vers Kuutma. Kuutma leva son arme et Tillman arrêta.

— C'était une incroyable malchance, dit Kuutma avec plus de véhémence qu'il ne l'aurait voulu. Une chance sur deux ou trois mille. Et elle a été choisie. Mais étant Kuutma, j'ai pensé que cela ne serait pas aussi dur pour elle que pour d'autres, que je pourrais veiller sur elle, et que je serais avec elle, d'une certaine façon, même si je ne pouvais lui parler. Je l'ai envoyée en Angleterre. Elle t'a rencontré. Elle a partagé ton lit et a eu tes enfants. Judas, qu'en ta présence elle appelait Jud, Seth et Grace. Je les ai regardés grandir et j'ai attendu mon heure. Jusqu'à ce que le jour où j'étais autorisé à l'appeler soit enfin venu. Mon Dieu, Tillman, ça a été une période difficile ! Elle n'a commis aucun péché, elle était irréprochable. Et pourtant elle s'est vautrée dans tes bras à la fin de chaque journée. J'ai compati à sa douleur. Parfois… (Pourquoi disait-il tout cela ? Pourquoi s'était-il tant éloigné des paroles qu'il avait préparées ?) Parfois, les gens oublient cela. Ils oublient le sacrifice que les Kelim font pour nous. Le sacrifice de leur propre chair. Parfois les femmes découvrent, à leur retour, que personne ne veut d'elles. En tant qu'épouses, je veux dire. Mais je lui ai offert… Je lui ai fait don de moi-même, dit Kuutma en refoulant ses larmes. Je lui ai dit que rien n'avait changé entre nous. Je lui ai dit que je l'épouserais et élèverais ses enfants. Mais elle a choisi la mort. Elle s'est sentie si profondément souillée par ton contact, qu'elle ne pouvait plus croiser le regard d'un honnête homme, ni accepter son amour. Tu m'entends, Tillman ?

— Je t'entends, dit Tillman entre ses dents. Triste con, elle t'a repoussé. Elle t'a repoussé parce qu'elle m'aimait encore.

Kuutma hurla. Il ne pouvait s'en empêcher. Il parcourut la distance qui le séparait de Tillman en quelques pas et le frappa en plein visage, lui fracassant le nez avec la crosse de son revolver. Tillman chancela, mais Kuutma lui donna un coup de pied dans le ventre avant qu'il ait le temps de tomber. Et, ne l'ayant toujours pas mis à terre, Kuutma lui donna un autre coup de crosse sur le côté de la tête. Il finit par s'écrouler à terre.

— Elle ne t'aimait pas ! hurla Kuutma. Elle ne t'a jamais aimé ! On ne se tue pas parce qu'on aime quelqu'un !

À bout de souffle et incapable de se relever, Tillman se mit à genoux. Kuutma mit une balle dans le Sig-Sauer et ôta le cran de sûreté. Il appuya le revolver contre la tête de Tillman.

Mais il reprit le contrôle de lui-même avant d'appuyer sur la détente. Il était presque prêt. Mais il ne pouvait envoyer Tillman dans les ténèbres, pas encore. Il devait lui raconter la suite et regarder son âme aller croupir en enfer.

— Ta fille…, dit Kuutma, elle ne s'appelle plus Grace. C'est Tabe. Elle a été élevée par des inconnus et on lui a appris à te haïr. Elle est si heureuse parmi nous, Tillman. C'est une artiste. Elle peint. Il y a tant de beauté en elle qui se déverse de ses doigts pour être offerte au monde. Tu m'entends ? Ta fille adore la vie que je lui ai donnée ! Avant de venir ici, je suis allé la voir. Je lui ai dit que j'allais te tuer et je lui ai demandé sa bénédiction. Elle me l'a donnée avec joie. « Pourquoi devrais-je me soucier de ce qui arrive au père de ma chair ? » a-t-elle dit. Et quand j'en aurai fini avec toi, Tillman, je retournerai auprès d'elle. Je lui dirai comment tu es mort et elle m'embrassera la main et me bénira.

Tillman tremblait. Pendant un instant, Kuutma pensa que c'était la peur qui le faisait trembler.

— Elle est en vie ! sanglota Tillman. Ma Grace est en vie !

Dans un excès de rage, Kuutma lui cria :

— Elle te déteste ! Tu ne m'as pas entendu ? Elle te hait !

Les mains de Kuutma tremblaient aussi à présent, mais il savait qu'il avait l'argument qui allait achever Tillman.

— Tes fils… commença-t-il.

Un mouvement au-dessus de lui attira son regard. Quelque chose tombait. Kuutma fit un bond de côté, et vit une urne ornementale poussée d'une haute terrasse, au-dessus de sa tête, s'écraser sur le sol exactement à l'endroit où il se tenait un instant plus tôt.

— À quel point Dieu t'aime-t-il, Kuutma ? lança une voix qui résonna dans les airs.

C'était la voix de Rebecca.

67

Six mois aux stups, c'était le minimum pour pouvoir compter sur un CV comme véritable expérience. Autrement dit, les connaissances de Kennedy en matière de stupéfiants étaient bourrées de lacunes.

Mais elle savait néanmoins qu'un usager de méthamphétamine sur cinq finissait par succomber à une maladie mentale incurable, que les cliniciens appelaient la psychose amphétaminique. Et Brand en avait pris régulièrement pendant au moins treize ans. Il était forcément au moins un peu dingue.

Kennedy descendit lentement les marches qui menaient à Brand, et à Tillman. Elle avait perdu le revolver que lui avait donné Tillman, mais elle avait ramassé un barreau de chaise qu'elle tenait tout contre elle, espérant qu'on ne le remarquerait pas.

Elle s'était lancée dans une improvisation désespérée. Tout ce qu'elle voulait faire en réalité, c'était empêcher ce salaud de terminer sa phrase. Elle semblait avoir réussi à attirer son attention, il ne lui restait plus qu'à continuer.

— À quel point Dieu t'aime-t-il ? répéta-t-elle, avec le même ton glacial.

Kuutma ne répondit pas. Il semblait incapable de parler. Il avait les yeux fixés sur elle à mesure qu'elle descendait, et eut un mouvement de recul involontaire.

— J'ai l'impression, dit Kennedy, que ceux qu'Il aime, Il les protège. Il apporte aux fidèles une récompense sur Terre et punit les païens. C'est comme ça que ça se passe, non ?

Kuutma se mit à rire, ce qui n'était pas du tout la réaction que Kennedy espérait.

— Ce n'est que toi ! Pendant un instant, j'ai cru…, dit-il avant de s'interrompre, semblant à peine émerger de son précipice intérieur. Dieu aime les gens. Mais Il est notre allié. Seul le Dieu déchu se soucie de toi.

Kennedy était arrivée au bas des marches à présent, et n'était qu'à quelques mètres de Kuutma. Elle continua, comme si elle ne l'avait pas entendu.

— Il commence à se faire tard… Vingt ans de retard… Vous étiez supposés attendre pendant trente siècles, et ensuite cela aurait dû être à votre tour de monter sur le trône. Mais les trente siècles se sont écoulés, et vous vivez encore ici dans le noir comme des cafards, à vous cacher du reste du monde. Et vos murs sont de moins en moins étanches parce que le monde est de plus en plus petit. La surveillance satellite, la surveillance de données, les passeports biométriques et les empreintes génétiques… tout cela complique sérieusement votre tâche. Même les factures d'électricité te trahissent, Kuutma. Et tu attends, tu attends et Dieu ne vient toujours pas, tu dois te sentir comme la pauvre fille qui attend dans son coin et que personne ne vient jamais inviter à danser. Et que valent tous tes meurtres, en fin de compte, si tu n'es pas un être saint ? Si Dieu ne t'a pas donné sa bénédiction, alors qu'en est-il de tout le sang répandu sur ton âme ?

— Il n'y a pas de sang sur mon âme, dit Kuutma.

Il fit un pas vers elle, tenant toujours le revolver à la main, dirigé contre son cœur, et il sortit un de ses sales couteaux de l'autre main.

— Je suis pardonné, ajouta-t-il.

— Mais seulement pour les meurtres, pas pour les mensonges. Alors, dis-moi la vérité sur une chose, Kuutma, avant de me tuer.

Tenant le couteau à hauteur d'épaule, il inclina légèrement la lame et tendit sa main en arrière, prêt pour le lancer.

— Je t'écoute, dit-il.

— Est-ce que tu as fait toutes ces horreurs uniquement parce que tu ne pouvais pas faire de cochonneries avec Rebecca ?

Kuutma lança le couteau.

Kennedy avait pris la décision de se jeter sur la droite. C'était le mauvais côté, mais cela la sauva malgré tout. Son plâtre était fixé autour d'un cadre en acier et le couteau vint frapper un des montants métalliques. La lame rebondit, effleurant la joue de Kennedy.

Kuutma prit un second *sica*. Kennedy se jeta en avant, et d'un geste elle fit voler la lame avec le barreau de chaise. Il ne restait plus que le Sig-Sauer. Il le leva sur Kennedy qui n'avait toujours pas repris son équilibre, et Kuutma s'apprêtait déjà à appuyer sur la détente, quand le bruit assourdissant d'une explosion lui fit baisser les yeux, avec horreur, sur son propre torse. Une tache de sang s'étala sur l'ensemble de son torse en deux vertigineuses secondes.

Tillman n'avait pas eu confiance en sa capacité à viser : il était trop mal en point, il avait trop le vertige, et ses mains tremblaient trop. Le seul fait de sortir son Unica de sa ceinture et d'ôter la sûreté lui avait demandé un effort de concentration presque trop intense pour lui.

Il s'était relevé de façon laborieuse, tandis que Kuutma débattait de théologie avec Kennedy, avançant vers lui à une lenteur extrême. Kuutma n'avait pas semblé le remarquer, contrairement à Kennedy. Elle avait tenu bon et avait continué de parler, présentant la cible la plus facile à atteindre du monde.

Et Tillman avait fini par relever son revolver, à quelques centimètres du dos de Brand.

Il le pointa dans la bonne direction.

Il appuya sur la détente.

Kuutma tomba à genoux, les yeux toujours braqués sur Kennedy, le regard ébahi par l'étonnement.

— Dieu…, dit-il d'une voix étranglée. Dieu est mon…

— Dieu pense, lui dit Kennedy d'une voix glaciale, que tu es un menteur et un salaud de tueur.

Kuutma ouvrit la bouche pour répondre, mais la mort eut le dernier mot.

68

RÉSUMÉ DE L'INTERROGATOIRE DE L'OFFICIER FELIPE JUAREZ, MEXICO, MENÉ PAR LE LIEUTENANT JESUS-ERNESTO PENA, POLICE FÉDÉRALE. 15H30.

Lieutenant Pena :	L'appel à l'aide venait-il du site même ?
Officier Juarez :	C'est ce que j'ai cru sur le moment. Mais l'appel était difficile à localiser. Comme vous le savez, dans une zone aussi densément peuplée, interroger les compagnies de téléphonie mobile est souvent... peu pratique.
Pena :	S'agissait-il d'un homme ? La voix que vous avez entendue ?
Juarez :	Oui.
Pena :	Et il a indiqué un endroit précis, à Xochimilco ?
Juarez :	Oui, il a parlé d'un entrepôt, sur un site ayant appartenu à la United Fruit Company. Ses propriétaires actuels sont difficiles à déterminer. Il semble y avoir un conglomérat d'entreprises, la plupart sont basées en Afrique ou au Moyen-Orient. C'est très confus.
Pena :	Dites-moi ce que vous avez trouvé quand vous êtes arrivé sur place.
Juarez :	Lieutenant, c'est presque impossible à décrire. C'était un complexe souterrain, presque comme une petite ville. Il y avait eu une inondation, mais tout était presque intact. Un truc incroyable. Si quelqu'un

m'avait dit qu'un tel endroit existait, je me serais moqué de lui.

Pena : J'ai vu les photos, Officier Juarez. Et je suis d'accord, c'est impressionnant. Je crois que vous avez trouvé deux personnes sur place, quand vous êtes arrivé ?

Juarez : Un homme et une femme. Tous deux blessés – l'homme, plus gravement. Il avait une blessure à l'abdomen et une autre au visage. La femme avait été battue et elle semblait aussi avoir une blessure du côté gauche. Elle avait une veste enfilée sur les épaules, alors je n'ai pas pu voir son bras.

Pena : Et il y avait un cadavre.

Juarez : Oui, c'est exact. Un deuxième homme était présent, et il était mort. Il avait reçu une balle dans le torse. J'ai d'abord supposé que l'un des deux, ou les deux, l'avaient tué, j'ai donc essayé de procéder à une arrestation. Mais je n'y suis pas parvenu. L'homme a pris l'avantage sur moi, et il m'a forcé à lui donner mon arme.

Pena : Il a pris l'avantage sur vous. En dépit de ses blessures ?

Juarez : Lieutenant, il était aussi rapide qu'un serpent. Cet homme est un ex-soldat. Je n'ai aucun doute là-dessus. Vous avez vu les armes et les munitions qu'il a laissées derrière lui – un véritable arsenal. Et il avait l'air un peu dingue. Déséquilibré. Si j'étais venu avec des renforts, j'aurais pu avoir une chance contre lui – contre eux deux. Mais seul, je n'en avais aucune.

Pena : Dites-moi ce qui s'est passé ensuite.

Juarez : Ils m'ont emmené jusqu'à un escalier et m'ont montré que les niveaux inférieurs avaient été inondés. Ils m'ont expliqué que l'eau avait été empoisonnée – un truc neurotoxique – et que cela ne devait pas, sous aucun prétexte, se retrouver dans l'eau potable. L'eau devait rester là, sous surveillance, jusqu'à ce qu'on l'évacue et qu'on la traite. C'était la vérité ?

Pena : On ne peut pas divulguer ces informations, Officier Juarez.

Juarez :	Non, bien sûr que non. Mais je sais que le site a été fermé pendant quatre-vingt-dix jours, et qu'une zone de trois pâtés de maisons a été bouclée, avec des panneaux « Attention danger » à tous les coins de rue.
Pena :	C'est classé confidentiel.
Juarez :	Et la transmission par satellite ? J'ai entendu une rumeur selon laquelle, pendant les jours qui ont précédé, des centaines de camions sont venus à l'entrepôt et en sont repartis. Mais personne ne sait ce qu'ils transportaient.
Pena :	Classé confidentiel.
Juarez :	Et qu'il y avait des tunnels, qui conduisaient vers d'autres sites, qui se trouvaient aussi à Xochimilco. Qu'il y avait des maisons, des réserves, des piscines, des gymnases et…
Pena :	Dites-moi ce qui s'est passé ensuite.
Juarez :	Ce qui s'est passé ensuite ? L'homme et la femme m'ont raconté une histoire incroyable. Enfin, ça aurait semblé incroyable n'importe où ailleurs. Mais là où nous nous trouvions à ce moment-là, cela ne semblait pas si difficile à croire. L'homme avait perdu sa femme et ses enfants. Et la femme, son partenaire. L'homme qu'ils avaient tué avait assassiné un grand nombre de gens et avait essayé de détruire ma ville. Ma famille. Mes amis. Tous ceux que je connaissais. Vous vous rendez compte ?
Pena :	Oui, je me rends compte. Et ensuite ?
Juarez :	Ils m'ont attaché les mains, mais sans trop serrer, et l'homme m'a dit qu'il vaudrait mieux pour moi ne pas essayer de les suivre.
Pena :	Avez-vous essayé de les suivre ?
Juarez :	J'ai fini par le faire, oui. Mais ils étaient déjà partis. Je n'ai pas retrouvé leur trace.
Pena :	Combien de temps s'était-il écoulé à ce stade ?
Juarez :	Peut-être quinze ou vingt minutes.
Pena :	Il vous a fallu quinze ou vingt minutes pour vous détacher les mains alors qu'il y avait un couteau à vos pieds ?

Juarez :	Il faisait noir, je n'ai pas vu le couteau.
Pena :	Ni aucun autre couteau, comme celui qui était dans la ceinture de l'homme mort ?
Juarez :	Il faisait noir. Je n'ai pas vu…
Pena :	Oui, merci Officier Juarez. Je crois que je comprends. Revenons au bulletin de police 1217. Cela concerne une femme qui s'est échappée d'un hôpital de Kingman, en Arizona, où elle était sous surveillance policière. Elle s'est évadée avec l'aide d'un homme, en passant par la fenêtre, à l'aide d'une corde de rappel.
Juarez :	Oui, je l'ai lu.
Pena :	Regardez les photos. S'agit-il de l'homme et de la femme que vous avez vus ?
Juarez :	D'après ce que j'ai compris, les charges contre la femme n'ont pas été retenues parce que le shérif du comté a témoigné en sa faveur, indiquant que la femme l'avait en fait sauvé de son agresseur.
Pena :	L'homme est toujours recherché. Regardez les photos.
Juarez :	Il me semble – si l'eau était réellement empoisonnée – que l'homme qui est mort dans l'entrepôt était un fils de pute d'empoisonneur qui méritait d'être tué.
Pena :	Il me semble que si je voulais connaître votre opinion sur la question, je vous la demanderais. Regardez les photos.
Juarez :	Ce n'était pas eux. Je regrette de ne pouvoir vous aider, Lieutenant.
Pena :	Je regrette de ne pouvoir vous mettre les couilles dans un étau.
Juarez :	Il y a si peu de gens qui arrivent à être réellement heureux en ce monde.

69

Elle rentra chez elle.

Elle avait un foyer où elle pouvait rentrer.

C'était un appartement, dans lequel son père attendait. Elle lui raconta toute l'histoire – là où elle était allée, ce qu'elle avait fait, même si elle savait qu'il ne comprenait pas. Elle n'avait pas non plus compris ce qu'il lui avait raconté. Le mieux à faire, c'était d'écouter, quand l'occasion se présentait.

Quelqu'un d'autre l'attendait, dans une autre pièce, pas très loin. Il y eut quelques paroles un peu obscènes, et ensuite, d'autres choses pour lesquelles il n'est pas nécessaire de parler.

— J'ai toujours cru que tu étais hétéro, murmura Kennedy à l'oreille d'Izzy.

— Ne parle pas de malheur ! répondit Izzy en riant. Pas depuis mes quinze ans.

— Mais tu étais si crédible au téléphone…

Izzy la regarda avec un sourire malicieux, et se mit sur elle à califourchon.

— C'est un langage universel, ma chérie. Mais ce sont les actes qui comptent.

70

Il rentra chez lui. La maison était toujours vide.

Mais le vide lui semblait différent à présent. Il savait que sa femme était morte en l'aimant, en pensant à lui. Qu'elle n'avait pas voulu le quitter et ne pouvait imaginer une vie sans lui, pas plus qu'il n'avait réussi à reconstruire une vie sans elle.

Il savait que ses enfants étaient en vie, quelque part dans le monde, et qu'ils étaient heureux.

Il considérait sa solitude comme un autel, dans lequel il gardait ce qu'il avait de plus précieux : ses souvenirs de leur vie ensemble, de leur famille, dont plus personne ne se rappelait à présent.

Parce qu'il vivait, tout était vrai. Parce qu'il s'en souvenait, ils étaient avec lui.

En dehors de cela, qu'est-ce qui pouvait avoir de l'importance ?

71

— Une lettre pour vous, Web. Y'a la tête de la reine d'Angleterre dessus, alors je suppose que ça vient d'Angleterre. Qui est-ce que vous connaissez là-bas ?

Connie tendit la lettre au shérif Gayle, puis lui tourna autour avec l'air de quelqu'un qui est sur le point de faire quelque chose d'important, sans réellement se décider.

— Merci, Connie, dit Gayle.

— Oh, je vous en prie, lui dit-elle.

Mais il n'avait pas fait mine de vouloir l'ouvrir ; en fait, il l'avait mise de côté d'un air détaché, et Connie avait fini par quitter son bureau, s'avouant vaincue.

Quand elle fut partie, Gayle prit l'enveloppe, l'ouvrit et en sortit la lettre. Elle venait d'Heather Kennedy. Il l'avait déjà deviné, car elle était la seule Anglaise qu'il ait jamais rencontrée.

Cher Web,

Je suis tellement désolée de ne pas avoir pu me rendre aux funérailles d'Eileen. En vérité, je suis partie de Mexico in extremis, et j'ai eu peur, si je revenais en Arizona, qu'on ne me laisse pas partir. Je sais que les charges qui pesaient contre moi ont été abandonnées, mais il y avait également tous les dégâts occasionnés par Tillman quand il m'a fait évader de l'hôpital, et d'autres trucs qui se sont passés à Mexico, et qui étaient encore plus dingues.

C'est pour cela que je vous écris, à vrai dire. Je pense que vous ayez le droit de savoir comment tout cela s'est terminé. Vous avez perdu bien plus que moi dans cette histoire, et ce n'est pas une perte qui peut être remplacée, alors ceci – ce récit – est tout ce que je peux vous donner. Et mes remerciements, du fond du cœur, pour tout ce que vous avez fait pour moi.

Gayle poursuivit sa lecture, pendant près d'une heure. Il s'interrompit seulement quand Connie lui apporta un café, et lui tourna à nouveau autour. Il attendit de nouveau qu'elle sorte, puis reprit sa lecture.

Cette histoire aurait été du pain bénit pour Moggs ! Elle aurait su y apporter tant de nuances et de couleurs !

Ce n'est que lorsqu'il arriva à la fin, à la dernière page, qu'il comprit réellement de quoi il retournait. Il changea d'avis sur beaucoup de choses, à ce moment-là. Ce n'était pas un secret qui était facile à garder. Pas pour Kennedy en tout cas, qui connaissait ce Tillman, et qui lui devait la vie. Et Moggs n'aurait jamais raconté l'histoire telle qu'elle était, parce qu'elle n'était vraiment pas assez cruelle pour cela.

Je me suis replongée dans la traduction de Gassan, et j'ai enfin pu comprendre certains détails précis. Cela avait beaucoup plus de sens pour moi, après avoir vu les lieux. Les enfants des Kelim gardaient le nom qui leur avait été donné à la naissance, tant que ces noms avaient été choisis par la mère. Si c'était le père qui les avait choisis, les enfants étaient rebaptisés par le peuple.

Je pense que dans le cas des enfants de Rebecca, Brand voulait effacer tout ce qu'il pouvait de leur passé. Il n'y avait rien à redire aux noms qu'ils portaient déjà, mais il leur en donna de nouveaux, malgré tout. Et je connaissais ces noms. La femme qui a failli nous tuer tous les deux à Santa Claus me les a révélés en mourant.

Grace, la fille, est devenue Tabe.

Les fils – Ezei et Cephas – sont morts au Colombier.

Gayle referma la lettre et la rangea dans le tiroir de son bureau. Puis, il pensa qu'il était préférable de la passer à la déchiqueteuse du bureau. Mais ensuite, il eut une bien meilleure idée. Il se servit du briquet d'Anstruther pour la brûler jusqu'à ce qu'il n'en reste rien.

Regardant à travers la vitre de la réception, Connie contempla avec nostalgie une excellente source de commérages sur laquelle elle ne mettrait jamais la main.

Marquis imprimeur inc.

Québec, Canada

2011